SOBRE A GUERRA

Dados Internacionais de Catalogação na Publicação (CIP)
(Câmara Brasileira do Livro, SP, Brasil)

Sobre a guerra / José Luís Fiori , (organizador). –
Petrópolis, RJ : Vozes, 2018.

Vários autores.

Bibliografia.

1ª reimpressão, 2019.

ISBN 978-85-326-5857-9

1. Economia política 2. Ética 3. Geopolítica
4. Guerra – História 5. Moral 6. Relações internacionais.
I. Fiori, José Luís.

18-18251   CDD-320

Índices para catálogo sistemático:
1. Guerra : Ciência política   320

Maria Paula C. Riyuzo – Bibliotecária – CRB-8/7639

JOSÉ LUÍS FIORI
(organizador)

SOBRE A GUERRA

EDITORA
VOZES

Petrópolis

© 2018, Editora Vozes Ltda.
Rua Frei Luís, 100
25689-900 Petrópolis, RJ
www.vozes.com.br
Brasil

Todos os direitos reservados. Nenhuma parte desta obra poderá ser reproduzida ou transmitida por qualquer forma e/ou quaisquer meios (eletrônico ou mecânico, incluindo fotocópia e gravação) ou arquivada em qualquer sistema ou banco de dados sem permissão escrita da editora.

CONSELHO EDITORIAL

Diretor
Gilberto Gonçalves Garcia

Editores
Aline dos Santos Carneiro
Edrian Josué Pasini
Marilac Loraine Oleniki
Welder Lancieri Marchini

Conselheiros
Francisco Morás
Ludovico Garmus
Teobaldo Heidemann
Volney J. Berkenbrock

Secretário executivo
João Batista Kreuch

Editoração: Fernando Sergio Olivetti da Rocha
Diagramação: Sheilandre Desenv. Gráfico
Revisão gráfica: Nilton Braz da Rocha / Nivaldo S. Menezes
Capa: Idée Arte e Comunicação
Ilustração de capa: A rendição de Breda ou *As lanças* (*De Breda o Las Lanzas*), de Velázquez, 1635. Museu do Prado, Madri.

ISBN 978-85-326-5857-9

Editado conforme o novo acordo ortográfico.

Este livro foi composto e impresso pela Editora Vozes Ltda.

Πόλεμος πάντων μὲν πατήρ ἐστι, πάντων δὲ βασιλεύς, καὶ τοὺς μὲν θεοὺς ἔδειξε τοὺς δὲ ἀνθρώπους, τοὺς μὲν δούλους ἐποίησε τοὺς δὲ ἐλευθέρους (53).
A guerra é o pai de todas as coisas, e de todas o rei; de uns fez deuses, de outros, homens; de uns, escravos, de outros, homens livres (53).

εἰδέναι δὲ χρὴ τὸν πόλεμον ἐόντα ξυνόν, καὶ δίκην ἔριν, καὶ γινόμενα πάντα κατ' ἔριν καὶ χρεών (80).
É necessário saber que a guerra é comum a todos e a justiça se faz no conflito, e que todas as coisas nascem e morrem pelo conflito (80).

Heráclito de Éfeso (521-487 a.C.)

Sumário

Apresentação, 9
José Luís Fiori

Prefácio, 11
Guerra do golfo: uma guerra ética, 13
José Luís Fiori

I – Evolução e conflito, 21

Guerra, ética e etologia, 23
Daniel de Pinho Barreiros

Evolução e moralidade, 47
Tiago Nasser Appel

II – Guerra e ética, 73

Dialética da guerra e da paz, 75
José Luís Fiori

Guerra e ética em Aristóteles, 103
Mário Máximo

Guerra, *virtù* e ética em Maquiavel, 119
Mauricio Metri

Guerra e liberdade em Mill, Kant e Hegel, 152
Andrés Ferrari Haines

Guerra e violência na teoria marxista, 180
Carlos Eduardo Martins

Guerra e moral internacional em Carr, Aron e Morgenthau, 207
Paulo Vitor Sanches Lira

Guerras humanitárias e ordem ética, 231
Juliano Ernani Malengreau Fiori

III – Economia e geopolítica, 257

Guerra, moeda e finanças, 259
Ernani Teixeira Torres Filho

Guerra e dinâmica sociopolítica, 290
Ricardo Zortéa Vieira

Guerras hegemônicas e ordem internacional, 319
Hélio Caetano Farias

A geopolítica estadunidense e a Eurásia, 340
Raphael Padula

A visão confuciana e a geopolítica chinesa, 371
Milton Reyes Herrera

Epílogo – Ética cultural e guerra infinita, 397
José Luís Fiori

Colaboradores, 405

Apresentação

Este livro reúne 14 capítulos escritos a partir da nossa pesquisa sobre o tema da "guerra" e da "moral internacional", que vem sendo desenvolvida dentro do Programa de Economia Política Internacional, da Universidade Federal do Rio de Janeiro. Seu objetivo inicial foi estudar as relações entre a "guerra" e a "ética", mas o próprio avanço da pesquisa alargou seu objeto e seu escopo inicial, na direção do passado, da história de longa duração, e na direção do futuro e de outras dimensões do fenômeno da guerra que não estão diretamente conectadas com a sua "dimensão ética".

Nossa pesquisa ainda não foi concluída, nem é provável que ela venha a ter uma conclusão definitiva, devido à complexidade do seu objeto. Mas os trabalhos que já foram escritos aparecem reunidos neste volume, divididos em três grandes blocos temáticos: o primeiro trata das raízes evolucionárias da violência e da moral, mesmo antes que a violência adquirisse a organicidade estratégica das guerras entre os impérios e os estados nacionais; o segundo aborda o tema central da pesquisa, ou seja, a relação da "guerra" com a "paz", com a "justiça" e com a construção progressiva de uma ordem ética e jurídica capaz de regular as relações entre os povos; e, finalmente, o terceiro bloco discute as relações entre a geopolítica, a geoeconomia e a origem e dinâmica societária das próprias guerras.

Além disso, este livro inclui um prefácio que reedita um artigo de 1991, sobre a "Guerra do Golfo", pela importância histórica daquela guerra, e pelo papel que esse artigo teve no desenvolvimento posterior da nossa investigação. E inclui também um epílogo que fala da nova "estratégia de segurança" dos Estados Unidos, divulgada em dezembro de 2017, com o anúncio de que o governo norte-americano abrirá mão, daqui para frente, da ideia da existência de uma "ética universal", e, como consequência, também, do projeto iluminista de conversão dos povos e nações de todo o mundo aos "valores ocidentais". Uma mudança radical na política externa dos Estados Unidos, e uma imensa incógnita no futuro do sistema internacional.

José Luís Fiori
Rio de Janeiro, abril de 2018.

Prefácio

Este prefácio reedita um artigo que escrevemos, em 1991, sobre a "Guerra do Golfo". Seu principal objetivo, naquele momento, era criticar a tese defendida por Norberto Bobbio – e vários outros intelectuais – de que a "Guerra do Golfo" era uma "guerra justa", segundo os critérios formulados por Cícero e retomados por Santo Agostinho e Santo Tomás, antes de se transformar num lugar-comum do pensamento cristão, durante toda a Idade Média. Diferentemente de Bobbio e seus seguidores, nosso ponto de vista, naquele momento, era que a "Guerra do Golfo" não seria uma "guerra justa", mas uma "guerra ética", porque estava sendo travada num momento de inflexão da história internacional, e estava operando – independentemente de seus objetivos imediatos – como forma de definição das novas regras, e das novas hierarquias do sistema mundial, depois do fim da Guerra Fria.

Este artigo foi publicado originalmente nos Cadernos de Conjuntura, *do Instituto de Economia Industrial da Universidade Federal do Rio de Janeiro (n. 8, 1991), sob o título de "A Guerra Pérsica, uma guerra ética". Nossa decisão de republicá-lo 27 anos depois, na forma de um prefácio, é porque o tempo passado confirmou a importância decisiva daquela guerra para a "ordenação ética" e o desenvolvimento posterior do sistema mundial, e porque, afinal, este artigo se transformou no primeiro passo da pesquisa que culminou com a publicação deste livro,* Sobre a guerra.

Guerra do Golfo: uma guerra ética
José Luís Fiori

I

1. A paralisia norte-americana frente à destruição dos rebeldes xiitas e curdos por parte de Saddam Hussein, seu arqui-inimigo – de um mês antes – só tem conseguido aumentar a perplexidade mundial. Perplexidade dos políticos que tentam decodificar as novas coordenadas do direito internacional decantadas pela guerra. Perplexidade, dos intelectuais e dos moralistas, em particular de todos aqueles que ou viram na guerra um ato justo ou, pelo menos, o último dos atos injustos. Uma discussão que alguns consideraram pela velocidade da derrota iraquiana. E que outros consideram reaberta pela violência do ato e pela durabilidade das consequências sociais e ecológicas produzidas pela guerra. A maior surpresa, contudo, não esteve na retomada da discussão iniciada e reaberta por Norberto Bobbio. Parecia uma sina inevitável que esse debate se deslocasse para as academias, ocupando, por longo tempo ainda, suas dissertações de cátedra. A maior surpresa, como dissemos, veio do mundo "real", do mundo da própria guerra, onde o *ex abrupto* iluminista que logrou destruir um povo em 40 dias deu lugar à mais completa paralisia e indefinição dos vencedores. Como explicar esta duplicidade de comportamento? Como sustentar, ainda, a ideia de uma guerra feita em nome dos direitos do homem? Afinal, e ainda uma vez, para que se fez esta guerra que reconduziu o Iraque à "idade pré-histórica", segundo observadores das próprias Nações Unidas?

2. Mas a verdade é que Norberto Bobbio não esteve só. Muito pelo contrário, pois a confusão intelectual e ética que precedeu a guerra foi enorme e tomou conta dos intelectuais de todos os matizes e de todos os quadrantes ocidentais, envolvendo, uma vez mais e de forma dramática, os socialistas da Europa Ocidental, capitaneados, na ação prática, por F. Gonzáles e F. Mitterrand. Pareceu que, repentinamente, todos tivessem acreditado que esta fosse a última das guerras contra a derradeira emanação satânica da irracionalidade. Um preço lamentável, mas indispensável para alcançar a meta-história, ultrapassando o obstáculo final à instauração de uma ordem fundada na razão, como sempre sonhou o racionalismo europeu.

3. Talvez esse equívoco tenha algumas razões mais imediatas e perfeitamente visíveis. Ninguém desconhece que a guerra foi deslanchada com a invasão do Kuwait, ocorrida poucos dias após os encontros dos dirigentes das principais economias capitalistas do mundo, em Houston e Dublin. Aí reconheceram-se e sacramentaram-se o fim da Guerra Fria, a vitória acachapante da liberal-democracia e a afirmação inconteste do mercado como (velho-novo) grande princípio organizador da ordem mundial que nascia das ruínas do Muro de Berlim. Tudo fazia crer que ali se abriam as portas a uma ampla colaboração mundial fundada no respeito aos direitos humanos e dinamizada pelo esforço de indivíduos empreendedores, igualmente fascinados com a hora da paz universal kantiana. Não foi por acaso que a imprensa mundial elevou à categoria de uma intuição inovadora a cansada e vulgarizada repetição do Sr. Fukuyama, de que a história, uma vez mais, chegara ao seu final. Aliás, neste sentido, o Sr. Fukuyama – que talvez nem tenha muita culpa pelo que fizeram de seu artigo – também teve que rever sua profecia, depois da guerra, e reinventar uma nova divisão estamental do mundo, entre povos que já chegaram e os que ainda não chegaram ao fim da história (onde, aliás, talvez nunca cheguem). Algo de fazer Hegel e Marx estremecerem na tumba, pela simploriedade dos argumentos recentemente apresentados no Brasil a uma plateia de empresários embevecidos e entusiasmados.

4. Assim mesmo, não se pode desconhecer que a impressionante demonstração de força dos norte-americanos e seus 27 aliados ocorreu no exato momento em que parecia atingir seu ápice a trajetória ascendente da "era neoconservadora", que no seu apogeu assumiu a forma de uma apoteose liberal dos direitos humanos, festejados de forma eufórica no desfile carnavalesco das várias tribos mundiais através da Champs-Elysées no bicentenário da Revolução Francesa. Era uma espécie de comemoração antecipada da grande vitória da razão iluminista, na sua versão benigna ou liberal. Como disse um autor, comentando o clima filosófico da França no período a que estamos nos referindo:

> [...] respirava-se naquele momento na França filosófica (e na Europa política, acrescentaríamos nós) um clima de inegável restauração. Retorna-se aos direitos do homem e a tudo o mais que se insinua por essa brecha; redescobre-se a liberdade luminosa do sujeito, como assegura um discípulo comentando a última reviravolta de Foucault; retorna-se à metafísica e aos valores da república; redescobrem-se a democracia, a filosofia perene e as virtudes argumentativas do pensamento anglo-saxônico; pela enésima vez, retorna-se a Kant e multiplicam-se as manifestações de adesão à irradiação cosmopolita da Europa ilustrada [...][1].

---

1. ARANTES, P. Tentativa de identificação da ideologia francesa. *Revista Novos Estudos Cebrap*, n. 28, out./1990.

5. O clima eufórico, confirmado e potencializado pela derrota econômica, política e intelectual do Leste socialista, viu-se certamente reforçado na complacência ética dos intelectuais europeus, e de quase todo mundo, pelo fato inequívoco de que esse *ex abrupto* iluminista ocorresse no Oriente Médio, frente a uma velha e adversária cultura defendida pelo que seria o "último filho" da Guerra Fria, destruído por uma verdadeira "liga das nações", majoritariamente "civilizadas", responsáveis, aliás, pela desorganização onipotente e pelo armamento militar de sua criação política.

6. Tudo parecia claro, e a hipocrisia dos argumentos dissolvia-se no manejo envolvente e global da informação. Só depois do massacre humano e do desastre ecológico produzido pela guerra é que, aparentemente, as opiniões e os juízos de fato começaram a mudar. Afinal, a guerra transformara-se em fenômeno um tanto fantasmagórico, uma verdadeira construção de alguma fantasia delirante. Isto se não fosse pelo balanço preliminar, feito pelos vitoriosos, que somaram em torno de 150.000 mortos de um lado e cerca de 150 do outro, o que já é, *de per si*, inverossímil ou pouco cabível no conceito clássico de guerra. É como se não tivesse ocorrido um enfrentamento entre dois adversários, e sim uma luta entre uma monstruosa máquina bélica e sua criação imaginária. Sobretudo porque o comum dos mortais pouco pôde ver da ação das tropas de Saddam, reduzidas, durante os 40 dias de enfrentamento explícito, a um jogo de luzes e cores televisivas, além das reiteradas referências apologéticas a uma famosa Guarda Republicana, que parece só ter eficiência em conflitos locais ou civis.

7. Esses fatos e o imbróglio ideológico serão ainda examinados e reexaminados à luz de informações que, certamente, vão emergir a partir de agora. No momento, o fenômeno ainda mantém uma complexidade enigmática, devido a sua proximidade temporal. Assim mesmo, gostaria de levantar uma hipótese que parece-me organizar, de alguma forma, a "racionalidade retrospectiva" do que ocorreu. Argumentarei numa direção que, sem querer nem poder ser excludente, sublinha a ideia de que esta guerra, tendo um objetivo explícito de afirmação de uma hegemonia econômica e militar norte-americana e tendo sido terrivelmente injusta e hipócrita, foi, entretanto, uma "guerra ética", tendo entre seus objetivos implícitos a afirmação de uma nova soberania: um ato de força fundante, um "princípio do limite", condição prévia a uma ordenação ética da nova ordem mundial emergente.

II

1. Não há dúvida de que foram acontecimentos que se desenvolveram de forma paralela: ascensões do neoconservadorismo anglo-saxão e da liberal-democracia europeia deram-se paralelamente à ascensão econômica japonesa e à integração político-econômica europeia; e também em uníssono com o "declínio do Império Americano", diagnosticado por alguns e contestado por tantos outros.

2. Um declínio da hegemonia americana realmente discutível sob vários pontos de vista – o militar e o cultural, por exemplo –, mas denunciado por algumas cifras que falam de uma erosão econômica indiscutível. Como argumento, o índice que registra a queda no ritmo de crescimento do PIB americano de 4,1% nos anos de 1960, para 2,8% nos anos de 1970; e 2,6% nos anos de 1980. O mesmo aconteceu com as cifras relativas aos ganhos de produtividade, as quais, tendo atingido um ritmo anual de crescimento de 1,9% na década de 1960, baixaram para 1,4% nos anos de 1970 e para 1,2% nos anos de 1980. Da mesma maneira, se a indústria de alta tecnologia americana controlava, em 1980, 73% do mercado mundial de fibras óticas, só detinha, em 1988, 42% deste mercado. O mesmo ocorreu com o de semicondutores, onde a indústria americana passou de um controle de 60% em 1980 para 36% em 1988.

3. Tudo isso foi acompanhado por um aumento vertiginoso do *déficit* comercial e da dívida pública, que se expandem em uníssono com a desregulamentação da era Reagan, marcada por uma desordem financeira que hoje empurra os Estados Unidos para uma recessão que, dificilmente, será contrarrestada pelos efeitos energizantes da própria guerra. Do ponto de vista econômico, portanto, o início da década de 1990 estaria marcado pelo paradoxo de uma Guerra Fria vencida sem armas, mas simultânea a uma erosão da credibilidade econômica americana, expressa, de forma inequívoca, pelo declínio continuado do dólar frente a seus concorrentes mais imediatos, o marco e o iene, já percebido durante toda a década de 1980.

4. Nesta linha de argumentação, tudo estaria indicando que a Guerra do Golfo cumpriu uma função explícita de recuperação de credibilidade. Credibilidade de poderio militar e tecnológico americano sem dúvida, mas sobretudo, e como consequência, credibilidade da moeda e da economia norte-americanas. Uma verdadeira recuperação de fôlego frente a seus parceiros-competidores japoneses e europeus (alemães, em particular) e um recado, absolutamente claro, ao endividado Terceiro Mundo sobre a existência, ainda, de uma potência hegemônica. Retomando o tema de nossas notas iniciais, o que teria uma vez mais confundido intelectuais e moralistas teria sido esta simultaneidade dissonante de uma situação marcada por uma vitória ideológica e por uma derrota ou declínio econômico.

III

1. Por que acreditamos que essa guerra pérsica, ademais de tentar reafirmar a credibilidade de uma economia em processo de erosão, pretendeu também, e sobretudo, fundar uma nova e inusitada soberania? Porque a derrota socialista e a vitória alemã e japonesa parecem haver enterrado os fantasmas do comunismo e do nazismo, assim como a lembrança basilar da Segunda Guerra Mundial, a qual

permitiu uma estruturação ideológica e ética da sociedade de consumo de massas, de bem-estar social e de intensidade limitada e institucionalizada. É por isso que a retumbante vitória da retórica liberal-democrática (e da proposta de uma regulação individualista pelo mercado) e de uma convivência social, cuja força ecoa por toda a Europa do Leste (e por várias outras regiões do mundo), vem produzindo, na prática, alguns efeitos paradoxais:

I. Ativou, entre os "humilhados e ofendidos", a utopia de que as portas para a riqueza estavam abertas universalmente. Riqueza alcançável através do mercado e segundo as mesmas regras e comportamentos consuetudinariamente praticados pelas potências economicamente vitoriosas ou hegemônicas.

II. Instigou, por este caminho, comportamentos nacionais agressivos, mas, por outro lado, produziu junto com a derrocada socialista um fenômeno imigratório cujas proporções estão cada vez mais escapando ao controle de todas as autoridades nacionais. Até porque os movimentos imigratórios, obviamente, se deslocam em direção aos centros emissores da ideologia vitoriosa.

III. Produziu, de forma paradoxal, uma estranha desorganização do espaço político-ideológico e dos referenciais éticos do imaginário coletivo euro-ocidental. Este fenômeno, que já parecia existir nos Estados Unidos, hoje se estende também àqueles que, rapidamente, vão se desiludindo com a utopia liberal naqueles espaços abandonados pela utopia socialista.

2. É como se, por um lado, os poderes vitoriosos não pudessem controlar os efeitos anabolizantes de suas mensagens utópicas sobre as populações e as nações desfavorecidas. E por outro, é como se, por detrás da "liberdade luminosa do sujeito", se houvesse fragilizado no mundo do "senso comum" o balizamento ético que sempre acompanhou e/ou encobriu e racionalizou as práticas de convivência e competição mercantil. Se isto realmente ocorria, a verdade é que também se anunciava uma desaceleração conjuntural das economias capitalistas centrais, confundindo-se o quadro político europeu a partir da unificação alemã responsável pela fragilização temporária do processo de integração europeia. Isto no momento em que se desfazia a bipolaridade político-ideológica que balizou, em duas soberanias nítidas, um código ético capaz de organizar e disciplinar, de forma indiscutível, a ordem política e o imaginário mundial durante 50 anos. O vazio deixado pelo desaparecimento deste código ético, que foi durante essas décadas respaldado pelo empate nuclear, não teve e nem tem condições de ser substituído, pura e simplesmente, por um mercado mundial que, entregue a si mesmo, como bem já o viu Karl Polanyi, tenderá sempre à autodestruição, pela ausência de qualquer "princípio-limite" endógeno. Alguma ideia de bem que não seja apenas a da maximização da utilidade hedonista; alguma ideia de mal que tenha uma visibilidade histórica; e, sobretudo, algum poder primeiro e soberano capaz de fundar a própria

institucionalidade contratual do mercado, delimitando, além disso, suas hierarquias implícitas e impedindo a realização de sua tendência entrópica.

3. Nesse sentido, queremos sugerir que, simbolicamente, a derrubada do Muro de Berlim, ao glorificar a razão democrática e cosmopolita da Europa Ocidental, tirou-lhe simultaneamente o tapete debaixo dos pés, deixando a nova ordem mundial, e suas sociedades e populações, sem uma ideia clara de "contrato originário" ou de "constituição cosmopolita" definidores de um novo princípio do limite. Por isso nossa hipótese de que essa guerra veio para preencher esta lacuna, reinventar o limite e afirmar uma hierarquia, e não anunciar o nascimento de uma paz justa e duradoura, ou abrir as portas da meta-história. No buraco negro aberto pela desorganização do imaginário capitalista afirmou-se, em nosso entender, a vitória do realismo político de Immanuel Kant, por cima de seu universalismo racionalista e cosmopolita. Afinal, é o próprio Kant iluminista quem nos adverte – de forma extremamente dura e categórica – que o homem é um ser que necessita de um *senhor* para poder conviver em sociedade[2]. Uma ideia que talvez não esteja tão distante, como se poderia imaginar, do realismo materialista de Hobbes, o verdadeiro teórico dessa guerra, quando nos diz que: "é a autoridade e não a verdade que faz a lei"; e ainda: "para que as palavras "justo e injusto" possam ter lugar, é necessária alguma espécie de poder coercitivo, capaz de obrigar igualmente os homens ao cumprimento de seus pactos, mediante o terror de algum castigo que seja superior ao benefício que esperam tirar do rompimento do pacto"[3]. E foi exatamente este "poder coercitivo" que se impôs através dessa guerra que veio definir as regras do mundo que está nascendo das cinzas da Guerra Fria.

4. Do nosso ponto de vista, esse foi o objetivo principal e não declarado da Guerra do Golfo: ordenar um superpoder soberano, capaz de redesenhar "o justo e o injusto" e assentar os fundamentos da nova ética, justamente os que Platão criticava em sua *República*, nas visões de Trasímaco e de Glauco. Para eles, a nova justiça se anuncia fundada no instinto de poder e no interesse dos mais fortes, por um lado, e no instinto do medo do mais fraco, pelo outro. Algo perfeitamente antagônico à utopia racionalista da paz universal desenhada pelos vários racionalismos europeus.

---

2. "O homem é um animal que, ao viver entre outros da mesma espécie, tem necessidade de um senhor. Porque, com certeza, abusaria da liberdade em relação a seus semelhantes; e embora, como criatura racional, deseje uma lei que ponha limites à liberdade de todos, a inclinação egoísta e animal o incitará, no entanto, a excetuar-se atrevidamente a si mesmo. Por isso precisa de um senhor que lhe modere a vontade e o obrigue a obedecer a uma vontade universalmente válida, a fim de que cada um possa ser livre" (KANT, I. *Filosofia de la Historia*. Buenos Aires: Nova, 1958, p. 46).
3. HOBBES, T. *Leviatã ou matéria, forma e poder de um Estado eclesiástico e civil*. São Paulo: Victor Civita, 1983, p. 86.

IV

1. Algumas dificuldades ou contradições são de imediato antecipáveis no caminho desta nova ordem construída sobre uma ética fundada na força e no medo. Primeiramente, é bem provável que este impressionante ato de força acabe encontrando o limite de sua eficácia na própria extensão limitada em que a força foi utilizada. Isso se tornou possível porque os principais líderes e eventuais competidores da nova ordem aliaram-se, neste caso, movidos por um raríssimo interesse: a preservação do controle de uma matéria-prima que continua sendo indispensável para seu sucesso econômico. A única, aliás, sob controle de países que ainda não alcançaram o "fim da história". A extensão do consenso e da aliança militar foi responsável pelo campo aberto e limitado para o exercício puro e simples da força militar e para um controle, absolutamente sem precedentes, da circulação da informação mundial. E, neste sentido, ao impor-se o interesse do mais forte como princípio do limite fundante da nova ética, não ficou definido ainda – devido à heterogeneidade do executor – quais serão, daqui para a frente, o sujeito e o conteúdo deste interesse, e que formas, portanto, a nova ética deverá assumir. O que parece certo é que, se nessa nova ordem emergente houver competidores ou se desenharem interesses, em algum momento antagônico eles estiveram juntos e aliados neste último conflito, deixando para o futuro a decantação e o enfrentamento de suas divergências internas[4].

2. Neste momento, apesar da encenação dentro das Nações Unidas, parece óbvio que essa supersoberania emergente não se identifica com nenhuma instância supranacional capaz de coordenar harmoniosamente uma "liga de nações" e executar com coerência os princípios de algum tipo de "constituição cosmopolita". Mas também parece claro que a unanimidade impediu que o enfrentamento decantasse um novo equilíbrio de poderes intranacional. Por isso, o que acabou ocorrendo no imaginário coletivo, e cremos que também no mundo real, foi a identificação germinal dessa supersoberania com os interesses do Estado norte-americano. O que, sendo verdade, não apenas reproduz o passado sem "estender a civilização [...] em direção a uma paz duradoura" como, ademais, deixa indeterminados os verdadeiros limites anunciados pela força e o medo, pois é difícil identificar, no espaço interno internacionalizado em que se transformou os Estados Unidos, qual seja seu interesse ordenador e, portanto, onde se assenta verdadeiramente a nova soberania emergente. A menos que se considere que este

---

4. "Os pactos sem a espada não passam de palavras, sem força para dar qualquer segurança para ninguém. Portanto, apesar das leis de natureza (que cada um respeita quando tem vontade de respeitá-las e quando pode fazê-lo com segurança), se não for instituído um poder suficientemente grande para nossa segurança, cada um confiará, e poderá legitimamente confiar, apenas em sua própria força e capacidade, como proteção contra os outros" (HOBBES, 1983, p. 103).

interesse seja apenas o do complexo militar-industrial e das estruturas supranacionais de gestão da guerra. Neste caso, o porvir será negro.

3. Assim, se essa guerra ensejou afirmar o novo "princípio do limite", ela não conseguiu resolver uma questão decisiva: não decantou o "limite deste princípio". Pelo contrário, criou, no lugar do "buraco ético" deixado pela derrota socialista, uma espécie de vácuo assustador, por onde se pode dispersar em direções infinitas e igualmente entrópicas a enorme força liberada pelo exercício, sem limite, do poderio tecnológico-militar dos Estados Unidos.

4. Se for verdade, finalmente, não seria absurdo pensar que esta guerra, como as antecessoras guerras pérsicas do século V a.C., ao invés de conduzir a humanidade a um novo patamar de civilização e contribuir para a universalização dos valores éticos desenhados pela razão cosmopolita da Europa iluminada, seja a antessala de uma nova "era sofística", marcada pela força, o medo e o retrocesso político-ideológico dentro da própria coalizão vitoriosa.

Janeiro de 2018.

I
Evolução e conflito

Guerra, ética e etologia

Daniel de Pinho Barreiros

Muitas são as definições correntes sobre os fenômenos da guerra e da ética nas relações humanas, mas que, na perspectiva deste ensaio, acabam por comungar de um mesmo limite. A generalidade dessas dimensões do comportamento humano, verdadeiro estimulante da imaginação – que faz surgir um *homo ethicus* ou, na face oposta, *homini homini lupus* – deixa escapar o quão raras foram as condições que permitiram eclodir o conflito entre sociedades, e mais ainda, mecanismos comportamentais voltados para facilitá-lo ou preveni-lo.

Na longuíssima duração do tempo evolucionário, e considerando a trajetória das espécies na ordem dos primatas, a violência coalizacional intersocietária – definição que torna todas as guerras humanas casos particulares – e a complexa rede de mecanismos etológicos[1] que dá fundamento, no campo do inconsciente humano, aos saberes éticos, são pontos fora da curva. Não nos referimos aqui à violência interpessoal, esse traço comportamental comum e que, na condição de diferencial evolucionário, envolve normalmente a disputa por energia e oportunidades reprodutivas. Certa sociabilidade primata, há pelo menos seis milhões de anos, gerou o contexto para a fixação de intrincados instrumentos cognitivos voltados para a resolução de conflitos intragrupo envolvendo complexas hierarquias de *status*, violência não letal, ritualizações e estratagemas sociais; e simultaneamente, foi base para esse raro fenômeno, consubstanciado na patrilinearidade cooperativa masculina, a partir do qual emergiu a violência letal extragrupo.

Fazem a guerra, nessa macroperspectiva, humanos e chimpanzés comuns. Também são eles atores em complexas tramas sociais cotidianas, nas quais o equilíbrio de força e prestígio entre "competidores cooperativos" é volátil, e o potencial de violência letal fratricida tem de ser mantido sob controle pela ação de uma mente modular social altamente desenvolvida. Compartilham da guerra, de freios

---

1. Etologia é o estudo do comportamento animal.

etológicos, e de 98,8% de seus genes. Se todas essas características não emergiram independentemente nas linhagens que resultam nessas duas espécies, precisam ter estado presentes também, ao menos, no último ancestral comum entre humanos e chimpanzés. Seria filogenético[2], desse modo, o potencial comportamental para a projeção de poder externa e para a contenção à escalada do conflito intrassocial? Numa perspectiva evolucionária, seriam a guerra e a ética filhas do mesmo ventre? E o que dizer de uma ética da guerra?

Sociabilidade multissexual instável no Eoceno Inicial

A eclosão da sociabilidade entre determinadas espécies primatas, estimada de ter ocorrido 52 milhões de anos atrás, não parece ter sido elemento suficiente para engendrar o contexto evolutivo específico que possibilitaria fundar as bases etológicas para a guerra e a ética. O Eoceno Inicial[3] trouxe, com algumas prováveis novas espécies, a inovação comportamental na formação de agremiações multissexuais instáveis, em detrimento dos hábitos solitários, que deviam seguir marcando outras tantas espécies. Provavelmente, a tônica da sociabilidade entre esses antepassados devia girar em torno de uma profunda volatilidade quanto à composição interna dos membros do grupo, com alto nível de fusão-fissão, respondendo à saturação demográfica e/ou oferta de alimentos. Nesse quadro, tendem à migração periódica tanto machos quanto fêmeas.

Se considerado o contexto climático de aquecimento global, de homogeneidade ambiental, de expansão das florestas tropicais pelos continentes (o que incluía a Antártida) e de ampliação da oferta energética, a dispersão territorial dos indivíduos nas unidades sociais tenderia a ser igualmente ampla, considerando-se o potencial de forrageamento individual eficiente por vastas áreas. A adoção de hábitos diurnos pode ter estado associada tanto ao desenvolvimento dessa sociabilidade instável quanto ao da visão estereoscópica, que expande a percepção de profundidade. Em espécies arbóreas, capacitava esses organismos a localizar frutos de maior valor nutricional em condições de poluição visual (florestas fechadas, com pouca luz), permitindo a exploração desse rico nicho criado pela expansão da vegetação angiospérmica. Ao mesmo tempo, a diuturnidade gerava um considerável passivo para essas espécies, provindo da maior exposição ao risco de predadores. Contra

---

2. Diz-se filogenético um traço herdado por uma espécie em uma linha de ancestralidade que remete a outras espécies.

3. Eoceno foi o período geológico compreendido entre 56 e 33,9 milhões de anos atrás, de acordo com a Comissão Internacional de Estratigrafia (ICS) [Mais informações podem ser obtidas em http://www.stratigraphy.org/index.php/ics-chart-timescale]. A geocronologia empregada neste ensaio segue a convenção internacional.

esse risco, a gregariedade atuava como estratégia de equilíbrio, aumentando o número de unidades sensoriais dispostas a simultaneamente detectar a presença da ameaça, e a disseminar essa informação para o benefício coletivo.

É assim que, possivelmente, a sociabilidade instável entre os primatas deva ter se constituído: na condição de estratégia antipredatória, meramente pragmática, sem gerar vínculos duradouros, tampouco cooperação complexa entre seus atores[4].

Mudança climática do Oligoceno ao Mioceno Inicial: *Proconsul* e a sociabilidade matrilinear feminina estável cooperativa

Com a relativa homogeneidade climático-ambiental do Eoceno dando lugar, a partir do Oligoceno[5], a um progressivo resfriamento global e à aridificação, o tabuleiro evolucionário africano foi significativamente perturbado, abrindo-se mais um contexto rico para especiações e extinções. A essa transformação climática somavam-se, no Mioceno Inicial[6], intensa atividade tectônica e mudanças orográficas dela advindas, que resultaram no soerguimento do Himalaia, do Planalto Tibetano e do Altiplano Etíope. O relevo preveniu a entrada, no continente africano, de correntes de ar úmido vindas do Oceano Índico; tal fato teve forte impacto na África Oriental, no sentido de gerar uma "colcha de retalhos" ambiental com tendência à aridificação. A multiplicidade de nichos contribuiu para a fixação de soluções evolucionárias inovadoras no âmbito das espécies primatas.

Proconsulidade é o nome dado à família que reuniu cerca de uma dezena de espécies miocênicas, surgidas por volta de 23 milhões de anos atrás, das quais *Proconsul africanus* é a espécie mais conhecida. Desenvolveram-se anteriormente à divergência entre os grandes símios (incluindo os seres humanos modernos) e macacos do Velho Mundo, e provavelmente portaram o ancestral comum entre estes dois últimos. A anatomia dentária grácil comum aos proconsulídeos sugere hábitos arborícolas em florestas tropicais e subtropicais fechadas, e o consumo de frutas e folhas macias, algo não diferente de seus antepassados eocênicos e oligocênicos. Dentição com fina camada de esmalte tende a ser mais propensa ao desgaste, tornando mais efetiva a ação cortante das cúspides; encontramos esse tipo de adaptação normalmente associado a primatas que adotam dietas de folhas e frutos macios, pouco abrasivos e que exigem pouca preparação e mastigação[7].

---

4. Cameron e Groves (2004, p. 36), Ladeia e Ferreira (2015, p. 56-58), Shultz, Opie e Atkinson (2011, p. 219, 222).
5. Oligoceno foi o período geológico compreendido entre 33,9 e 23,03 milhões de anos atrás.
6. Mioceno foi o período geológico compreendido entre 23,03 e 5,33 milhões de anos atrás.
7. Pampush et al. (2013, p. 218).

Devemos considerar, contudo, que as condições climático-ambientais na África Oriental do Mioceno vinham criando "ilhas" de florestas cercadas por espaço savanizado, e que, se os proconsulídeos dependeram mesmo da exploração dos recursos florestais, a circunscrição de seu alcance espacial nesses territórios insulados decerto impactou em suas estratégias sociais. Além disso, outro aspecto relevante consiste da possibilidade, sugerida a partir do registro fóssil, de um acentuado dimorfismo sexual entre essas espécies, que se expressa pela diferença morfológica entre os sexos no que tange à massa corporal e formato/dimensões dos dentes caninos. Em suma, machos mais corpulentos e dotados de armas naturais podem representar um indício relevante de competição reprodutiva e territorial envolvendo comportamento agonístico (intimidação e violência interpessoal).

Num quadro de mudança climática, de vida arbórea, de insulamento territorial dos recursos naturais exploráveis (em manchas florestais ricas, cercadas por terreno aridificado) e de evidência de dimorfismo sexual, podemos sugerir que os proconsulídeos pertenceram ao conjunto dos primeiros primatas a viverem em sociedades estáveis. Considerando-se o alto custo reprodutivo e energético representado pela gestação intrauterina e pela lactação, o acesso a recursos nutricionais de alta qualidade e com oferta regular é uma exigência evolucionária de primeira ordem na etologia energética feminina. Esse é um elemento central de definição dos padrões de territorialidade primata, o que significa dizer que, na África Oriental do Mioceno, onde as florestas mais ricas se tornavam cada vez mais isoladas por "mares" de savana, fêmeas de espécies arborícolas tenderiam a se concentrar nesses espaços segregados.

Enquanto a qualidade nutricional desses recursos concentrados foi grande, o contexto ambiental privilegiou a exploração conjunta por fêmeas aparentadas, que cooperavam para garantir acesso ao alimento a todas na comunidade genética matrilinear, e excluir outras fêmeas não aparentadas. Já para os machos, as exigências energéticas e reprodutivas são mínimas (inclusive no que tange à produção gamética), de modo que o principal desafio enfrentado tende a ser garantir o acesso às próprias fêmeas. É desse modo que a territorialidade é dada pelas estratégias femininas, já que os machos apenas acompanham os perfis de dispersão dos coletivos matrilineares. São eles que tenderão a migrar de seus grupos de origem quando atingida a maturidade, buscando enfrentar outros machos por oportunidades sexuais longe de sua comunidade genética.

Esse quadro não dá conta da emergência da violência coalizacional intersocietária como traço comportamental, e é razoável assumir que ela não existiu no Mioceno Inicial entre os primatas, mesmo que consideremos a emergência da sociabilidade estável feminina. Entre os proconsulídeos, é provável que grupos de machos não aparentados e não cooperativos tenham sido tolerados pelos coletivos matrilineares na circunstância de o território e os recursos serem compatíveis com as exigências das estratégias reprodutivas e energéticas femininas. Se considerarmos, ainda, o avançar do agravamento climático e a possibilidade de que a oferta e a concentração dos recursos naturais tenham alcançado certa massa crítica[8], a ponto de tornar a presença de muitos machos adultos não aparentados um fardo para os coletivos matrilineares, poderíamos nesse caso postular a hipótese de desenvolvimento de uma sociabilidade harênica, na qual um macho dominante se torna capaz de estabelecer exclusividade de acesso às oportunidades reprodutivas representadas pelo grupo estável de fêmeas aparentadas.

Tal exclusividade de acesso ocorre através da viabilidade física de monitoramento sensorial do território por onde as fêmeas forrageiam – estando as florestas cada vez mais concentradas –, e com isso pelo desenvolvimento de formas de contenção agonística das investidas de outros machos em busca de oportunidades reprodutivas. Para as fêmeas, a redução do número de organismos alheios à sua comunidade genética, e que sacam contra recursos energéticos decisivos – consubstanciada na redução do número de machos coabitantes –, é algo que privilegia estrategicamente seu *fitness* reprodutivo em nível de grupo.

Haréns eram uma forma de sociabilidade verossímil entre os proconsulídeos, e na circunstância de terem se dado devem ter provocado alto grau de tensão e violência interpessoal masculina – conclusão que encontra suporte na condição dimórfica comum nessa família. Nesses termos, a disputa agonística entre machos migrantes, não aparentados e não cooperativos, sinalizava negativamente em relação às coalizões masculinas patrilineares, matéria-prima da guerra e dos freios etológicos ligados à resolução de conflitos internos[9].

Afropithecus: matriarcados estáveis e a savana

Tendo provavelmente divergido de uma ou mais espécies proconsulídeas por volta de 18 milhões de anos atrás, outro conjunto de espécies primatas, organizadas na família Afropithecidae, potencialmente levou adiante as inovações comportamentais desenvolvidas por seus ancestrais, ainda que em contexto ecológico um tanto distinto. Essa herança se torna relevante quando consideramos que um afropitecídeo foi o mais provável ancestral de todos os hominídeos, o que inclui, *lato sensu*, os seres humanos.

---

8. Barnosky e Kraatz (2006, p. 528).
9. Cameron e Groves (2004, p. 38-40), Foley (2008, p. 220-227), Ladeia e Ferreira (2015, p. 75), Nordhausen e Oliveira Filho (2015, p. 36-37), Wrangham e Peterson (1996, p. 131, 174-175).

Em linhas gerais, a família comportou espécies morfologicamente bastante distintas do perfil de seus ancestrais proconsulídeos – com quem coexistiram, ressalte-se. Foram prováveis braquiadores[10], o que significa que sua estratégia motora consistia em locomoção suspensória em ambiente florestal, tal como fazem gibões, chimpanzés e outros símios ainda existentes. Seu plano corporal invocava postura mais vertical do que a demonstrada pelos proconsulídeos. A massa corporal média presumida dos afropitecídeos é maior do que a considerada compatível com os hábitos de primatas essencialmente arborícolas, o que faz invocar a possibilidade de vida semiterrestre. Considerando o plano corporal adaptado à braquiação, sua estratégia motora terrestre deve ter se baseado na nodopedalia (movimento com apoio nos membros posteriores e nos nós dos dedos dos membros anteriores), tal como fazem gorilas e chimpanzés, aspecto que traria consequências futuras quanto ao exercício da territorialidade. Assumindo a possibilidade de comportamento semiterrestre, somada à evidência de arquitetura facial robusta, de esmalte dentário espesso e de potentes dentes mastigadores, fica sugerido que, ao contrário de seus ancestrais, os afropitecídeos ocuparam habitats marginais às florestas úmidas, com regulares incursões aos espaços savanizados, de onde podiam obter alimentos reserva (*fallback foods*) em sintonia com as flutuações ambientais. Oferecendo a savana recursos notadamente secos, abrasivos e rígidos, que exigem certa preparação mastigatória, os afropitecídeos estavam adaptados motora e odontomorfologicamente para a exploração desse nicho aberto pela aridificação.

A ampliação das oportunidades alimentares para essas espécies – na medida em que eram capazes não só da exploração de recursos florestais como também daqueles oriundos das savanas, bosques e matagais – alterou a relação entre sociedade e espaço para esses primatas. Devemos considerar que a espacialidade dos recursos é dinâmica, e é função da capacidade de processamento/eficiência termorregulatória[11] das estratégias motoras correntes. Assim sendo, se para os antepassados proconsulídeos, arbóreos e de dentição grácil, os habitats aridificados significaram barreiras intransponíveis – o que conduziu suas sociedades à concentração em territórios segregados, com as consequências em termos de organização social acima sugeridas –, para os mais robustos afropitecinos, a savana, em maior ou menor medida, foi também espaço de forrageamento e exploração, o que teria contribuído para reduzir os efeitos da concentração demográfica sobre suas estratégias sociais.

---

10. Braquiação é a estratégia de locomoção suspensória na qual o animal se move dependurado entre os galhos das árvores, na posição vertical.

11. Primatas nodopedálicos em deslocamento terrestre por campo aberto (como em espaço savanizado, com poucas árvores), expõem maior superfície corporal (cabeça, ombros, dorso) à incidência direta dos raios solares do que primatas bípedes, como os humanos modernos.

Dessa forma, talvez devêssemos supor que, na raiz evolucionária de todos os hominídeos, a sociabilidade estável – um dos pilares primitivos da guerra e da ética – passava a ser contraindicada pela desconcentração das oportunidades nutricionais no território, algo que conduziria à dispersão espacial das fêmeas, à contraproducência da manutenção de coletivos matrilineares permanentes e à inviabilidade da estratégia de exclusividade reprodutora masculina, expressa pelo comportamento de harém. Todos esses fatos tenderiam, se verdadeiros em alguma medida, a remeter nossos ancestrais novamente a um perfil de sociabilidade comum aos parâmetros eocênicos – as agregações multissexuais instáveis – ainda praticado por muitas espécies de macacos, especialmente platirrinos[12] do Novo Mundo.

A despeito dessas possibilidades, a hipótese filogenética de transmissão da sociabilidade estável entre os hominídeos não deve ser descartada prematuramente, já que dispomos de bons exemplos de primatas também capazes de amplas radiações territoriais, mas que preservam formas alternativas de comportamento harênico e de coletivos femininos matrilineares estáveis, como é o caso de algumas espécies de papioninos (especialmente babuínos). Acontece que entre estes últimos, os haréns se preservaram (potencialmente a partir de uma herança proconsulídea, tal como em *Afropithecus* spp.), mas, dada a ampliada espacialidade relativa dos recursos naturais, tornou-se possível a constituição de *tropas*, verdadeiras confederações de haréns, formadas por muitas unidades, cada qual composta por fêmeas aparentadas e um macho dominante, eventualmente acompanhados por poucos machos subalternos.

Esse padrão etológico entre os papioninos representa uma face da flexibilidade morfocomportamental presente em graus diferenciados em todas as espécies, o que significa dizer que existem bandas de acomodação nas quais os aspectos herdados podem ser replicados a despeito da transformação do meio. Então não podemos descartar a tese de que os afropitecídeos tenham preservado padrões sociais etológicos herdados de espécies anteriores, especialmente se considerarmos que eles persistem entre primatas africanos extantes, que descendem dos primeiros[13].

---

12. Platirrinos compreendem uma parvordem de primatas que reúne todos os macacos das Américas. Ao contrário dos catarrinos do Velho Mundo (como os humanos, babuínos, gorilas, chimpanzés etc.), que possuem narinas protuberantes e voltadas para baixo, os platirrinos possuem narinas achatadas e voltadas para os lados. Algumas de suas espécies possuem cauda preênsil, ausente em todos os catarrinos.

13. Cameron e Groves (2004, p. 39), Barnosky e Kraatz (2007, p. 525), Foley (2008, p. 150-151, 178-179, 183-184), Pampush et al. (2013, p. 222), Wrangham e Peterson (1996).

O Mioceno Médio e as migrações no eixo afro-asiático

A chegada do Mioceno Médio, por volta de 15 milhões de anos atrás, coincidiu com a expansão das calotas polares e com maior retração do nível dos mares, em um pico de intensidade no já corrente processo de resfriamento e aridificação globais. Nessas condições, as porções setentrionais da Eurásia se tornavam inóspitas para primatas em geral, ao passo que se formava uma zona biogeográfica de clima mais ameno e de relativa homogeneidade no Saara, na África Centro-oriental, na Europa Meridional e no Levante. São conhecidos os movimentos de muitas espécies africanas endêmicas em direção ao norte, passando pelas costas mediterrânicas, e dessas migrações também participaram os antropoides. A partir das radiações para fora da África, processos especiativos foram se sucedendo entre os grandes símios na Europa e na Ásia Menor, sem que os aspectos morfológicos e, possivelmente, comportamentais, tenham se afastado significativamente daqueles herdados dos antepassados afropitecídeos. Apesar disso, o período de dez a sete milhões de anos atrás foi marcado por redução na diversidade dos grandes primatas, representando para eles, talvez, um primeiro gargalo evolucionário significativo. As extinções que marcam o período denotavam que o portfólio comportamental e morfológico montado sobre a tríade dentição robusta/locomoção semiterrestre/exploração ocasional da savana tinha já encontrado seu limite de acomodação. Foi nesse contexto, então, que *Graecopithecus freybergi* ou algum outro símio dele derivado alcançou as costas mediterrânicas mais uma vez, escapando do agravamento climático no norte. A relevância dessa espécie está no fato de que talvez tenha sido o pivô das radiações dos grandes antropoides europeus em direção ao eixo afro-asiático, onde o meio ambiente iria submeter à prova final as estratégias sociais dos recém-surgidos hominídeos[14].

Os pongíneos na Ásia: portas fechadas para a guerra

As migrações pela Ásia Meridional até o Extremo Oriente, na condição de vetores de expansão latitudinal, foram marcadas pela incidência de condições climáticas razoavelmente constantes, ainda que diretamente agravadas pelo clima glacial das porções setentrionais da Eurásia. Essa homogeneidade representou um conjunto de desafios evolucionários compatíveis, da Anatólia ao Sudeste Asiático, algo igualmente sugerido pela similaridade morfológica entre os grandes primatas asiáticos extintos e *Pongo* sp. (as duas espécies de orangotangos), que vivem hoje somente nas ilhas de Sumatra e Bornéu. Compartilham de perfil odontomorfológico herdado dos antepassados europeus que perfizeram a rota em direção às

---

14. Cameron e Groves (2004, p. 41-42; 55-57), Ladeia e Ferreira (2015, p. 76-77).

zonas meridionais – esmalte dentário espesso, molares robustos em comparação com o restante da dentição –, e, como já dito, esse perfil provavelmente já não mais garantia a sobrevivência contra a sazonalidade e a aridificação planetária. Desse modo, os pongíneos (os grandes símios asiáticos) devem ter se adaptado à extrema rarefação das florestas tropicais, ao empobrecimento da oferta de nutrientes e à desconcentração espacial radical dos recursos na Ásia Meridional (bosques cercados de planícies), através de padrões de comportamento que identificamos, hoje, nas últimas espécies extantes da subfamília.

É provável que os coletivos femininos matriarcais estáveis tenham se tornado inviáveis, já que, com recursos escassos e muito fragmentados, ou as fêmeas precisariam se espalhar no espaço em busca de alimento, ou deveriam competir entre si num território restrito e incapaz de comportar as exigências calóricas de todas. Isso significaria inevitável prejuízo em termos de *fitness* reprodutivo para um número razoável de fêmeas consanguíneas, ao passo que, na circunstância de cada uma delas migrar para zonas diferentes, emergiria a possibilidade de sucesso individual sem ter por consequência o fracasso de suas parentes. É o que fazem os orangotangos: entre eles colapsa a cooperação feminina matrilinear, já que cada fêmea com seus filhotes impúberes se fixa em determinado núcleo arbóreo, apartado dos demais, com recursos suficientes para manter essa unidade familiar estável. A sociabilidade grupal é igualmente dissolvida, e os consórcios entre machos e fêmeas se tornam temporários, criando apenas uma frouxa rede de relacionamentos por um território amplíssimo.

Para os machos, a territorialidade feminina previne a estratégia de exclusividade sexual tradicional (harém), dada a incapacidade prática da prevenção do acesso a machos competidores. Não obstante, a etologia da exclusividade sexual mantém-se relativamente viva na medida em que os machos dominantes circulam terrestrialmente (as fêmeas raramente deixam o topo das árvores) por vários núcleos espaciais femininos (criando um superterritório), tentando assim garantir seus privilégios reprodutivos e eliminar competidores, formando algo como um harém lasso. O grau de incerteza sobre a paternidade gerado pelo modo de ocupação das fêmeas no espaço conduz a alto nível de pressão competitiva entre machos adultos, que se expressa por notório dimorfismo sexual (marcadores fenotípicos como a massa corporal e bolsas de gordura nas laterais da face, indicadoras de maturidade sexual), comportamento de vocalização (sinalizando a presença no território) e intenso nível de violência interpessoal. Assim, os pongíneos representaram um beco sem saída evolucionário no que tange à etologia da guerra e da ética: está prevenida entre eles a formação de coletivos matrilineares, bem como de qualquer grupo social cooperativo masculino, patrilinear ou não. O alto grau de agonismo[15], e de violência física em particular, não advoga favoravelmente para um comportamento guerreiro, nem gera contexto que torne cruciais determinados instrumentos etológicos de resolução de conflitos[16].

Gorilíneos na África: patrilinearidade não cooperativa proscreve a violência coalizacional intersocietária

Os pongíneos não interessam diretamente ao problema da violência coalizacional intersocietária e da ética entre os humanos modernos, já que consistiram em linhagem divergente daquela que resultaria nos grandes antropoides africanos, tendo seu último ancestral comum vivido por volta de 12 milhões de anos atrás, justamente no período de radiação para fora da Europa, e em direção ao eixo afro-asiático. São os hominídeos que se especiaram no caminho para a África que nos interessam em particular, visto que entre eles a etologia da guerra e da ética daria mais um passo decisivo, preservando a hipótese filogenética de transmissão desse portfólio comportamental.

As mais antigas espécies alocadas sob o manto da subfamília Gorillinae surgiram aproximadamente por volta de 10 milhões de anos atrás, e estão entre aquelas que apareceram em solo africano durante o Mioceno Tardio. A migração de antropoides europeus para o sul, em sentido longitudinal, significou o movimento de espécies parcialmente adaptadas a condições de temperatura e aridez mais severas do que aquelas encontradas na África Centro-oriental. Assim, em ambiente menos rigoroso se comparado à faixa latitudinal que vai da Ásia mediterrânica à Península Malaia, entre os gorilíneos e seus antepassados diretos africanos preservou-se algum tipo de sociabilidade grupal permanente – e se tomarmos os gorilas contemporâneos por referência, uma sociabilidade harênica.

Apesar de encontrarem biomas menos afetados pela mudança climática, também para os gorilíneos a estratégia primitiva, calcada na dependência de dentição robusta, da nodopedalia terrestre e da exploração oportunista da savana, parece ter sido prescrita. Seu perfil odontomorfológico difere significativamente daquele de seus ancestrais europeus, indicando especialização dietária nos espaços florestais em franco retrocesso: temos então uma dentição mais grácil, com esmalte de fina espessura, demonstrando que seguia sendo uma opção com retornos de curto prazo a "aposta" em nichos em desaparecimento. Com uma espacialidade dos recursos naturais menos rarefeita que na Ásia Meridional, ainda que com qualidade

---

15. Caracteriza-se como agonista toda forma de comportamento de conflito envolvendo violência física ou intimidação.

16. Cameron e Groves (2004, p. 75-77), Foley (2008, p. 218), Nordhausen e Oliveira Filho (2015, p. 29), Wrangham e Peterson (1996, p. 133-134).

nutricional inferior àquela desfrutada pelos antiquíssimos primatas do Eoceno, os haréns devem ter se mantido até o surgimento de *Gorilla* sp., ainda que não a matrilinearidade feminina cooperativa estável. Com a qualidade e quantidade dos recursos diminuída, ainda que seguissem distribuídos com alguma uniformidade e concentração, a etologia energética feminina foi diretamente ameaçada – como, de forma análoga, entre os pongíneos.

A sociabilidade feminina seguia sendo vantajosa – e já conhecemos as vantagens da gregariedade desde os tempos eocênicos –, mas não mais entre fêmeas aparentadas. Então, entre os gorilíneos, são as fêmeas que principalmente migram para outros grupos ao atingirem a maturidade – isso significa, do fim ao cabo, que a cooperação consanguínea se inviabiliza, e a gregariedade se dá entre indivíduos não aparentados. O colapso dessa cooperação entre fêmeas aparentadas significa que a capacidade de autoproteção feminina também colapsa, abrindo espaço para o avanço da agenda reprodutora masculina no âmbito dessas sociedades harênicas. O exercício do poder e da exclusividade sexual por um macho dominante não é mais incompatível com a manutenção de um ou mais de seus filhos adultos no grupo (embora também eles tendam a migrar e disputar privilégios sexuais em outros grupos), sacando contra recursos nutricionais já escassos, e assim, desprestigiando a etologia energética feminina (sendo as fêmeas não aparentadas, cada descendente do macho dominante forma comunidade genética com somente uma delas, em exclusão das demais), o que reforça o imperativo de migração.

Não obstante a formação de vínculos patrilineares entre os grandes primatas africanos desde, provavelmente, dez milhões de anos atrás, a ela não se segue a geração de laços cooperativos entre esses aparentados. A exclusividade sexual do macho dominante, típica dos regimes harênicos, reproduz-se nos gorilíneos, estando submissos todos os demais machos a essa ordem política. Trata-se, assim, de dominância em sentido estrito, e os filhos de um *silverback*[17] somente terão acesso ao seu harém após sua morte. A dominação também se estende às fêmeas, cujos laços de solidariedade foram rompidos com o fim da matrilinearidade: seus conflitos, envolvendo inclusive o acesso à energia, são reprimidos. Existe, por assim dizer, um alto grau de paz interna e de submissão ao poder constituído, e não se configura, sob nenhum aspecto, uma etologia da rebelião, como viria a se tornar comum milhões de anos depois, no ancestral comum entre humanos e chimpanzés. Não há contestação à ordem, nem tentativas de tomada de poder por parte dos membros do grupo; as ameaças à dominância geralmente ocorrem

---

17. A designação *silverback* (dorso prateado) está consolidada na literatura para referir-se ao macho dominante em sociedades de gorilas. O termo deriva da coloração clara que a pelagem desses primatas adquire com a consolidação da maturidade sexual.

a partir da chegada de jovens migrantes, que tentam usurpar o harém de um *silverback* estabelecido. A exclusividade sexual, como é de praxe, dá margem a alto grau de violência interpessoal masculina e de dimorfismo sexual. Mais uma vez, a despeito de duas das matrizes da etologia da guerra e da ética se apresentarem – a sociabilidade estável e a patrilinearidade –, o regime harênico e a falta de cooperação masculina intragrupo proscrevem-nas[18].

O Mioceno Tardio e o último ancestral comum entre humanos e chimpanzés: hierarquias complexas e patrilinearidade cooperativa masculina

O planeta seguia sua trajetória em direção à glaciação, e alguns milhões de anos após a emergência dos gorilíneos, a disrupção climática alcançava novo limiar crítico, fazendo com que grandes primatas altamente conservadores, como os gorilas (em termos de ocupação de nichos ecológicos), migrassem coletivamente acompanhando a retração das zonas florestais – no longuíssimo tempo evolucionário, acrescente-se –, enquanto populações marginais se adaptavam à mudança em processos especiativos. A espacialidade relativa dos recursos para populações antropoides de dentição grácil e nodopedálicas não se esgarçou como na Ásia Meridional, mas ainda assim o perfil de concentração teoricamente viável para a preservação das sociedades harênicas parecia se replicar com dificuldade. Com recursos alimentares cada vez mais rarefeitos no território, essas populações viventes nas regiões limítrofes entre a savana e a floresta precisavam cada vez mais se disseminar pelo território, afastando-se do núcleo organizacional dos grupos; e como sabemos, tal fato, em última instância, significa dizer que as fêmeas não aparentadas, perseguindo sua agenda energética, forrageiam cada vez mais distantes umas das outras. Assim como ocorreria entre os pongíneos em sua migração latitudinal pelo sul da Ásia, a espacialidade feminina formava um perímetro incompatível com a possibilidade concreta de vigilância de um macho altamente dimórfico e disposto a manter sua exclusividade sexual em prejuízo de todos os demais.

Lembremo-nos, ainda, que esses machos deviam herdar, desde pelo menos dez milhões de anos atrás, comportamento de formação de linhagens patrilineares e fundamentalmente patrilocais. O agravamento climático colocava sobre a balança as vantagens, para os machos, em termos de defesa de sua comunidade genética (a patrilinearidade), de um lado, e o exercício de uma agenda reprodutiva individual em contexto de inviabilidade do comportamento harênico, de outro. No caso dos pongíneos asiáticos, desprovidos da herança etológica da patrilinearidade, não havia dilema: a busca pela exclusividade sexual manteve-se, apesar

---

18. Foley (2008, p. 224), Pampush et al. (2013, p. 217), Wrangham e Peterson (1996, p. 147-149).

das circunstâncias ambientais, com alto grau de comportamento agonístico entre machos não aparentados. Já no caso desses grandes primatas africanos, entre os quais provavelmente viveu o último ancestral comum, humanos e chimpanzés, a herança da patrilinearidade fez as peças do tabuleiro evolucionário moverem-se em direção inédita.

Em lugar da dissolução desses laços entre machos aparentados, ao contrário, eles se tornam mais firmes, com o desenvolvimento de complexa cooperação masculina, condição etológica rara. Diante de perímetros de vigilância incompatíveis para um "panóptico" individual, provocados pela ocupação espacial feminina (no ato de forrageamento), rompem-se os haréns e dilui-se a perceptividade do lócus de dominância do macho alfa. Evitando o conflito sexual fratricida por oportunidades reprodutivas, esses coletivos patrilineares masculinos se organizam em complexas hierarquias de *status*. Desaparecida a dominância estrita, o acasalamento torna-se uma questão poliginândrica[19]. Sinalizando ritualisticamente o reconhecimento do lócus de prestígio de cada um de seus pares, cooperam eficientemente para o controle do território por onde as fêmeas do grupo se espalham, com o objetivo de negar a machos não aparentados, viventes em outros grupos sociais, acesso a elas. Aparece com nitidez a dimensão de *seleção de grupo*, multinível.

As agendas reprodutivas individuais são relativizadas pela dimensão coletiva e societária, de defesa da comunidade genética masculina. Com o comportamento agonístico entre machos abrandado na dimensão intragrupo, o que inclui a violência interpessoal, com a redução dos níveis de dimorfismo sexual e com o surgimento de mecanismos etológicos complexos de gerenciamento de conflitos, abre-se o espaço igualmente raro para a projeção da violência e do poder para o nível extragrupo, configurando o fenômeno da violência coalizacional intersocietária[20].

Sociabilidade pós-harênica, patrilinearidade cooperativa e a ética intuitiva

Os primatas contam, em graus variados, com uma eficiente inteligência geral para a resolução de problemas. Isso implica que, para além de simples conteúdos comportamentais herdados, em seu portfólio etológico constam mecanismos de aprendizado a partir da interação com o ambiente, partindo de regras genéricas envolvendo tentativa e erro. Durante a maior parte da história dessas espécies, a

---

19. Em regimes poliginândricos, machos e fêmeas selecionam parceiros sexuais ocasionais, sem estabelecimento de vínculos estáveis. Naturalmente, a poliginandria não implica oportunidades reprodutivas iguais, necessariamente. São favorecidos machos em situação hierárquica superior, mas, ao mesmo tempo, não há exclusividade reprodutiva, como no caso dos haréns.

20. Aureli et al. (2008, p. 629-630), Foley (2008, p. 230), Wrangham e Peterson (1996, p. 52).

acomodação aos desafios evolucionários parece ter sido possível empregando-se essa forma de inteligência, de menor custo. O contexto ambiental para o desenvolvimento de tipos mais especializados de cognição, energeticamente mais dispendiosos, parece ter emergido lentamente desde dez milhões de anos atrás, com as migrações de volta para a África e em direção à Ásia; e ter se tornado efetivamente visível com a modularização da cognição social, por volta de seis milhões de anos atrás, com a emergência do último ancestral comum entre humanos e chimpanzés.

A cognição social altamente especializada emerge como mecanismo de acomodação entre a competição e a cooperação, entre as agendas reprodutivas masculinas individuais e a patrilinearidade estável pós-harênica. Num contexto de disputa por oportunidades sexuais entre machos aparentados, a luta fratricida é reduzida a níveis evolucionariamente irrelevantes por meio de uma complexa capacidade de análise do lócus de poder de cada membro do grupo em suas relações com os demais, e de formulação de hipóteses sobre as possibilidades de ascensão e de queda na pirâmide social de todos os agentes envolvidos na rede de relacionamentos, a partir das quais um indivíduo possa traçar suas estratégias de preservação ou de conquista de *status*. O reconhecimento de escalões de prestígio e poder, a aceitação provisória da própria condição social, e o desenho de estratégias para a contestação da hierarquia em benefício próprio e de seus aliados surgem como diretrizes etológicas fundamentais entre chimpanzés, e presumidamente estiveram presentes também em seu último ancestral comum com os humanos.

Chimpanzés e humanos especiaram-se a partir de sociedades estáveis, com patrilinearidade e patrilocalidade masculina, marcadas pelo alto grau de incerteza quanto aos privilégios e limites nas relações sociais internas ao grupo. A relativa simplicidade das hierarquias harênicas dos antepassados, nas quais o espaço de dominância e de privilégios sexuais era nítido, monocrático, e a subalternidade era condição comum a todos os demais membros do grupo, foi substituída por uma espécie de caos sistêmico em nível intragrupo, no qual múltiplos escalonamentos na pirâmide hierárquica emergem, e a luta pela ascensão social (masculina) se generaliza. Esse seria um contexto propício para a dissolução dos laços permanentes – nesse caso, a sobrevivência da patrilinearidade acabou sendo garantida pelo surgimento dessa cognição social modular, de alto custo, que coincide com a ampliação da alometria cerebral entre os paníneos (as duas espécies de chimpanzés conhecidas) e os hominíneos (todos os antropoides bípedes surgidos após a divergência com os chimpanzés), se comparados aos antropoides mais antigos na árvore evolutiva.

A emergência de módulos mentais dedicados ao gerenciamento das relações sociais significa dizer que os mecanismos cognitivos estereotipados e genéricos produzidos a baixo custo pela inteligência geral tornaram-se insuficientes para gerar respostas eficazes num contexto de excesso de informações e de partes moventes na mecânica social. O foco da modularidade não está em seus conteúdos inatos, mas na capacidade de *formulação de hipóteses testáveis* sobre o comportamento de terceiros, envolvendo ou não a presença do próprio observador, em uma extensão dos complexos cognitivos ligados à chamada teoria da mente, presente em diferentes graus de complexidade por toda família dos primatas. O processo de avaliação do estado mental de terceiros assume como modelo as reações que o próprio sujeito pensante esperaria de si próprio estando ele, hipoteticamente, na situação do outro, o que envolve um razoável grau de desenvolvimento de habilidades empáticas. A extrapolação das hipóteses precisa, ainda, ter seus resultados adaptados às características de temperamento individual do analisando (que devem, por definição, ser previamente conhecidas) e ao campo do contingencial (leia-se, das circunstâncias da ação). Nesse caso, o emprego de regras de aprendizado genéricas, padronizadas, para a tomada de decisão social estratégica nas condições de complexidade presentes nestas sociedades antropoides pós-harênicas, resultaria em grande chance de erro.

É de difícil sustentação a ideia de que nas linhagens que provêm do último ancestral comum entre humanos e chimpanzés, a sociabilidade seja produto do aprendizado social. Chimpanzés podem ser ensinados por humanos a executar tarefas em cativeiro que, em seus habitats naturais, não seriam apreendidas, visto que não cumprem qualquer papel evolucionário relevante (linguagem de sinais, produção de ferramentas líticas etc.). Para tais atividades, e como para todas as demais que executam, excetuando os jogos de *status*, chimpanzés empregam sua inteligência geral, que funciona como uma espécie de ferramenta multiuso de aprendizagem, produzindo resultados simples após período de tentativas e erros, mas a baixo custo energético. Já no que tange ao comportamento social modularizado, não há nada efetivamente que se possa ensinar a um chimpanzé, ou que devam ensinar uns aos outros: mesmo indivíduos nascidos em cativeiro desenvolvem intuitivamente, na idade certa, as competências sociais necessárias para o intenso "jogo maquiavélico" das disputas de *status*, o que demonstra sua inatidade. Em suma, nas linhagens de homens e chimpanzés, módulos mentais dedicados, capazes de compreender o funcionamento das hierarquias sociais, e de formular estratégias de posicionamento nessa pirâmide, emergem com a idade, tal como os dentes definitivos.

A modularidade da cognição social parece permitir que os chimpanzés (e, presumidamente, seu último ancestral comum com os humanos) desenvolvam consciência de si e dos membros do grupo (algo sugerido por resultados positivos em teste de autorreconhecimento em espelhos). Entretanto, circunscrita ao âmbito da etologia, está longe de equivaler ao *self*, à consciência holística transmodular e transdominial que só recentemente emerge na história evolutiva de *H. sapiens*. A inteligência social modular em chimpanzés parece isolada da inteligência geral, incapaz de interagir de forma fluida com outros domínios cognitivos não modularizados, de modo que esses grandes símios se mostram conscientes de si e dos outros somente *enquanto atores sociais*, e na ocasião do exercício das relações sociais.

Não existem evidências substantivas do emprego da cultura material – ligada aos mecanismos gerais de cognição técnica, imersos na inteligência geral – para a obtenção de vantagens nas disputas de *status*. Não há, ainda, qualquer dimensão simbólica da cultura material que seja instrumentalizada de modo a transmitir informação social ao coletivo, que sinalize acerca do lócus hierárquico ocupado por determinado indivíduo, nem que sirva para dissimular a ocupação de um escalão inferior nos esquemas de estratificação. Com a mente modular social incapaz de acessar outros domínios cognitivos e colocá-los a seu serviço, chimpanzés não parecem capazes de simulações mentais complexas a respeito de questões ligadas ao forrageamento e à produção de ferramentas envolvendo outros de seus coespecíficos. Alheia ao âmbito do social, a inteligência geral opera em domínios inconscientes de si próprios, incapazes de produzir percepções mentais e autorrepresentações daquilo que sabem. Essa condição, embora altamente derivada quando comparamos chimpanzés e outros primatas, é primitiva diante da transdominialidade cognitiva dos humanos modernos.

Não obstante sua insularidade, a mente modular social permitiu a fixação de padrões inatos e de normas ritualísticas na luta pelo poder intragrupo, algo que, por sua vez, se traduz na disputa por vantagens no acesso a oportunidades reprodutivas (ressaltando-se a inexistência de uma condição etológica de busca por exclusividade sexual). A partir de observação do comportamento de chimpanzés em habitat natural, sabemos que esses confrontos por dominância entre dois machos adultos podem durar muitos meses e serem marcados por demonstrações intensas de agonismo. É comum que o macho desafiante se recuse a realizar rituais de submissão ao dominante, rituais esses que são regularmente cumpridos pelos demais membros do grupo como forma de reafirmação dos laços de lealdade, de reconhecimento de seu lugar na hierarquia, e da estabilidade do corpo social.

Esses rituais envolvem determinadas posturas corporais e gestos, como dar as costas ao líder, curvar-se ou abaixar-se diante dele, ou ainda demonstrar aquilo que alguns primatólogos designam por "sorriso assustado". Sendo parte da sinalização de poder o ato de estender o braço e tocar com a mão o ombro de outro chimpanzé de *status* inferior, o desafiante, durante sua campanha pelo poder, tende a não permitir que o macho dominante o realize consigo. Normalmente, essas demonstrações de intimidação, agressividade e poder são observadas atentamente por todos os membros do grupo, que, ao longo do tempo, tendem a se posicionar na disputa, em apoio a cada um dos contendores.

Durante o processo de estranhamento entre facções, as coalizões que se formam cotidianamente para tarefas específicas – forrageamento, *grooming*[21] etc. – tendem a se tornar mais voláteis. Tanto o macho dominante quanto seu desafiante buscam intimidar as fêmeas do grupo e, para tal, formam alianças com outros machos subalternos. Ao intimidá-las, o que buscam os disputantes é o apoio político das próprias fêmeas, sem o qual a tomada/conservação do poder não se conclui. A luta por suporte também é reforçada pela ampliação do tempo social gasto com cada fêmea e com seus filhotes, através da prática do *grooming*. Nesse caso, podem entrar em cena machos subalternos aliados, que afastam as fêmeas partidárias do adversário, para que elas não interfiram na estratégia de socialização e conquista de apoio. Esses machos inferiores buscam, com isso, galgar degraus na hierarquia a partir da vitória de seu candidato, o que geralmente lhes garante um acrescido grau de vantagens reprodutivas. Então, após intensa dedicação na luta pela dominância, os membros do grupo tendem a convergir para o apoio a um dos competidores, e ao isolamento social do outro, encerrando o processo. A partir daí, as demonstrações de comportamento agonístico por parte do macho vitorioso tendem a se reduzir; o líder assume postura conciliadora e pacificadora, mediando conflitos entre as fêmeas e auxiliando machos mais fracos ou com menos prestígio contra adversários mais fortes. Em algum tempo o processo de contestação da hierarquia recomeça, o que não raro envolve radicais recomposições de alianças.

É o alto grau de incerteza provocado pela expansão do tamanho populacional dos grupos sociais, pela ruptura da dominância harênica e pela preservação da patrilinearidade masculina – com a possibilidade de disputa letal fratricida –, o que leva, entre os grandes primatas africanos, ao desenvolvimento de uma ética intuitiva. Ela, funcionando como verdadeiro freio etológico prossocial, determina as normas e procedimentos da disputa interna pelo poder, reduz o grau de violência interpessoal masculina letal (embora não a elimine) e estabelece quando e como a luta se dá por encerrada, até que o ciclo se reinicie. Ao contrário das culturas chimpanzés, em que determinados grupos sociais desenvolvem práticas e comportamentos transmitidos socialmente, pelo aprendizado observacional, e que não se repetem em quaisquer outros grupos, um núcleo comum de parâme-

---

21. Também chamada de catação, o *grooming* é um importante ritual social entre os primatas. Seu objetivo primário é o de remoção de parasitas e detritos da pelagem, em benefício da higiene. Contudo, o papel do *grooming* enquanto ato social transcende essa dimensão, funcionando como importante instrumento de reforço dos laços afetivos.

tros de sociabilidade e de resolução de conflitos internos se reproduz de forma inata em todos os grupos de chimpanzés, na natureza ou em cativeiro[22].

O conflito intersocietário e o esgotamento da cognição social

Se o desenvolvimento da cognição social resulta em padrões éticos inatos nas relações intragrupo, o espaço das relações intersocietárias é justamente o de ausência não só de freios etológicos, como também da ação dos mecanismos cognitivos de gerenciamento do jogo hierárquico. Entre os chimpanzés comuns (*Pan troglodytes*) e, provavelmente, mais uma vez, no último ancestral comum com os humanos modernos, a comunicação entre grupos sociais resume-se à violência coalizacional, cujo objetivo é o de eliminação dos machos estrangeiros, de abdução das fêmeas férteis e de desarticulação das comunidades inimigas. Não existem quaisquer mecanismos cognitivos de pacificação ou de contenção do conflito letal entre essas sociedades.

Está na origem da violência coalizacional intersocietária a fragmentação dos grupos sociais provocada, ocasionalmente, pelas lutas por dominância em âmbito interno. Determinados limites socioambientais se impõem para a coesão dos grupos de chimpanzés, o que envolve um equilíbrio delicado entre rarefação espacial dos recursos naturais e o contingente populacional ascendente. Quando esses limites são ultrapassados e o ciclo de disputa por poder se reinicia, o fracionamento da macrounidade social pode ser o resultado. O primeiro indício de que a luta política provocará secessão está na segmentação do grupo em facções de relacionamento: a tendência à alternância de parceiros no forrageamento e no *grooming* dá lugar a escolhas mais limitadas e repetidas, com indivíduos buscando alimento e reforçando seus laços sociais mais frequentemente com determinados coespecíficos do que com outros.

Um importante sinal de secessão em progresso está no alinhamento das facções a seus líderes, sem defecções, ao contrário do que ocorre normalmente nas lutas por dominância, nas quais um dos competidores vai sendo abandonado por seus apoiadores e progressivamente isolado por uma maioria crescente. A fratura social vai se tornando visível na própria configuração da espacialidade grupal: os indivíduos de cada facção, ainda que coabitem as mesmas localidades, tenderão a se arranchar em campos opostos. O processo segue com a dissociação entre as áreas de forrageamento de cada uma das facções, circunstância a partir da qual a cisão entre dois grupos sociais pode ser considerada completa, em termos formais.

---

22. Aureli et al. (2008, p. 632; 636-637), Bauernfeind et al. (2013, p. 263-264, 271-273), Foley (2008, p. 207-210), Mithen (2002, p. 67-71, 102-111, 126-131, 139-142), Nordhausen e Oliveira Filho (2015, p. 36-38), Wrangham e Peterson (1996, p. 128, 143-144, 186).

Uma vez separadas as duas unidades sociais com seus respectivos machos dominantes e pirâmides hierárquicas, logo pequenos subgrupos de caráter temporário se constituirão para a realização de atividades cotidianas, mas também para o exercício da violência coalizacional intersocietária. Provocados etologicamente pelo macho dominante (na maior parte dos casos) por meio de gestos e vocalizações, com finalidade de se organizarem para a luta, companhias de machos adultos podem ser formadas e partir em marcha para o território do grupo inimigo, muitas vezes acompanhados de algumas fêmeas jovens e sem filhotes. Não se trata sobremaneira da organização de patrulhas defensivas, reativas, nem do exercício da violência como subproduto ocasional da prática do forrageamento, por exemplo. Deixando para trás oportunidades alimentares, as marchas ocorrem com a finalidade única e exclusiva de levar a violência letal ao "outro". Durante as incursões, a detecção de sinais sensíveis da presença do oponente (sons, em particular) provocam reações de ansiedade, controladas por meio de gestos que asseguram confiança e lealdade (toques, abraços).

Como nas condições ecológicas em que viveram chimpanzés e seu último ancestral comum com os humanos, a rarefação dos recursos no espaço leva à fissão temporária dos grupos permanentes para a prática do forrageamento, e isso cria a oportunidade aguardada por uma companhia agressora: apanhar um macho inimigo solitário e incauto, enquanto se alimenta. Diferentemente das guerras entre unidades políticas estatais em *H. sapiens* (mas não essencialmente diferente dos conflitos entre unidades políticas humanas não estatais), os choques entre chimpanzés são necessariamente assimétricos. Em caso de uma avaliação errada das circunstâncias, que promova o encontro entre uma companhia e um grupo numericamente equivalente de inimigos, os ataques são abortados, com a fuga imediata de volta ao território de origem.

Mas, caso a situação seja propícia, a companhia de machos coopera eficientemente para isolar e levar o oponente à morte. Se mais de um adversário é encontrado e a vantagem numérica seguir sendo inequívoca para os atacantes, o reide poderá ser empreendido a partir da tática de negar aos inimigos a capacidade de cooperarem, por meio da garantia de seu isolamento no terreno. Fêmeas e machos jovens que acompanhem o grupo invasor normalmente observam a ação sem se engajar nela. As incursões geralmente terminam uma vez assegurada a morte do oponente, e podem envolver demonstrações etológicas bastante peculiares, como a emasculação de oponentes caídos, mas ainda vivos, ou o consumo de seu sangue. Há descrições de que os efluxos de um adversário foram compartilhados entre um macho experiente e outro mais jovem, pertencentes ao mesmo bando.

O recuo de volta ao território de origem não ocorre antes de se empreender coerção sobre eventuais fêmeas jovens do grupo inimigo (envolvendo violência física não letal e intimidação), para que se juntem ao grupo vencedor (não é incomum que fêmeas mais velhas sejam eliminadas). A abdução das fêmeas ocorre ou por sua migração ou pela incorporação do território por onde forrageiam, a partir do momento em que forem poucos os machos adversários capazes de negar futuro acesso dos invasores. Ressaltemos que, num contexto de fim da exclusividade sexual (ainda que ela seja distribuída de modo desigual, com base no escalonamento hierárquico intragrupo), a incorporação de novas fêmeas à sua macrounidade social garante a todos os machos engajados em violência intersocietária o aumento potencial de seu *fitness* reprodutivo em algum grau, caso cooperem.

A dimensão reprodutiva da violência coalizacional ganha ainda visibilidade pela prática do infanticídio após a abdução: os primeiros filhotes nascidos de fêmeas recém-incorporadas tendem a ser mortos pelos machos quando nascem, enquanto as gerações seguintes são preservadas. Em um regime poliginândrico não há garantia de paternidade intragrupo, e esse fato tende a coibir os atentados masculinos contra infantes; mas, no caso da absorção de fêmeas estrangeiras, a possibilidade de não paternidade da primeira geração é razoável, e o infanticídio visa assegurar a pureza da comunidade genética patrilinear.

A agressão letal não se configura exatamente como um fenômeno etológico raro entre os mamíferos, mas a parte do leão nesses casos envolve infanticídio, praticado em nível individual por machos ou fêmeas; ou ainda a disputa por recursos naturais em situação de escassez. Na competição reprodutiva, duelos interpessoais são igualmente comuns, e podem resultar em letalidade, embora não seja a regra. Em termos etológicos, a agressão letal entre adultos é um comportamento com altíssimo custo: em circunstâncias de simetria de poder, pode resultar tanto na morte da vítima quanto do agressor. Desse modo, a letalidade pode se fixar como traço de comportamento agonístico quando: 1) amplia o *fitness* reprodutivo do agressor; 2) ocorre em condições nas quais os riscos são controlados.

Essa é a lógica que pauta o infanticídio, sem dúvida a categoria mais comum de violência com morte: os riscos de contra-ataque serão nulos caso os infantes não sejam protegidos por fêmeas altamente dimórficas (o que não é o caso entre os antropoides), por machos dominantes em haréns, ou pela cooperação de múltiplos machos em regimes sociais como os dos chimpanzés (nestes últimos dois casos, considerando exclusivamente agressão perpetrada por agente externo ao grupo social). Desse modo, o que faz a violência coalizacional intersocietária rumar pelo caminho da agressão letal é justamente o desequilíbrio de poder, a assimetria explorada pela tática cooperativa. O equilíbrio de poder é etologicamente um mecanismo eficaz de contenção da violência, e as coalizões masculinas rompem justamente esse equilíbrio: na medida em que os agressores nos reides de chimpanzés raramente sofrem qualquer dano, a eliminação física de machos considerados externos à comunidade genética patrilinear acaba por garantir seus frutos em termos de agenda reprodutiva.

Mas as relações intersocietárias entre nossos parentes evolucionários mais próximos, podem elas ser objeto da etologia de resolução de conflitos, daquela ética intuitiva da qual falamos? Teria o ancestral comum entre homens e chimpanzés sido capaz de se comportar, no âmbito intersocietário, pautado por instrumentos cognitivos de contenção da violência? Cremos que, no âmbito da inteligência social modular – mecanismo exemplar de ordenamento das relações em contexto de caos sistêmico intragrupo –, existem limites de processamento claros, relacionados à capacidade cerebral. O quociente de encefalização[23], o volume neocortical, a demografia dos grupos e o tempo de *grooming* são variáveis associadas. Quando o volume de informação social produzido pelo número crescente de relacionamentos simultâneos supera os limites de processamento da mente modularizada, a coordenação e a cooperação se tornam cada vez menos viáveis. Então, quanto maiores os grupos, mais tempo social é necessário para se reforçar os laços e maior é a demanda sobre o aparato cognitivo no sentido de coletar informações sobre o *status* alheio, construir hipóteses sobre as estratégias de ascensão social de terceiros e, com base nelas, posicionar-se tendo em vista, pelo menos, a preservação do próprio *status*. A sobrecarga de informação social faz com que o reconhecimento e a análise do lugar hierárquico de certos indivíduos se tornem vagos, criando situação anômala na qual os instrumentos de manejo de conflitos perdem eficácia. O facciosismo que aos poucos se instaura nos grupos em ruptura expressa justamente a capacidade de se identificar o *status* dos indivíduos com quem os laços seguem firmes e a dificuldade de se compreender onde os "outros" se encaixam nesse maquinário social.

Uma vez intensificada a demanda de processamento mental para além da capacidade cognitiva desses primatas, e considerando-se que tanto os mecanismos de resolução de conflitos quanto os jogos de *status* são aspectos incontornáveis do exercício de uma sociabilidade pós-harênica, o instrumental cognitivo seguirá sendo demandado, o que resultará em comportamento patológico e nítido sofrimento emocional. A fissão definitiva da macrounidade social atua, então, como fenômeno homeostático, reconduzindo o funcionamento dos módulos mentais especializados ao equilíbrio. Uma vez fracionados, os dois grupos recém-formados terão reconduzido seu contingente demográfico a limites cognitivamente manejáveis[24].

---

23. O quociente de encefalização expressa a razão entre o volume cerebral médio em uma espécie e o volume esperado para o cérebro, caso esse órgão se desenvolvesse em condições isométricas (proporcionais) com o restante do corpo.

24. Aiello e Dunbar (1993, p. 184-185), Aureli et al. (2008, p. 627, 637), Bauernfeind et al. (2013, p. 275-276), Ferguson e Beaver (2009, p. 291), Mithen (2002, p. 140-141), Wrangham e Peterson (1996, p. 5-18, 158-159, 162-170, 179).

Considerações finais: a ética da guerra é fruto de condição apomórfica em *H. sapiens*

É dessa forma que, em tese, desde o último ancestral comum, chimpanzés e hominíneos seriam incapazes de incorporar suas relações intersocietárias ao campo da ética política intuitiva, algo que torna bastante incomuns os desenvolvimentos mais recentes na história evolucionária recente de *H. sapiens*, com a eclosão da modernidade comportamental, da consciência transdominial e do pensamento abstrato, por volta de 40 mil anos atrás. Nessa longa trajetória evolucionária desde seis milhões de anos, rediviva sob certo aspecto nas sociedades contemporâneas de *P. troglodytes*, a classificação de um coespecífico como estrangeiro é fruto do descarte de informação social. O "outro", uma vez desligado de uma macrounidade social, passa a não ocupar qualquer lugar na hierarquia interna, deixando então de ser objeto dos processos cognitivos inatos dedicados ao gerenciamento de conflitos.

Os sinais somáticos demonstrados por chimpanzés em seus encontros com o inimigo sugerem que, ao contrário de terem eles sua "chimpanzeidade" reconhecida, são tratados como animais de caça. Em um ato de violência coalizacional intersocietária, os agressores emitem sinais vocais e gestuais que coincidem com a prática de encontrar e perseguir uma presa em fuga. A "deschimpização", ou seja, o processo cognitivo de ressignificar a natureza de um coespecífico, é universal e etológico, e não um procedimento socialmente aprendido para, supostamente, controlar uma aversão inata ao assassinato. Se assim fosse, deveria ser restrita a determinados grupos de chimpanzés, como o são as diversas faces da cultura material nessa espécie.

O reenquadramento da condição do estrangeiro funciona como artifício etológico voltado para deflagrar respostas do sistema nervoso simpático associadas ao exercício da violência letal, como na caça, e isso não está relacionado, de forma alguma, a qualquer reação defensiva. Chimpanzés são capazes de ignorar a presença de outros primatas potencialmente perigosos, como babuínos, com os quais ocasionalmente disputam alimentos. Esses primatas não pressionam os gatilhos etológicos ligados à violência coalizacional intersocietária, embora sejam uma ameaça em potencial. O babuíno não é o inimigo, mas um chimpanzé pertencente a outra macrounidade social.

É sintomático, então, que o estrangeiro represente a incerteza em seu mais alto grau, já que pertence ao campo do não social, ausente seja da base, seja do topo da pirâmide, ignorando tanto a dominância quanto a submissão. Sendo impossível a identificação de seu lócus hierárquico, não há estratégias sociais possíveis de serem traçadas a seu respeito, tornando a cognição modular inócua. Uma vez avessos à ordem e representando o caos exterior de um mundo desprovido de instrumentos de manejo de conflitos, ao estrangeiro restará a aniquilação, facultando-se somente às fêmeas a oportunidade de integração ao campo ordenado das relações sociais etologicamente controladas. Na circunstância de os grandes primatas contarem com mecanismos sensoriais de identificação de consanguinidade – o que em *H. sapiens* integra o campo do inconsciente pessoal, algo potencialmente sugerido pelo mito edipiano –, devemos compreender o quão forte precisa ser a pressão ambiental e cognitiva para a cisão de comunidades patrilineares, bem como para a ressignificação da natureza do "outro", com quem, em última instância, pode-se guardar relações de parentesco. Esses processos, resultando em violência letal, acabam por autorizar etologicamente o fratricídio, num equilíbrio complexo e instável com o próprio exercício da sociabilidade patrilinear cooperativa[25].

Consideremos, assim, a possibilidade desses mecanismos cognitivos de contenção e gerenciamento de conflitos sociais intragrupo (que, na interação entre a consciência transdominial, o inconsciente pessoal e o vasto universo etológico do inconsciente coletivo, chamaríamos de "pensamento ético social humano") serem uma simplesiomorfia[26] entre humanos e chimpanzés, sujeitos, é claro, a disrupções de natureza patológica. Da mesma forma, a capacidade do exercício da violência coalizacional intersocietária (com garras, dentes, espadas ou armas nucleares) parece manifestar-se como condição simplesiomórfica nas espécies dessas duas linhagens.

O que emerge desta reflexão como fruto de algo substancialmente apomórfico[27] é a capacidade de *H. sapiens* de dispor de uma ética da guerra, do poder de formular normas abstratas que determinem os limites e os parâmetros do exercício da violência intersocietária, e que, em última instância, possam eventualmente culminar na sua negação. Não obstante, o pacifismo e as normas da guerra, nesse caso, parecem longe de se configurarem como condição etológica, depositada no inconsciente coletivo humano, e depender, exclusivamente, do exercício da consciência transdominial. Já a violência intergrupal e a desumanização, ainda que combatidas firmemente nos domínios do consciente, encontram repouso

---

25. Mithen (2002, p. 308-309), Ferguson e Beaver (2009, p. 287), Roscoe (2007, p. 485-486, 491).
26. Simplesiomorfia designa qualquer característica primitiva compartilhada por duas ou mais espécies. Essa característica não é distintiva de qualquer das espécies que dela compartilham. *H. sapiens*, por exemplo, não possui cauda, tal como os gorilas; esta portanto não é uma condição que defina o humano moderno, tampouco os gorilas.
27. Apomorfia é uma característica inovadora presente em determinada espécie, e que a faz diferir de todas as suas ancestrais. A bipedia é uma provável apomorfia na linhagem dos homíneos desde a divergência com o último ancestral comum entre eles e os chimpanzés.

firme nos recônditos do inconsciente coletivo, herdados de um turbulento passado evolucionário.

Referências

AIELLO, L. & DUNBAR, R. Neocortex size, group size, and the evolution of language. *Current Anthropology*, vol. 34, n. 2, 1993, p. 184-193.

AURELI, F. et al. Fission-fusion dynamics: new research frameworks. *Current Anthropology*, vol. 49, n. 4, 2008, p. 627-654.

BARNOSKY, A. & KRAATZ, B. The role of climatic change in the evolution of mammals. *BioScience*, vol. 57, n. 6, 2007, p. 523-532.

BAUERNFEIND, A. et al. A volumetric comparison of the insular cortex and its sub-regions in primates. *Journal of Human Evolution*, vol. 64, n. 4, 2013, p. 263-279.

CAMERON, D. & GROVES, C. *Bones, stones and molecules*: "out of Africa" and human origins. São Diego: Elsevier, 2004.

FERGUSON, C. & BEAVER, K. Natural born killers: the genetic origins of extreme violence. *Aggression and Violent Behavior*, vol. 14, n. 5, 2009, p. 286-294.

FOLEY, R. *Os humanos antes da humanidade*: uma perspectiva evolucionista. São Paulo: Unesp, 2008 [Trad. Patrícia Zimbres].

LADEIA, I. & FERREIRA, P. A história evolutiva dos primatas. In: NEVES, W. et al. (orgs.). *Assim caminhou a humanidade*. São Paulo: Palas Athena, 2015, p. 48-85.

MITHEN, S. *A pré-história da mente*: uma busca das origens da arte, da religião e da ciência. São Paulo: Unesp, 2002 [Trad. Laura Cardellini Barbosa de Oliveira].

NORDHAUSEN, M. & OLIVEIRA FILHO, P. Nós, primatas. In: NEVES, W. et al. (orgs.). *Assim caminhou a humanidade*. São Paulo: Palas Athena, 2015, p. 14-47.

PAMPUSH, J. et al. Homoplasy and thick enamel in primates. *Journal of Human Evolution*, vol. 64, n. 3, 2013, p. 216-224.

ROSCOE, P. Intelligence, coalitional killing, and the antecedents of war. *American Anthropologist*, vol. 109, n. 3, 2007, p. 485-495.

SHULTZ, S.; OPIE, C. & ATKINSON, Q. Stepwise evolution of stable sociality in primates. *Nature*, vol. 479, n. 7.372, 2011, p. 219-222.

WRANGHAM, R. & PETERSON, D. *Demonic males*: apes and the origins of human violence. Boston: Mariner, 1996.

Evolução e moralidade

Tiago Nasser Appel

O dilema da cooperação

Imagine que você pertença a uma tribo que está pacificamente cuidando dos próprios assuntos[1]: cultivando suas roças, pastoreando seus animais, criando crianças e gozando a vida de modo geral. Tudo é perfeito, mas você tem vizinhos "complicados". Do outro lado do rio há uma tribo de pessoas belicosas que só querem atacar, matar, saquear e destruir. Elas acham que isso é mais interessante do que colher o próprio sustento. E não há nenhuma autoridade maior para impedir que elas rapinem seus vizinhos.

Um dia os guerreiros da tribo belicosa decidem cruzar o rio e avançar em direção a sua aldeia. Você precisa reunir a tribo e repelir os invasores. Todos devem participar, porque quanto maior for a comitiva que você reunir, maiores serão as chances de derrotar os agressores. Os benefícios de montar uma defesa bem-sucedida são óbvios. Ela é literalmente a diferença entre a vida e a morte. O problema é que, mesmo que o seu lado vença e os inimigos sejam afugentados ou mortos, parte do seu povo será morta ou incapacitada. Esta é a natureza da guerra. Pior ainda: você próprio pode morrer em batalha. Entretanto, se ninguém deixar de lutar, as chances de você sobreviver serão maiores. Sua tribo conhece melhor o território, e a defesa geralmente é mais "fácil" que o ataque.

Então, se você for uma pessoa motivada unicamente pelo desejo de viver, irá pesar os riscos que correrá lutando contra a certeza da morte em um massacre geral caso ninguém lute e decidirá lutar na frente de batalha. Certo? Errado. Os economistas e outros cientistas sociais têm um nome para as pessoas "espertas" motivadas unicamente pelo medo e prazer: agentes racionais. Acontece que um grupo constituído inteiramente de agentes racionais é incapaz de cooperar. Este resultado pode ser "provado matematicamente" de maneira muito simples.

---

1. O exemplo hipotético a seguir é tirado de Turchin (2016, p. 56ss.).

Suponha que sua tribo possa reunir mil guerreiros, o suficiente para debelar a invasão, mas a um custo de 50 guerreiros mortos ou gravemente feridos. O fato de você se juntar ou não a este bando de guerra não vai surtir impacto significativo algum no resultado da batalha. Outros fatores – como o terreno, o tempo, o elemento de surpresa ou mesmo a sorte – terão muito mais efeito do que um único guerreiro ausente. De fato, alguns guerreiros provavelmente estarão muito doentes para lutar, de qualquer forma. Então você pode fingir que está doente e ficar em casa. É isso que um agente racional faria. O resultado final será o mesmo, mas você calcula que, caso participe, suas chances de morrer ou de ficar debilitado serão "de uma em 20" (50 baixas estimadas divididas por mil guerreiros). Em outras palavras, para você as consequências pessoais podem ser muito significativas. Então um agente racional escolherá "desertar da tropa de guerra" (no jargão dos teóricos da ação coletiva, desertar, ou *defect*, significa, de forma mais geral, *não contribuir* para um empreendimento coletivo).

De fato, não importa o que os outros façam, a melhor escola do agente racional é sempre *defect*. Assim, numa tribo de agentes racionais todos farão o mesmo cálculo e, portanto, ninguém irá enfrentar o inimigo. Todos irão se fingir de doentes – até serem arrastados da cama e mortos pelos seus inimigos. Aqui jaz o grande dilema da cooperação social. Seria melhor para todos se todo mundo contribuísse para o bem comum, mas é individualmente vantajoso transferir o ônus para outrem. Se todos seguirem esta lógica, nenhum bem coletivo será produzido. Este dilema está presente não só em questões de guerra ou paz, mas em praticamente todas as esferas da vida pública: na provisão da boa governança, na criação da infraestrutura pública, no financiamento da ciência e da tecnologia, na manutenção da qualidade do ar e da água etc.

Felizmente, entretanto, as pessoas não são "agentes racionais", pelo menos não da forma pintada pelo modelo do *Homo Economicus*, que dominou as ciências do comportamento durante a segunda metade do século XX. Um experimento muito famoso, o "jogo do ultimato", sustenta nosso argumento. Nesse jogo, uma pessoa, chamada de *proponente*, recebe uma soma de dinheiro de, digamos, dez reais, e é instruída a oferecer qualquer porção deste valor – de zero a dez reais – para outra pessoa, chamada de *respondente*. O jogo ocorre em condições de anonimato (o proponente e o respondente não podem revelar suas identidades) e há apenas uma rodada. O respondente, que sabe que o valor total a ser compartilhado é de dez reais, pode aceitar ou recusar a oferta. Se ele recusar, os dois jogadores ficam sem nada. Assim, um "agente racional", movido unicamente pelo autointeresse, sempre vai aceitar qualquer soma positiva de dinheiro (um real é melhor do que nada).

Quando o jogo do ultimato é jogado na vida real, todavia, este resultado "racional" quase nunca é presenciado. Em várias replicações desse experimento, em mais de 30 países – sob condições diversas e em alguns casos com montantes significativos de dinheiro em jogo –, os proponentes rotineiramente ofereceram porções generosas, 50% do total sendo a mais comum. E, o que é mais interessante, a maior parte dos respondentes recusou as ofertas abaixo de 25%[2]. Em entrevistas pós-jogo, muitos dos respondentes que tinham rejeitado ofertas baixas exprimiram revolta contra a ganância dos proponentes e também um desejo de penalizar o comportamento injusto. Como colocam Gintis et al.[3], o fato de que somas positivas são comumente rejeitadas mostra que os respondentes têm preocupações de justiça, e o fato de que a maior parte dos proponentes oferece algo entre 40 e 50% do total mostra que os proponentes também têm a mesma preocupação (ou ao menos entendem que a noção de justiça dos respondentes os levaria a rejeitar ofertas baixas).

Particularmente interessantes são aqueles que rejeitam ofertas positivas. Para Gintis et al., a explicação mais consistente com os dados é que eles são motivados por um desejo de punir o comportamento ganancioso do proponente, mesmo que isto signifique pagar um custo pessoal (não receber nada). Para os autores, este e outros resultados experimentais que violam o axioma do autointeresse são hoje lugar-comum. Eles e achados correlatos

> [...] levaram nos anos recentes a uma revisão da sabedoria tradicional na biologia e na economia no sentido de avaliar a importância central das preferências pelo outro e das virtudes do caráter na teoria biológica e econômica[4].

Poder-se-ia argumentar que esta preocupação com a justiça é específica das complexas sociedades urbanas. Para verificar esta possibilidade, um grupo de antropólogos realizou jogos do ultimato em 15 sociedades de pequena escala com pouco contato com mercados, governos ou instituições modernas[5]. Essas sociedades incluíam caçadores-coletores, pastores e horticultores primitivos. O estudo encontrou que muitas dessas sociedades espelharam os resultados das economias avançadas, enquanto outras não. Entre os Au e Gnau da Papua Nova Guiné, por exemplo, ofertas de mais de 50% do total foram comuns. Além disso, enquanto divisões "meio a meio" foram geralmente aceitas, tanto ofertas maiores quanto menores correram um risco razoável de serem rejeitadas. Em contraste, entre os Machiguenga do Peru, por exemplo, quase três quartos das ofertas foram de 25%

---

2. Cf. Camerer (2003) e Oosterbeek et al. (2004).
3. Gintis et al. (2015).
4. Gintis et al. (2015, p. 328). Fazem parte desta mudança de paradigma, p. ex.: Gintis et al. (2005) e Henrich et al. (2004). Cf. tb. Okasha e Binmore (2012).
5. Henrich et al. (2004).

ou menos do total, e mesmo assim em mais de 70 ofertas houve apenas uma rejeição. Mesmo entre os Machiguenga, no entanto, a oferta média foi de 27,5% do "pote", mais do que teria maximizado o ganho do proponente, dada a baixa probabilidade de rejeição.

As análises dos experimentos levaram Henrich et al.[6] às seguintes conclusões: (1) os comportamentos são altamente variáveis entre as sociedades; (2) nenhuma sociedade correspondeu ou mesmo se aproximou do modelo dos agentes racionais; e (3) apesar dos cenários anônimos dos experimentos, as diferenças entre as sociedades refletiram diferenças no tipo de interação vivenciada no dia a dia – isto é, o comportamento no jogo refletiu as normas culturais de cada sociedade. Os Au e os Gnau, por exemplo, têm costumes muito antigos de troca de presentes, de modo que receber um presente geralmente obriga a pessoa a dar algo em troca no futuro. Assim, os Au e Gnau simplesmente enxergaram o jogo de acordo com a troca social mais similar que conheciam – e agiram correspondentemente. Algo parecido pode ser dito dos Aché do Paraguai, que dividem de forma igualitária entre todos os membros do grupo alguns tipos de comida adquirida através da caça e da coleta (principalmente carne e mel): no experimento, a maior parte dos proponentes Aché ofereceu 50% ou mais do total. Já os Machiguenga vivem numa sociedade na qual o único tipo de relacionamento que pressupõe lealdade é aquele entre parentes e, portanto, não se viram obrigados a fazer ofertas justas aos desconhecidos com que jogaram[7]. Gintis et al. resumem mais alguns resultados de Henrich et al.[8]:

> De maneira semelhante, entres os caçadores de baleias da Ilha de Lamalera na Indonésia, que caçam em grandes grupos e dividem a caça de acordo com regras estritas de partilha, a distribuição média do proponente ao respondente era 58% do total da caça. Além disso, os caçadores de baleias indonésios procederam de maneira muito diferente dos estudantes universitários indonésios que foram submetidos a outro conjunto de experimentos (CAMERON, 1999). De fato, onde fornecimento voluntário de bens públicos era costumeiro na vida real (p. ex., o sistema Harambee entre os pastores Orma do Quênia, onde os indivíduos contribuem com recursos para construir uma escola ou consertar uma estrada), as contribuições no jogo experimental de bens públicos eram padronizadas de acordo com as contribuições efetivas no sistema concreto Harambee. Os que tinham mais cabeças de gado davam uma contribuição maior. Em contrapartida, no jogo do ultimato, para o qual não havia aparentemente nenhum análogo

---

6. Henrich et al. (2004).

7. E tampouco experimentaram o ressentimento que muitas outras culturas experimentariam ao receber ofertas muito baixas.

8. Henrich et al. (2004).

da vida cotidiana, os Orma abastados e os não abastados se comportaram de maneira semelhante[9].

Cooperação à luz da seleção natural

Então as pessoas cooperam e compartilham. Elas não são *homines economici*. Como a biologia explica isso? Como sabemos, a evolução explica o *design* adaptativo com base em três princípios: variação fenotípica, hereditariedade e consequências adaptativas. Um atributo fenotípico é tudo o que pode ser observado ou medido[10]. Continuando, os descendentes frequentemente se parecem com seus pais, geralmente por causa dos genes compartilhados, mas também por outros fatores como a transmissão cultural. Por último, a aptidão dos indivíduos – sua propensão para sobreviver e se reproduzir – geralmente depende dos atributos fenotípicos. Juntos, os três princípios apontam para um resultado aparentemente inevitável: os atributos fenotípicos que produzem maior aptidão vão elevar sua frequência ao longo das gerações. Percebe-se, então, que a própria definição de adaptação – aquilo que aumenta a chance de sobrevivência e reprodução – impõe limites aos tipos de adaptações que podem evoluir.

Para compreendermos essas limitações, tomemos primeiro o exemplo de uma adaptação em nível individual, como a coloração das mariposas. Imagine uma população de mariposas que variam no grau em que se camuflam. A cada geração, as mariposas mais conspícuas são detectadas e comidas por predadores, enquanto as mais crípticas sobrevivem e se reproduzem. Se os filhos tendem a se parecer com os pais, a mariposa "média" vai se tornar mais críptica a cada geração. E, de fato, qualquer pessoa que observe um inseto que pareça com uma folha, *"right down to the veins and simulated herbivore damage"*[11] não pode deixar de se impressionar pela habilidade da seleção natural de produzir impressionantes adaptações em nível individual.

Considere, agora, o mesmo processo para uma adaptação em nível de grupo, como um grupo cujos membros avisam uns aos outros ao detectar um predador. Imagine um bando de pássaros que variam em sua tendência para escanear o horizonte e emitir um grito de alarme quando um predador é avistado. Os indivíduos mais alertas não vão necessariamente sobreviver e se reproduzir melhor do

---

9. Gintis et al. (2015, p. 329).

10. O fenótipo de um organismo é o conjunto de suas características observáveis, e resulta da expressão dos genes do organismo (genótipo), da influência de fatores ambientais e da possível interação entre os dois. Vale lembrar que, malgrado o fenótipo seja sempre influenciado pelo genótipo, é naquele (o resultado final) que a seleção natural atua.

11. Wilson (2002, p. 8).

que os menos alertas. Se o ato de escanear o horizonte atrapalha a alimentação, os pássaros mais vigilantes vão colher menos comida do que seus pares menos cautelosos. Além disso, se emitir um grito atrai a atenção do predador, então as sentinelas se colocam em risco ao avisar os outros pássaros. Desta forma, os pássaros que não escaneiam o horizonte e/ou que permanecem quietos ao avistar um predador podem ter melhor sucesso reprodutivo do que seus pares mais vigilantes.

Aqui jaz uma aparente oposição entre as forças que produzem adaptações em nível individual e aquelas que produzem adaptações em nível de grupo. Intuitivamente, é fácil imaginar um bando de pássaros como uma unidade adaptativa e usar o raciocínio funcionalista para prever suas propriedades. Esperaríamos que os membros do bando adotassem o credo "um por todos e todos por um". Poderíamos até mesmo imaginar sentinelas a postos para detectar predadores o mais rápido possível e transmitir a informação para os membros que no momento estivessem se alimentando. Infelizmente, os indivíduos que exibem estes comportamentos pró-sociais não sobrevivem e se reproduzem necessariamente melhor do que aqueles que gozam dos benefícios sem compartilhar os custos. Já que a teoria de Darwin se baseia inteiramente em diferenciais de sobrevivência e reprodução, ela parece incapaz de explicar os grupos como unidades adaptativas. Isto pode ser chamado de o problema fundamental da vida social: "*Groups function best when their members provide benefits for each other, but it is difficult to convert this kind of social organization into the currency of biological fitness*"[12].

Darwin estava ciente, é claro, deste problema fundamental da vida social e propôs uma solução. Imagine que não há apenas um bando de pássaros, mas vários bandos. Além disso, suponha que esses bandos variem em sua proporção de pássaros que avisam os outros do perigo (*callers*). Mesmo que um *caller* não tenha uma vantagem reprodutiva dentro de seu bando, bandos com mais *callers* serão mais bem-sucedidos do que grupos com menos *callers*. Numa passagem muito citada do *The Descent of Man*, Darwin usou este raciocínio para explicar a evolução das virtudes morais humanas, que parecem "projetadas" para promover o bem-estar do grupo:

> *Não se deve esquecer que, embora um alto padrão de moralidade confira senão uma leve vantagem ou vantagem nenhuma a cada homem individual e seus filhos sobre os outros homens da mesma tribo [...]. Não pode haver dúvida de que uma tribo que tem muitos membros que, por possuir em alto grau o espírito de patriotismo, fidelidade, obediência, coragem e simpatia, estiverem sempre dispostos a ajudar-se uns aos outros e a sacrificar-se a si mesmos pelo bem comum, sairá vencedora contra a maioria das outras tribos; e isto seria seleção natural. Em todos os tempos, no mundo*

---

12. Wilson (2002, p. 9).

> *inteiro, umas tribos suplantaram outras tribos; e, como a moralidade é um elemento importante em seu sucesso, o padrão de moralidade e o número de homens em boa situação tende a crescer e aumentar*[13].

Darwin estava sugerindo que os três ingredientes da seleção natural – variação fenotípica, hereditariedade e consequências adaptativas – também podiam existir ao nível dos grupos. Pode haver uma população de grupos (muitas tribos de humanos, muitos bandos de pássaros etc.) que variam em suas propriedades fenotípicas (padrão de moralidade, chamados de alerta etc.), com consequências para a sobrevivência e reprodução (guerra intertribal, evitar predadores etc.). E se os grupos atuais se parecem com os grupos anteriores, dos quais são derivados, eles podem, sim, tornar-se unidades adaptativas, da mesma forma que os indivíduos.

A aparentemente óbvia solução de Darwin tem, no entanto, uma limitação e um importante corolário. A limitação: não é só porque os grupos podem tornar-se unidades adaptativas que eles o farão. Condições especiais são necessárias, e estas podem não estar presentes no mundo real. No nosso exemplo, a seleção de grupo favorece os pássaros vigilantes e solidários, mas a seleção individual favorece os pássaros que se enchem de comida e só pensam em salvar as próprias penas ao avistar um predador no horizonte. Assim, se quisermos interpretar os bandos como unidades adaptativas, precisamos não só demonstrar a existência de um processo de seleção de grupo, mas também precisamos mostrar que ele opera de forma *mais forte* do que o processo oposto de seleção individual. Como defendemos em nossa tese de doutorado, o instrumento necessário para esta averiguação é a teoria da *seleção multinível*, que expressa a possibilidade de a seleção natural operar simultaneamente em mais de um nível da hierarquia biológica.

O importante corolário é que os grupos que se tornam unidades adaptativas estão amiúde adaptados para se comportar de forma agressiva em relação a outros grupos. No cenário de Darwin, as virtudes morais são praticadas *entre* os membros de uma tribo e dirigidas *contra* as outras tribos. A seleção de grupo não elimina o conflito, mas sim:

> [...] o faz subir na hierarquia biológica, passando de [conflito] entre indivíduos no interior de grupos para [conflito] entre grupos dentro de uma população mais ampla [...]. Isto pode ser uma decepção para os que buscam uma moralidade universal que transcende as fronteiras de grupos, mas deriva diretamente do conceito organísmico de grupos[14].

---

13. Darwin (1871, p. 166).
14. Wilson (2002, p. 10).

Brevíssimo resumo da rejeição da seleção de grupo na teoria evolucionária

No clássico *Adaptation and Natural Selection*[15], o eminente biólogo evolucionário George Williams argumentou que a seleção de grupo era plausível na teoria, mas ele dedicou o grosso do seu livro para provar a tese de que as adaptações em nível de grupo de fato não existiam. Através de vários exemplos do reino animal, ele mostrou que aquilo que parecia ser "altruísmo" ou sacrifício pessoal na verdade podia ser explicado de forma mais parcimoniosa pela seleção individual ou pela chamada seleção de parentesco, que explica de forma simples e elegante como o altruísmo direcionado a parentes pode evoluir[16], como no caso paradigmático dos insetos sociais. Richard Dawkins fez a mesma coisa no *best-seller O gene egoísta*: primeiro admitiu que a seleção de grupo era possível na teoria, mas depois dedicou o restante do livro para "desmascarar" casos aparentes de adaptações de grupo[17]. No final dos anos de 1970, então, formou-se um amplo consenso de que a teoria da seleção de grupo era o exemplo arquetípico do raciocínio evolucionário falho.

Não coincidentemente, nas décadas de 1970 e 1980 o conceito de *Homo Economicus* se generalizou, dominando não só a ciência econômica e a teoria evolucionária, como também as ciências sociais de modo geral. Diz o psicólogo Jonathan Haidt:

> *Na psicologia social, por exemplo, a principal explicação da honestidade (conhecida como "teoria da equidade") baseava-se em quatro axiomas, o primeiro dos quais era: "Os indivíduos procurarão maximizar seus resultados". Os autores observaram então que "mesmo o cientista mais controverso teria dificuldade em contestar nossa primeira proposição. As teorias numa ampla variedade de disciplinas baseiam-se na suposição de que 'o homem é egoísta'". Todos os atos de aparente altruísmo, cooperação e mesmo simples honestidade precisavam ser explicados, em última instância, como formas veladas de interesse pessoal*[18].

Já vimos na primeira sessão deste capítulo como os resultados do jogo do ultimato violam este pressuposto. A vida real também está cheia de exemplos que

---

15. Williams (1966).

16. Popularizada nos anos de 1960 por William Hamilton (1974), a teoria da seleção de parentesco diz que um indivíduo pode assegurar a reprodução maximizada de seus genes favorecendo parentes (irmãos, filhos, sobrinhos etc.) através de um ato altruísta. Por exemplo, tios e sobrinhos compartilham em média 25% de seus genes, então "faria sentido evolucionário" para um tio ajudar um sobrinho se os benefícios do "ato altruísta" fossem no mínimo quatro vezes maiores do que os custos incorridos.

17. Dawkins (1976).

18. Haidt (2012, p. 197).

o violam: as pessoas deixam gorjetas em restaurantes para onde não pretendem voltar; elas fazem doações anônimas para instituições de caridade; elas às vezes se jogam dentro de rios para salvar estranhos do afogamento etc. Não faz mal, dizem os cínicos: esses comportamentos são apenas *misfirings* de sistemas antigos projetados para a vida em pequenos grupos no Pleistoceno, onde a maior parte das pessoas eram aparentadas[19]. Agora que vivemos em grandes e anônimas sociedades, nossos antigos circuitos mentais egoístas erroneamente nos levam a ajudar estranhos que não nos ajudarão em troca. Nossas "qualidades morais" não são adaptações, dizem eles. Elas são subprodutos; são erros. A moralidade, diz Williams, é "uma capacidade acidental produzida [...] por um processo biológico que é normalmente oposto à expressão desta capacidade"[20]. Dawkins compartilha do mesmo cinismo: "Tentemos ensinar generosidade e altruísmo, porque nós nascemos egoístas"[21].

Nós, é claro, discordamos destas proposições. Seres humanos são, nas palavras de Jonathan Haidt, "girafas do altruísmo":

> *Nós somos anomalias únicas da natureza que às vezes – embora raramente – podem ser tão altruístas e dotadas de espírito de cooperação como as abelhas. Se o ideal moral de você é a pessoa que dedica sua vida a ajudar estranhos, então OK – tais pessoas são tão raras que mandamos equipes de filmagem a fim de registrá-las para o noticiário da noite. Mas se você focaliza, como fez Darwin, o comportamento em grupos de pessoas que se conhecem mutuamente e compartilham metas e valores, então nossa capacidade de cooperar, dividir o trabalho, ajudar-nos mutuamente e funcionar como equipe é tão difusa generalizada que nem a notamos [...]. Os ataques de 11 de setembro ativaram em minha mente várias destas adaptações relacionadas ao grupo. Os ataques me transformaram num jogador do time, com um poderoso e inesperado anseio de exibir a bandeira de meu time e fazer coisas para apoiá-lo, como doar sangue, dar dinheiro [...]. E minha reação foi morna em comparação com as centenas de americanos que nessa tarde pegaram o carro e venceram grandes distâncias até Nova York, na vã esperança de poder ajudar a retirar sobreviventes dos escombros, ou em comparação com os milhares de jovens que se apresentaram voluntaria-*

---

19. Cf. Pinker (2012) para uma defesa recente deste argumento. Hoje, sabemos, entretanto, que as pequenas comunidades de nossos ancestrais provavelmente não eram constituídas principalmente de parentes próximos. P. ex., numa pesquisa de 32 sociedades de caçadores-coletores, "*Hill et al. (2011) descobriram que, para qualquer indivíduo-alvo, apenas 10% aproximadamente de seus amigos/colegas eram parentes próximos. A maioria não tinha nenhuma relação de sangue. O coeficiente de relação genética, de Hamilton, entre os Aché era um mero 0.054. Este é um problema para as teorias que procuram explicar a cooperação humana por seleção de parentesco*" (HAIDT, 2012, cap. 9, n. 27).

20. Williams (1988, p. 438).

21. Dawkins (1976, p. 3).

mente para o serviço militar nas semanas seguintes. Será que essas pessoas estavam agindo por motivos egoístas ou por motivos de grupo?[22]

Esse movimento de *rally-round-the-flag*[23] é apenas um exemplo de uma adaptação de grupo. Mas ele é exatamente o tipo de mecanismo mental que você esperaria encontrar se nós tivéssemos sido moldados pela seleção de grupo da forma descrita originalmente por Darwin. Ainda não há consenso na academia, é claro, de que este tipo de sentimento patriótico – e sentimentos afins – evoluiu através da seleção de grupo. Muitos teóricos ainda concordam com Williams e Dawkins e acreditam que tudo que se parece com uma adaptação em nível de grupo irá – se você olhar atentamente – revelar-se uma adaptação para ajudar os indivíduos a competir com seus vizinhos dentro do mesmo grupo, e não para ajudar grupos a competir contra outros grupos.

Se os *experts* estão divididos, por que devemos tomar partido daqueles que acreditam que a moralidade é uma adaptação de grupo?[24] Nas próximas sessões, daremos duas (grandes) razões. A primeira – que vamos explorar rapidamente – é que é impossível entender as chamadas *grandes transições evolucionárias* (da origem dos primeiros seres unicelulares até os humanos) sem recurso à seleção de grupo. E a segunda – mais longa – é que o "igualitarismo universal" dos homens primitivos nos parece um ótimo candidato para uma adaptação de grupo.

Grandes transições evolucionárias

Até agora, nós tratamos as palavras "indivíduo" e "grupo" de forma separada, como todo mundo geralmente faz quando as usa. Em 1970, um trabalho revolucionário, da bióloga Lynn Margulis, desafiou esta distinção em sua essência. Margulis sugeriu que as células com núcleo (chamadas de eucarióticas) não evoluíram via simples passos mutacionais a partir de células bacterianas (procarióticas), mas surgiram como associações simbióticas de bactérias que se tornaram tão funcionalmente integradas a ponto de virar "organismos de nível mais alto em pleno direito"[25]. Os teóricos evolucionários John Maynard Smith e Eörs Szathmáry[26]

---

22. Haidt (2012, p. 148).

23. O *rally-round-the-flag* é um conceito usado na ciência política e nas relações internacionais para explicar o grande aumento da popularidade de um governante durante períodos de crise internacional ou de guerra.

24. Já há algumas décadas, os principais advogados da seleção de grupo são David Sloan Wilson, Elliot Sober, Edward O. Wilson, e Michael Wade. Cf., em particular, Sober e Wilson (1998) e Wilson e Wilson (2007).

25. Wilson (2015, p. 28).

26. Smith e Szathmáry (1995).

generalizaram este conceito para explicar outras transições de *grupos de organismos* para *grupos como organismos*, incluindo as primeiras células bacterianas, os organismos multicelulares, as colônias de insetos sociais, a evolução humana e possivelmente até a própria origem da vida "como grupos de interações moleculares funcionalmente organizadas"[27].

A explicação para estas grandes transições evolucionárias enquadra-se perfeitamente na teoria da seleção multinível que mencionamos acima, só que com uma importante ressalva: o próprio equilíbrio entre os níveis de seleção pode evoluir. Expliquemos. Em casos raros, surgem mecanismos que suprimem quase que completamente a seleção *dentro dos grupos*, fazendo com que a seleção *entre os grupos* se torne a principal força evolucionária. Assim, por exemplo, as primeiras células eucarióticas (com núcleo e organelas) tornaram-se organismos tão funcionalmente integrados que as organelas já não podiam mais se reproduzir sozinhas, isto é, elas só podiam se reproduzir quando a célula inteira se reproduzisse.

Os organismos eucarióticos unicelulares foram extremamente bem-sucedidos e se espalharam pelos oceanos. Algumas centenas de milhões de anos depois de seu surgimento, alguns destes organismos desenvolveram uma nova adaptação: eles mantiveram-se unidos após a divisão celular para formar organismos multicelulares onde cada célula tinha exatamente os mesmos genes. Novamente, a competição dentro do grupo foi suprimida, pois agora cada célula só podia se reproduzir se o organismo inteiro se reproduzisse através de seus gametas. Em outras palavras, um grupo de células tornou-se um indivíduo, capaz de dividir o trabalho entre as células que se especializaram para formar órgãos e membros. Em "relativamente pouco tempo", esses novos e poderosos organismos cobriram o mundo de plantas, animais e fungos.

As grandes transições são raras. Maynard Smith e Szathmáry contam apenas oito nos últimos quatro bilhões de anos (a última são as sociedades humanas). Mas essas transições talvez sejam os eventos mais importantes da história biológica, e são poderosos exemplos da seleção multinível. É o mesmo processo que se repete: sempre que uma maneira de suprimir a competição é encontrada, de forma que as unidades individuais passem a cooperar e dividir o trabalho, a seleção no nível mais baixo torna-se menos importante, e a seleção no nível mais alto torna-se mais poderosa, a qual por sua vez favorece os "superorganismos" mais coesos.

Assim, um (super) organismo é literalmente um *grupo de grupos de grupos*, cujos membros viviam de forma solitária no passado, mas que agora trabalham juntos para sua sobrevivência e reprodução coletivas. É claro, nos lembra David

---

27. Wilson (2015, p. 28).

Sloan Wilson, mesmo naquelas entidades que figuram como os arquétipos do conceito de organismo, a seleção nos níveis mais baixos é suprimida, mas nunca totalmente eliminada: o exemplo paradigmático são as células cancerígenas, que se multiplicam de forma descontrolada e invadem os tecidos das células "normais" à sua volta. Neste sentido, a última grande transição evolucionária de que falam Maynard Smith e Szathmáry[28] – as sociedades humanas – está longe de estar completa. Nas palavras de Wilson: *"Se uma sociedade humana presente ou futura se tornasse tão organizada funcionalmente que seus membros agissem quase inteiramente em prol do bem comum, essa sociedade mereceria ser chamada de organismo tanto quanto um organismo multicelular como você ou eu"*[29].

Sociedades humanas como unidades adaptativas? A filogenia do igualitarismo primitivo

Os antropólogos não concordam com muitas coisas, mas eles parecem compartilhar da opinião de que, ao contrário dos nossos primos biológicos mais próximos[30], as sociedades modernas de caçadores-coletores são incrivelmente igualitárias. O fato mais impressionante é que a carne é compartilhada de forma escrupulosa. De modo geral, o caçador mais bem-sucedido e sua família imediata não recebem mais do que o resto do bando[31].

A explicação usual para este padrão incrivelmente igualitário de compartilhamento de comida baseia-se no nicho ecológico humano. Porque até mesmo o melhor caçador pode voltar ao campo no fim do dia de mãos vazias – seja por má sorte ou acidente –, cada forrageador individual é absolutamente dependente dos outros em seu acampamento, bando ou unidade de compartilhamento maior. Para Kaplan et al., essa grande interdependência diminui a tendência de "pegar

---

28. Cf. tb. Stearns (2007).
29. Wilson (2015, p. 29).
30. Cada grupo de gorilas, p. ex., tem um macho dominante – o "dorso prateado" que governa com mão de ferro. Ele decide quando a tropa se muda, mantém a ordem e monopoliza as fêmeas da tropa. As fêmeas, por sua vez, têm a sua própria hierarquia, com uma fêmea alfa no topo. Os chimpanzés também possuem uma estrutura social despótica, apesar de bem diferente da dos gorilas. Os chimpanzés vivem em grandes grupos com um número aproximadamente igual de machos e fêmeas, cada sexo com a sua hierarquia. Mas – como os gorilas – os chimpanzés machos são bem mais fortes e maiores do que as fêmeas, e a maior parte das fêmeas é subordinada aos machos adultos. Na explicação divertida de Turchin sobre os chimpanzés (2016, p. 102): "*O macho alfa anda em volta espancando todos os outros, o macho beta espanca todos, exceto o alfa, e assim por diante. Os machos em posição mais alta na hierarquia têm muito mais oportunidades de acasalamento e procriam a maior parte da prole no grupo*".
31. Kaplan et al. (1985) e Hill et al. (2011).

carona" (*free ride*)[32] nos esforços dos outros e favorece fortes disposições individuais em direção ao igualitarismo e a criação de normas sofisticadas no que concerne à divisão dos espólios. Winterhalder e Smith complementam:

> *Só com a evolução da reciprocidade ou com a transferência de alimentos com base na troca tornou-se econômico para os caçadores individuais mirar a caça de animais de grande porte. O valor efetivo de um grande mamífero para um forrageiro solitário [...] provavelmente não era suficientemente grande para justificar o custo de tentar persegui-lo e capturá-lo. [...] No entanto, uma vez que sistemas eficazes de reciprocidade ou troca aumentam o valor efetivo de pacotes bem grandes para o caçador, esses itens de caça têm mais probabilidade de entrar na dieta ideal*[33].

O segundo elemento é que o igualitarismo é imposto pela comunidade, criando o que Chistopher Boehm[34] chama de *hierarquia de dominância reversa*. Os forrageadores humanos compartilham com os outros primatas a ambição pelo poder hierárquico, mas entre os humanos as aspirações de dominância social são combatidas porque os indivíduos não aceitam ser controlados por um macho alfa e são extremamente sensíveis às tentativas de membros do grupo de acumular poder através da coerção. Quando um indivíduo "sai do controle", ameaça e fere gravemente outros membros, ele é repreendido e punido. E se tal comportamento continuar e o ostracismo não for suficiente, o grupo delegará um membro, normalmente um parente próximo do transgressor, para executá-lo. A mensagem de Boehm em *Hierarquia na floresta* é elucidativa: "O igualitarismo não é produzido pela ausência das hierarquias, como normalmente se supõe. Mais propriamente, o igualitarismo envolve um tipo muito especial de hierarquia, um tipo curioso que é baseado em sentimentos anti-hierárquicos"[35]. Ou, de maneira mais longa:

> *Acredito que, caso se queira alcançar uma hierarquia igualitária estável, o fluxo básico do poder na sociedade precisa ser invertido definitivamente. Acredito também que é necessário um esforço considerável para manter esta condição. Nossa natureza política favorece a formação de hierarquias ortodoxas – hierarquias como as dos chimpanzés ou gorilas, ou humanos vivendo em territórios tribais ou estados. Nessas sociedades uma plebe submissa, mas às vezes ressentida, é controlada por um ou mais indivíduos do escalão mais alto, que reinam de forma dominadora no topo da hierarquia. Os indivíduos politicamente ambiciosos, os dotados de propensões especiais aprendidas ou inatas para dominar, é que têm mais probabilidade de tornar-se arrivistas em grupos ou tribos igualitários.*

---

32. Kaplan et al. (1985).
33. Winterhalder e Smith (1992, p. 60).
34. Boehm et al. (1993) e Boehm (1999).
35. Boehm (1999, p. 9-10).

> *Quando os subordinados se encarregam de suprimir resolutamente a competição que leva à dominação, é preciso algum esforço para manter as posições políticas invertidas. Na maioria dos casos, a simples ameaça de sanções (entre as quais ostracismo e execução) mantém esses buscadores de poder em seu lugar. Quando o arrivista se torna ativo, também a comunidade moral se torna ativa: ela se une contra os que querem usurpar a ordem igualitária; e geralmente o faz de forma preventiva e assertiva. Esta dominação pela plebe é tão forte que podem desenvolver-se papéis úteis de liderança sem subverter o sistema. A plebe, observando os líderes com cuidado especial, os impede de desenvolver qualquer grau sério de autoridade*[36].

Pandit e Van Schaik interpretam este fenômeno (a "dominação" do líder pelos subordinados)[37] como uma extensão das coalizões encontradas nos primatas. Sabemos, por exemplo, que as chimpanzés fêmeas em cativeiro agem coletivamente para neutralizar os machos alfa intimidadores e que os chimpanzés selvagens fazem grandes coalizões para banir, ferir gravemente, ou mesmo matar machos de alto *status*[38]. Em comparação com os humanos, todavia, as coalizões entre os primatas estão limitadas ao gênero *Pan*[39] e geralmente são de curta duração.

Outra diferença marcante entre os primatas e os humanos, fundamental para o estabelecimento da hierarquia de dominância reversa, é a capacidade de empunhar armas letais. Os primatas não humanos nunca conseguiram desenvolver armas capazes de controlar definitivamente um macho dominante. Mesmo se estiver dormindo, ao ser atacado um chimpanzé macho acorda rapidamente e entra numa batalha física, saindo praticamente ileso do ataque surpresa. Em *Machos demoníacos*[40], Richard Wrangham e Dale Peterson narram vários casos em que três ou quatro chimpanzés machos atacam incansavelmente outro macho durante 20 minutos sem serem capazes de executá-lo[41]. A eficiência limitada dos chimpanzés neste aspecto pode ser basicamente atribuída à sua inabilidade para manusear objetos naturais potencialmente perigosos, como pedras e rochas.

Já um caçador humano pode eliminar seu adversário facilmente numa emboscada ou enquanto ele dorme. Assim, com o advento das armas, o "valentão do bando" tornou-se muito mais vulnerável. Coloca Woodburn, ecoando Thomas Hobbes:

---

36. Boehm (1999, p. 10).
37. Pandit e Van Schaik (2003).
38. De Waal (1996).
39. Que inclui os chimpanzés comuns e os chimpanzés-pigmeus (ou bonobos).
40. Wrangham e Peterson (1998).
41. Vale dizer, no entanto, que a maior parte dos machos que sofreram ataques tão violentos morreram mais tarde de suas feridas.

> *As armas de caça são letais, não apenas para os animais de caça, mas também para as pessoas. Uma proteção eficaz contra a emboscada é impossível [...]. Em circunstâncias normais a posse, por parte de todos os homens, embora fisicamente fracos, covardes, despreparados e socialmente ineptos, dos instrumentos para matar secretamente qualquer pessoa vista como uma ameaça ao seu próprio bem-estar [...] atua diretamente como um poderoso mecanismo de nivelamento. Desigualdades de riqueza, poder e prestígio [...] podem ser perigosas para os portadores onde faltam meios de proteção eficaz*[42].

Em outras palavras, as armas letais foram "o primeiro equalizador" – o Samuel Colt do Paleolítico[43]. Elas representaram a primeira equalização política dentro da nossa despótica filogenia primata, particularmente se considerarmos as armas conjuntas de um grupo de subordinados rebeldes direcionadas contra um único alfa. Boehm resume:

> *As armas tornaram os homens mais perigosos uns para os outros e, com isso, atenuaram as diferenças de estatura ou força na luta [...]; tornaram também mais fácil para um grupo implementar sanções extremas contra um transgressor poderoso o superagressivo. Se um transgressor era verdadeiramente intimidador (como o são assassinos seriais), a pena capital era improvável na ausência de instrumentos letais razoavelmente eficientes. Por essa razão o uso de armas de caça eficientes foi decisivo para a inversão definitiva das hierarquias nos grupos pré-históricos*[44].

Quando as armas letais começaram a se generalizar? As primeiras armas claramente letais que aparecem com excelente preservação no registro arqueológico são lanças de madeira de 400 mil anos atrás, descobertas em Schöningen, na Alemanha[45]. É claro, as armas de madeira de modo geral não se preservam bem e, portanto, é bem possível que seu uso seja consideravelmente mais antigo[46].

De qualquer forma, podemos ter relativa certeza de que alguma forma de controle social coletivo (e potencialmente letal) já existia há pelo menos 200 mil anos porque há fortes evidências arqueológicas de que grandes carcaças já estavam sendo compartilhadas nessa época. Mary Stiner e dois colegas arqueólogos de Israel examinaram cuidadosamente as marcas de cortes nos ossos de vários

---

42. Woodburn (1982, p. 436).
43. O *slogan* do revólver, a arma "revolucionária" inventada pelo americano Samuel Colt nos anos de 1830, era: "God made men, but Sam Colt made them equal".
44. Boehm (1999, p. 180).
45. Thieme (1997).
46. Cf. Spikins (2015, p. 344).

animais caçados por humanos arcaicos no Oriente Médio[47]. Eles identificaram padrões bem diferentes ao comparar as carcaças de 400 mil a.C. – época em que a caça de animais de grande porte ainda não era tão comum – com as carcaças de 200 mil a.C., quando a caça de ungulados já estava bem consolidada[48]. Enquanto os cortes de 400 mil anos atrás são caóticos e heterogêneos – como se várias pessoas tivessem cortado a carne sob diversos ângulos e com ferramentas diferentes –, os de 200 mil anos atrás parecem ter sido feitos de forma menos caótica e por apenas um indivíduo, um padrão consistente com o encontrado em caçadores-coletores modernos, "*onde, de fato, a carne se torna propriedade comum de um grupo vigilante, a ser compartilhada amplamente de forma sistemática e culturalmente rotineira, que evita conflitos sérios*"[49].

Este padrão organizado de corte e compartilhamento não é consistente, é claro, com a existência de machos alfa que monopolizam as carcaças dos animais abatidos por outros membros do grupo, o que significa que armas letais e uma hierarquia de dominância reversa já haviam sido desenvolvidas antes de 200 mil a.C.[50]

Juntando as pontas: os efeitos do igualitarismo primitivo na seleção natural

Como argumentamos na segunda seção deste texto, é o equilíbrio entre a seleção individual e a seleção de grupo que vai determinar se os genes altruístas vão se fixar num *pool* genético. Quando as pessoas realizam atos altruístas que são benéficos ao grupo, mas custosos ao sucesso reprodutivo individual, estes atos serão *por definição* favorecidos pela seleção de grupo e contrapostos pela seleção individual.

A maioria dos teóricos evolucionários acredita que, na prática, a seleção individual sempre será mais forte por causa do famoso problema do *free-rider*. Por exemplo, imagine que você seja um caçador e tenha o costume de compartilhar

---

47. Stiner (2009).

48. "*Por volta de 250.000 do Paleolítico médio, porém, de acordo com a arqueóloga Mary Stiner, a evidência da caça de animais de grande porte como uma atividade séria e rotineira dos humanos arcaicos se torna generalizada. A subsistência de nossos ancestrais africanos continuou a ser baseada abundantemente em alimentos vegetais, mas foi-se contando igualmente com carcaças de animais de grande porte e a carne de animais já não era apenas um grande prazer ocasional*" (BOEHM, 2012, p. 146).

49. Boehm (2012, p. 160).

50. Vale dizer que o igualitarismo pode ser muito mais antigo do que isso (KNAUFT, 1991). De fato, os *Homo Erectus* tardios e os Neandertais aparentemente viviam em bandos similares aos dos caçadores-coletores estantes (DUNBAR, 1996) e pode-se sugerir, com base no tamanho de seu cérebro, que eles tinham a necessária inteligência política – e as correspondentes comunidades morais – para inverter as hierarquias de dominância (BOEHM, 1999, p. 198).

com os membros do seu bando a carne dos animais que abate, e que a maior parte dos membros do bando não seja parente próximo e também não tenha este costume. Neste caso, a seleção individual tenderá a eliminar rapidamente seus genes "altruístas" porque os outros membros do grupo vão "pegar carona" no seu altruísmo: vão comer a sua carne e não vão compartilhar a deles. Em outras palavras, os genes "não altruístas" dos sovinas vão se proliferar mais rapidamente que os seus. Se aqueles que nascem *free-riders* têm regularmente mais sucesso reprodutivo do que os que nascem altruístas, no longo prazo o altruísmo não pode evoluir a não ser que a seleção de grupo de alguma forma compense.

Uma seleção de grupo extremamente forte pode sustentar os genes altruístas porque grupos com muitos altruístas serão mais bem-sucedidos do que grupos com poucos altruístas. Na teoria, se por algum motivo a seleção de grupo tornar-se mais forte do que de costume, ou se a seleção individual for de alguma forma suprimida, há boas chances de os genes altruístas se fixarem.

À primeira vista, as sociedades humanas não parecem preencher estes pré-requisitos. Nas palavras de Boehm:

> À primeira vista, a seleção que ocorria entre indivíduos no interior do grupo devia estar funcionando muito intensamente, porque os humanos, como qualquer outra espécie de mamíferos, mostram um alta taxa de variação genética. Além disso, enquanto indivíduos com ciclos de vida finitos, eles "se extinguem" num tempo bastante prognosticável, embora em intervalos muito mais longos do que a maioria dos mamíferos. Por outro lado, os grupos pré-históricos não tendiam a extinguir-se a cada trinta e cinco anos mais ou menos, a não ser que a guerra intensiva, ou pragas recorrentes, secas, ou epidemias, ou mudanças radicais em seus ambientes estivessem reduzindo grupos inteiros numa base extremamente frequente [...]. Além disso, os grupos têm probabilidade de ser muito menos variáveis geneticamente do que os indivíduos, porque os grupos são compostos de muitos indivíduos e, em média, os efeitos tornam a variação entre grupos próximos muito menor do que a variação entre os indivíduos no interior desses grupos[51].

Esta suposição (de que a variação entre os indivíduos é maior do que a variação entre os grupos) geralmente é válida para todos os animais sociais, mas algumas características-chave, ligadas ao *ethos* do igualitarismo – que como vimos tem ao menos algumas centenas de milhares de anos –, tornam os humanos possíveis exceções.

---

51. Boehm (1999, p. 206).

- **Controle social de dominadores:** quando os bandos de caçadores-coletores começaram a fazer formidáveis coalizões morais para impedir que seus "machos alfa" dominassem a vida em grupo, a variação individual foi profundamente afetada. Numa hierarquia ortodoxa primata tradicional, os indivíduos no topo acumulam benefícios reprodutivos em relação aos subordinados. Nesta hierarquia ortodoxa, as recompensas evolucionárias – em termos de comida e acesso reprodutivo – são altas, a competição é feroz (a seleção individual é forte) e a variação fenotípica entre os indivíduos é grande. Já quando um bando elimina as posições mais altas da hierarquia (e. g., macho e fêmea alfas) e começa a compartilhar sua comida (e regular o acesso sexual) de uma forma mais igualitária, a variação fenotípica muda radicalmente.

Aqui é importante lembrar que a seleção natural não age diretamente no genótipo, mas sim no fenótipo. No final, é o comportamento efetivo que conta, e não as predisposições genéticas subjacentes. Para a maior parte dos animais, a diferença entre os dois não é grande, e em seus modelos matemáticos os sociobiólogos frequentemente simplificam o estudo da seleção assumindo uma completa equivalência. Quando a comunidade moral humana surgiu, no entanto, a opinião pública e as sanções morais agiram juntas para fazer as pessoas seguirem normas e costumes que amiúde iam *contra* a natureza humana[52]. Esta conformidade diminuiu grandemente a variação fenotípica entre os indivíduos porque os dominadores foram obrigados a se comportar como todos os outros membros do grupo: "*this leveling applied to acquiring spouses, to sharing meat, or to actively taking away the resources of others; all are important to reproductive success*"[53].

- **Decisões consensuais:** a busca por consenso é uma forte característica de todas as sociedades igualitárias, e das sociedades de forrageadores em particular[54]. As decisões de grupo dos forrageadores giram principalmente em torno da importante questão das migrações, um desafio com o qual eles podem ter que lidar até uma dezena de vezes num único ano[55]. Do ponto de vista da seleção natural, a busca por consenso na hora de escolher um novo território também diminui a variação fenotípica entre os indivíduos (ou famílias). Boehm explica:

> *Digamos que, como chefe de uma casa, um caçador julga melhor caçar antílopes do que girafas, e os antílopes e as girafas estão localizados em*

---

52. Cf. Boyd e Richerson (1992).
53. Boehm (1999, p. 207). Vale lembrar, no entanto, que a existência de uma comunidade moral diminui, mas de modo algum elimina a seleção individual. Nos caçadores-coletores os dois sexos ainda competem por parceiros (cf. SHOSTAK, 1981), e a poliginia, em particular, é relativamente comum (KELLY, 1995).
54. Knauft (1991).
55. Tanaka (1980).

direções opostas. Ele acompanha a estratégia do grupo, migrando para onde as possibilidades de girafas são maximizadas. Outro caçador prefere o búfalo, outro a zebra, mas todos eles concordam a respeito da girafa, porque a girafa é preferida pela maioria. Em qualquer tempo, o hábito de tomar as decisões de migração com base no consenso faz com que a estratégia básica de subsistência de cada família seja a mesma[56].

Adicionalmente, a busca por consenso também contribui para aumentar a variação *entre os grupos*. Boehm continua:

> *Por exemplo, todo um grupo pode migrar em busca de antílopes como sua presa preferida, enquanto o grupo vizinho pode optar unanimemente pelas girafas e deslocar-se numa direção diferente. Num determinado ano, particularmente num ano difícil, estes compromissos variados podem levar a um sucesso reprodutivo diferencial para grupos próximos que pertencem à mesma população reprodutora. Já que estes grupos estão numa posição de substituir-se um ao outro, a seleção entregrupos pode funcionar*[57].

Às vezes as decisões do bando podem ser críticas para o sucesso reprodutivo de forma imediata[58]. Quando os bandos numa determinada área estão sofrendo com secas prolongadas, por exemplo, eles podem oscilar entre ficar e tentar resistir mais um pouco até as condições climáticas mudarem, ou utilizar o pouco de energia que lhes resta para migrar para uma área onde a chuva possa ser mais abundante. Se bandos vizinhos tomarem decisões diferentes, um bando pode sobreviver enquanto o outro pode padecer ou mesmo perecer[59].

E, de fato, a opinião paleoantropológica geral é que os forrageadores do passado provavelmente tiveram que lidar com mais "crises climáticas" do que os forrageadores recentes[60]. Flutuações climáticas extremas foram comuns nos últimos 500 mil anos e no período entre 128 mil e 78 mil anos atrás, em particular, Potts identificou dez reversões climáticas radicais – uma das quais chegou a durar dez mil anos, indicando amplitudes extremas de temperatura e umidade[61].

Estes recorrentes períodos de crise certamente levaram a estratégias variegadas por parte de bandos de forrageadores que tiveram de enfrentar desafios adaptativos desconhecidos, e consequentemente levaram a uma grande variação nas taxas de sucesso e extinção. A seleção ao nível do grupo tornou-se especialmente

---

56. Boehm (1999, p. 209).
57. Boehm (1999, p. 210).
58. Boehm (1996).
59. Cf., p. ex., Mirsky (1937).
60. Kelly (1995) e Potts (1996).
61. Potts (1996).

robusta em períodos prolongados de emergência e provavelmente foram os grupos mais altruístas e mais cooperativos que melhor sobreviveram a essas dizimações e se tornaram os propágulos dos novos bandos fundados.

• **Guerra**: o conflito letal entre grupos de caçadores-coletores no final do Pleistoceno e no começo do Holoceno é um assunto controverso e ideologicamente carregado, havendo pouco consenso em relação a sua intensidade e consequências[62]. Igualmente controversa é a hipótese de que a guerra possa ter tido uma contribuição direta na retenção dos traços altruístas ao aumentar a taxa de extinção entre os grupos[63].

No entanto, acreditamos que há evidências suficientes para afirmar que a guerra foi e continua sendo uma força extremamente poderosa de seleção de grupo[64]. Como confessa Peter Turchin:

---

62. Cf. cap. 2 de nossa tese (APPEL, 2017).
63. Alexander (1974) e Wilson (1975).
64. No artigo "*Did warfare among ancestral hunter-gatherers affect the evolution of human social behaviors?*", o biólogo teórico e economista Samuel Bowles (2009) reúne uma série de evidências arqueológicas e etnográficas que apontam para uma história humana repleta de conflitos intergrupais. Segundo o autor, as evidências são fortes o bastante para sustentar a hipótese de que a guerra pré-estatal era frequente e letal e que, portanto, é razoável supor que a guerra foi uma força suficientemente poderosa para selecionar os grupos mais cooperativos. Abaixo reproduzimos seus dados:

Sítio	Evidência arqueológica (anos antes do presente)	Fração da mortalidade adulta causada por guerra
Colúmbia Britânica (30 sítios)	5500-334	0,23
Núbia (sítio 117)	14000-12000	0,46
Núbia (perto do sítio 117)	14000-12000	0,03
Vasiliv'ka III, Ucrânia	11000	0,21
Volos'ke, Ucrânia	"Epipaleolítico"	0,22
Califórnia do Sul (28 sítios)	5500-628	0,06
Califórnia Central	3500-500	0,05
Suécia (Skateholm I)	6100	0,07
Califórnia Central	2415-1773	0,08
Sarai Nahar Rai, norte da Índia	3140-2854	0,30
Califórnia Central (2 sítios)	2240-238	0,04
Gobero, Níger	16000-8200	0,00
Calumnata, Argélia	8300-7300	0,04
Île Teviec, França	6600	0,12
Bogebakken, Dinamarca	6300-5800	0,12

> *Não conheço nenhuma evidência empírica que mostre que outras forças seletivas possam aproximar-se da intensidade da seleção [...] imposta pela guerra [...]. Existem muito poucos exemplos de sociedades organizadas que foram aniquiladas, por exemplo, por um desastre ambiental. Os exemplos que conhecemos, como os nórdicos groenlandeses (DIAMOND, 2004), viviam em ambientes muito marginais (e, mesmo neste caso, as hostilidades com os inuítes podem ter contribuído para sua extinção)*[65].

De fato, as pessoas frequentemente vão à guerra *antes* de serem dizimadas pela escassez de recursos. Uma análise estatística da evidência etnográfica concluiu que as pessoas, particularmente em sociedades não estatais, "*may try to protect themselves against future disasters by going to war to take resources from enemies*"[66] e Wendorf, observando uma sepultura coletiva de 12 a 14 mil anos atrás, onde quase metade dos esqueletos indicava uma morte violenta, comenta:

> *As pressões da população podem ter-se tornado grandes demais com a deterioração do clima no Pleistoceno posterior e com os efeitos que isto causou sobre os rebanhos de animais de grande porte da savana, que eram a fonte principal de alimento neste tempo [...]. Algumas poucas localidades que eram particularmente favoráveis à pesca foram repetidamente disputadas à medida que as fontes de alimento se tornaram sempre mais escassas*[67].

Terminamos com uma observação. Na teoria, a sobrevivência diferencial dos grupos mais cooperativos não precisa necessariamente ter sido o resultado da

População, região	Evidência etnográfica (datas)	Fração da mortalidade adulta causada por guerra
Aché, leste do Paraguai*	Pré-contato (1970)	0,30
Hiwi, Venezuela-Colômbia†	Pré-contato (1960)	0,17
Murngin, nordeste da Austrália*#	1910-1930	0,21
Ayoreo, Bolívia-Paraguai‡	1920-1979	0,15
Tiwi, norte da Austrália§	1893-1903	0,10
Modoc, norte da Califórnia§	"Tempos Aborígenes"	0,13
Casiguran Agta, Filipinas*	1936-1950	0,05
Anbara, norte da Austrália*#||	1950-1960	0,04

* Coletores; # Marítimos; § Caçadores-Coletores Sedentários; ‡ Horticultores Sazonais; || Colonos Recentes.
As tabelas foram tiradas de Samuel Bowles, "*Did warfare among ancestral hunter-gatherers affect the evolution of human social behaviors*", Science, 324, p. 1.295 (2009). As referências primárias não foram incluídas aqui. Anos antes do presente indicam "antes de 2008".

65. Turchin (2011, p. 5).
66. Ember e Ember (1992).
67. Wendorf (1968, p. 993).

guerra. O elemento-chave que estamos defendendo aqui é que grupos com mais altruístas sobrevivem melhor a qualquer desafio de natureza coletiva, como desastres climáticos. Todavia, a evidência de frequentes encontros letais[68] e a hipótese bem plausível de que os grupos mais cooperativos tenham se saído melhor nesses encontros sugere que a guerra – em conjunto com os desafios ambientais – teve papel de destaque na evolução da cooperação humana.

Referências

ALEXANDER, R.D. The evolution of social behavior. *Annual Review of Ecology and Systematics*, vol. 5, 1974, p. 325-384.

APPEL, T.N. *Dos caçadores-coletores aos grandes impérios* – Interpretando o aumento da complexidade social à luz da teoria da evolução. Rio de Janeiro: UFRJ [Tese de doutorado].

BOEHM, C. *Moral origins*: the evolution of altruism, virtue, and shame. Nova York: Basic Books, 2012.

_____. *Hierarchy in the forest*. Cambridge, MA: Harvard University Press, 1999.

_____. Emergency decisions, cultural selection mechanics, and group selection. *Current Anthropology*, vol. 37, 1996, p. 763-793.

BOEHM, C. et al. Egalitarian behavior and reverse dominance hierarchy. *Current Anthropology*, vol. 34, n. 3, 1993, p. 227-254.

BOWLES, S. Did warfare among ancestral hunter-gatherer groups affect the evolution of human social behaviors? *Science*, 324, 2009, p. 1.293-1.298.

BOYD, R. & RICHERSON, P.J. Punishment allows the evolution of cooperation (or anything else) in sizable groups. *Ethology and Sociobiology*, vol. 13, 1992, p. 171-195.

---

68. Reproduzimos a seguir um trecho do livro de Lawrence Keeley, *Guerra antes da civilização* (2011, p. 104-105): "Os esqueletos humanos encontrados em um cemitério do Paleolítico Posterior na localidade de Gebel Sahaba, na Núbia Egípcia, datando de cerca de 12 mil a 14 mil anos atrás, demonstram que a guerra lá tinha sido comum e particularmente brutal. Mais de 40% dos homens, mulheres e crianças enterrados naquele cemitério tinham projéteis de ponta de pedra associados a seus ferimentos ou encravados nos seus esqueletos. Diversos adultos possuíam ferimentos múltiplos (alguns chegavam a ter vinte), e os ferimentos encontrados nas crianças foram todos na cabeça ou pescoço – ou seja, golpes de execução. O escavador Fred Wendorf estima que mais da metade das pessoas enterradas ali morreu de maneira violenta [...]. Na Europa Ocidental [...] amplas evidências de mortes violentas foram descobertas nos restos dos caçadores-coletores do final do período Mesolítico (de dez mil a cinco mil anos atrás). Um dos exemplos mais horríveis é fornecido pela Caverna Ofnet, na Alemanha, onde dois baús de "troféus" de crânios foram encontrados, dispostos como "ovos em uma cesta", compreendendo as cabeças decepadas de 34 homens, mulheres e crianças, a maioria com múltiplos orifícios em seus crânios, produzidos por machados de pedra". Para mais informações sobre a violência e a guerra pré-estatais, cf. LeBlanc e Register (2003), Pinker (2011) e Morris (2014).

CAMERER, C. *Behavioral game theory*: experiments in strategic interaction. Princeton, NJ: Princeton University Press, 2003.

DARWIN, C. *The descent of man and selection in relation to sex*. Nova York: Appleton, 1871.

DAWKINS, R. *The selfish gene*. Oxford: Oxford University Press, 1976.

DE WAAL, F. *Good natured*: the origins of right and wrong in humans and other animals. Cambridge, MA: Harvard University Press, 1996.

DUNBAR, R. *Grooming, gossip and the evolution of language*. Londres: Faber and Faber, 1996.

EMBER, C.R. & EMBER, M. Resource unpredictability, mistrust, and war: a cross-cultural study. *Journal of Conflict Resolution*, vol. 36, n. 2, 1992, p. 242-262.

GINTIS, H.; VAN SCHAIK, C. & BOEHM, C. Zoon Politikon: the evolutionary origins of human political systems. *Current Anthropology*, vol. 56, n. 3, jun./2015, p. 340-341.

HAIDT, J. *The righteous mind*. Londres: Penguin Books, 2012.

HAMILTON, W.D. The genetical evolution of social behavior – II. *Journal of Theoretical Biology*, vol. 7, n. 1, 1964, p. 17-52.

HENRICH, J.P. et al. *Foundations of human sociality*: economic experiments and ethnographic evidence from fifteen small-scale societies. Oxford: Oxford University Press, 2004.

HERBERT, G. et al. *Moral sentiments and material interests*: on the foundations of cooperation in economic life. Cambridge, MA: MIT Press, 2005.

HILL, K.R. et al. Co-residence patterns in hunter-gatherer societies show unique human social structure. *Science*, vol. 331, n. 6.022, 2011, p. 1.286-1.289.

KAPLAN, H. et al. Food sharing among ache foragers: tests of explanatory hypotheses. *Current Anthropology*, vol. 26, n. 2, 1985, p. 223-246.

KEELEY, L. *A guerra antes da civilização*. São Paulo: Realizações, 2011.

KELLY, R.L. *The foraging spectrum*: diversity in hunter-gatherer lifeways. Washington, D.C.: Smithsonian Institution Press, 1995.

KNAUFT, B. Violence and sociality in human evolution. *Current Anthropology*, vol. 32, 1991, p. 391-428.

LEBLANC, S.A. & REGISTER, K.E. *Constant battles*: the myth of the peaceful, noble savage. Nova York: St. Martin's Press, 2003.

MARGULIS, L. *Origin of eukaryotic cells*. New Haven, CT: Yale University Press, 1970.

MIRSKY, J. The Eskimo of Greenland. In: MEAD, M. (ed.). *Cooperation and competition among primitive peoples*. Nova York: McGraw-Hill, 1937, p. 51-66.

MORRIS, I. *War, what is it good for?* – The role of conflict in civilization, from primates to robots. Londres: Profile Books, 2014.

OKASHA, S. & BINMORE, K. *Evolution and rationality*: decisions, cooperation, and strategic behavior. Cambridge: Cambridge University Press, 2012.

OOSTERBEEK, H.; SLOOP, R. & KUILEN, G. Cultural differences in ultimatum game experiments: evidence from a meta-analysis. *Experimental Economics*, vol. 7, 2004, p. 171-188.

PANDIT, S.A. & VAN SCHAIK, C.P. A model for leveling coalitions among primate males: toward a theory of egalitarianism. *Behavioral Ecology and Sociobiology*, vol. 55, n. 2, 2003, p. 161-168.

PINKER, S. *The false allure of group selection* – An edge original essay [Disponível em http://edge.org/conversation/the-false-allure-of-group-selection – Acesso em 18/06/2012].

_____. *The better angels of our nature*: why violence has declined. Nova York: Viking, 2011.

POTTS, R. *Humanity's descent*: the consequences of ecological instability. Nova York: Avon Press, 1996.

SHOSTAK, M. *Nisa*: the life and words of a Kung woman. Cambridge, Mass.: Harvard University Press, 1981.

SMITH, J.M. & SZATHMÁRY, E. *The major transitions of life*. Oxford: Oxford University Press, 1995.

SOBER, E. & WILSON, D.S. *Unto others*: the evolution and psychology of unselfish behavior. Cambridge (MA): Harvard University Press, 1998.

SPIKINS, P. Resposta a… GINTIS, H.; VAN SCHAIK, C. & BOEHM, C. Zoon Politikon The Evolutionary Origins of Human Political Systems. *Current Anthropology*, vol. 56, n. 3, jun./2015.

STEARNS, S.C. Are we stalled part way through a major evolutionary transition from individual to group? *Evolution*, vol. 61, n. 10, 2007, p. 2.275-2.280.

STINER, M.C.; BARKAI, R. & GOPHER, A. Cooperative hunting and meat sharing 400-200 Kya at Qesem cave, Israel. *Proceedings of the National Academy of Sciences*, vol. 106, 2009, p. 13.207-13.212.

TANAKA, J. *The San hunter-gatherers of the Kalahari*: a study in Ecological Anthropology. Tóquio: University of Tokyo Press, 1980.

THIEME, H. Lower Palaeolithic hunting spears from Germany. *Nature*, vol. 385, n. 6.619, 1997, p. 807.

TURCHIN, P. *Ultrasociety*. Chaplin: Beresta Books, 2016.

_____. Warfare and the evolution of social complexity: a multilevel-selection approach. *Structure and Dynamics*, vol. 4, n. 3, 2011.

WENDORF, F. Site 117: a Nubian final Paleolithic graveyard near Jebel Sahaba, Sudan. In: WENDORF, F. (ed.). *The Prehistory of Nubia*. Dallas: Methodist University Press, 1968, p. 954-998.

WILLIAMS, G.C. *Adaptation and natural selection*. Princeton, NJ: Princeton University Press, 1974.

WILSON, D.S. *Does altruism exist?* New Haven: Yale University Press, 2015.

_____. *Darwin's cathedral*. Chicago: University of Chicago Press, 2002.

WILSON, D.S. & WILSON, E.O. Rethinking the theoretical foundation of sociobiology. *The Quarterly Review of Biology*, vol. 82, n. 4, 2007, p. 327-348.

WILSON, E.O. *Sociobiology*: the new synthesis. Cambridge, MA: Harvard University Press, 1975.

WINTERHALDER, B. & SMITH, E.A. *Evolutionary ecology and human behavior*. Nova York: Aldine de Gruyter, 1992.

WOODBURN, J. Egalitarian societies. *Man*, vol. 17, n. 3, 1982, p. 431-451.

WRANGHAM, R. & PETERSON, D. *O macho demoníaco* – As origens da agressividade humana. Rio de Janeiro: Objetiva, 1998.

II
Guerra e ética

Dialética da guerra e da paz

José Luís Fiori

Introdução

Este trabalho faz parte de uma pesquisa sobre o papel do poder e da guerra na formação, expansão e globalização do sistema europeu de estados e economias nacionais[1]. Em particular, propomos uma reflexão crítica sobre a dimensão ética da guerra e da paz, e sobre a relação específica das guerras com a produção e transformação da "ética internacional"[2] inventada e difundida pela "modernidade europeia"[3]. Partimos do momento em que estoicos e cristãos reconhecem o valor universal da paz e defendem a possibilidade de guerras que sejam justas; acompanhamos algumas permanências e paradoxos desse debate milenar que se prolonga até nossos dias, com a discussão contemporânea sobre a concepção ocidental dos "direitos humanos", e sobre a legitimidade das "intervenções" ou "guerras humanitárias" que se generalizaram no final do século XX[4]. Por fim, propomos um ponto de vista alternativo, a partir de três teses inspiradas pelos "aforismas dialéticos" do filósofo grego Heráclito de Éfeso[5]:

---

1. Fiori (2004, 2007 e 2014).

2. Optamos, aqui, pelo uso da expressão "ética internacional", em vez de "moral internacional", para reforçar nossa preocupação com os critérios e fundamentos últimos do "juízo das guerras" e da "defesa da paz", mais do que a discussão moral sobre hábitos e costumes de povos e sociedades específicas. De qualquer maneira, não cabe no escopo deste trabalho qualquer discussão sobre o direito propriamente dito, seja o "direito natural", seja o "direito positivo", no campo internacional.

3. O período da história europeia que começa no século XVII, quando se estabelecem os fundamentos da ciência moderna, junto com a consolidação dos estados e das soberanias nacionais, a partir de raízes plantadas pelo Renascimento italiano e pelos "descobrimentos ibéricos" que despertaram a reflexão filosófica e crítica do filósofo francês Michel de Montaigne (1533-1592).

4. *"A ação humanitária tornou-se de fato uma modalidade importante e um quadro dominante de referência para a intervenção política ocidental em cenários de calamidade em todo o mundo, quer envolvam conflito armado ou desastre natural"* (FASSIN, 2012, p. 223).

5. *"A guerra é o pai de todas as coisas, e de todas, o rei; de uns fez deuses, de outros, homens; de uns, escravos, de outros, homens livres. (53)"* e *"É necessário saber que a guerra é comum a todos e a justiça se faz no conflito, e que todas as coisas nascem e morrem no conflito (80)"* (Heráclito de Éfeso, 521-487 a.C.).

i) a "guerra" está no princípio de todas as coisas e de todas as hierarquias e relações de poder;

ii) o "conflito dos opostos" move o universo, todos seus ciclos vitais e todas suas relações sociais;

iii) as "hierarquias" e os "conflitos" estão na origem da justiça, como as "guerras" estão na gênese da "ética internacional".

Violência e guerra

A pesquisa antropológica e arqueológica tem acumulando evidências de que a "violência" nasceu junto com os primeiros primatas, e foi companheira inseparável do *homo sapiens*, através de todo seu processo evolucionário[6]. Primeiro, na forma da violência interpessoal, e milhares de anos mais tarde na forma da "violência intersocietária", entre grupos nômades de até 50 membros, e progressivamente entre tribos e etnias que reuniam até 500 ou mil coletores e caçadores[7]. Nesse longo trajeto da evolução das espécies, os "conflitos internos" de cada um destes grupos foram se separando de seus "conflitos externos" – a forma primitiva do fenômeno da guerra – que se transformam numa condição da unidade e da identidade interna de cada um destes grupos ou tribos[8]. A guerra, como forma regular, organizada e estratégica de exercício da violência entre os povos, só surgiu muito mais tarde[9], junto com as fronteiras territoriais e com o nascimento dos primeiros grandes impérios e civilizações, em torno do terceiro milênio antes da "Era Cristã". Só a partir desse momento que a guerra se generalizou efetivamente e se transformou no principal instrumento organizado e sistemático de conquista

---

6. "Os mais antigos anais chineses, gregos e romanos relatam preocupações com guerras e reis guerreiros. A maioria dos textos em hieróglifos maias é dedicada a genealogias, biografias e feitos militares de seus reis. O folclore e as lendas das culturas pré-literárias, as tradições orais épicas – as precursoras da história – são igualmente belicosos" (KEELEY, 2011, p. 47).

7. "Durante 99,5% dos dois milhões de anos de existência do gênero *Homo*, os humanos viveram como caçadores-coletores. Nós só começamos a domesticar plantas e animais há aproximadamente dez mil anos, no Oriente Médio, e na maior parte do mundo ainda mais recentemente, ou seja, há pouquíssimo tempo em termos evolucionários" (APPEL, 2017, p. 46).

8. Como constata o antropólogo francês Pierre Clastres, em seu estudo das tribos indígenas amazônicas: "É justamente o Outro como espelho – os grupos vizinhos – que devolve à comunidade a imagem de sua unidade e de sua totalidade. É diante das comunidades ou bandos vizinhos que tal comunidade ou tal bando determinado se afirma e pensa como diferença absoluta, liberdade irredutível, vontade de manter seu ser como totalidade uma [...]. Para pensar como um Nós, é preciso que a comunidade seja ao mesmo tempo indivisa e independente: a unidade interna e a oposição externa se conjugam, uma é condição da outra. Ao cessar a guerra, cessa de bater o coração da sociedade primitiva" (CLASTRES, 2004, p. 184).

9. Gat (2006).

e de dominação entre os povos e os impérios. E foi somente na Europa, a partir dos séculos X e XI d.C., que a guerra começou a sofrer uma mudança qualitativa, com o aumento da competição interna e da centralização do poder, e com o início da expansão externa dos pequenos poderes territoriais europeus que dariam origem aos estados nacionais[10].

Através da história os poderes territoriais financiaram suas guerras através da conquista, da pilhagem e de várias formas de tributação punitiva, imposta pelos vencedores aos povos derrotados. Mas foi só a partir desse período da história europeia, e em particular depois do século XV e XVI, que os estados europeus conseguiram resolver o problema do financiamento de longo prazo de suas guerras, através de um sistema de tributação regular, sustentado por um modo de produção e acumulação de excedente e de riqueza cada vez mais autônomo e endógeno. Uma solução absolutamente original, cujo segredo foi fazer da própria guerra um mecanismo regular de acumulação de riqueza e, simultaneamente, fazer da acumulação da riqueza um instrumento regular de conquista e acumulação de poder. Foi assim que nasceu, finalmente, o sistema estatal europeu, e o próprio capitalismo, como modo de produção dominante dentro de suas economias nacionais. E foi assim também que a guerra se transformou – a partir do século XVI – em "peça sistêmica" e "mola propulsora" do processo de expansão do poder e do território dos estados e do próprio sistema estatal como um todo dentro e fora da Europa.

No século XX, esse sistema interestatal se universalizou definitivamente, junto com suas guerras cada vez mais globalizadas. Na última década do século, depois do fim da Guerra Fria, as guerras prosseguiram sob a forma predominante das "intervenções humanitárias", como no caso pioneiro da Guerra da Bósnia, entre 1992-1995, e logo depois, da Guerra do Kosovo, em 1999. E depois dos atentados do 11 de setembro de 2001, nos Estados Unidos, a chamada "guerra ao terrorismo" generalizou-se e assumiu várias formas que se prolongam até os dias de hoje, na segunda década do século XXI. Desta maneira, pode-se falar de uma guerra quase contínua, nos últimos 25 anos, envolvendo quase sempre, de um lado, os norte-americanos e europeus, e do outro, uma série de países ou povos associados – de uma forma ou outra – com o islamismo. Por isso, muitos analistas consideram que o mundo esteja enfrentando uma nova "Guerra dos 30 Anos"[11], que deverá se estender até a terceira década do século XXI.

---

10. Bartlett (1993, caps. 1 e 2).

11. Como a que foi travada no território do Sacro Império Germano-cristão, entre 1618 e 1648, envolvendo os principais estados e poderes territoriais europeus, e concluindo com a Paz de Westfália, de 1648, que reconheceu a "soberania" dos estados nacionais e revolucionou o quadro geopolítico europeu.

Resumindo, a violência individual e coletiva existiu e se manifestou de forma regular durante todo o processo evolucionário do *homo sapiens*. As guerras, entretanto, como forma organizada e sistemática de violência entre tribos, etnias e nações, só apareceram muito mais tarde[12]. Só se transformaram num fenômeno regular depois da eclosão da "reflexão" ou "consciência humana"[13], que marca o início do processo cultural de longuíssimo prazo de construção das grandes civilizações e impérios, a partir do terceiro milênio antes da "Era Cristã". E alcançaram um nível qualitativamente diferente, nos últimos séculos, sobretudo dentro da Europa e dos territórios incorporados por sua expansão global.

Guerra e paz

O estudo comparativo do comportamento dos animais[14] identificou vários rituais e regras de controle do uso da violência nas lutas primitivas entre os primatas, em particular entre os chimpanzés[15]. Mais do que isto, conseguiu mapear algumas noções elementares de "justiça" e "equidade" na distribuição das recompensas, entre os vitoriosos, nessas lutas primitivas[16]. Tais regras e rituais, entretanto, parecem manifestar-se apenas no caso das relações e dos conflitos "internos" dentro desses grupos, jamais nas suas relações e lutas "externas" com outros grupos de *homínidas*, onde se permitia – aparentemente – toda e qualquer forma de violência, independentemente do seu grau de letalidade[17]. O mesmo parece ter ocorrido no desenvolvimento do *homo sapiens*, que logrou apaziguar seus "conflitos internos" muito antes de regular o uso da violência, nos seus "conflitos externos, com outros grupos, tribos, povos ou impérios[18].

Só muito mais tarde, na história da evolução das espécies, começou de forma mais sistemática o problema do "bem", do "mal" e da "virtude" na relação entre

---

12. Nas palavras de Thomas Hobbes (1983, p. 77): "A guerra não consiste na batalha, ou no ato de lutar, mas naquele lapso de tempo durante o qual a vontade de travar batalha é suficientemente conhecida".

13. "Reflexão é o poder adquirido por uma consciência de se dobrar sobre si mesma, e de tomar posse de si mesma como um objeto dotado de sua própria consistência e do seu próprio valor [...]. O ser reflexivo, precisamente em virtude de sua inflexão sobre si mesmo, torna-se de repente suscetível de se desenvolver numa esfera nova. Na realidade, é um outro mundo que nasce" (CHARDIN, 1988, p. 186).

14. Ciência criada pelos austríacos Karl von Frisch e Konrad Lorenz, e pelo holandês Nikolas Tinbergen, que receberam juntos o Prêmio Nobel de Medicina e Fisiologia de 1973, exatamente pela criação deste novo campo de pesquisa científico, a Etologia.

15. Barreiros (2017); Vainfas (2017).

16. Schubert & Masters (1991).

17. Wrangham & Peterson (1996).

18. Appel (2017, cap. 3).

os povos e entre os governantes e governados dentro de cada sociedade. Isto foi uma obra e contribuição decisiva das religiões monoteístas, da Ásia Menor, e da filosofia moral, da Grécia, que aparecem ao mesmo tempo na China e na Índia, no período chamado de "era da elevação dos espíritos", entre os anos 600 e 300 a.C., aproximadamente[19]. Mas mesmo nesse período, as guerras seguiram sendo tratadas como um fenômeno natural na relação entre os povos e os impérios. A própria história da literatura clássica grega começa com um poema épico sobre a guerra: a *Ilíada*, que é uma ode à Guerra de Troia (1194-1184 a.C.), transformada por Homero (século VIII a.C.) numa espécie de "guerra fundacional" da civilização helênica. E o mesmo pode ser dito de Tucídides (460-400 a.C.), que estudou as causas materiais e políticas da Guerra do Peloponeso (431-404 a.C.), mas não questionou ou refletiu sobre a dimensão ética intrínseca à própria guerra. Quase cinco séculos depois da *Ilíada* de Homero, Aristóteles (384-323 a.C.) defendeu que a guerra deveria ter como objetivo a "paz", mas para ele a guerra também era "uma arte", e a "paz" era apenas uma "causa final" da guerra, uma espécie de necessidade lógica independente das motivações éticas e dos objetivos específicos de cada conflito[20].

Foram os estoicos, em particular o estoicismo romano de Cícero (106-43 a.C.) e Sêneca (4 a.C.-65 d.C.), seguido pelo catolicismo "cosmopolita" de Paulo de Tarso (São Paulo 5-67 d.C.)[21], que elevaram a "paz" – finalmente – à condição de um valor ético "universal". E foi dentro desta mesma matriz de pensamento "estoico-cristã" que se conceberam a possibilidade e a necessidade de julgar a natureza e a legitimidade moral da "guerra", a partir de critérios jurídicos ou

---

19. "Esse período corresponde, em grandes linhas, ao apogeu do Império Persa, ao florescimento da cultura helênica, ao despertar da civilização romana e à grande crise chinesa, que foi a responsável indireta pelo florescimento da melhor parte da filosofia moral asiática. É nesse 'momento' da história eurasiana que o homem se coloca, pela primeira vez, nestas distintas latitudes, de forma sistemática e quase simultânea, as mesmas perguntas, pela origem e destino do universo; pela definição e defesa do comportamento 'virtuoso' dos indivíduos e dos governos; e pelo 'critério', em última instância, de definição e distinção do 'bem' e do 'mal'" (FIORI, 2016, mimeo.).

20. "Os fatos, tanto quanto os argumentos, provam que o legislador deveria dirigir todas as suas medidas, militares ou não, no sentido de prover lazer e paz aos cidadãos. Ora, quase todas as cidades militarizadas permanecem estáveis apenas enquanto estão em guerra, mas entram em decadência assim que conquistam o seu império; e assim como o ferro enferruja quando em desuso, também essas cidades perdem a têmpera em tempos de paz. E isto ocorre por responsabilidade do legislador que falhou em ensinar aos cidadãos a viver em tempos de paz" (ARISTÓTELES, 2002, livro VII, cap. XIV, p. 259).

21. Pertence a São Paulo a ideia do cristianismo como uma religião universal, de todo o império, de todo o mundo, como aparece na sua *Epístola aos Gálatas*: "Não há judeu, nem grego, nem escravo, nem homem livre, nem homem nem mulher todos sois um em Cristo Jesus". Uma frase que repete praticamente o pensamento de Sêneca, filósofo romano que foi próximo do apóstolo cristão.

religiosos que tivessem validade universal. Na sua obra *De Officiis*, Cícero formula, pela primeira vez, o conceito e os critérios jurídicos de uma "guerra justa": que deveria ser declarada por uma autoridade legítima; que deveria ser travada em defesa própria, ou em reparação por uma ofensa alheia; que só deveria ser iniciada depois de esgotados todos os recursos diplomáticos; que deveria visar à paz e ao restabelecimento dos direitos usurpados; que deveria ser lutada de maneira justa; e que, finalmente, deveria ser equânime no tratamento dos derrotados[22].

Esses mesmos critérios reaparecerão inúmeras vezes na obra de filósofos e juristas, até os tempos modernos. Mais foi Agostinho de Hipona (Santo Agostinho, 354-430 d.C.), quem primeiro desenvolveu o conceito da "guerra justa", quase 400 anos depois da morte de Cícero, uma vez que a questão não se colocava para os primeiros cristãos que foram "pacifistas radicais", durante os três primeiros séculos de sua história, até o momento da incorporação do cristianismo como religião oficial do Império Romano, no reinado de Teodósio I (378-395 d.C.).

Poucas décadas depois dessa fusão entre império e religião, e logo depois do Saque de Roma, pelos Visigodos de Alarico I, em 410 d.C., Santo Agostinho retomou a discussão de Cícero sobre a natureza jurídica das guerras e deu um passo a mais, ao introduzir a "vontade de Deus" como um novo critério de distinção das guerras lícitas. E assim nasceu o conceito da "guerra santa" travada em nome de Deus, em defesa da fé, e contra hereges, pagãos e bárbaros. Mas além de sua justificativa teológica das "guerras santas", Agostinho introduziu um argumento novo e absolutamente original no contexto da filosofia clássica: a ideia da temporalidade da "salvação humana", que se daria através da história dos indivíduos e dos povos. Ao contrário do tempo cíclico dos gregos e dos romanos, Santo Agostinho atribuiu um sentido irreversível ao tempo e à história da salvação dos homens, numa espécie de versão pioneira da "seta do tempo" e da ideia do "progresso", da filosofia da história europeia, do século XIX[23]. Para Santo Agostinho, este "sentido da história" se constituía num novo critério de legitimação das guerras que se propusessem a conquistar e converter pagãos, que seria uma obrigação de todos os cristãos[24]. Oitocentos anos depois da morte do bispo de Hipona, Tomás

---

22. Cícero (2009, p. 14-15).

23. "Santo Agostinho formula assim uma noção de história como tendo um sentido, uma direção, marcada por um evento inicial e tendo um ponto final, que consiste num retorno à situação originária. Rompe assim com a concepção grega antiga de tempo, um tempo cíclico, sem início nem fim" (MARCONDES, 2007, p. 114).

24. Santo Agostinho escreve no seu livro *De Verbis Dom*, 4. "Entre os verdadeiros adoradores de Deus, as guerras são pacíficas, porque elas não são feitas por cobiça ou crueldade, mas pelo desejo de paz, para derrotar os maus e favorecer os bons" (apud SANTO TOMÁS DE AQUINO. *Suma Teológica*, C 40, A 2, "A guerra").

de Aquino (SANTO TOMÁS, 1225-1274 d.C.) retomou e desenvolveu, uma vez mais, as ideias de Cícero, e em particular de Santo Agostinho, sobre a natureza das guerras feitas em nome de Deus, como teria sido o caso das Cruzadas medievais, e da própria Inquisição, dentro e fora da Europa.

Esta concepção da "guerra justa" e das "guerras santas" transformou-se no pensamento hegemônico da Igreja e dos governantes da Europa Medieval, entre o fim do Império Romano e o início da Modernidade, de tal maneira que só a própria Igreja Católica conseguiu desfazer este consenso, no Concílio de Constança (1414-1418), quando fixou a nova doutrina da ilegitimidade da "conversão forçada" e de todo tipo de guerra que visasse a conquista e "salvação" violenta dos povos considerados "bárbaros" ou "pagãos". E assim mesmo, na primeira hora da conquista e colonização ibérica da América, já no século XVI, ainda ocorreu o célebre debate entre os teólogos espanhóis Juan Ginés de Sepúlveda e Bartolomeu de las Casas, que defendiam e condenavam, respectivamente, o direito dos espanhóis conquistarem e converterem os indígenas americanos, através da força, por se tratarem de povos pagãos que violavam sistematicamente os "valores universais" do cristianismo, segundo Juan de Sepúlveda[25]. Uma argumentação semelhante à que foi utilizada pelo Czar russo, Ivan IV (1530-1584), na sua "guerra santa", de "reconquista" do território russo, em nome do "cristianismo ortodoxo, contra os Khanatos de Kazan e de Astrakhan, travada no século XVI, no mesmo momento da conquista ibérica da América[26]. E mesmo na Europa "Ocidental", depois da Reforma Protestante e do reconhecimento, pela Igreja, da autonomia política e religiosa dos estados europeus que assinaram a Paz de Westfália, em 1648, esses problemas, desafios e argumentos permaneceram vivos e atuantes – mesmo que sob outras roupagens – até os dias atuais, em pleno século XXI, como se fossem verdadeiras "cláusulas pétreas" do debate ético ocidental sobre a guerra e a paz[27].

Assim mesmo, já no século XVII, Hugo Grotius (1583-1645) e Thomas Hobbes (1588-1679) diagnosticaram a grande novidade introduzida pela Paz de Westfália na velha equação. Como jurista, Grotius voltou a Cícero para sustentar sua defesa da "guerra justa" na ideia de um "direito natural" que existiria "mesmo que

---

25. Wallerstein (2007, p. 35).

26. "*Sacrificando suas pretensões pouco promissoras ao trono da Polônia, nos anos de 1570 ela apoiou o candidato dos Habsburgos, Ernesto. Ao mesmo tempo, os apelos de Moscou para que o imperador se juntasse à Rússia numa aliança contra os 'inimigos do nome de Cristo', os turcos muçulmanos e os tártaros, tornaram-se insistentes. Foi o início de uma estratégia de longo prazo dirigida contra o Império Otomano, que acabaria dando origem, três séculos mais tarde, à notória 'Questão do Oriente'*" (LONGWORTH, 2006, p. 94).

27. Cf. a discussão sobre as seis razões que legitimariam uma "guerra justa", em pleno século XXI, em Waltzer (2012, p. 57).

não existisse Deus ou que os negócios humanos não fossem objeto dos seus cuidados"[28]. Ao mesmo tempo, o jurista e teólogo holandês reconheceu, no entanto, que no novo sistema de poder europeu consagrado em Westfália sempre existiriam "múltiplas inocências", ao tentar arbitrar-se um conflito envolvendo dois ou mais estados "soberanos" que tivessem interesses opostos, frente a um mesmo conflito. Já seu contemporâneo inglês, Thomas Hobbes, também percebeu que no novo sistema os estados seriam eternos rivais preparando-se para a guerra[29], por causa da inexistência de um poder superior que fosse capaz de arbitrar o "bem" e o "mal", o "justo" e o "injusto", numa disputa entre esses estados soberanos[30]. Tanto Grotius quanto Hobbes se deram conta de que se deparavam com uma nova versão do velho problema ético da guerra e da paz, assim como uma nova incógnita: Como arbitrar a competição entre múltiplas soberanias na ausência de um "poder global"?

Immanuel Kant (1724-1804) não tinha dúvida de que "a guerra era um meio indispensável para trazer progresso à cultura"[31]. Mesmo assim, foi quem formulou a solução mais famosa para a incógnita levantada por Grotius e Hobbes, ao propor a criação "de uma espécie de liga ou federação que se poderia chamar de aliança da paz", capaz de garantir a "paz perpétua" entre os povos[32]. Trata-se de uma tese e uma proposta que foram compartidas por todos seus discípulos iluministas do século XIX, e que que depois foram retomadas pela teoria política internacional do século XX, como no caso do historiador inglês Edward H. Carr (1892-1982), que defendeu, no início da Segunda Guerra Mundial, que a "paz" só seria possível com a criação de uma "legislação internacional" garantida por um "superestado"[33]. A

---

28. Grotius (2005, p. 40).
29. "Sempre existiram reis ou autoridades soberanas que, para defender sua independência, viveram em eterna rivalidade, como os gladiadores mantendo suas armas apontadas sem se perderem de vista, ou seja, seus fortes e guarnições em estado de vigia, seus canhões preparados guardando as fronteiras de seus reinos e ainda espionando territórios vizinhos" (HOBBES, 1983, p. 96).
30. "A natureza da justiça consiste no cumprimento dos pactos válidos, e essa validade começa com o estabelecimento de um poder civil que obrigue os homens a cumpri-los" (HOBBES, 1983, p. 107).
31. Kant (2012, p. 61).
32. "Esta liga não se propõe a adquirir qualquer poder do Estado, porém somente a manter e garantir a liberdade de um Estado para si mesma e, ao mesmo tempo, para outros estados coligados, sem que estes, todavia, devam por isso submeter-se a leis públicas de coação exercida por eles. A exequibilidade dessa ideia de federação, que deve estender-se pouco a pouco a todos estados, e assim conduzir à paz eterna, é representável" (KANT, apud GUINSBURG, 2004, p. 49).
33. Carr (2001, p. 168): *"A harmonia na ordem internacional é alcançada por esta combinação de moralidade e poder. Na ordem internacional, o papel do poder é maior e o da moralidade é menor [...]. Qualquer ordem moral internacional precisa basear-se em alguma hegemonia do poder".*

mesma tese foi proposta pelo filósofo e sociólogo francês Raymond Aron – logo depois da Segunda Guerra Mundial – de que seria necessário criar um "Estado universal", para que se pudesse lograr a paz entre as nações[34].

Na segunda metade do século XX, vários autores da teoria realista das relações internacionais propuseram a substituição do "superestado", proposto por Edward Carr, e do "Estado universal", defendido por Raymond Aron, por uma única "potência hegemônica" que fosse capaz de pacificar a ordem política internacional através de sua liderança moral e de sua supremacia militar e econômica[35]. Ou que fosse através da criação de um sistema de "regimes" e "instituições" capazes de exercer uma "governança global", mesmo na ausência da "potência hegemônica"[36], apesar de outros teóricos realistas seguirem descrentes destas duas possibilidades, como é o caso do "realismo ofensivo" do cientista político norte-americano John Mearsheimer[37].

Assim mesmo, ao fazer-se um balanço de longo prazo dessas ideias e propostas "modernas", deve-se reconhecer que elas tiveram alguma presença, mesmo que tênue e indireta, nas decisões do Congresso de Viena, depois do fim das Guerras Napoleônicas, em 1815, quando se formou a Quádrupla Aliança com o objetivo de pacificar a Europa. E de forma muito mais explícita, nos Acordos da Conferência de Paris, de 1919, depois do fim da Primeira Guerra Mundial, quando foi criada a Liga das Nações. Para não falar, finalmente, da criação das Nações Unidas, depois do fim da Segunda Guerra Mundial, a tentativa mais ambiciosa de todos os tempos de implementação da estratégia concebida pelos "modernos" como resposta ao "enigma de Westfália".

Para uma exegese crítica

Para desenvolver nossa reflexão crítica sobre as principais teses deste longo debate ético sobre a guerra e a paz, propomos classificá-las em dois grandes blocos: o bloco das questões e dos argumentos "clássicos", de natureza predominantemente filosófica e moral, que começam com a filosofia estoica e se estendem até

---

34. Aron (2002, p. 159-160).
35. Gilpin (1981).
36. "*Para compreender o impacto dos regimes, não é necessário postular um idealismo da parte dos atores na política mundial. Pelo contrário, as normas e regras dos regimes podem ter efeito sobre o comportamento, mesmo que não encarnem ideais comuns, mas sejam usadas por estados movidos por interesses próprios e corporações empenhadas num processo de ajustamento mútuo*" (KEHOANE, 2005, p. 64).
37. "*A ordem internacional particular que predomina em qualquer tempo é um subproduto principalmente do comportamento egoísta das grandes potências do sistema. A configuração do sistema, em outras palavras, é a consequência não intencional da competição das grandes potências pela segurança, não o resultado de estados que trabalham juntos para organizar a paz*" (MEARSHEIMER, 2001, p. 49).

nossos dias; e o bloco das propostas e argumentos "modernos", de natureza mais normativa e estratégica, formulados a partir da "revolução europeia" dos séculos XVI e XVII.

Destacam-se entre as teses "clássicas": i) a defesa da "paz" como um valor ético universal. A guerra é vista, em si mesma, como um mal que às vezes é necessário, mas que deve ser transitório e estar sempre a serviço da paz, da promoção da paz, que é e será sempre um objetivo ético universalmente válido; ii) a convicção racional da existência de critérios jurídicos objetivos capazes de identificar e arbitrar uma "guerra justa"; e finalmente, iii) a crença na legitimidade das "guerras santas", travadas em nome da "fé", seja religiosa ou laica. Por outro lado, destacam-se entre as ideias ou propostas "modernas": i) a necessidade de criar uma legislação e um "*hiperpoder*" internacional, capazes de pacificar o sistema interestatal; ii) a certeza da superioridade dos valores europeus e a convicção de que sua universalização – mesmo através da guerra – será capaz de promover a "paz perpétua", pelo menos entre os povos que aderirem ou forem submetidos ao sistema de "valores universais" concebidos pelos europeus; e por fim, iii) a certeza iluminista e positivista de que o progresso científico, tecnológico e econômico, da mesma forma que a democratização das instituições políticas, acabará "adoçando" os costumes e contribuindo para a pacificação dos povos.

As teses e argumentos "clássicos"

As teses "clássicas" propõem uma questão central comum e irrecusável: a necessidade de formular um juízo ético sobre a guerra e sobre paz que nasce das guerras. No entanto, as respostas que vêm sendo dadas através do tempo parecem convergir na direção de uma mesma aporia, ou "caminho sem saída": a circularidade lógica do seu raciocínio, que nasce da impossibilidade filosófica de superar as divergências de juízo produzidas por hierarquias e conflitos que só conseguem ser superados pela via violenta da própria guerra.

Senão vejamos, por ordem:

i) O argumento da "paz"

Muito antes de Aristóteles, o general-filósofo chinês Sun Tzu (544-496 a.C.) disse que "o verdadeiro objetivo da guerra era a paz"[38]. Mas, ao mesmo tempo, Sun Tzu também afirmou, na sua mesma obra clássica *A arte da guerra*, que "a vitória é o principal objetivo da guerra"[39]. Não existe contradição entre suas duas afirmações, porque de fato não pode haver "paz" sem o fim da guerra, e não pode haver

---

38. Tzu (2004, p. 11).
39. Tzu (2004, p. 34).

fim da guerra sem a "vitória" de uma das partes envolvidas no conflito, mesmo que ela seja parcial ou transitória. Cícero também disse que o objetivo da guerra deve ser sempre o logro da paz, mas também reconheceu que a guerra é apenas uma forma violenta de resolver um conflito, com a inevitável vitória de uma das posições envolvidas[40].

Mais à frente, Santo Agostinho também dirá que a vitória é o caminho necessário para levar "a utilidade da paz a quem se combate"[41], e Immanuel Kant radicalizará o mesmo argumento dizendo que o único caminho para obter uma "paz perpétua" é a vitória e a conquista de todo o mundo por um Estado que consiga impor seus valores às populações derrotadas. Mas não há dúvida de que foi Carl von Clausewitz, conterrâneo de Kant, quem melhor explicitou esta natureza aporética da paz, ao definir a guerra como "um ato de violência destinado a forçar o adversário a submeter-se à nossa vontade"[42]. Deixa claro que a "paz" não se define por si mesma, nem pode ter uma definição universal, exatamente porque ela é sempre uma consequência particular de uma guerra e de uma vitória específicas. Por isso, tem razão Norberto Bobbio quando define a paz como uma "ausência de guerra", ou como uma "suspensão mais ou menos duradoura das modalidades violentas de rivalidade entre os estados"[43]. Fica implícito que existe uma impossibilidade lógica de conquistar uma "paz justa" ou "harmônica" através da guerra, de qualquer guerra, porque a guerra e a vitória eliminam ou submetem uma das partes envolvidas e, portanto, o mais provável é que uma paz que nasça da guerra dê lugar a uma nova guerra que deverá nascer da própria paz assimétrica, que foi lograda anteriormente.

ii) O argumento da "guerra justa"

Logo no início de sua obra clássica, *De Officiis*, Cícero afirma que existiriam dois tipos fundamentais de conflito: "os que se resolvem pelo debate e os que se resolvem pela força"[44], e os homens só deveriam recorrer à força, em última instância, nas condições e depois de cumpridos os requisitos listados por ele, que já vimos anteriormente. Mas em outro momento de sua mesma obra, Cícero defende, como premissa de sua visão moral do mundo, que todo romano livre deveria

---

40. "*Existem dois tipos de conflito: um procede através do debate, o outro através da força. Já que o primeiro é a preocupação própria de um homem, mas o segundo é próprio dos animais, só se deve recorrer ao segundo se for impossível empregar o primeiro*" (CÍCERO, 2009, p. 14).

41. Santo Tomás de Aquino (2009, C40 A2).

42. Clausewitz (1979, p. 73).

43. Bobbio (2002, p. 140).

44. Cícero (2009, p. 14).

preferir "a morte à escravidão e à desonra"[45] e, portanto, todas as guerras romanas seriam legítimas e justas quando estivessem em jogo a "liberdade" e a "honra" da sua República ou do seu Império.

Os cristãos, pelo seu lado, introduziram a questão explícita do "bem" e do "mal" como critério de separação das "guerras lícitas" e "ilícitas", permitindo que São Bernard de Clairvaux (1090-1153 d.C.) defendesse no Concílio de Troyes – realizado em 1128 – o direito de o "homem de bem" praticar o "malecídio", que seria uma espécie particular de homicídio abençoado por Deus, desde que fosse praticado com o objetivo de destruir o "mal". São Bernardo estava pensando, naquele momento, no "homicídio justificado" praticado pelas Cruzadas dos séculos XI e XII. Mas o mesmo argumento já havia estado presente na defesa da "guerra justa" de Santo Agostinho, que depois foi retomado por Santo Tomás de Aquino ao justificar, na sua *Suma Teológica*, o "homicídio" dos pecadores[46] e todas as guerras que visassem promover o "bem" e combater o "mal"[47].

Essa definição ciceroniana da "guerra justa" contém em si mesma um problema insuperável, porque o conceito e o critério de "escravidão" e de "desonra", de Cícero e do Império Romano, não poderiam ser jamais os mesmos de seus grandes competidores e adversários do Império Persa. E o mesmo se deve dizer com relação ao problema do julgamento e da resposta dada pelos dois impérios à questão de quem foi que "agrediu" e quem foi "agredido"; quem foi que causou "danos" e quem foi "danificado"; quem cometeu crime e quem deve ser punido; e quem, finalmente, está do lado da "paz" e da "justiça", os romanos ou os aquemênidas?

A mesma *aporia* reaparece de forma ainda mais aguda na definição cristã do "malecídio", ou do "homicídio" abençoado por Deus. Porque neste caso o que está em questão já não são juízos jurídicos ou materiais; é a própria definição do que seja o "bem" e o "mal", e dos critérios capazes de distingui-los, em cada conjuntura histórica e em cada situação humana específica. Quem os define, quem os arbitra, quem os executa, numa situação de divergência de conceitos e de "conflito de opostos"?[48]

Se utilizássemos a teoria da linguagem de Wittgenstein, talvez pudéssemos falar, neste caso, de um tipo de jogo, o "jogo das guerras"[49], em que os jogadores

---

45. Cícero (2009, p. 32).
46. Santo Tomás de Aquino (2009, Q. 64).
47. Santo Tomás de Aquino (2009, Q. 40).
48. Fiori (2016).
49. Utilizamos esta expressão, pela primeira vez, de forma contraposta mas complementar, com a expressão "jogo das trocas" do historiador F. Braudel, no artigo "Formação, expansão e limites do poder global" (FIORI, 2004, p. 32). Nesse trabalho, entretanto, ela remete de forma mais direta à discussão de L. Wittgenstein a respeito das "regras" dos "jogos de linguagem", desenvolvida na sua obra póstuma *Philosophical Investigations* (1968, p. 23 e 65-69).

estariam disputando a definição das próprias regras do jogo, através de um método violento que envolve a submissão ou eliminação final de um dos jogadores. Resumindo o argumento e a *aporia final* do conceito da "guerra justa": trata-se de uma guerra em que se disputa o "critério de arbitragem" da própria guerra, ou seja, de decisão sobre quem está do lado "justo" da guerra, numa circularidade lógica sem ponto.

iii) O argumento da "guerra santa"

O conceito original da "guerra santa" refere-se a um tipo particular de guerra travado em nome de ou em obediência a Deus, com o objetivo de defender e propagar sua fé religiosa, mesmo quanto este conceito clássico possa ser alargado para incluir também as guerras em nome de alguma ideologia ou "fé secular". A defesa da "guerra santa" aparece pela primeira vez, de forma explícita, no Êxodo[50] e em várias outras passagens da Torá ou Antigo Testamento[51]. E pode ser encontrada também no Alcorão (Surah 4.95) e na sua justificação do Jihad[52] contra os inimigos do Profeta Maomé. Mas não há dúvida de que foi a justificação cristã da "guerra santa", sistematizada por Santo Agostinho e por Santo Tomás, que se transformou no pensamento hegemônico da Idade Média e na matriz inspiradora de quase todas as explicações modernas e ocidentais das guerras ideológicas, e também das guerras humanitárias.

Como já vimos, Santo Agostinho e Santo Tomás de Aquino introduziram, na discussão ética da guerra, a ideia de um "imperativo religioso" que atuaria como um novo tipo de critério legitimador das "guerras lícitas". E foi assim que nasceu o conceito da "guerra santa", destinada a defender e "propagar a fé entre os pecadores que desconhecem a Deus"[53]. Mas apesar da aparente sobreposição

---

50. "Eis que envio um anjo diante de ti para que te guarde pelo caminho e te conduza ao lugar que tenho preparado para ti... O meu anjo irá adiante de ti e te levará aos amoreus, aos heteus, aos ferezeus, aos cananeus, aos heveus e aos jebuseus e eu os exterminarei. Não adorarás os seus deuses, nem os servirás; não farás o que eles fazem, mas destruirás os seus deuses e quebrarás as suas colunas. Servireis a Iahweh (Ex 23, *Bíblia de Jerusalém*, p. 140).

51. "Falou, pois, Moisés ao povo: Armem-se alguns dentre vós para a guerra de Javé contra Madiã, a fim de pagar a Madiã o preço da vingança de Javé. Enviareis à guerra mil homens de cada uma das tribos de Israel. [...] Fizeram a guerra contra Madiã, conforme Javé ordenara a Moisés e mataram todos os varões" (*Bíblia de Jerusalém*, p. 265, n. 31).

52. "Está escrito que Amr bin Abasah disse 'fui ter com Maomé e perguntei: Oh mensageiro de Alá, qual é a melhor jihad?' Maomé disse: 'A de um homem cujo sangue é derramado e o seu cavalo é ferido'" (Sunan Ibn Majah, 2794).

53. Santo Tomás de Aquino, *Suma teológica* (2009, Q 29).

conceitual, a "guerra santa" é essencialmente diferente da "guerra justa", porque ela não obedece a critérios jurídicos e racionais, como no caso de Cícero, ou mesmo de Grotius, nem obedece tampouco a critérios geopolíticos, como na tradição realista inaugurada por Tucídides[54]. As guerras religiosas clássicas, como algumas das guerras ideológicas modernas, são guerras travadas em nome de uma convicção abstrata, com forte apelo emocional, e que têm como objetivo a "conversão" de pessoas e de povos considerados "hereges", "pagãos" ou "bárbaros" por seus conquistadores[55].

A grande incógnita das guerras religiosas, entretanto, está no fato de terem sido feitas, em sua grande maioria, através da história, por povos que compartilhavam a mesma fé monoteísta e, muitas vezes, a mesma fé cristã. Os seja, as "guerras santas" envolveram, quase sempre, povos que se consideram detentores da mesma "verdade divina" e da obrigação de obediência ao mesmo Deus, independentemente do nome que lhe seja atribuído. Por isso, neste tipo de guerra, a vitória militar não é suficiente para produzir a "conversão" dos derrotados à fé dos vitoriosos.

Pelo contrário, as "guerras santas" tendem a acirrar o fundamentalismo, de parte a parte, obrigado a uma submissão violenta dos derrotados, ou simplesmente ao genocídio dos povos que não aceitem a fé religiosa dos ganhadores. Neste caso, o "jogo das guerras" não envolve uma disputa sobre regras e critérios, mas uma disputa entre crenças e interpretações teológicas ou ideológicas consolidadas, similares e competitivas, onde cada um dos jogadores tem sua própria crença ou interpretação da "vontade de Deus".

Nessas guerras existe muito pouco espaço para negociações, porque diferentemente das guerras "jurídicas" ou "geopolíticas", trata-se de um enfrentamento entre dois fundamentalismos religiosos ou ideológicos que se opõem e se odeiam, mas que compartem valores e/ou crenças similares. Neste sentido, a *aporia* incontornável da "guerra santa" esconde-se no fato de que seus guerreiros e adversários obedecem, quase sempre, a um só Deus, e neste sentido a vitória é a única maneira de decidir quem fala, afinal, "em nome desse Deus".

---

54. Ao discutir as causas da Guerra do Peloponeso, Tucídides afirmou que mais além das alegações de parte a parte, "a explicação mais verídica, apesar de menos frequentemente alegada, é, em minha opinião, que os atenienses estavam se tornando muito poderosos, e isto inquietava os lacedemônios, compelindo-os a recorrerem à guerra" (TUCÍDIDES, 2001).

55. Os defensores das guerras santas antigas ou modernas são fundamentalmente "fideístas", ou seja, pessoas "céticas com relação à possibilidade de obtermos conhecimento por meios racionais, sem possuirmos alguma forma de verdade básica conhecida pela fé, isto é, verdades que não se baseiam em nenhum tipo de evidência racional" (MARCONDES, apud POPKIN, 2001, p. 21).

As teses e argumentos "modernos"

As teses e argumentos "modernos" não questionaram nem inovaram radicalmente as teses clássicas sobre a guerra e a paz. Abandonaram seu conteúdo explicitamente religioso e propuseram algumas ideias e fórmulas estratégicas, com o objetivo e a esperança de controlar ou diminuir a intensidade da violência e o número das guerras, dentro do sistema interestatal criado e universalizado pelos europeus. Por isso também, diferentemente do que se passa com os argumentos "clássicos", que contêm aporias lógicas e éticas insuperáveis, as teses e argumentos "modernos" enfrentam outro tipo de problema quando são confrontados com os números e os fatos, numa espécie de exercício de "falsificação histórica"[56], como sugerimos em seguida e por ordem:

i) O argumento da "civilização"

Desde o início da sua expansão para fora do continente – cujo primeiro passo foi dado com a conquista portuguesa de Ceuta, em 1415 –, os europeus foram movidos por sua certeza da superioridade de sua fé e de seus valores civilizatórios. E esta mesma convicção se manteve, mesmo depois da secularização moderna e do Iluminismo, com sua fé na razão e na "universalidade" da natureza humana.

Inscreve-se nesse novo paradigma a tese kantiana de que todo Estado deseja conquistar o mundo, e que a guerra é um meio indispensável para impor a superioridade da civilização europeia. A grande novidade kantiana foi a ideia de que esta expansão civilizatória levaria a uma crescente convergência do sistema de valores dos povos, e essa crescente homogeneidade ética e cultural permitiria construir uma "paz perpétua" entre as nações.

De fato, se o primeiro impulso expansivo europeu teve forte orientação religiosa, a partir do século XVIII, e em particular depois da "Guerra dos 7 Anos" (1756-1763)[57], esta expansão teve uma dimensão ideológica cada vez mais "civilizatória", movida pelo projeto cosmopolita da universalização dos valores europeus. Entretanto, apesar da expansão europeia cada vez mais acelerada e vitoriosa,

---

56. Utilizamos tais expressões como referência explícita ao procedimento de "expansão do conhecimento" sugerido por Karl Popper (2008, p. 266ss).
57. A "Guerra dos 7 Anos", entre 1756 e 1763, é considerada por muitos como a Primeira Guerra Mundial, porque envolveu quase todos os estados e reinos europeus, em torno de uma agenda complexa de temas e disputas intraeuropeias, e se estendeu aos territórios coloniais da África, Ásia e América do Norte. A vitória do bloco liderado pela Inglaterra definiu sua supremacia sobre a Índia e a América do Norte, e a partir daí sobre todo resto da Ásia e da América, durante o século XIX.

a partir de Ceuta, os dados indicam que o número das guerras e sua violência cresceram sistematicamente a partir dos séculos XV e XVI, dentro e fora do território europeu[58]. Mais do que isto, as guerras mais violentas e destrutivas dessa "era moderna" que começa com a consolidação e expansão do sistema estatal europeu se deram exatamente entre os próprios europeus, ou envolveram territórios e povos que já haviam sido "convertidos" a sua cultura e sistema de valores.

Nesse período, e em particular nos últimos três séculos, houve indiscutíveis avanços do ponto de vista da construção e generalização de regras e normas jurídicas no campo do Direito internacional positivo[59], relativas ao *ius belli* tanto quanto ao *ius in bellum*. A despeito disso, o historiador norte-americano Jack Levy estima que os países europeus mais "civilizados" tenham estado em guerra durante 75% do período que vai de 1495 a 1975, começando uma nova guerra a cada sete ou oito anos. E mesmo no período considerado como o mais pacífico da história, entre 1816 e 1913, o autor contabiliza cerca de 100 guerras coloniais, a maioria envolvendo as potências anglo-saxônicas[60], países que tiveram papel central no processo de produção da chamada "ética internacional", inventada, desenvolvida e difundida pela "civilização europeia"[61].

---

58. "De 1480 a 1800, a cada dois ou três anos iniciou-se em algum lugar um novo conflito internacional expressivo; de 1800 a 1944, a cada um ou dois anos; a partir da Segunda Guerra Mundial, mais ou menos um a cada 14 meses [...]. Movendo-se de século para século, vemos que o número de mortos em combate por Estado aumenta de menos de três mil por ano durante o século XVI para mais de 223 mil durante o século XX [...]. Isso quer dizer que no século XVI os estados que sempre participaram das guerras de grandes potências estiveram em conflito durante cerca de um ano a cada três, no decurso do século XX, um ano a cada cinco. Os números são apenas aproximados, mas determinam o intenso envolvimento na guerra, século após século, dos estados europeus. Também sugerem que os preparativos para a guerra, seu pagamento e a reparação de seus danos preocuparam os governantes durante os cinco séculos em exame. Além do mais, nos cinco séculos antes de 1500, os estados europeus concentraram-se quase que exclusivamente em fazer guerra. Durante todo o milênio, a guerra foi a atividade dominante dos estados europeus" (TILLY, 1996, p. 123 e 131).

59. Mesmo que se tenha em conta a tese de Proudhon, de que é sempre a força e só a força que é capaz de criar e impor as normas do Direito Internacional, como se pode ler em sua obra clássica *La guerre et la paix* (PROUDHON, 1927, p. 90, apud BOBBIO, 2002, p. 126).

60. Cf. Levy (1983).

61. "Tanto a opinião de que os povos de língua inglesa têm o monopólio da moralidade internacional quanto a de que eles são hipócritas internacionais consumados podem ser reduzidas ao fato evidente de que os cânones atuais da virtude internacional foram, por um processo natural e inevitável, criados principalmente por eles" (CARR, 2001, p. 80).

No século XX, uma vez mais, foram os Estados Unidos[62] a potência herdeira e líder da "civilização europeia" que utilizou pela primeira vez na história humana armamento nuclear contra a população civil de um país asiático. E no mesmo século XX a própria Alemanha, de Immanuel Kant, foi responsável pelo genocídio de um povo que compartia seus mesmos valores fundamentais e vivia dentro de suas próprias fronteiras nacionais. Contribui-se decisivamente para jogar uma pá de cal, ou pelo menos uma enorme dose de ceticismo, sobre a mais importante das utopias europeias modernas: a da superioridade e do pacifismo de sua civilização.

ii) o argumento da "hegemonia"

Foi Kant, uma vez mais, quem formulou o segundo grande projeto ou estratégia moderna de pacificação internacional através da criação de uma "liga" ou "aliança" que fosse capaz de cumprir um papel global análogo ao do *Leviatã*, de Hobbes. A mesma ideia e a mesma estratégia que reaparecem na teoria política do século XX, como já vimos, sob a forma de um "superestado" ou de um "poder hegemônico global" que impusesse uma legislação e uma "ordem global".

No entanto, segundo todos os registros históricos, desde o século XVII até hoje, os países responsáveis pelo início da maior quantidade de guerras, dentro e fora Europa, foram exatamente as "grandes potências" que conseguiram acumular a maior quantidade de poder e de riqueza, e que conseguiram exercer uma função análoga a de um "superestado", pelo menos nas suas zonas de influência mais próximas. E o mesmo se deve dizer das duas únicas superpotências globais – Inglaterra e Estados Unidos – que exerceram de fato a função de "poderes hegemônicos" nos últimos 300 anos da história do sistema mundial.

Entre 1650 e 1950, só a Inglaterra declarou 110 guerras, dentro ou fora da Europa, iniciando – em média – uma nova guerra a cada três anos. E o mesmo aconteceu com os Estados Unidos, que também iniciaram, em média, uma guerra a cada três anos (incluindo as grandes "guerras indígenas" dentro do território americano) desde a data de sua independência, em 1776.

Mais recentemente, depois do fim da Guerra Fria, o sistema internacional experimentou pela primeira vez uma situação muito próxima da ideia de um mundo globalizado e unipolar. E os Estados Unidos chegaram a acumular sozinhos um poder sem precedentes na primeira década depois de 1991, fazendo muitos analistas acreditarem que havia chegado a hora da "paz perpétua". Mas exatamente nessa década os Estados Unidos se envolveram em 48 intervenções militares ao

---

62. Em 1890, no momento em que os Estados Unidos se preparavam para começar seu movimento expansivo global, o Presidente Theodore Roosevelt declarou: "*Eu acolheria com prazer praticamente qualquer guerra, porque penso que este país precisa de uma. Qualquer oponente serviria, mas a mais justa de todas as guerras é, em última instância, uma guerra com os selvagens*" (LEARS, 2017).

redor do mundo[63], mais do que em todo o período da Guerra Fria, incluindo suas "intervenções humanitárias" no Oriente Médio e no norte da África[64].

Foi nesse mesmo período que a grande potência hegemônica norte-americana criou um novo tipo de guerra "a distância" experimentado pela primeira vez na Guerra do Golfo, de 1991, quando a coalisão liderada pelos Estados Unidos e pela Inglaterra bombardeou durante 42 dias o território iraquiano antes de invadi-lo, provocando mais de 150 mil mortes do lado iraquiano, e não mais do que algumas centenas de mortos e feridos do lado das potências anglo-saxônicas. Por fim, no ano de 2016, só os Estados Unidos lançaram 26.171 bombas sobre sete países[65], enterrando definitivamente a expectativa dos séculos XIX e XX de que um "superestado" ou uma "potência hegemônica" conseguiria finalmente assegurar uma paz duradoura dentro do sistema interestatal criado pela Paz de Westfália.

iii) O argumento do "progresso"

A ideia de "progresso" ocupa lugar central na utopia moderna e iluminista dos europeus, em todas as suas versões filosóficas, políticas e ideológicas. Apesar de suas divergências, todos compartem a mesma convicção de que a história se move e evoluciona numa direção progressiva, com a melhoria progressiva das condições materiais, sociais e institucionais dos homens e dos povos. E todos acreditam que essas melhorias – quantificáveis em muitos casos – levariam a humanidade na direção de uma paz sustentada pelo desaparecimento das desigualdades e dos conflitos produzidos pela escassez. Talvez, por isso mesmo, a ideia de progresso foi sendo associada, cada vez mais, ao avanço da ciência e do desenvolvimento econômico e tecnológico das economias de mercado e do capitalismo a partir do "longo século XVI"[66].

---

63. "Os dois mandatos do Presidente Bill Clinton produziram um nível sem precedentes de ativismo militar. Uma comissão especial nomeada para avaliar a futura política de segurança nacional relatou que [...], desde o fim da Guerra Fria, os Estados Unidos aventuraram-se em aproximadamente cinquenta intervenções militares [...] contra apenas dezesseis durante todo o período da Guerra Fria" (BACEVICH, 2002, p. 142-143).

64. Imediatamente depois do fim da Guerra Fria, houve a Guerra do Golfo, e depois as guerras da Bósnia, da Sérvia e do Kosovo, e de forma quase contínua as guerras da Somália, do Afeganistão, do Iraque, da Líbia, do Mali e da Síria, que já provocaram centenas de milhares de mortes e mais de 3,5 milhões de refugiados, sem nenhuma perspectiva de paz duradoura nesta fronteira entre o "mundo cristão" e o "mundo islâmico".

65. Segundo dados apresentados por Micah Zenko, especialista em política externa norte-americana, publicados no site oficial do Council of Foreign Relations (www.cfr.org).

66. Expressão utilizada pelo historiador francês Fernand Braudel para referir-se ao período da história, entre 1350 e 1660, em que se dão os "descobrimentos" e a grande revolução moderna europeia, com a consolidação dos estados e das economias nacionais, com a formação do modo de produção capitalista, mas também com o "renascimento" da cultura clássica e o surgimento da ciência moderna.

Montesquieu acreditava que o aumento do comércio "adocicaria os costumes"[67] das pessoas e dos povos, independentemente de seus valores e convicções prévias. E depois dele e de Adam Smith[68], quase todos os teóricos liberais, marxistas, positivistas e evolucionistas dos séculos XIX e XX acreditaram que o progresso econômico e tecnológico exerceria poderosa influência pacificadora sobre as nações, mesmo quando sugerissem a necessidade de algum tipo de organização supranacional que ajudasse a regular e estimular o funcionamento do "jogo das trocas"[69] e do processo da "acumulação de capital"[70]. Além disso, alguns deles, e Marx em particular, defenderam a tese de que a revolução e a eliminação das classes e dos estados suprimiriam a própria razão de ser das guerras, causadas, em última instância, pelas próprias classes sociais e fronteiras nacionais. E é um fato indiscutível que depois da "Primeira Revolução Industrial", do início do século XIX, os europeus viveram um dos mais extraordinários saltos científicos e tecnológicos da história da humanidade. Foi o momento da história moderna, em que a economia de mercado e o capitalismo se transformaram na forma de organização dominante de todas as economias nacionais da Europa e depois, progressivamente, de todos os estados nacionais que nasceram após a independência dos Estados Unidos.

Entre 1870 e 1998 a economia mundial cresceu trinta vezes mais do que entre 1500 e 1870, e os europeus lideraram um processo contínuo de inovação tecnológica que multiplicou de forma geométrica a riqueza dos países que iniciaram este processo de acumulação de riqueza capitalista. Durante o mesmo período, mas em particular no século XX, foram criadas – ao lado da Liga das Nações e das Nações Unidas – várias instituições econômicas internacionais, como o Fundo Monetário Internacional (FMI), o Banco Internacional para Reconstrução e Desenvolvimento (Bird), o Acordo Geral de Tarifas e Comércio (Gatt), a Organização Mundial do Comércio (OMC) e vários outros organismos regionais voltados para a regulação e o estímulo do comércio e do desenvolvimento econômico. E na segunda metade do século foi iniciado um dos projetos mais grandiosos da "utopia cosmopolita", ou seja, a criação da Comunidade Econômica Europeia, com sua proposta de eliminação progressiva das fronteiras econômicas nacionais, exatamente no mesmo território em que foram "inventados" os estados e as economias nacionais, e onde o capitalismo alcançou seu mais alto nível "igualitário". Por fim, neste mesmo século XX, foram vitoriosas as duas maiores revoluções igualitárias da história: a Revolução Russa, de 1917, e a Revolução Chinesa, de 1949.

---

67. Montesquieu (1982, parte IV).
68. Smith (1983, vol. I, livros II e III).
69. Braudel (1996, cap. 1 e 2).
70. Marx (1980, vol. 1, cap. 24).

A despeito de tudo, segundo o historiador escocês Niall Ferguson

> [...] os 100 anos depois de 1900 foram sem dúvida alguma o século mais violento da história moderna, de longe o mais violento, em termos absolutos e relativos, do que qualquer outro período anterior da história [..] e por qualquer medida, a Segunda Guerra Mundial foi a maior catástrofe feita pelo homem em todos os tempos"[71].

E não foi uma, foram duas guerras mundiais, envolvendo todas as grandes potências do sistema interestatal, que eram e ainda são as grandes líderes do desenvolvimento tecnológico e econômico mundial. E se alargarmos a lente e incluirmos outros conflitos fora do epicentro europeu, foram travadas 128 guerras e revoluções no século XX, segundo um levantamento histórico recente e cuidadoso[72].

Além disso, como já vimos, foi nesse mesmo século XX que os homens utilizaram armamento nuclear, em Hiroshima e Nagasaki, e realizaram vários genocídios na Europa, na Ásia e na África. Depois do fim da Guerra Fria, e até hoje, a humanidade tem assistido a uma guerra quase ininterrupta entre povos de filiação iluminista e cristã, e povos islâmicos, como prolongação de um conflito milenar e como prenúncio do que se deve esperar para o século XXI, em termos da dialética perene da guerra e da paz. Ou seja, também neste caso, os fatos e os números relativos às guerras conspiram contra as esperanças pacifistas depositadas no "progresso" e apontam para uma direção oposta à das expectativas kantianas, e de todos os demais iluministas.

Inferências e deduções

Se nossa argumentação crítica e a informação histórica utilizada forem consistentes, então é possível extrair algumas conjeturas e conclusões, a partir do nosso raciocínio, com relação ao tema da guerra, da paz e da "ética internacional", e com relação às tendências bélicas do sistema interestatal inventado pelos europeus:

i) Diferentemente do que pensaram Sun Tzu, Aristóteles e todos os filósofos pacifistas, "clássicos" e "modernos", o principal objetivo das guerras nunca foi – nem poderia ter sido – a "paz". Seu principal objetivo sempre foi a "vitória", e através desta, a imposição dos argumentos e valores vitoriosos, incluindo a própria maneira de construir a paz[73]. Por esta razão, a paz lograda através da vitória acaba se transformando, muitas vezes, no principal motivo da guerra

---

71. Ferguson (2006, p. xxxiv).
72. Teixeira-da-Silva (2004).
73. "Nesse caso, trata-se claramente de uma paz que resulta da derrota e da eliminação dos adversários – a paz imposta – da supressão e não da superação do conflito" (MARCONDES, 2015).

seguinte[74], dos derrotados de hoje contra os vitoriosos de ontem, na busca da "reparação" e do reestabelecimento do "equilíbrio de forças" que existia antes do primeiro conflito[75].

ii) Todas as guerras envolvem um mínimo de dois adversários, com interesses competitivos e visões opostas a respeito da própria guerra. E os dois se consideram detentores da "verdade", do "bem" e da "justiça", sendo impossível definir um critério consensual de arbitragem sobre de que lado está a "guerra justa". Mesmo quando a guerra seja declarada em nome da "defesa" e da "reparação" de um povo, Estado ou império, porque todos os envolvidos na guerra sempre consideram que a guerra está sendo travada em nome de sua própria e "legítima defesa".

iii) Todas as culturas e civilizações têm – e sempre tiveram – alguma visão religiosa ou ideológica do "futuro", da "felicidade" ou de algum tipo de "salvação". E existem hoje pelo menos três grandes religiões monoteístas que defendem ou já defenderam e praticaram intensamente, nos três últimos milênios, o uso da "guerra santa", como instrumento explícito ou implícito de defesa ou propagação da sua fé religiosa ou secular, sem que exista possibilidade de arbitrar sobre qual destas cosmologias é mais válida do que as outras. No caso das Cruzadas medievais, como no caso das guerras civilizatórias, ideológicas, ou humanitárias, dos séculos XIX, XX e XXI.

iv) Há fortes evidências históricas de que foi no período em que se consolidou a utopia europeia da "paz perpétua" e se formulou pela primeira vez o projeto de uma ordem mundial baseada em valores e instituições compartidas que se travaram as guerras mais numerosas e sanguinárias da história. Além disso, nos últimos 300 anos, foram as grandes potências hegemônicas – Inglaterra e Estados Unidos – que iniciaram o maior número e as mais violentas guerras, dentro e fora da Europa, apoiados na sua superioridade bélica e econômica.

v) Neste sistema interestatal e capitalista criado pela "modernidade europeia", a "potência hegemônica" parece precisar da competição e da guerra para seguir acumulando poder e riqueza. E para expandir-se, parece que precisa sempre estar à frente do *status quo*, mesmo que seja através da destruição das regras e instituições que ela mesma construiu, num momento anterior, depois de sua última grande vitória militar. Por isso, ao contrário do que preveem as teorias da "estabilidade hegemônica", nesse sistema interestatal em permanente expansão "nunca houve nem haverá 'paz perpétua', nem hegemonia estável,

---

74. Morgentau (1993, p. 65-67).
75. Hume (2006, p. 154-161).

porque tudo indica que se trata de um sistema que precisa da guerra para poder se ordenar e 'estabilizar', ainda que seja de forma sempre transitória"[76].

Em síntese, o longo debate filosófico e ético dos "clássicos", sobre a guerra e a paz, permanece até hoje prisioneiro de um paradoxo lógico e de um raciocínio circular. Para eles, a paz é um valor positivo e universal, mas ao mesmo tempo a guerra pode ser "virtuosa" desde que tenha como objetivo a promoção da paz. Ou seja, eles defendem que é perfeitamente ético interromper a paz e declarar uma guerra para obter a paz, o que constitui um paradoxo ético e lógico. Porque é improvável que se possa lograr um consenso entre dois ou mais poderes em guerra, e porque toda paz lograda através da guerra, como já vimos, produz resultados assimétricos e injustos do ponto de vista dos derrotados. Os "modernos", por sua vez, incorrem na mesma "circularidade paradoxal" ao propor uma "paz perpétua" através da convergência imposta dos sistemas de valores de todos os povos, só que lograda através da guerra e da conquista dos povos "heréticos" ou "bárbaros", por parte de um Estado mais poderoso e hegemônico. Desconhecem, uma vez mais, a injustiça essencial de toda e qualquer paz lograda através da conquista e a evidência histórica de que as guerras mais violentas sempre foram travadas entre povos e nações que compartiam o mesmo sistema de valores, religiosos ou civilizatórios.

Por fim, do ponto de vista filosófico, os argumentos "clássicos" e modernos" são prisioneiros – até hoje – da armadilha da *iustae causae*, com sua busca contínua e sem sucesso convincente, de um fundamento último, religioso ou racional, que permitisse arbitrar de forma objetiva a intenção mais ou menos virtuosa de uma guerra, assumida como uma totalidade que seria boa ou má em função de seus objetivos e métodos. E nossa convicção é que este fundamento não existe, e este juízo foi e será sempre parcial e inconclusivo. A partir destas conclusões, nossa proposta é adotar uma "postura pirrônica" de "suspensão de juízo ético", sobre a guerra e sobre a paz, e repensar a guerra como um conflito e uma disputa ética, desde uma outra perspectiva sugerida pelo pensamento germinal do filósofo grego Heráclito de Éfeso.

A dialética de Heráclito

O filósofo grego Heráclito de Éfeso (540-475 a.C.) nasceu na Jônia, sob o domínio do Império Persa, dois séculos antes de Zenão de Cício (335-246 a.C.), fundador da "escola estoica". Portanto, não participou da discussão sobre o "cosmopolitismo", nem muito menos do debate sobre o conceito da "guerra justa" proposto pelo estoicismo romano. Mas, ao mesmo tempo, é provável que Heráclito

---

76. Fiori (2008, p. 31).

tenha nascido cerca de um século depois de Zoroastro (possivelmente, 660-583 a.C.)[77], o profeta-filósofo persa, e tudo indica que tenha conhecido suas ideias e sofrido sua influência.

Com relação ao papel que os dois atribuíam ao "fogo" como fonte energética do universo, mas sobretudo com relação à visão de Zoroastro a respeito da luta universal entre o "bem" e o "mal", que atravessaria inclusive a identidade bipartida de Ahura Mazda, o deus monoteísta do zoroastrismo, que foi declarado religião oficial do Império Persa no reinado de Ciro o Grande (559-530a.C.), é muito provável que esse duplo pertencimento cultural e intelectual de Heráclito tenha contribuído para a originalidade do seu pensamento dialético na história da filosofia grega. Com certeza teve papel decisivo na formulação de uma de suas ideias mais instigantes e enigmáticas: de que "a justiça se faz no conflito" (80)[78].

Para Heráclito, como para Zoroastro, existe um "conflito de opostos" na origem de todas as coisas vivas do universo e, portanto, também, no caso da "justiça", como na luta entre o "bem'" e o "mal", do profeta persa. Mas o filósofo grego não diz que a justiça tenha nascido de algum conflito específico, num momento determinado e de forma definitiva. O que ele diz é que a justiça se faz (e refaz) de forma permanente, através do conflito. Ou seja, ela não é um fenômeno estático nem é um conjunto de valores e normas universais; ela é o produto de uma luta contínua entre "opostos". E o mesmo se pode dizer da "ética", que precede e fundamenta todo e qualquer processo de construção da justiça. Por outro lado, Heráclito diz que "a guerra é o pai de todas as coisas" (53), e não existe inconsistência entre estas duas afirmações, porque a "guerra" é apenas uma forma particular de conflito e de disputa entre tribos, povos, nações ou impérios. Neste sentido, seguindo o raciocínio de Heráclito, pode-se dizer também que a "guerra" seria a forma específica de conflito que está na origem de um tipo particular de ética e justiça, a ética e justiça "internacionais", que propõem definir critérios de regulação e arbitragem das relações entre os povos e as nações.

Paralelamente, Heráclito afirma que a guerra "de uns faz deuses, de outros, homens; de uns escravos; de outros, homens livres" (53), sendo, portanto, a origem de todas as "grandes hierarquias" humanas: entre Deus e suas criaturas; entre os reis e seus súditos; entre os homens livres e seus escravos. O passo que Heráclito não dá, entretanto, e a conexão que ele não faz, é entre sua ideia do "conflito" e sua outra ideia da "hierarquia", uma conexão que passa – do nosso ponto de vista – pelo denominador comum do "poder". Ou seja, toda hierarquia

---

77. Data aproximada e contestada porque, segundo algumas versões, Zoroastro teria nascido cerca de 1.500 anos antes da "Era Cristã".

78. Todas as referências a Heráclito seguem aqui a versão já citada de seus fragmentos ou aforismas.

envolve um tipo específico de "conflito de opostos" que disputam entre si alguma forma de poder, explícito ou implícito, independentemente de qual seja a relação hierárquica de que estejamos falando[79]. Ao darmos este passo lógico e desnudarmos a natureza conflitiva de todas as grandes hierarquias sociais, podemos também deduzir – o que Heráclito não faz explicitamente – que a guerra é quem cria o próprio "poder", entendido como a forma mais abstrata e genérica de relacionamento assimétrico entre os homens, uma relação onde uns querem mandar, e os outros não querem obedecer[80].

Mas é necessário atentar para o fato de que a guerra é um "conflito de opostos" que tem a particularidade de ser, simultaneamente, a forma mais radical de resolução do próprio conflito, através do uso da violência e da submissão ou eliminação de um dos seus "opostos". O que poderia significar o desaparecimento definitivo de todo tipo de poder e de conflito, através da simples eliminação de todos os "opostos". Isso não ocorre, entretanto, porque o "poder" não é uma relação "binária", de "soma zero"; é uma relação "triangular" de disputa que não acaba nem pode acabar, porque seus três lados e ângulos se desdobram numa cadeia infinita de relações análogas e interconectadas[81] que impedem que o conflito se transforme num simples "jogo de soma zero", com a possibilidade da eliminação definitiva de uma de suas partes "opostas"[82].

Finalmente, ao declarar que a guerra é o "pai de todas as coisas" (53), e que o "conflito" está na origem de todas as grandes hierarquias sociais, e ao dizer, simultaneamente, "que todas as coisas nascem e morrem pelo conflito" (80), Heráclito está afirmando, a um só tempo, que não existe nada antes da guerra, nem

---

79. Como tentamos demonstrar em outro ensaio, "Conjeturas e história", aqui citado várias vezes: "Em termos estritamente lógicos, o 'poder' é uma relação que se constitui e se define de forma tautológica, pela disputa, e pela luta contínua, pelo próprio poder. Em qualquer nível de abstração, e em qualquer tempo ou lugar, independentemente do conteúdo concreto de cada relação de poder em particular. Portanto, por definição e por dedução, o poder é expansivo" (FIORI, 2014, p. 14).

80. "Digo que se chega a esse principado ou pelo favor do povo ou pelo favor dos poderosos. É que em todas as cidades se encontram estas duas tendências diversas, e isto nasce do fato de que o povo não deseja ser governado nem oprimido pelos grandes, e estes desejam governar e oprimir o povo" (MAQUIAVEL, 1983, p. 39).

81. "O 'poder' é sistêmico porque não é possível pensar uma 'unidade de poder' sem supor logicamente a existência deste conjunto de outras 'unidades de poder' que se multiplicam na forma de 'triângulos' que supõem outros 'triângulos', e assim sucessivamente. E como não é possível imaginar algum poder fora desse 'sistema de poderes', também se pode inferir que não existe nada anterior ou posterior ao próprio sistema, ou seja, ao próprio poder" (FIORI, 2014, p. 19).

82. "A relação de poder é essencialmente 'triangular' porque o 'limite' de toda e qualquer unidade de poder (P1) é estabelecido por outra unidade de poder (P2) que tem as mesmas características de P1 e, portanto, também tem seu limite traçado por mais uma unidade de poder (P3), e assim infinitamente, com relação a P4, P5 etc." (FIORI, 2014, p. 19).

existe nada fora do conflito, incluindo a "ética" e a "justiça". Por outro lado, como a "guerra" e o "conflito" são indissociáveis das "hierarquias", pode-se concluir que toda justiça e toda ética internacionais também nascem de um tipo específico de conflito hierárquico em que se disputa o próprio poder de arbitragem internacional, de forma permanente e infinitamente elástica[83].

Realismo, dialética e humanismo

Estimulado por Heráclito, nosso raciocínio inverte radicalmente o consenso "clássico" e "moderno": para nós, toda guerra é ética e toda paz é injusta[84]. Ou pelo menos, toda guerra tem uma dimensão ética, e nenhuma paz conquistada através da guerra será justa, do ponto de vista dos derrotados. A "guerra" deixa de ser uma "caixa-preta" e um "mal absoluto", que poderia ser utilizado – assim mesmo – como instrumento de promoção do "bem". E a "paz" deixa de ser um "bem absoluto" que pode ser conquistado, mesmo que seja através da violência e da destruição, segundo o pensamento circular e paradoxal dos "clássicos" e dos "modernos".

A guerra é um "conflito de opostos" que disputam algum tipo de poder, recurso ou riqueza internacional; antes disso, no entanto, é sempre uma luta entre os que querem preservar e os que querem inovar os valores, as normas e os "critérios éticos" internacionais[85]. Um sistema em que alguns povos mandam mais do que outros e exigem sua obediência, e no qual certos povos não querem obedecer e, ainda mais, querem seus graus de liberdade e de igualdade com relação aos "senhores do mundo"[86]. Por isso, para nós, a "ética internacional" deve ser definida como um processo contínuo de construção da igualdade, movido pelo desejo de liberdade das nações[87]. Ao mesmo tempo, entretanto, nesse processo toda "paz"

---

83. "O poder envolve uma hierarquia e um cabo de guerra permanente entre algum vértice que tenha mais poder e outro que terá necessariamente menos poder. Se um desses vértices aumentar seus graus de liberdade, algum outro perderá poder, inevitavelmente, com relação ao que se expandiu" (FIORI, 2014, p. 18).
84. Fiori (1991).
85. Norberto Bobbio (2002, p. 125) fala de "guerras-fonte", que são feitas "não para manter com vida um direito estabelecido e consolidado, mas para dar vida a um direito novo, não como intérprete de um direito passado, mas como criador de um direito futuro".
86. "É esta disputa pelo conhecimento, pela liberdade e pela igualdade que explicam a impossibilidade lógica de um 'critério ético' único ou universal capaz de servir de base consensual para a definição, a arbitragem e a punição do 'mal', e para a definição, a promoção e a defesa do 'bem'" (FIORI, 2016, s.p.).
87. "É diante das comunidades ou bandos vizinhos que tal comunidade ou tal bando determinado se afirma e pensa como diferença absoluta, liberdade irredutível, vontade de manter seu ser como totalidade uma" (CLASTRES, 2004, p. 176).

será sempre um armistício ético passageiro, ainda que possa durar séculos. E toda ideia de "paz perpétua" será sempre uma utopia, inseparável do sonho com um mundo onde haja plena liberdade e igualdade entre os povos.

Referências

APPEL, T.N. *Dos caçadores-coletores aos grandes impérios*: interpretando o aumento da complexidade social à luz da teoria da evolução. Rio de Janeiro: UFRJ, 2017 [Tese de doutorado].

ARISTÓTELES. *Política*. São Paulo: Martin Claret, 2002.

ARON, R. *Paz e guerra entre as nações*. Brasília: EdUnB, 2002.

BACEVICH, A.W. *American Empire*. Cambridge: Harvard University Press, 2002.

BARREIROS, D. *A filogenia da guerra* – Uma hipótese evolucionária sobre as origens do conflito intersocietário na linhagem do homem. Rio de Janeiro, 2017.

BARTLETT, R. *The making of Europe* – Conquest, colonization and cultural change 950-1350. Princeton: Princeton University Press, 1993.

Bíblia de Jerusalém. São Paulo: Paulinas, 1989.

BOBBIO, N. *O problema da guerra e as vias da paz*. São Paulo: Unesp, 2002.

BRAUDEL, F. *Os jogos das trocas*. São Paulo: Martins Fontes, 1996.

CARR, E.H. *The twenty years crisis*: 1919-1939. Nova York: Perennial, 2001.

CHARDIN, T. *O fenômeno humano*. São Paulo: Cultrix, 1988.

CÍCERO. *On duties*. Cambridge: Cambridge University Press, 2009.

CLASTRES, P. *Arqueologia da violência*. São Paulo: Cosac & Naify, 2004

CLAUSEWITZ, C. *Da guerra*. São Paulo: Martins Fontes, 1979.

DAWSON, C. *Dinâmica da história do mundo*. São Paulo: Perspectiva, 2004.

FASSIN, D. *Humanitarian reason*: a moral history of the present. Berkeley: University of California Press, 2012.

FERGUSON, N. *The war of the world*: twentieth-century conflict and the descent of the West. Nova York: The Penguin Press, 2006.

FIORI, J.L. *O mito do pecado original e a gênesis do "ceticismo ético"*. Rio de Janeiro: [mimeo.], 2017.

_____. *História, estratégia e desenvolvimento*. São Paulo: Boitempo, 2014.

_____. Prefácio ao poder global. In: *O poder global e a nova geopolítica das nações*. São Paulo: Boitempo, 2007.

_____. Formação, expansão e limites do poder global. In: FIORI, J.L. (org.). *O poder americano*. Petrópolis: Vozes, 2004.

_____. A *Guerra Pérsica, uma guerra ética*. Rio de Janeiro: Instituto de Economia Industrial, 1991 [Cadernos de Conjunturas, n. 8].

FIORI, J.L.; MEDEIROS, C. & SERRANO, F. *O mito do colapso do poder americano*. Rio de Janeiro: Record, 2008.

GAT, A. *War in human civilization*. Oxford: Oxford University Press, 2006.

GILPIN, R. *War & change in world politics*. Cambridge: Cambridge University Press, 1981.

GROTIUS, H. *O direito da guerra e da paz*. Ijuí: Unijuí, 2005.

GUINSBURG, J. (org.). *A paz perpétua, um projeto para hoje*. São Paulo: Perspectiva, 2004.

HECHT, E. & SERVENT, P. *O século de sangue, 1914-2014*: as vinte guerras que mudaram o mundo. São Paulo: Contexto, 2015.

HOBBES, T. *Leviatã ou matéria, forma e poder de um Estado eclesiástico e civil*. São Paulo: Victor Civita, 1983.

HUME, D. Of the balance of power. In: *Political Essays*. Cambridge: Cambridge University Press, 2006, p. 154-161 [Cambridge Texts in the History of Political Thought].

KANT, I. *Filosofia da história*. São Paulo: Ícone, 2012.

KEELEY, L. *A guerra antes da civilização*. São Paulo: Realizações, 2011.

KEHOANE, R. O. *After hegemony, cooperation and discord in the world political economy*. Princeton: Princeton University Press, 2005.

LEARS, J. *How the US began its empire*. Nova York, 2017 [Disponível em http://www.nybooks.com/articles/2017/02/23/how-the-usbegan-its-empire/? – Acesso em fev./2017].

LEVY, J. *War in the modern great power system*. Lexington: Ky, 1983.

LONGWORTH, P. Russia – The Once and Future Empire from Pre-History to Putin. Nova York: St Martin's, 2006.

MAQUIAVEL, N. *O príncipe*. São Paulo: Victor Civita, 1983.

MARCONDES, D. *Polemos vs Eirene*: guerra e paz em uma perspectiva filosófica. Rio de Janeiro: PUC-RJ, 2015.

_____. *Iniciação à história da filosofia*: dos pré-socráticos a Wittgenstein. Rio de Janeiro: Zahar, 2007.

MARINHO, N. *Sobre a guerra e a paz – A aporia freudiana*. Trieb, vol. II, set./2003.

MARX, K. *El capital*. México: Fondo de Cultura Económica, 1980.

MEARSHEIMER, J.J. *The tragedy of the great powers*. Nova York: W.W. Norton & Company, 2001.

MONTESQUIEU. *O espírito das leis*. Brasília: EdUnB, 1982.

POPKIN, R.H. *História do ceticismo, de Erasmus a Spinoza*. Rio de Janeiro: Francisco Alves, 2001.

POPPER, K. *Conjecturas e refutações*. Brasília: UnB, 2008.

PROUDHON, P.J. *La guerre et la paix*. Paris: Rivière, 1927 [Oeuvres Complètes].

SANTO AGOSTINHO. *A cidade de Deus*. Petrópolis: Vozes, 2016.

SANTO TOMÁS DE AQUINO. *Suma teológica*. São Paulo: Loyola, 2009.

SCHUBERT, G. & MASTERS, R. (orgs.). *Primate politics*. Carbondale: Southern Illinois University Press, 1991.

SMITH, A. *A riqueza das nações*. São Paulo: Abril, 1983.

TEIXEIRA-DA-SILVA, F.C. *Enciclopédia de guerras e revoluções do século XX*. Rio de Janeiro: Campus, 2004.

TILLY, C. *Coerção, capital e estados europeus*. São Paulo: Unesp, 1996.

TUCÍDIDES. *História da Guerra do Peloponeso*. Brasília: UnB/Ipri, 2001.

TZU, S. *A arte da guerra*. São Paulo: Martin Claret, 2004.

VAINFAS, D.R. *O arquétipo da guerra* – A alquimia entre o simbólico e o etológico na Guerra Tupi. Rio de Janeiro: UFRJ, 2017 [Tese de doutorado].

WALLERSTEIN, I. *O universalismo europeu*. São Paulo: Boitempo, 2007.

WALTZER, M. *Guerras justas e injustas*. Rio de Janeiro: Paz e Terra, 2012.

WITTGENSTEIN, I. *Philosophical investigations*. Nova York: Macmillan, 1968.

WRANGHAM, R. & PETERSON, D. *Demonic males*: apes and the origins of human violence. Boston: Mariner, 1996.

Guerra e ética em Aristóteles

Mário Máximo

Introdução

A ideia de que possa haver virtudes envolvidas na prática da guerra pode soar estranha a nossa sensibilidade moderna. Para nós, modernos, a guerra é uma atividade coberta de horror, cujo resultado é inevitavelmente a perda desnecessária de incontáveis vidas humanas. Como relata Pablo Neruda em seu poema sobre a Guerra Civil Espanhola:

> E numa certa manhã tudo ardia [...]
> vinham pelos céus a matar crianças,
> e pelas ruas o sangue de crianças
> corria simplesmente, como sangue de crianças.

Para a cultura grega antiga, entretanto, a guerra é vista como uma atividade humana rotineira, natural, como colher ou falar. Os gregos tinham como seus maiores épicos a *Ilíada* e a *Odisseia*. O primeiro é a história de uma longa guerra. O segundo, por mais que não seja um relato direto sobre a guerra, a tem como pano de fundo e é uma narrativa coberta de violência. A historiadora Jennifer T. Roberts[1] comenta que os gregos se sentiam confortáveis com a guerra, diferentemente dos romanos, que se sentiam obrigados a dizer que estavam lutando uma guerra de defesa.

O objetivo deste texto é apresentar a relação entre a ética e a guerra em Aristóteles. Como em tantos outros aspectos de seu pensamento, o filósofo é profundamente influenciado pela cultura grega, que vê a guerra como uma extensão da vida cívica. Assim, na primeira parte deste trabalho, será necessário traçarmos um contraste entre como a guerra aparece para nós, sendo no melhor dos casos um "mal necessário", e como ela é vista pela cultura grega clássica, em geral, e por

---

1. Roberts (2017).

Aristóteles, em particular. Nosso objetivo não é explorar a dimensão histórica ou sociológica desse contraste, e sim localizar os diferentes papéis que a guerra tem no espaço moral e político.

De posse dessa distinção, estaremos preparados para investigar a relação entre as virtudes e a guerra, o que faremos na segunda seção. Neste ponto, nossa preocupação central será com as implicações da guerra para o caráter humano. Em seguida, examinaremos aspectos mais gerais da guerra presentes no livro VII de *A política*, em especial, a afirmação de Aristóteles de que a finalidade da guerra são a paz e o repouso.

Guerra justa ou homem justo?

O filósofo Alasdair MacIntyre[2] nos convida a fazer o seguinte experimento mental: imagine uma situação na qual as ciências naturais foram destruídas. De suas práticas e resultados restam apenas fragmentos dispersos, sem unidade metodológica ou conceitual. MacIntyre, a partir desse cenário catastrófico, afirma que nossa linguagem moral moderna se encontra no mesmo estado de desordem que as ciências naturais em seu mundo imaginário. É como se possuíssemos algo da antiga ciência moral, mas esta se encontrasse desconectada do arcabouço teórico que lhe conferia sentido e unidade. Nesta seção faremos o esforço de expor, para o campo da guerra, esse mesmo cenário descrito por MacIntyre. Enquanto as teorias morais modernas discutem proficuamente o tema da guerra, não percebem a carência de uma estrutura teórica adequada, como a de que dispunha a ética antiga.

A literatura sobre a relação entre ética e guerra na Modernidade é dominada pelo que é conhecido como "teoria da guerra justa" (a partir daqui TGJ). Trata-se de uma reflexão sobre as condições que tornam uma guerra legítima. A TGJ procura oferecer uma resposta a duas posições consideradas extremas. De um lado, temos uma postura "realista", que expulsa a moral do tema da guerra. Para esta interpretação, a guerra ocorre por razões próprias, e considerações de cunho moral são descabidas. Quando aparecem, não passam de um discurso vazio, frequentemente acobertador das *verdadeiras* razões para o conflito. Por outro, há uma postura "pacifista", que acusa os horrores da guerra como algo injustificável. Segundo esta visão, nenhuma guerra, não importa qual seja, é moralmente válida. Para esta posição, a moral nos força a condenar igualmente qualquer guerra.

As duas posições incomodam em um nível ou outro, e a TGJ pode ser vista como uma tentativa de oferecer um entendimento mais moderado da questão. Ao

---

2. MacIntyre (2007).

procurar estabelecer as condições que tornam uma guerra legítima, a TGJ pretende se debruçar tanto sobre seu conteúdo moral (resposta aos "realistas") quanto sobre se ela contribui para o bem, e se a inação seria moralmente condenável (resposta aos "pacifistas"). Dessa forma, a TGJ visa construir critérios que nos permitam avaliar moralmente os conflitos: São eles justos ou não? É permitido ou não fazer a guerra? Esses critérios são divididos basicamente em três categorias: *jus ad bellum, jus in bello* e *jus post bellum*. A primeira diz respeito aos critérios relevantes antes do conflito, ou seja, às razões pelas quais se inicia a guerra; a segunda trata da forma como o combate é conduzido; e a terceira, dos fatores após a guerra, como punição dos crimes cometidos e compensações pelo conflito.

Em linhas gerais, a TGJ estabelece que uma guerra só pode ser iniciada por uma causa justa, como a autodefesa ou a proteção de vidas inocentes, e apenas como último recurso (*jus ad bellum*)[3]. Durante o conflito, uma força de tipo proporcional deve ser utilizada, isto é, não deve haver excessos no uso da força (*jus in bello*). Por fim, as punições devem ser direcionadas apenas aos responsáveis pelo conflito ou àqueles que cometeram crimes durante a guerra, não à população de forma geral (*jus post bellum*). Esses, em resumo, representam os critérios que norteiam uma guerra justa e estabelecem a norma para qualquer conflito futuro.

A despeito dos esforços da TGJ para tornar esses critérios claros e precisos, diversas dúvidas e críticas permanecem. O argumento da autodefesa, por exemplo, é extremamente elusivo[4]. Frequentemente, estados vão à guerra com o argumento da defesa, justificando suas ações por meio da ameaça externa. Se o sentimento de ameaça for bastante para legitimar a guerra, uma vasta quantidade delas terá que ser considerada justa, pois os estados seguidamente alegam estar ameaçados. No entanto, se apenas a agressão real, efetiva, for critério, acaba-se por argumentar contra as razões que justificariam a própria guerra. Afinal, se é permitido, pela própria TGJ, que um Estado se defenda da ameaça externa, parece estranho ter que forçá-lo moralmente a esperar que haja uma invasão ou um ataque, porque, se assim o for, a sua própria defesa estará comprometida.

Ainda dentro dos critérios *jus ad bellum*, a ideia de que a guerra só possa ser realizada como último recurso parece, digamos, infinitamente elástica. É sempre possível argumentar que há outros recursos disponíveis à mesa. O caminho da diplomacia, por exemplo, apresenta-se, em princípio, como inesgotável: está

---

3. Os critérios desenvolvidos pela TGJ influenciaram decisivamente os aparatos legais internacionais, como a "Carta das Nações Unidas". Cf., p. ex., os artigos 33 (§ 1) e 51.
4. Não se pretende aqui recorrer ao argumento falacioso da "fronteira imprecisa", i. é, desqualificar a tese por possuir casos de difícil precisão. Pretende-se sugerir que o problema é justamente o fato de a TGJ almejar atingir um elevado grau de precisão.

sempre aberta a possibilidade do diálogo, a insistência na palavra, a tentativa de negociar outra vez, propor um novo acordo etc. Por este critério, a TGJ parece colapsar na posição "pacifista" e condenar todas as guerras, um resultado que ela própria quer evitar.

Dentro dos critérios *jus in bello* e *jus post bellum*, problemas similares ocorrem. Por exemplo, o critério da proporcionalidade aparenta contradizer os próprios objetivos da guerra, porque o uso de uma força superior à do inimigo é justamente o que garante a vitória. Em outras palavras, se um dos lados do conflito pode encerrá-lo pelo uso contundente e excedentário da força, não fazê-lo contrariaria as próprias razões pelas quais a guerra foi iniciada. No critério de proporcionalidade há uma preferência injustificada pela chamada "guerra de atritos"[5], que pode se prolongar por longos períodos e impedir uma solução definitiva do conflito.

Diante dessa breve exposição dos problemas da TGJ, é possível retornar aos critérios e tentar enunciá-los de forma mais clara, sofisticá-los com novas definições e categorias. Esse caminho, entretanto, revela-se infrutífero, como o médico que tenta salvar o corpo moribundo. Se a própria formulação do problema estiver equivocada, não há depuração das respostas que o salve. Nossa percepção moderna nos faz pensar a guerra pela ótica de leis que a regulem – daí a preocupação com critérios que possam constituir essas leis. Por um lado, nos horrorizamos com as causas, os meios e os resultados dos conflitos e desejamos a existência de leis que os normatizem. Por outro, a dificuldade de estabelecer essas leis pode levar alguns a condenarem todas as guerras *a priori* (posição "pacifista"), ou a se tornarem céticos da própria possibilidade de formulação desses critérios (posição "realista"). A guerra se apresenta para o pensamento moderno como uma atividade a ser regulada, sobre a qual se deve legislar. Ou ela deve ser proibida, caso seja injusta, ou deve ser promovida, caso seja justa. Esta formulação está vinculada ao discurso moral moderno conhecido como deontológico.

Nesse tipo de elaboração, julgam-se os atos como moralmente reprováveis ou aprováveis. Isso vale tanto para um ato moral individual, como mentir, quanto para um ato do Estado, como ir para a guerra. Trata-se de descobrir se determinada ação é compatível ou não com as exigências da norma moral. Contudo, como vimos no caso da TGJ, esse tipo de raciocínio moral tem uma série de limitações, como a própria imprecisão do que constitui o ato que está sendo avaliado. Por exemplo, não é claro que mentir para salvar um inocente seja equivalente a mentir para obter uma vantagem pecuniária, da mesma forma que não é claro o que constitui a ameaça externa como razão legítima para a guerra. Ao insistir em

---

5. Expressão utilizada para descrever guerras que não possuem grandes batalhas e são vencidas de pouco em pouco, geralmente, pelo melhor uso dos recursos disponíveis.

judicializar a vida dos homens, a Modernidade continua buscando a norma que separa a guerra justa da injusta e, como consequência, continua a se surpreender pela imensidão de razões pelas quais os homens fazem guerra – tantas, que nenhuma norma será capaz de abarcá-las todas[6].

Sugere-se, então, deixar de lado as condições em que ocorre a guerra, infinitamente variáveis, e olhar para aqueles que a fazem. Nessa direção, observemos a cultura grega como inspiração, em especial o pensamento aristotélico. Para os gregos, em geral, e para Aristóteles, em particular, o que importa é o caráter dos homens. A ação singular aparece como secundária, derivada desse caráter. Isso significa que a moral é entendida na linguagem das virtudes e dos vícios, e não como avaliação da obediência (ou violação) a normas preestabelecidas. Os homens em sua prática, em sua vida, agem diante das circunstâncias que se apresentam, e formam, ao longo dos anos, características confiáveis de seu comportamento. São essas características que chamamos de "caráter" e constituem o fundamento moral relevante.

Não surpreende, assim, que, para o caso da guerra, os gregos estivessem preocupados com a expressão da coragem. A coragem é considerada uma das virtudes centrais, ao lado da justiça e da temperança[7]. Sua relação com a guerra é essencial, como veremos na próxima seção. Antes de avançarmos, entretanto, é preciso destacar que a teoria moral antiga não ignora as razões pelas quais se faz a guerra ou o modo como ela é praticada, conforme discutimos na TGJ. A questão, no entanto, não é a formulação de uma norma, mas a reflexão sobre a deliberação dos homens em cada oportunidade. As pessoas vão à guerra por uma série de razões, algumas boas, outras más. Mas não há, em princípio, como computar todas as variáveis em jogo e decidir abstratamente por um critério que as julgue. Podemos observar, no entanto, que homens justos dispensam a seus inimigos o tratamento que lhes é apropriado. Diante do contexto específico que se apresenta, homens justos deliberam adequadamente sobre a guerra.

Tucídides, por exemplo, em seu famoso tratado sobre a Guerra do Peloponeso, não afirmava se ela foi justa ou injusta, e sim que os atenienses foram arrogantes em seu expansionismo. A obra de Tucídides pode ser lida, e frequentemente o é, como uma crítica moral à soberba ateniense. Assim, o que importa é se os

---

6. Notamos aqui que estamos criticando as formulações modernas da TGJ. No período medieval, a doutrina do "duplo efeito" lida com alguns dos problemas que apontamos, e exaure, mesmo que parcialmente, o caráter normativo da teoria. Para uma discussão sobre a TGJ e a doutrina do "duplo efeito", cf. Anscombe (1961).

7. Consideraremos, ao longo do texto, como virtudes práticas, apenas as três principais: justiça, temperança e coragem.

homens são justos, corajosos e temperantes, e não se obedecem a critérios gerais, que, longe da concretude da vida, nada dizem.

As virtudes e a guerra

Nosso objetivo nesta seção é identificar quais virtudes se relacionam com a guerra e de que forma tal relação ocorre. Uma resposta a essa pergunta poderia ser que todas as virtudes se manifestam na guerra. Afinal, a diversidade de contextos de que tratamos parece indicar esse caminho. O próprio Aristóteles dá sinais desse entendimento ao afirmar que: "A guerra os obriga a ser justos e a se comportar com moderação, enquanto o proveito da boa sorte e o ócio em tempos de paz tendem a fazê-los arrogantes"[8]. Nessa passagem, o filósofo associa a guerra com o desenvolvimento de duas virtudes essenciais, a justiça e a temperança, enquanto alerta contra os vícios que podem se manifestar na paz. Veremos adiante que é necessário cuidar das virtudes associadas à paz, para que não degenerem, mas nos concentremos neste momento nas virtudes relacionadas à guerra.

Tanto a justiça quanto a temperança fazem parte da guerra, embora seja a coragem a virtude mais íntima ao conflito bélico. Por mais que as duas primeiras tenham lugar durante a guerra, esta, por si só, não pode desenvolver adequadamente o conjunto das três virtudes. Seu campo moral é mais estreito do que isso. Aristóteles, ao discutir o caso de Esparta, destaca que sua constituição tentou transformar a guerra no único catalisador das virtudes, e a vitória militar no único bem público, o que resultou em sua própria ruína moral[9]. Ele nos conta que os lacedemônios se preocupavam apenas com a virtude "guerreira". O caso dos espartanos é emblemático para destacar que, embora a guerra possa criar oportunidades para o desenvolvimento das três virtudes, sua relação íntima com a coragem acaba por prejudicar a formação das outras duas.

Investiguemos com maior cuidado essa relação proeminente da guerra com a coragem. Aristóteles alinha-se com nosso senso comum contemporâneo de que a bravura é a virtude característica da guerra[10]. Todavia, o filósofo parece afirmar algo mais expressivo do que a mera constatação de que o soldado é corajoso quando enfrenta os horrores da guerra. Aristóteles declara que a coragem, em seu sentido próprio, revela-se *apenas* na guerra. "Então, é a pessoa que não teme a

---

8. Pol. VII 15 1334a25-30. Os textos de Aristóteles consultados foram as versões para o inglês de Carnes Lord (*A política*) e Roger Crisp (*Ética a Nicômaco*). A tradução para o português é de responsabilidade do autor.
9. Pol. VII 15 1334b1-5.
10. NE III 6.

morte nobre, ou os riscos da morte imediata, que deveria realmente ser chamada de corajosa, e esses são, acima de tudo, os riscos em batalha"[11].

Aristóteles, em passagem anterior a esta citada, considera o exemplo de alguém prestes a ser açoitado. Ele afirma que, nessas circunstâncias, alguém que não demonstre medo e se mantenha seguro não pode ser dito corajoso. Por mais que ser açoitado seja algo terrível, a coragem, como virtude, diz respeito ao que há de mais terrível: a morte. Contudo, não se trata de qualquer morte. Não é dito corajoso alguém que não tema a morte por doença, já envelhecido, em sono tranquilo na cama de casa. Essa morte não carrega a face do perigo, não explicita nossa finitude. De outro lado, a coragem também não se manifesta diante da perspectiva da pobreza ou de uma doença súbita. Esses eventos são de natureza acidental e não dependem da prática da virtude ou do vício. A coragem, como virtude, é uma disposição de caráter, envolve deliberação e, como diz Aristóteles, não se delibera sobre algo que não está sob nosso controle[12].

Como relatado por Rosler[13], essa interpretação aristotélica da guerra como o espaço privilegiado da coragem é alvo frequente de críticas. Estas argumentam que outras atividades, de cunho pacífico, teriam o mesmo risco de morte e a mesma característica do perigo iminente. Assim, a única característica distinta da guerra seria a oportunidade de matar outros homens e/ou ser morto por eles, o que não possui nenhum valor moral distinto quando comparado a perigos "pacíficos" – digamos, um astronauta que enfrenta o hostil ambiente espacial, mesmo sabendo do elevado perigo. Entretanto, vale observar que essa crítica, visando desinflar a relevância da guerra, era conhecida de Aristóteles, e o autor a responde diretamente. Ele cita, por exemplo, o caso, não diferente do que apresentamos, do marinheiro que enfrenta os perigos dos mares e o descarta como campo da coragem. Diz: "Enquanto as pessoas agem corajosamente em situações em que há possibilidade de vigorosa resistência ou morte nobre, nesses tipos de desastres não há espaço para nenhuma das duas"[14].

Há, portanto, um tipo de perigo e um tipo de morte que Aristóteles vê como característicos da guerra, e que explicam o exercício da coragem. Moraes[15] nos fala do "belo perigo" e da "bela morte" para esclarecer esse ponto. O que é distinto na guerra é sua aliança com a vida. Na guerra, o combatente não defende apenas sua vida enquanto respiração e batimento cardíaco, mas sua vida enquanto parte

---

11. NE III 6 1115a30-35.
12. NE III 3 1112a30-35.
13. Rosler (2013, p. 158).
14. NE III 6 1115b1-5.
15. Moraes (2017).

de um projeto. A guerra não é um desastre da natureza, é um empreendimento humano e, como tal, revela o que somos, do que somos feitos, expondo nossa irredutível finitude. Não se trata de um perigo distante, etéreo, e sim de algo que compreendemos intimamente. Se pudermos trazer um filósofo como Kant, que é crítico à teoria moral aristotélica, mas que ajuda a entender esse ponto, podemos constatar que é justamente a guerra entre os estados que, paradoxalmente, os aproxima. A paz pode ser como um "cemitério". Assim, a coragem se manifesta propriamente na guerra, porque é na luta com o outro que nossa própria humanidade se revela e, como se trata de um perigo mortal, confronta-se com o que há de mais aterrorizante em nós: nossa finitude.

É comum que o papel destacado da guerra para a prática da coragem atraia olhares de reprovação. Alguns afirmam que Aristóteles está apenas defendendo os preconceitos de seu tempo, organizando um discurso filosófico em torno da cultura grega do heroísmo, que exalta a morte em batalha como uma morte digna, nobre. Ademais, também se argumenta que há um traço distintamente aristocrata nesta visão de coragem, porque a glória em batalha é exaltada, enquanto atividades de cunho pacífico, por mais que perigosas, como a navegação comercial, são depreciadas. Essas críticas são pertinentes e, como afirmamos anteriormente, Aristóteles é bastante influenciado pela cultura grega. Porém, é necessário qualificar alguns pontos, dado que o filósofo também não se reduz a uma repetição do que há de prevalente no seu tempo.

Vejamos primeiro a segunda crítica, de que o reconhecimento privilegiado da guerra é uma interpretação aristocrata. É preciso destacar que, para Aristóteles, a coragem pertence ao conjunto de "virtudes cívicas"[16], ou seja, que se esperam de um cidadão. Como há distintas constituições políticas virtuosas, e não apenas a aristocracia, num governo de todos os cidadãos (*politeia*), todos eles estarão envolvidos com a guerra. Aristóteles, nos livros VII e VIII de *A política*, indica inclusive uma configuração desse tipo, na qual todos os cidadãos são responsáveis pelo conflito, mesmo que em períodos diferentes de suas vidas. Os jovens lutam, e os mais idosos governam. Dessa maneira, Aristóteles organiza a constituição para que todos os cidadãos, em diferentes estágios da vida, exerçam as principais funções cívicas, que podem ser basicamente reunidas nestas duas: guerrear e governar.

Com relação à primeira crítica, de que Aristóteles estaria apenas defendendo o ideal grego de heroísmo, é preciso dizer que ele, assim como seu mestre Platão, se opõe à glória e ao prestígio na guerra como bens superiores humanos. Como vimos, a guerra está diretamente ligada à coragem, mas não às demais virtudes,

---

16. NE III 8 1116a15-30.

que florescem em tempos de paz. Esse é um ponto muitíssimo importante, que fará, como veremos, Aristóteles revelar suas principais críticas à cultura grega, em especial a Esparta.

A "virtude guerreira" é importante, mas não é a mais elevada. Só é possível, por exemplo, aprender a governar e a ser governado, em seu sentido pleno, em tempos de paz. Isso significa dizer que as "virtudes cívicas" não apenas constituem um conjunto maior do que a coragem, mas que as partes mais importantes desse conjunto não são propriamente acessadas pela guerra. Por isso teria se dado a ruína dos lacedemônios, que se preocupavam somente com a virtude no conflito: "Eles preservaram a si mesmos enquanto estiveram em guerra, mas vieram à ruína ao governarem um império e não saberem como estar em ócio, e porque não há nenhum aprendizado entre eles que tenha mais autoridade do que os aprendizados para a guerra"[17]. Não há dúvida, portanto, de que, por mais que a coragem e a guerra sejam importantes, Aristóteles as submete à vida em tempos de paz. Se considerarmos o ideal da contemplação, para muitos a própria *eudaimonia* em Aristóteles, veremos quão parciais são a virtude da coragem e o espaço da guerra. Afinal, só é possível contemplar, estudar as causas do ser, pensar sobre o próprio pensamento, se há paz.

Dessa forma, Aristóteles julga que a finalidade da guerra é a paz:

> A vida como um todo é dividida entre a ocupação e o ócio, entre a guerra e a paz. As ações, por sua vez, são algumas dirigidas para o que é útil e necessário, outras para o que é nobre. Estas distinções devem corresponder, por necessidade, à mesma divisão entre as partes da alma e suas ações: a guerra deve estar em função da paz, a ocupação em função do lazer, o que é necessário e útil em função do que é nobre[18].

Temos, assim, que a única orientação da guerra é a paz. O conflito deve visar à calma, da mesma forma que o trabalho visa ao repouso. Vejamos agora quais são as razões e as consequências dessa afirmação para o sentido ético da guerra.

A paz como finalidade da guerra

Nesta seção, nosso objetivo é explorar de que forma a paz, enquanto finalidade do conflito, o explica e o determina. Em primeiro lugar é preciso demarcar que a paz representa a racionalidade da guerra. A racionalidade à qual fazemos referência é aquela exercida no âmbito prático, em conformidade com o bem humano. Guerras cujo fim seja atender à crueldade, ao desejo assassino ou à sanguinolência

---

17. Pol. II 9 1271b1-5.
18. Pol. VII 14 1333a30-35.

dos homens estão excluídas do espaço da razão e da virtude, pois nascem do vício. Também está descartado o objetivo tirânico de governar aqueles que são capazes de governar a si próprios, ou seja, a conquista de povos autônomos. Aristóteles é bem claro neste ponto: "A prática da guerra não deve ter por objetivo subjugar os que não merecem, mas, em primeiro lugar, estabelecer que esses não sejam subjugados por outros"[19]. Igualmente, a guerra não pode ter por propósito a obtenção de recursos materiais excedentários, como o ouro e a prata, ou a expansão territorial. Nestes casos, a guerra nasce de uma voracidade típica do vicioso, que não sabe reconhecer limites e perde de vista o bem humano[20].

Isso não impede, é claro, que muitas guerras na história tenham sido realizadas por incontinência. Trata-se, contudo, de reconhecer a atividade da guerra cujo fim é apropriado: aquela que busca a paz. Alguns autores, diante dessa demarcação aristotélica, o compreenderam como uma espécie de "protodefensor" de uma teoria da guerra justa[21]. No entanto, é preciso distinguir a paz como finalidade da guerra dos critérios estabelecidos pela *jus ad bellum*, ou seja, da compreensão de razões legítimas para se fazer a guerra. Como afirmamos anteriormente, são duas matrizes morais muito distintas. Aristóteles, ao rejeitar as guerras de expansionismo, não se opõe a elas por terem algo de *inerentemente* errado, mas pelos efeitos que elas teriam no caráter dos homens. É isso que está por trás de sua constante crítica aos lacedemônios. O problema da guerra pela glória não é a injustiça. O problema moral da guerra é de outra natureza. A pergunta é o que querem os homens envolvidos, se eles admiram o que há de correto e se desejam os bens mais elevados, ou seja, aqueles associados à paz.

Aristóteles critica os lacedemônios não porque as guerras que empreendessem fossem injustas, mas porque eles não enxergavam outra dimensão que não se reduzisse ao que é útil em batalha. Aristóteles condena Esparta porque esta "legislou tudo em nome da dominação e da guerra"[22]. Mesmo com todo seu sucesso na guerra, os espartanos não sabiam viver bem, pois desconheciam as virtudes elevadas, aquelas que se praticam em tempos de paz. Para Aristóteles, o conteúdo moral da guerra está no reconhecimento de seus próprios limites como espaço

---

19. Pol. VII 14 1333b35-40.
20. Aristóteles não discute diretamente o caso em que a guerra nasça por força da escassez. É possível pensar que este caso estaria de acordo com o "fim" da paz e o florescimento humano, dado que a *eudaimonia* exige bens exteriores. Contudo, o conceito de escassez real é estranho a Aristóteles, que, de forma geral, pensa que a produção familiar (economia) atende às necessidades materiais. A escassez seria um sentimento típico do vicioso, que deseja mais do que o necessário.
21. Rosler (2013, p. 159).
22. Pol. VII 14 1333b15.

para o florescimento humano. O que é próprio do homem é a atividade política, e não a guerra. Por mais que muitos possam desejar ter poder sobre um grande número de pessoas, é mais nobre governar homens livres do que exercer um poder despótico[23]. E somente a paz nos dá a oportunidade de governar homens livres, que é a própria atividade política, central para o bem humano. Logo, a guerra não basta a si mesma, e a virtude vinculada a ela é apenas uma virtude relativa, submetida às virtudes absolutas, exercidas por si mesmas em tempos de paz.

Não há, portanto, qualquer relação entre o sentido aristotélico de finalidade, aplicado para o caso da guerra, e o critério estabelecido no *jus ad bellum*. A condenação aristotélica não é ao conflito em si, até porque os homens ali podem dispor, como os lacedemônios, de virtudes relativas à guerra. A condenação é quanto à desorientação de suas ações, que não lhes permitirá desenvolver o bem humano, associado à paz, permanecendo num estágio parcial e deturpado de sua humanidade. Diante dessa distinção, entretanto, alguém poderia alegar que a guerra, então, não tem papel algum. Afinal, se as virtudes associadas a ela são apenas relativas (em função da paz), por que não descartar a guerra por completo e ficar somente com as virtudes absolutas, que contribuem de fato para o bem humano? Essa será nossa preocupação a partir de agora.

Diante dessa indagação, Rosler[24] chama Aristóteles de um "pacifista moderado". Isto é, reconhece que a guerra é por vezes necessária, para garantir a paz, mas seria melhor dispensá-la por completo e gozar das virtudes plenas. Aristóteles afirma que as virtudes elevadas promovem o bem, enquanto outras virtudes são apenas necessárias diante do mal que se abate sobre nós[25]. Assim, parece correto afirmar que, se pudéssemos viver em permanente paz, teríamos a *eudaimonia* como ele a concebe. Aristóteles não discute abertamente essa opção, mas é possível fazer algumas considerações a partir de nossa investigação.

Em primeiro lugar, há o papel privilegiado da guerra para a coragem, que discutimos na seção anterior. Assim, se não houver guerra, não há coragem. Porém, isso não seria um problema porque a coragem é uma virtude relativa. Ela não é exercida por si mesma. Se não for necessário lutar, não há necessidade da coragem, mas esta não parece fazer falta para a *eudaimonia*, dado que é apenas um instrumento para a paz.

O problema maior nos parece o seguinte: não há como saber, em princípio, que a paz esteja garantida. Aqui retornamos à irredutível incerteza da vida

---

23. Pol. VII 14 1333b25-30.
24. Rosler (2013).
25. Pol. VII 13 1332a15-20.

humana. Não parece realizável eliminar todas as possíveis ameaças externas. Os seres humanos são passíveis de toda sorte de desejos e a virtude é difícil de desenvolver – envolve instituições corretas, educação direcionada desde a infância, bens externos disponíveis, ocasiões adequadas de todo tipo. Mesmo indivíduos virtuosos permanecem vulneráveis à contingência da vida. Diante desse cenário, a guerra pode irromper a qualquer momento, e a coragem para a luta se fará necessária. Isso não significa dizer, como Maquiavel, que é preciso estar a todo momento em preparação para a guerra, o que seria equivalente a viver num estado de *guerra permanente*. O que se quer dizer é que a guerra pode ocorrer e, se ocorrer, cidadãos corajosos irão enfrentá-la. Em tempos de paz, entretanto, vive-se em paz.

Aristóteles afirma que a paz e o repouso são mais valiosos do que a guerra, mas é necessário que os cidadãos estejam preparados para o conflito. Isso se relaciona com a importância essencial que o filósofo confere ao conceito moral e político de autonomia. O exercício da política só faz sentido enquanto prática de cidadãos livres, ou seja, aqueles que não estão sob o domínio de uma força externa ou um poder tirânico. É dito livre e autônomo aquele que é senhor de si, em comunhão com seu Estado, que participa diretamente da formulação das leis às quais será submetido. Como essa liberdade é fundamental, é preciso estar preparado para defendê-la diante da ameaça externa: "Aqueles que são incapazes de enfrentar o perigo corajosamente são escravos de quem quer que venha a atacá-los"[26].

Não se deve, entretanto, conceber a existência da guerra apenas por razões de autodefesa. Esta é outra diferença importante entre o pensamento de Aristóteles e o pensamento moderno sobre a guerra. Não há no filósofo uma ênfase na autodefesa, algo bastante característico da Modernidade. A agressão ou o ataque não são vistos como intrinsecamente errados, como se o primeiro movimento fosse a marca do vicioso. Na verdade, o que importa, como vimos, é a deliberação dos envolvidos: eles julgarem corretamente a necessidade da guerra e compreenderem que sua finalidade só pode ser a paz. Iniciar o ataque pode ser a conclusão dessa deliberação, e não há por que esse movimento estar errado em princípio.

Entre as possibilidades de agressão externa, Aristóteles considera e discute com algum detalhe o caso da dominação dos ditos "escravos naturais". Apresentaremos agora este tipo de guerra e utilizaremos a oportunidade para descartar tal categoria e argumentar que tal exclusão não compromete a teoria aristotélica da guerra, conforme apresentamos até aqui.

---

26. Pol. VII 15 1334a20-25.

Aristóteles argumenta a favor da guerra "para subjugar aqueles que merecem a escravidão"[27]. Seguindo a interpretação de Heath[28] para a teoria aristotélica da escravidão natural, pode-se dizer que há uma hierarquia natural (no sentido de que há uma distribuição na espécie) entre aqueles que são capazes de conectar uma concepção do bem (*kalon*) com suas ações e aqueles nos quais esta capacidade está comprometida. Aristóteles afirma que, em alguns homens – na verdade, na imensa maioria deles – a razão falha num de seus usos essenciais, a capacidade de ancorar a ação no processo deliberativo. Na visão de Aristóteles, esses homens se beneficiam do governo de outros homens que não tenham esse prejuízo, ou seja, que lhes forneçam orientação no controle de seu comportamento *vis-à-vis* aquilo que é intrinsecamente bom. Assim, Aristóteles defende guerras que submetam esses homens, ditos escravos naturais, por pensar que estes não são capazes de governar a si mesmos.

O argumento de Aristóteles, como destaca Heath[29], está baseado numa teleologia da natureza, que exige a existência desses escravos naturais para que o bem humano possa ser perseguido, mesmo que apenas por alguns. Sem eles, o ócio, tão importante para a fruição das virtudes absolutas, conforme descrevemos, não pode ser alcançado adequadamente. Aristóteles acredita que a natureza se ocupa, então, de produzir homens cujo "trabalho físico é o melhor que eles podem fazer"[30]. Em sua interpretação, a natureza os faz por meio do clima: europeus e asiáticos seriam escravos naturais como resultado dos efeitos climáticos das regiões onde vivem, enquanto os gregos são homens livres por viverem "no meio" em termos geográficos[31]. Assim, os gregos deveriam governar todos os outros povos, porque seriam os únicos verdadeiramente livres, enquanto os demais viveriam para servi-los por meio do trabalho. Aristóteles cita com aprovação Eurípides: "É adequado para os gregos governar os bárbaros"[32].

É fácil descartar o argumento aristotélico como sendo apenas um viés de seleção, o que certamente está em jogo, mas é preciso também opor-se mais sofisticadamente. Não é possível aceitar *prima facie* a teleologia da natureza, conforme Aristóteles a apresenta, e, por isso, podemos abandonar qualquer diferenciação entre os homens que atenda a essas exigências. Se renunciarmos à teleologia aristotélica, a categoria de escravo natural desaparece, e os homens terão que encon-

---

27. Pol. VII 14 1334a1-5.
28. Heath (2008).
29. Heath (2008).
30. Pol. I 5 1254b15-20.
31. Pol. VII 7 1327b25-35.
32. Pol. I 2 1252b5-10.

trar alguma maneira de viver em ócio, porque a natureza não lhes garante tal condição[33]. Igualmente, deixa de existir guerra de dominação por mérito, porque todos os povos são capazes de governar a si mesmos. Aristóteles evidentemente acreditava que as guerras que subjugavam os escravos naturais visavam à paz, porque, sendo incapazes de se autogovernar, eles seriam inevitavelmente responsáveis por conflitos futuros. No entanto, desfeita a categoria de escravo natural, esse raciocínio se perde, e a guerra que antes era entendida como promotora da paz passa a ser sua antagonista.

Gostaríamos de argumentar, todavia, que a teoria aristotélica da guerra não depende desse tipo específico – a guerra de dominação por mérito. Esta é uma classe de guerra discutida por Aristóteles em decorrência de sua visão sobre a escravidão natural, mas que pode ser, sem dano, abandonada. O que há de essencial em sua teoria da guerra é a articulação das virtudes – especialmente a coragem – com o conflito, e a compreensão de que a guerra é feita em função da paz, e não pela glória ou pelo expansionismo. Mais do que isso, promover a guerra em nome da conquista ou de um ideal de grandeza é um grave equívoco, porque o bem humano ocorre na paz, por meio da boa atividade política e teórica.

Por fim, uma última consequência da paz como o propósito da guerra deve ser analisada. Apresentamos anteriormente o seguinte argumento: dado que os bens associados à guerra são instrumentais, a paz é o valor absoluto (desejável por si mesma), mas não é possível garantir a ausência de ameaças externas. Assim, é forçoso estar preparado para a guerra e ter coragem ao enfrentá-la. Esse argumento é válido quando se trata de um cenário com multiplicidade de estados e, portanto, a ameaça externa é sempre presente. Contudo, poderíamos eliminar o "externo" da equação. Se houvesse apenas um único Estado mundial, a paz estaria então assegurada. Sem a ameaça externa, os cidadãos poderiam se dedicar aos bens elevados dos tempos de paz.

No entanto, por mais que a paz seja necessária para o desenvolvimento das virtudes humanas mais importantes, ela não é condição suficiente. No capítulo 4 do livro VII de *A política*, Aristóteles expõe contundentemente sua aversão a um Estado de tamanho desmedido. A política, para o filósofo, envolve coparticipação nas atividades públicas, dedicação direta à construção do bem comum e deliberação sobre a vida coletiva. Um Estado de tamanho exagerado, paradigmaticamente

---

33. É correto alegar que, se recusarmos a teleologia natural, o argumento aristotélico como um todo fica comprometido, dado que esta organiza o chamado argumento do *ergon* (função), que por sua vez fundamenta as considerações sobre o bem humano. Aqui é preciso desviar de Aristóteles e acompanhar os esforços do movimento recente neoaristotélico, que tenta manter o argumento do *ergon* e o conceito de bem humano em acordo com a natureza, sem se basear no entendimento de Aristóteles sobre a teleologia natural.

o mundial, impedirá todas essas características e se tornará, por necessidade, uma mera administração das vidas particulares. Numa situação como essa, os indivíduos não poderiam ser virtuosos, porque não haveria espaço para a persecução comum do bem. A ideia de que o Estado tem um propósito bem-definido é essencial para o argumento. Em acordo com a natureza, o Estado existiria para a busca conjunta da *eudaimonia*, que não pode ser atingida isoladamente, dado que os seres humanos vivem em comunidade (*zoon politikon*)[34].

O tamanho do Estado deve ser, portanto, de acordo com sua finalidade: a procura comum da vida virtuosa. Um Estado de dimensões exacerbadas, quiçá mundiais, destruiria esse propósito e, com ele, a possibilidade de os homens viverem plenamente. "Os estados têm também um tamanho certo, assim como todas as outras coisas – animais, plantas, instrumentos: nenhuma delas terá suas funções se for demasiadamente pequena ou grande, em alguns momentos será saqueada de sua natureza, em outros estará em péssima condição"[35]. Mesmo que a paz seja um valor fundamental, a existência de um Estado mundial destruiria algo ainda mais elementar – a própria política.

Talvez possa surpreender a posição anticosmopolita de Aristóteles, dada sua relação de proximidade com Alexandre o Grande, um conquistador que ambicionou subjugar todo o mundo conhecido[36]. Não se sabe o que Aristóteles ensinou ao jovem Alexandre, mas o resultado que se conclui de sua teoria é este: um governo mundial é necessariamente tirânico e, portanto, incompatível com a *eudaimonia*. Por mais que Aristóteles defendesse, como vimos, a dominação dos povos não gregos, a unificação dos helênicos num grande império seria contrária à sua teoria política, o que nos oferece argumentos para duvidar de um Estado mundial. A proposta de uma cidadania internacional é extravagante e desorientada. Tem-se assim que, para Aristóteles, a guerra é indispensável para garantir a paz, já que a alternativa – a submissão dos homens a um governo despótico – é intolerável.

Conclusão

A relação entre a guerra e a ética em Aristóteles não se dá nos mesmos termos da teoria moral moderna, que, majoritariamente, visa estabelecer critérios para

---

34. "Por essas razões, é evidente então que a cidade pertence às coisas que existem por natureza e que o homem é naturalmente um animal político. Aquele que, em condições naturais, não é parte de uma cidade, ou é desprezível ou é superior ao homem" (Pol. I 2 1253a1-5).

35. Pol. VII 4 1326a35-40.

36. Em 343 a.C., Aristóteles foi convocado pelo rei da Macedônia, Felipe II, para educar seu filho, o jovem Alexandre, à época com 13 ou 14 anos. Aristóteles manteve o posto por sete anos, até Alexandre ascender ao trono.

julgar a legitimidade de um conflito. Aristóteles, em contraste, apresenta-se como interessado, em primeiro lugar, na coragem como virtude e na conexão preeminente que esta tem com a guerra. Sua crítica aos lacedemônios, entretanto, deixa claro que a coragem e a guerra não podem orientar a política, que deve estar voltada para o bem humano – a *eudaimonia*.

As virtudes mais elevadas, exercidas em nome de si mesmas, são mais compatíveis com tempos de paz e, por isso, é possível concluir que o objetivo da guerra não é a glória ou o expansionismo, mas a paz. O caráter instrumental da guerra, contudo, não deve ser confundido com dispensabilidade. Por um lado, é difícil conceber a eliminação de ameaças externas e, por outro, a imposição de um Estado mundial eliminaria a política entre os homens e os obrigaria a viver de forma miserável. O resultado é que a guerra se faz presente, mas, como alerta Aristóteles, não se deve perder de vista o mestre ao qual ela serve: a paz.

Referências

ANSCOMBE, G. War and murder. In: STEIN, W. (ed.) *Nuclear weapons*: a catholic response. Londres: Sheed and Ward, 1961, p. 44-52.

ARISTÓTELES. *Nicomachean Ethics*. Cambridge: Cambridge University Press, 2014 [Trad. e ed. de Roger Crisp].

_____. *Politics*. Chicago: The University of Chicago Press, 2013 [Trad. e notas de Carnes Lord].

HEATH, M. Aristotle on natural slavery. *Phronesis* – A Journal for Ancient Philosophy, vol. 53, n. 3, 2008, p. 243-270.

MacINTYRE, A. *After virtue*: a study in moral theory. Notre Dame: University of Notre Dame Press, 2007.

MORAES, F. O belo e a virtude ética da coragem no livro III da Ética a Nicômaco de Aristóteles. In: BOCAYUVA, I. & ANACHORETA, M. (orgs.). *O belo na Antiguidade grega*. Rio de Janeiro: Nau, 2017, p. 163-175.

ROBERTS, J. *The plague of war*: Athens, Sparta, and the struggle for ancient Greece. Nova York: Oxford University Press, 2017.

ROSLER, A. Civic virtue: citizenship, ostracism, and war. In: DESLAURIERS, M. & DESTRÉE, P. (eds.). *The Cambridge Companion to Aristotle's Politics*. Nova York: Cambridge University Press, 2013, p. 144-175.

Guerra, *virtù* e ética em Maquiavel

Mauricio Metri

> *Sempre, desde quando me entendo por gente, ou se fez guerra, ou se discutiu; agora se discute, daqui a pouco se fará, e quando esta guerra terminar, se discutirá de novo.*
> Maquiavel (1469-1527)

Introdução

Há precisos 500 anos, Nicolau Maquiavel encontrava-se numa fase bastante produtiva do ponto de vista artístico e intelectual, embora vivesse com certa dificuldade e em relativo ostracismo. Depois de sua saída da chefia da Segunda Chancelaria de Florença no final de 1512 e de sua prisão por vinte dias no ano seguinte, o famoso pensador florentino escreveu suas principais obras até sua morte no ano de 1527, tendo sido a maior parte delas publicada postumamente. Dentre diversos poemas, romances e livros políticos, destacam-se: *O príncipe*, escrito em 1513; *Discursos sobre a primeira década de Tito Lívio*, de 1517; a peça *A mandrágora*, de 1518; *A arte da guerra*, de 1521; e *História de Florença*, de 1525.

Desde a juventude, nas décadas de 1480 e 1490, Maquiavel viveu e acompanhou expressivas transformações não só da conjuntura florentina, mas de toda Europa. Soube captar algumas das tendências de longa duração do sistema interestatal que então nascia. Naquele momento, a República de Florença passou a se cercar de ameaças e desafios para os quais não estava preparada, sobretudo depois da invasão da Itália pelo monarca francês Carlos VIII, em 1494. Mais do que negligência de suas autoridades e príncipes, as transformações por que passava o mundo europeu colocaram as cidades italianas numa posição difícil, diante da ascensão da França, da Unificação das Coroas de Aragão e Castela e da expansão do Império Otomano. O mundo medieval desmoronava, e com ele as bases sobre as quais as cidades italianas haviam alcançado glória, poder e riqueza, com destaque para Veneza, Gênova, Florença e o próprio Estado Pontifício. Ademais, a Itália se tornou, ainda na primeira metade do século XVI, palco de uma prolongada disputa entre as coroas francesa e espanhola até a Paz de Cateau-Cambrésis em 1559, quando tais conflitos se deslocaram para o espaço do Sacro Império Romano-germânico.

Não é difícil perceber o quanto as vulnerabilidades de Florença e a necessidade daí decorrente, de agir estrategicamente, constituíram a principal preocupação que orientou a ação política e militar de Maquiavel durante sua vida. Refletiu efetivamente a partir da defesa e da segurança da República. Dada a expressiva assimetria de poder entre as cidades italianas e as novas unidades político-territoriais de então, aquelas deveriam prevenir-se contra a violência e o arbítrio destas.

Para tanto, Nicolau desenvolveu uma estrutura de análise sobre a forma de funcionamento do sistema internacional, denominada aqui de *perspectiva maquiaveliana*, cujo conceito central é o de *virtù*. Este trabalho tem como objetivo apresentar essa perspectiva, para, assim, refletir sobre a relação entre guerra e ética e, com base nisso, depreender o sentido de *guerra justa* dentro de sua obra. Busca-se descrever o pensamento de Maquiavel a partir de uma leitura dos processos históricos de longa duração, sobre os quais o autor florentino havia não apenas refletido e escrito, enquanto pensador e artista entre os anos de 1513 e 1527, mas também atuado enquanto secretário do Conselho dos Dez de Liberdade e de Paz, e chefe da Segunda Chancelaria de Florença em fase anterior, no período de 1498 a 1512. Portanto, a proposta é assumir uma interpretação a respeito do que ocorreu no sistema internacional nos tempos de Maquiavel e, com base em hipóteses sobre as tendências de longa duração desse sistema, sugerir que Maquiavel desenvolveu de fato uma forma sofisticada de análise do sistema internacional.

Inicia-se com uma seção a respeito das grandes transformações ocorridas no momento histórico em que o autor elaborou suas ideias. Analisam-se, em seguida, os efeitos dessas transformações sobre as relações de poder e as disputas entre os príncipes de então. Depois, com base em sua principal obra, *O príncipe*, apresenta-se o referido *modelo maquiaveliano* para análise do sistema internacional em formação. Empreende-se, posteriormente, uma reflexão sobre a relação entre guerra e ética a partir do seu conceito de *virtù*. Investiga-se, por fim, como a ideia de *guerra justa* aparece no pensamento de Maquiavel.

As grandes transformações dos tempos de Maquiavel

Na passagem da Alta para Baixa Idade Média, durante os séculos IX ao XI, o cenário político da Europa Ocidental apresentava feições bastante diferentes das que veio assumir posteriormente. Caracterizava-se por uma expressiva fragmentação das unidades político-territoriais, onde predominava uma multiplicidade de poderes locais dispersos e relativamente isolados[1].

---

1. Há certo consenso na historiografia quanto a isto. "O mapa político da Europa católica ficava estilhaçado em milhares de pequenas células, verdadeiros microestados" (FRANCO JUNIOR, 2010, p. 62). Para Édouard Perroy (1953, p. 16), "[n]o século XI, não mais existem na Europa estes gran-

Ao longo dos séculos seguintes (XI-XV) ocorreu um processo de concentração e expansão do poder, cujos resultados foram a consolidação de autoridades centrais, os príncipes a que Maquiavel se referiu, e a delimitação das fronteiras de seus espaços de denominação de origem. Nasciam, nos tempos do pensador florentino, os primeiros estados territoriais europeus. Unidades político-territoriais maiores, circunscritas, contíguas e com maior poder de conquista, cuja autoridade central avançou, sobretudo no que diz respeito à monopolização dos instrumentos de violência e tributação[2], como também na monetização dos próprios tributos[3].

Norbert Elias denominou esse processo de a *sociogênese* dos estados modernos europeus, referindo-se à concentração e à expansão do poder das unidades político-territoriais vitoriosas nas guerras de então. Acentuou o papel das *lutas de eliminação*, caracterizadas por uma lógica estritamente *hobbesiana*, onde prevalecia a *desconfiança de uns em relação aos outros*[4]. A preservação social e a expansão do poder constituíram um objetivo central, um *fim em si mesmo*. Refere-se a uma força que mobilizou e impulsionou processos sociais significativos o suficiente para

---

des domínios políticos cujo soberano, por meio de fiéis agentes locais, consegue manter a ordem e a paz em toda a extensão de um vasto território". Para Charles Tilly (1996, p. 91), "nenhum desses nomes de lugar meio familiares poderia disfarçar a enorme fragmentação de soberania que então [ano de 990 d.C.] predominava em todo o território que mais tarde se tornaria a Europa". Cf. tb. Bartlett (1993, cap. I) e Dawson (2010, cap. 13).

2. No que se refere aos instrumentos de violência e de tributação, Norbert Elias escreveu: "Uma vez após outra, era o poder militar concentrado nas mãos da autoridade central que lhe garantia e aumentava o controle dos impostos, e foi esse controle concentrado dos mesmos que tornou possível a monopolização cada vez mais do poder físico e militar. Passo a passo, esses dois se impeliram, um ao outro, para cima até que, em certo ponto, a completa superioridade obtida pela função central nesse processo se revelou em toda a sua nudez aos atônitos e amargurados contemporâneos" (ELIAS, 1993 [1939], p. 182). Em outra passagem, "[o]s meios financeiros arrecadados pela autoridade sustentam-lhe o monopólio da força militar, o que, por seu lado, mantém o monopólio da tributação" (ELIAS, 1993 [1939], p. 98).

3. No que se refere à monetização, pode-se dizer que: "[...] a partir dos séculos X e XI, no espaço da Europa Ocidental, o imperativo das guerras impeliu as autoridades centrais a buscarem outras formas de financiamento para alavancar seu esforço defensivo e expansivo. Estas escreveram suas moedas de conta, cunharam suas moedas de troca; ou seja, monetizaram seus tributos; criaram um sistema de pagamentos em cujo centro estava a sua moeda, que se impunha a toda coletividade e a todo espaço sob seu poder e dominação" (METRI, 2014, p. 140).

4. "Nas lutas travadas em ambos os períodos [tanto nos tempos feudais como nos modernos], correu risco a existência social dos próprios participantes [das guerras]. E é esta a compulsão por trás das lutas. [...] Elas podem ser ou derrotadas, o que nos casos extremos significa prisão, morte violenta, dificuldades materiais, talvez fome, ou, nos casos mais benignos, a decadência social e, portanto, a destruição do que lhes dá significado, valor e continuidade à vida [...]. Ou elas podem repelir e vencer os rivais mais próximos. Nesse caso, sua vida, existência social, esforços, se coroam de êxito, conquistando-se as oportunidades em disputa. A mera preservação da existência social exige [...] uma expansão constante" (ELIAS, 1993 [1939], p. 133-134).

provocar a formação dos estados territoriais próprios da Europa Ocidental no século XV[5]. Nessa perspectiva, as guerras constituíram-se na principal força motriz do sistema internacional naqueles tempos. Algo, decerto, percebido por Maquiavel e que marcou sua maneira de interpretar e descrever o sistema ora em formação.

Por outro lado, como resultado da própria expansão territorial e da concentração de poder das autoridades centrais mais bem-sucedidas nas guerras do Medievo, dentre as quais se destacavam Espanha e França, consolidou-se uma contiguidade territorial, que se tornou uma das características mais importantes da paisagem política europeia dos séculos XV e XVI[6].

Com efeito, a combinação desses dois elementos, a contiguidade da configuração político-territorial e a manutenção de um estado de insegurança de *uns em relação aos outros*, acarretou: primeiro, um aumento expressivo da pressão competitiva entre os *príncipes* de então; e segundo, a consolidação de um "jogo" cada vez mais sistêmico, envolvendo não somente as fronteiras diretas, de vizinhos próximos, mas também todo um tabuleiro formado por diversas unidades político-territoriais contíguas, cujo elemento integrador não eram mercados, mas o cálculo e a perspectiva de guerra[7]. Pode-se dizer, assim, que Maquiavel não "apenas" assistiu ao nascimento dos estados territoriais, mas também ao surgimento de um sistema *interestatal* no espaço da Europa. Isso gerou impactos disruptivos na forma como os príncipes se relacionavam e, obviamente, na própria percepção do pensador florentino sobre as questões de poder.

A figura 1 sintetiza o argumento em proposição. A pressão competitiva de *uns em relação aos outros* e as ameaças externas, como ocorridas nos séculos XI-XV na Europa Ocidental, tiveram como resultado o fortalecimento das autoridades centrais vitoriosas nas guerras de então e a expansão de seus respectivos territó-

---

[5]. "Isto porque, numa sociedade em que atuavam essas pressões competitivas, quem não ganhava 'mais' automaticamente ficava com 'menos'" (ELIAS, 1993 [1939], p. 93). J.L. Fiori sugeriu caminhos semelhantes ao refletir sobre esse mesmo contexto com base na ideia de uma dinâmica competitiva, denominada por ele de *jogo das guerras*. "Braudel fala no 'jogo das trocas', mas se pode e se deve falar também de um outro jogo que foi absolutamente decisivo para o nascimento dos estados: o 'jogo das guerras'" (FIORI, 2004, p. 22).

[6]. "Um grande corpo unido, que se confundia com a cristandade latina, composto de uma multidão de pequenas células autônomas, os senhorios, cedeu lugar à justaposição de vastas soberanias territoriais, fortemente individualizadas, primeiros esboços dos estados da Europa moderna" (PERROY, 1953, p. 196). Cf. tb. Elias (1993 [1939]) e Tilly (1996).

[7]. "[A guerra] foi a força destrutiva que as aproximou e unificou [unidades territoriais], integrando-as, primeiro, em várias sub-regiões e, depois, dentro de um mesmo sistema unificado de competição e poder" (FIORI, 2004, p. 27).

rios. Por conseguinte, consolidou-se na Europa Ocidental uma geografia política marcada pela contiguidade entre as unidades político-territoriais (estados), cuja relação seguiu-se estruturando com base na competição[8].

Figura 1 – A contiguidade da geografia política europeia

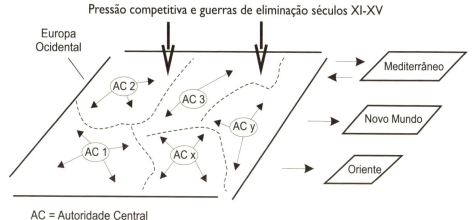

Fonte: elaboração própria.

Ademais, se olharmos a partir da perspectiva do conjunto dos povos da Europa cristã, o século XI também marcou o início de um movimento de enfrentamento e expansão das fronteiras desses povos contra os "inimigos bárbaros" ao longo de toda Baixa Idade Média, em que se buscava a retomada de porções territoriais e marítimas, fossem na Europa Central, na Península Ibérica, no Báltico e no Mar Mediterrâneo e, a partir daí, no norte da África e no Levante.

Alguns autores atribuem como marco desse processo a vitória de Oto I sobre os magiares na Batalha de Lech em 955 d.C., pondo fim à invasão dos povos provenientes das planícies húngaras[9]. Ainda dentro dessa dinâmica, pode-se mencionar também: as guerras de "Reconquista" dos povos ibéricos, cujo início se deu a partir da fragmentação do Califado de Córdoba em 1031; as guerras de Reabertura do Mediterrâneo, cujo impulso inicial também ocorreu no século XI, com

---

[8]. Esta entendida em sentido *hobbesiano*, isto é: "Pois a guerra não consiste apenas na batalha, ou no ato de lutar, mas aquele lapso de tempo o qual a vontade de travar batalha é suficientemente conhecida" (HOBBES, 1979, p. 75).

[9]. Cf. *The Times* (1995, p. 120).

Gênova e Pisa atuando diretamente nos mares Tirreno e da Ligúria, e Veneza, no Adriático; e as Cruzadas, que se iniciaram em 1096-1099, quando os povos europeus cristãos tomaram a cidade de Niceia na Anatólia e conquistaram Antioquia e Jerusalém na Terra Santa.

No entanto, uma série de disputas se seguiu ao longo dos séculos e várias foram as derrotas dos europeus, sobretudo na Terra Santa, onde sucessivos povos não cristãos, Aiúbidas (1169-1252)[10], Mamelucos (1250-1517)[11] e Otomanos (1281-1924)[12], expulsaram mais uma vez e progressivamente os europeus até seu completo "fechamento" depois de 1453, com o fim do Império Bizantino e a ascensão otomana.

Apesar das expressivas derrotas no Mediterrâneo, a dinâmica expansiva dos cristãos europeus prosseguiu durante os séculos XV e XVI, por conta da expansão russa na Europa e na Ásia a partir de 1462[13] e da expansão ultramarina comandada pelos ibéricos com apoio dos estados papais a partir de 1415[14]. Ambos os movimentos ocasionaram ao término e ao cabo uma verdadeira revolução geográfica do sistema internacional, fosse pela conquista e domínio russo cada vez maior do que viria a ser o "*Heartland*" de que falou H. Mackinder[15] séculos depois, fosse com a descoberta ibérica do Novo Mundo e das novas rotas para o Índico e o Extremo Oriente[16].

A figura 2 sintetiza tal revolução geográfica, indicando, como realização portuguesa, o contorno da África (1488), a chegada em Malabar (1498), Málaca (1511) e Ilhas Molucas (1512); como empreendimento espanhol, a descoberta do continente americano, do Caribe (1492) e da costa setentrional da América do Sul (1498); e como feito russo, sob o comando de Ivan III (1462-1505), a expansão ex-

---

10. Egito, Síria: fundado por Saladino (*The Times*, 1995, p. 133).
11. Egito, Síria, Hijaz; elite militar oriunda do sul da Rússia e do Cáucaso (*The Times*, 1995, p. 133).
12. Mais detalhes sobre o Caso Otomano, cf. Kennedy (1989, p. 18-23) e *The Times* (1995, p. 136-137).
13. Cf. *Times* (1993, p. 158-159).
14. Cf. *Times* (1993, p. 152-153).
15. Para maiores detalhes, cf. Mackinder (1904).
16. "O desafio representado pelas invasões provenientes do Leste teve como repto a dupla reação europeia à pressão das hordas centro-asiáticas: a expansão territorial russa e a expansão oceânica ibérica. A expansão russa representou um contra-ataque direto e frontal, que rolou para trás e colocou na defensiva as hordas mongóis; a expansão portuguesa assumiu a forma de uma estratégia de aproximação indireta, desbordando pelo flanco e pressionando pela retaguarda a posição central dos invasores asiáticos" (MELLO, 2011, p. 43). De acordo com o *Atlas histórico*, "entre 1480 e 1780, os exploradores europeus interligaram as áreas isoladas das rotas marítimas e abriram as portas dos oceanos para os navios europeus, exceto nas regiões polares" (*Times*, 1995, p. 152).

pressiva do seu território da região do entorno de Moscou até aproximadamente os Urais, dinâmica que se seguiu nos séculos seguintes até o pacífico[17].

Figura 2 – A revolução geográfica do sistema internacional

Fonte: elaboração própria.

Portanto, no mesmo momento em que nascia o sistema interestatal europeu, o tabuleiro de guerras e as áreas em disputas passaram a envolver cada vez mais toda massa continental do hemisfério ocidental, as posições estratégicas de navegação nos oceanos Atlântico, Índico e Pacífico, os domínios estratégicos na costa da África e na Ásia. O sistema internacional europeu, gestado e desenvolvido durante a Baixa Idade Média, dava seus primeiros passos rumo à sua efetiva globalização.

---

17. Sobre a expansão russa: "No seu reinado, a extensão dos domínios nominalmente sujeitos a Moscou aumentou de 15 mil para 600 mil quilômetros quadrados. Ivã [III] anexou Novgorod e rompeu as fronteiras de Cazã e da Lituânia. Suas prioridades estavam no Oeste. Definiu a liderança da Rússia na religião ortodoxa. Traçou uma fronteira nova com a Europa e, embora excluísse o catolicismo, abriu a Rússia para as influências culturais do Ocidente. Livrou-se do jugo dos mongóis e inverteu o sentido da supremacia imperialista na Eurásia. Dali por diante, os pastores das estepes da Ásia Central passariam a ser vítimas frequentes do imperialismo em vez de forjadores de um império em detrimento da Rússia" (ARMESTO, 2009, p. 184).

Os efeitos das grandes transformações

Como mencionado, nos tempos de Maquiavel, ocorreram (i) a formação dos primeiros estados territoriais europeus; (ii) o nascimento de um sistema interestatal, marcado pela contiguidade e pela guerra; e (iii) uma revolução geográfica sem precedentes históricos. Essas transformações ocasionaram importantes mudanças na dinâmica das lutas de poder de então. Tratava-se de novos desafios e dilemas, exigindo cálculos, iniciativas e ações de todas as casas, repúblicas, reinos, estados, impérios etc. A maneira de Maquiavel interpretar seu tempo, a conjuntura europeia e o próprio modo de funcionamento do sistema interestatal, fora diretamente estruturada com base nesses acontecimentos. Eis a seguir algumas das novas dinâmicas, derivadas de tais transformações, que permearam o modo de ver e pensar do escritor florentino.

Do ponto de vista **político-diplomático**, a consolidação de uma geografia política formada por unidades territoriais contíguas e circunscritas, orientadas por uma pressão competitiva, fez com que as atenções de uma dada autoridade central não se restringissem apenas às suas relações com seus vizinhos próximos. Acabaram por envolver progressivamente preocupações com o que ocorria em todo o conjunto do espaço europeu e mediterrâneo. Passou a haver um interesse estratégico pelo que acontecia alhures. Expandiu-se o espaço de referência e cálculo, ampliou-se o número de atores envolvidos, multiplicaram-se as possibilidades de ações e, como resultado, tornaram-se mais complexas as formas de disputas. Por outro lado, porque todos receavam a ascensão de uma autoridade central que pudesse ameaçar as demais, instaurou-se o princípio de equilíbrio de poder envolvendo unidades político-territoriais em expansão, por vezes distantes, embora cada vez mais contíguas umas às outras.

Alguns fatos históricos sintetizam essas mudanças. Depois de uma série de conflitos desde 1423 entre o Ducado de Milão e a República de Veneza e seus respectivos aliados, pela preeminência do norte da Itália, as partes beligerantes puseram termo à guerra no ano de 1454, por meio de um acordo, conhecido como a Paz de Lodi, onde negociaram fronteiras permanentes entre os territórios de Milão e Veneza. A Sereníssima República reconheceu o Duque de Milão como legítimo e, mais importante, estabeleceu-se o compromisso de preservação da hierarquia de forças tal como desenhada em Lodi entre as partes constitutivas da Península Italiana. Inaugurava-se o princípio elementar que, posteriormente, se globalizou.

> [A partir da Paz de Lodi] Os estados italianos haviam tomado consciência de que sua existência não dependia apenas de suas relações com os países vizinhos, de que essas relações não eram a resultante de simples fato de contiguidade, mas que sua vida estava condicionada por uma relação geral de força, que podia determinar cada Estado a intervir em

negócios que se passavam longe dele e que, aparentemente, não lhe dizia respeito, simplesmente porque tais negócios teriam influência sobre o equilíbrio de forças, cuja ruptura poria o Estado em perigo. Os italianos, portanto, haviam admitido a noção de um sistema de estados, em que cada um era obrigado a velar pela manutenção do equilíbrio[18].

É importante notar que essa criação italiana não se deu como um resultado natural das rivalidades entre as autoridades centrais da península. Surgiu em razão de um elemento exógeno a ela e a suas intermináveis disputas internas. Decorreu da ascensão do Império Otomano uma considerável ameaça externa comum a todos os italianos, sobretudo depois da conquista de Constantinopla em 1453, o que levou as partes em conflito na Itália à mesa de negociação no ano seguinte, compelindo-os ao encerramento dos conflitos e à articulação de uma aliança defensiva: de rivais de véspera a aliados estratégicos nas tratativas na cidade de Lodi.

Nesse contexto, houve a substituição progressiva da diplomacia medieval, marcada pela troca de informações intermitentes e diálogos temporários, cujo calendário seguia basicamente os eventos solenes (nascimentos, casamentos, lutos etc.), pela diplomacia moderna. Nesta tornou-se forçosa a consolidação de relações regulares entre estados com base na fixação de um corpo diplomático profissional em diferentes lugares, sobretudo nas capitais, fosse dos aliados, de estados neutros ou adversários. Os contínuos fluxos de informação e contrainformação transformaram-se numa tônica do sistema, e o exercício diplomático adquiriu sentido estratégico, passando a constituir uma dimensão estrutural do sistema, derivado da própria lógica de funcionamento do princípio de equilíbrio de poder.

> O embaixador permanente era um espião privilegiado que dispunha de uma rede completa de informações. Era também um agente político que entrava em contato com possíveis traidores, distribuía secretamente donativos e pensões, manobrava conselheiros de Estado, pregadores, membros influentes nos diferentes corpos e comunidades do reino[19].

Pode-se dizer que as próprias origens desse sistema não se encontram exatamente em Westfália (1648). Elas são anteriores, contemporâneas ao fim do Medievo e, em termos regionais, estiveram relacionadas ao que ocorreu nas bordas do Mediterrâneo.

Cabe observar, por fim, que foi nesse contexto que Maquiavel ingressou como secretário na Segunda Chancelaria de Florença em 1498, onde trabalhou até o ano de 1512. Ele pode ser entendido como uma espécie de "pensador orgânico", testemunha daquela nova diplomacia permanente que nascia sobretudo na Itália.

---

18. Mousnier (1994, p. 219).
19. Mousnier (1994, p. 221).

Maquiavel era o chefe da Segunda Cancelaria e secretário do Conselho dos Dez de Liberdade e de Paz, comissão da república encarregada dos problemas militares e da política externa. [...] deveria informar os Senhores e o Conselho dos Dez sobre os problemas militares e políticos, de forma que pudessem ser tomadas decisões adequadas[20].

Do ponto de vista **militar**, a invasão da Itália em 1494 por Carlos VIII, rei da França (1470-1498), devido a questões sucessórias no reino de Nápoles, representou uma verdadeira revolução na arte militar, expressão dos novos níveis a que chegou a pressão competitiva entre os príncipes, por conta das grandes transformações por que passava a Europa. Pode-se mencionar, por exemplo: o desenvolvimento da artilharia, associado ao emprego da pólvora; transformações nas estratégias de defesa e conquista; mudanças dos projetos de fortificações; alterações na composição dos exércitos; e o surgimento dos quadros permanentes, comandados por soldados profissionais ligados ao aparelho dos estados "recém-nascidos". Para a *Enciclopédia das Guerras*, "[o]s primeiros indícios da revolução militar ocorreram na Itália, como parte de uma luta dinástica entre a França e a Espanha pelo território e influxo italianos"[21].

Havia, de fato, uma disputa entre os mais poderosos estados de então pelos territórios italianos, a região mais rica da Europa. A invasão francesa teve como resposta a formação da Liga de Veneza em 1495, quando o jogo de equilíbrio de poder italiano inaugurado na Paz de Lodi se estendeu para toda a Europa, ao envolver a partir de então Milão, Veneza, o Imperador Maximiliano da Áustria, o Papa Alexandre VI e o rei de Aragão, Fernando o Católico. Tal força dissuadiu as tropas francesas a recuarem para o norte da Itália. Esta foi a primeira de uma série de guerras entre França e Espanha na Itália. Embora o Tratado de Lyon (1504) tivesse definido a influência espanhola ao sul e a francesa ao norte, as disputas entre ambos os reinos seguiram por décadas na península. Para se ter uma ideia, Francisco I (monarca francês) e Carlos V (imperador Habsburgo) travaram quatro guerras na Itália até o Tratado de Cateau-Cambrésis em 1559, quando as duas coroas chegaram a um acordo quanto à Itália e, na verdade, apenas alteraram o tabuleiro de conflito, deslocando as disputas quentes para o espaço germânico. Tal rivalidade se prolongou por mais um século, até o Tratado dos Pireneus, em 1659.

---

20. Viroli (2002, p. 50).

21. Gilbert (2005, p. 74). De acordo com um depoimento da época, de Guicciardini (1537-1440, livro I e cap. IX), "[a]ntes de 1494, as guerras se prolongavam, as batalhas não eram sangrentas, e os meios utilizados para se apossar de fortalezas, lentos e penosos; e, se bem que já se empregasse a artilharia, manejavam-se as peças tão desajeitadamente que elas não provocavam mal algum: de maneira que era quase impossível conquistar-se um Estado. E, depois, os franceses vieram à Itália e introduziram tanto vigor nas guerras que, até 1521, perder uma companhia correspondia também a perder o seu Estado" (apud LARIVAILLE, 1988, p. 71).

A urgência de se repensar a arte da guerra tornou-se a mais importante consequência desses eventos que varreram a Europa no final do século XV. Para esse tema, Maquiavel dedicou grande atenção, sobretudo quando participou da segunda geração de encontros do círculo de debates dos Jardins Oricellari, em Florença, experiência com base na qual escreveu o livro *A arte da guerra*. O espírito presente na obra, inclusive em sua estrutura narrativa, expressa a preocupação de que os temas de defesa, ou a forma como as forças militares se inserem dentro do Estado, devem ser abordados de modo permanente, como uma *sabedoria* em contínua reformulação e adaptação diante dos novos desafios para os quais antigas concepções não se adequam mais.

Do ponto de vista **econômico**, as transformações no campo da diplomacia, e sobretudo na arte da guerra, impuseram como desafio às autoridades centrais a necessidade de prover fluxos regulares de recursos materiais e humanos. Não por outra razão que, nos tempos de Maquiavel, esboçaram-se as primeiras formas de mercantilismo, entendido aqui como o conjunto de políticas de natureza estratégica voltadas ao aumento da riqueza de uma autoridade central.

> O mercantilismo exprime, em todos os países, uma dupla vontade de poder, busca de grandeza e de riqueza. Na Europa Moderna não há mais lugar de honra para os estados incapazes de mobilizar exércitos e frotas numerosas. Não há mais lugar para os príncipes de vintém, e para os estados ascéticos. [...] "É impossível fazer a guerra sem homens, manter homens sem soldo, fornecer-lhes o soldo sem tributos, arrecadar tributos sem comércio", escreveu Montchrétien[22].

Interpretar os mercantilistas fora de um contexto sistêmico e competitivo do ponto de vista da guerra é uma prática comum dos manuais de economia em geral. Estes organizam em abstrato o debate sobre a natureza da riqueza e as formas de expandi-la sem referência geográfica, territorial e/ou "geopolítica". Apresentam, com efeito, os mercantilistas como uma doutrina que não teria percebido a riqueza como um fenômeno social, com origem na esfera da produção[23]. Para os mercantilistas, no entanto, importavam mais as posições relativas em termos de poder e riqueza do que acumular riqueza em si, pois quanto mais ricos e poderosos ficavam os rivais, maior a percepção da própria vulnerabilidade. Acumular

---

22. Deyon (2004, p. 51).

23. "Na sua obra máxima, *A riqueza das nações*, ao buscar explicar a natureza dessa riqueza e as formas de aumentá-la, Smith desloca o campo da reflexão da economia da esfera da circulação das mercadorias para a esfera da produção. Representa um avanço sobre a doutrina que propugnava que a riqueza originava-se no comércio e assumia a forma de acumulação de metais preciosos. Dessa maneira, ao mercantilismo, Smith contrapõe a ideia de produção crescente de riqueza por meio do aumento de produtividade resultante de uma maior divisão do trabalho" (CARNEIRO, 2004, p. 6).

riqueza não se constituía num fim em si mesmo, mas num meio para o sucesso na guerra[24]. E naqueles tempos, como disse Maquiavel, "[o] rico desarmado é o prêmio do soldado pobre"[25]. Não fazia sentido tornar-se uma nação rica sem alavancar sua capacidade de defesa e conquista. A lógica era justamente acumular riqueza para ampliar a capacidade de enfrentamento.

Nesse contexto, a estratégia mais eficiente nem sempre foi dominar a esfera onde de fato se criava a riqueza, mas controlar os circuitos em que se podia apropriá-la de modo desproporcional e eficaz. Por isso, não se colocava para os "economistas" daqueles tempos a pergunta que passou a organizar o campo disciplinar da economia séculos depois: Onde e como se cria o excedente, se na esfera da produção ou na circulação. Estiveram mais preocupados em descobrir quais seriam os lugares e as formas mais eficientes para extorqui-la.

O arsenal para tanto diversificou-se consideravelmente a partir dos tempos de Maquiavel, em razão do próprio aumento da pressão competitiva e da revolução na arte da guerra. Embora não houvesse consenso entre mercantilistas sobre qual a melhor estratégia, em geral esta abarcava, de algum modo, a violência colonial, o arbítrio dos monopólios comerciais, o acúmulo de metais, a pirataria, o saque, a pilhagem, a proteção à manufatura e/ou agricultura etc. Práticas que estiveram na origem de toda potência que se lançou de maneira bem-sucedida nas disputas de poder e riqueza.

Por fim, do ponto de vista **religioso**, ocorreram ainda dois importantes acontecimentos nos tempos de Maquiavel. Por um lado, para a Igreja Católica de Roma, o fim do Império Bizantino significou o término das disputas e rivalidades entre Roma e Constantinopla a respeito da verdadeira herdeira da civilização cristã romana. Desde o "Grande Cisma" de 1054, ou o "Cisma Oriente-Ocidente", ocorrido em Constantinopla, quando a Igreja Apostólica Romana se dividira em Igreja Católica Romana e Igreja Ortodoxa, Constantinopla tornara-se uma rival de Roma, ou melhor, uma ameaça ao que se configurara como seu "espaço vital", o da Cristandade, onde decerto não havia lugar para dois postulantes. Diferentemente, a ascensão do Império Otomano e sua acelerada expansão no Grande e Médio Oriente assumiu o papel de ameaça externa principal, cuja proporção adquirida no início do século XVI deixou qualquer povo europeu cristão aterrorizado, culminando com o próprio Cerco de Viena, em 1529[26].

Por outro lado, ainda nesse contexto, eclodiu na Europa a Reforma Protestante, iniciada na Saxônia sob a liderança de Martinho Lutero, que questionava

---

24. Metri (2017).
25. Maquiavel (2013a, p. 200).
26. Metri (2014).

diversos preceitos da Igreja Católica de Roma, assim como a supremacia papal. A releitura e reinterpretação dos textos sagrados foram a base do movimento que recriou, no universo da cristandade europeia, uma disputa pela posição de "verdadeiro" intérprete dos textos sagrados, já que a Igreja Ortodoxa havia sido dizimada do Mediterrâneo em 1453 e sua influência havia se preservado em regiões mais distantes, sobretudo na Rússia.

O ponto alto desse processo, de acordo com os interesses deste trabalho, ocorreu em 1533, quando Henrique VIII, na Inglaterra, rompeu com a Igreja Católica de Roma, declarou-se chefe de uma Igreja nacional, a Anglicana. Talvez Henrique VIII tenha sido o monarca europeu que mais longe conseguiu ir no que se refere ao exercício de um poder absolutista, pois não apenas personificou o poder de seu Estado, mas conseguiu também se colocar como a autoridade moral e religiosa de seus domínios. Como será visto, trata-se de algo que esteve além do imaginado pelo próprio Maquiavel, embora implícito em seu raciocínio.

A perspectiva analítica de Maquiavel à luz das transformações de seu tempo

Antes de iniciar a apresentação da perspectiva analítica presente em *O príncipe*, cabem algumas observações. Primeiro, não se pretende realizar uma síntese dos argumentos do autor conforme apresentado no referido livro, até porque se deve ter certo cuidado com o fato de que sobre esse livro pesam tanto os objetivos que levaram o autor a escrevê-lo da forma como foi feito, quanto sua condição vulnerável quando o produziu[27]. Segundo, não há muita preocupação com a maneira como a obra de Maquiavel é estudada dentro de campos disciplinares consagrados, como, por exemplo, o da Ciência Política[28]. Isto porque, por um lado, essas interpretações são, algumas vezes, mais reveladoras das questões que organizam o

---

27. As palavras de Maquiavel (1996, p. 44-45) a Lourenço II, na introdução do livro, revelam seus objetivos, sua condição vulnerável e seu tom de súplica. "E embora julgue esta obra indigna de ser um presente para Vossa Magnificência, estou seguro de que [...] será bem-acolhida, visto que de minha parte não posso oferecer maior presente que proporcionar a vós a possibilidade de poder em pouquíssimo tempo entender tudo aquilo que eu [...] conheci e aprendi. [...] E, se Vossa Magnificência, de grande altura em que se acha, alguma vez volver os olhos para estes lugares humildes, saberá quão inconvenientemente suporto uma grande e contínua má sorte".

28. No manual de ciência política *Os clássicos da política*, p. ex., a obra de Maquiavel é apresentada em oposição à tradição idealista e interpretada a partir da questão da "estabilidade" dentro de uma perspectiva de "ciclos". De acordo com o manual, a "substituição do reino do *deve ser*, que marcara a filosofia anterior, pelo reino do *ser*, da realidade, leva Maquiavel a se perguntar: Como fazer reinar a ordem, como instaurar um Estado estável? O problema central de sua análise é descobrir como pode ser resolvido o inevitável ciclo de estabilidade e caos" (SADEK, 2004, p. 17-18).

próprio campo e, por outro, como já dito, o propósito deste trabalho é interpretar, à luz dos acontecimentos históricos de seu tempo, a estrutura com base na qual o autor pensou as dinâmicas de poder que moldavam o funcionamento do sistema interestatal. Assume-se, por conseguinte, certa liberdade para, de um lado, interpretar seu raciocínio e, por outro, selecionar, recortar e recolocar alguns dos seus argumentos, sem alterar o sentido das ideias que estruturam seu pensamento.

Não há muita controvérsia quanto à importância de *O príncipe* no pensamento de Maquiavel, onde desenvolveu parte importante de sua perspectiva de análise a respeito das dinâmicas de poder características do sistema interestatal em formação. E foi ao longo dos 11 primeiros capítulos do livro que o autor apresentou os elementos estruturantes de seu "modelo" de análise.

Como *ponto de partida*, arbitrou o *problema da conquista*, fixando-o desde logo como critério para delimitar e organizar as espécies de "todos os estados, todos os domínios que imperaram e imperam sobre os homens [...]"[29]. Isto está exposto no próprio título do primeiro capítulo: "De quantas espécies são os principados e dos modos de conquistá-los"[30]. Deixou claro o caráter axiomático de sua escolha, a conquista ou, em outras palavras, o problema da guerra, ao afirmar, por exemplo, que "Não se elimina a guerra, nem se escapa dela, se adia para a vantagem de outros"[31].

Não se furtou a justificar essa escolha. Argumentou, por um lado, que a conquista e as guerras constituem uma *verdade efetiva* da vida, ou melhor, da experiência humana. Colocada em perspectiva temporal, a guerra passa a ser percebida como um fenômeno tão comum à história do homem que negligenciá-la seria algo em si estranho. Por outro lado, advertiu que a negação desse axioma, dessa *verdade efetiva*, significaria para qualquer autoridade central e sua respectiva população assumir riscos e permitir vulnerabilidades que poderiam ocasionar, no limite, sua destruição ou submissão. Em suas palavras: "Repito-vos que sem força as cidades não se mantêm, mas vêm a seu fim; e o fim é a desolação ou a servidão"[32].

Como descrito, naqueles tempos não eram poucas as guerras, tampouco insignificantes as transformações por que elas passavam em razão do aumento da pressão competitiva de *uns em relação aos outros*. Com efeito, não ficaram sem marcas os homens daqueles tempos. O próprio Maquiavel já havia presenciado

---

29. Maquiavel (1996 [1513], p. 46).
30. Maquiavel (1996 [1513], p. 46).
31. Maquiavel (1996 [1513], p. 58).
32. Maquiavel (1996 [1513], p. 99).

algumas situações violentas antes de ingressar na Segunda Chancelaria de Florença. Segundo um de seus biógrafos,

> [Era] um jovem desconhecido, inexperiente em política, mas já marcado pelos importantes acontecimentos que assistira, ou dos quais se recordava: os corpos dos Pazzi, arrastados pelas ruas de Florença ou enforcados nas janelas do Palazzo Vecchio; a entrada de Carlos VIII, que tornava evidente a debilidade de Florença e da Itália; o odor acre do corpo de Savonarola ardendo na Piazza della Signoria; e as polêmicas discussões sobre a condenação dos cinco ilustres cidadãos acusados de conjura[33].

Sua despedida da diplomacia no ano de 1512 deu-se num contexto ainda mais dramático, ocasionado pelas guerras entre a Liga Santa (Espanha, Papado e Veneza) e a França, a quem Florença aliara-se. O Saque de Prato, de 30 de agosto de 1512, conduzido pelas tropas espanholas, assinalou não só o fim da República para a qual Maquiavel se dedicara até então, como também impôs terrível sofrimento à população de Florença. Talvez não por outra razão, Maquiavel tenha escrito *O príncipe* no ano seguinte. Em carta a uma senhora algumas semanas depois do ocorrido, em 16 de setembro de 1512, registrou em breves linhas o grau de violência do Saque.

> *Não relatarei os detalhes a Vossa Senhoria para não lhe causar este desconforto de ânimo; direi apenas que ali morreram mais de quatro mil homens, e os outros foram presos e obrigados de diversas maneiras a fazer-se resgatar; e não perdoaram as virgens encerradas nos lugares sagrados, os quais se encheram todos de estupros e de sacrilégios*[34].

Ainda sobre o ponto de partida do raciocínio *maquiaveliano*, chama-se a atenção a dois aspectos implícitos. Em primeiro lugar, apesar de propor uma reflexão sobre os problemas de um príncipe específico, Maquiavel antepôs o olhar para as *relações* entre diferentes autoridades centrais (interestatais). Eram as posições relativas que lhe interessavam ou, de outro modo, as especificidades de uma autoridade diante das ameaças externas definidas pela presença de outras. Não se trata de refletir sobre um principado em si, mas, ao contrário, de um pensamento sempre relativo, derivado da própria noção de conquista. Em suas palavras, "[o] que favorece o inimigo prejudica você, o que favorece você prejudica o inimigo"[35]. Em segundo lugar, ao partir da conquista, Maquiavel obviamente priorizou a dimensão do poder como categoria estruturante da dinâmica do sistema internacional, definindo-o como a força que o organiza. Este é um aspecto

---

33. Viroli (2002, p. 47).
34. Maquiavel (2013b, p. 67).
35. Maquiavel (2013a, p. 257).

importante, pois define uma clivagem com outras formas de olhar o sistema internacional, como, por exemplo, as que privilegiam forças econômicas.

Definido o ponto de partida, o *segundo aspecto* da estrutura analítica *maquiaveliana* em sugestão encontra-se na impossibilidade de haver proporcionalidade entre as autoridades centrais dentro do sistema interestatal. Neste caso, eram as assimetrias, as diferenças, as hierarquias que lhe interessavam. Ou seja, dadas as discrepâncias entre as autoridades centrais do ponto de vista de sua organização política e militar, de suas especificidades geográficas e demográficas, de seu potencial econômico etc., não haveria proporcionalidade possível entre elas, não existindo, com efeito, harmonia razoável que garantisse qualquer noção de paz ou de estabilidade em sentido mais geral. Com efeito, quando cada unidade político-territorial se constitui numa ameaça em potencial às demais, a perspectiva de confronto e as próprias guerras tornam-se um resultado crônico do sistema, sem possibilidade de paz permanente. Um desafio com o qual as autoridades são obrigadas a lidar sob pena de desolação ou servidão. Não há paz possível no sistema. Esta é, por assim dizer, a tragédia do sistema, reveladora do caráter cético do pensamento de Maquiavel.

> Um príncipe deve, portanto, ter como único objetivo, único pensamento e única preocupação a guerra e sua regulamentação e disciplina, [...]. [e isto porque] [n]enhuma proporção existe entre alguém armado e alguém desarmado; e não é razoável que quem esteja armado obedeça de bom grado a quem esteja desarmado, e que aquele que não disponha de armas possa viver em segurança entre servidores armados, pois existindo em um desdém e no outro suspeita, qualquer convivência harmoniosa entre eles é impossível[36].

Nessa perspectiva de análise não é preciso fazer considerações sobre a natureza do homem como, por exemplo, desenvolveu Hobbes, tempos depois, no capítulo XIII[37] de seu livro *Leviatã*, de 1651, quando alcançou o mesmo entendimento sobre a centralidade do problema da guerra[38]. Enquanto Hobbes seguiu pelos

---

36. Maquiavel (1996 [1513], p. 112).

37. O título do capítulo é: "Da condição natural da humanidade relativamente à sua felicidade e miséria".

38. Em suas palavras, "E contra esta desconfiança de uns em relação aos outros, nenhuma maneira de se garantir é tão razoável como a antecipação; i. é, pela força ou pela astúcia, subjugar as pessoas de todos os homens que puder, durante o tempo necessário para chegar ao momento em que não veja qualquer outro poder suficientemente grande para ameaçá-lo. E isto não é mais do que sua própria conservação exige, conforme é geralmente admitido. [...] Com isto se torna manifesto que, durante o tempo em que os homens vivem sem um poder comum capaz de os manter a todos em respeito, eles se encontram naquela condição a que se chama guerra; e uma guerra que é de todos os homens contra todos os homens" (HOBBES, 1979, p. 75).

caminhos do "individualismo metodológico"[39], o pensador florentino percorrera outras trilhas, e ambos chegaram a conclusões muito semelhantes.

O *terceiro aspecto* da estrutura analítica de Maquiavel consiste no reconhecimento de que os desafios e as ameaças às autoridades centrais e, no limite, às populações sobre as quais exercem poder e dominação, estruturam-se com base em dois eixos principais. São os relacionados a invasões estrangeiras, de um lado; e a conspirações e golpes contra a ordem interna, de outro. Haveria, também, a possibilidade não rara de uma combinação de ambos os eixos, forças externas articuladas a oposições internas, atuando contra uma autoridade central. Sobre essa anatomia das relações de poder, o autor fez diversas referências ao longo de sua obra, sendo uma das mais concisas a destacada abaixo:

> Um príncipe, de fato, deve recear dois perigos: um, interno, por conta dos súditos, e o outro, externo, por conta das potências estrangeiras. Quando as coisas externas estão tranquilas, a interna também está tranquila, a menos que seja conturbada por uma conspiração; e mesmo quando a situação externa não for segura, se o príncipe for organizado e tiver vivido como indiquei, e se não esmorecer, resistirá sempre a qualquer ataque [...][40].

Pode-se encontrar esse recorte analítico em alguns de seus escritos nos tempos da Segunda Chancelaria e como Secretário do Conselho Maior. Sua avaliação sobre a situação de Florença em 1503 sintetiza esse ponto. De acordo com Viroli:

> Maquiavel coloca diante dos olhos de seus concidadãos a real situação na qual Florença se encontrava, para dissipar de vez suas ilusões. Os florentinos estão desarmados, e não são nem amados nem temidos pelos seus súditos. Se olhassem em volta, começando pela Toscana, veriam que estavam entre Luca, Siena e Pisa, cidades que desejam mais a morte de Florença do que a própria vida. Ao contemplar toda a Itália, veriam que ela girava à volta do rei da França, de Veneza, do papa e de Valentino [César Bórgia][41].

---

39. Para Hobbes (1979, p. 74-75), "a natureza dos homens é tal que, embora sejam capazes de reconhecer em muitos outros maior inteligência, maior eloquência ou maior saber, dificilmente acreditam que haja muitos tão sábios como eles próprios; porque veem sua própria sabedoria bem de perto e a dos outros homens a distância. Mas isto prova que os homens são iguais quanto a esse ponto, e não que sejam desiguais. [...] Desta igualdade quanto à capacidade deriva a igualdade quanto à esperança de atingirmos nossos fins. Portanto se dois homens desejam a mesma coisa, ao mesmo tempo que é impossível ela ser gozada por ambos, eles tornam-se inimigos. E no caminho para seu fim (que é principalmente sua própria conservação, e às vezes apenas seu deleite) esforçam-se por se destruir ou subjugar um ao outro".
40. Maquiavel (1996 [1513], p. 133).
41. Viroli (2002, p. 91).

É importante perceber que o autor construiu seu conceito de *ameaça* de forma coerente com seu ponto de partida, *a conquista*, algo descrito de forma mais clara e precisa em *Discurso sobre a maneira de prover-se de dinheiro*, de 1503. Em suas palavras, "toda cidade, todo Estado deve reputar inimigos [ameaças] todos aqueles que pensam poder ocupar o seu próprio Estado e aqueles de quem não seja possível defender-se"[42]. Interessava-se menos por categorias rígidas e dimensões absolutas que revelassem posições estáticas e mais por assimetrias relacionais capazes de gerar percepções de vulnerabilidade e insegurança. Portanto, empreendeu um tratamento conceitual adequado: tanto à perspectiva individual de cada autoridade central, já que as percepções são sempre relativas, distintas e, por vezes, contrárias, quanto à passagem do tempo, uma vez que tornou possível a redefinição dos inimigos (externos e internos) a cada momento, sem alterar a essência do problema, derivado da *verdade efetiva* da vida, a guerra.

A figura 3, a seguir, é um esquema de representação da perspectiva de análise em proposição. Este se estrutura a partir de uma autoridade central qualquer (um *príncipe*), que necessariamente está assentada espacialmente em uma unidade político-territorial, com população própria e fronteiras em contiguidade crescente. Essa unidade pertence a um tabuleiro cujas peças se percebem como partes de um conjunto maior e agem em função do todo, orientadas pela pressão competitiva de *uns em relação aos outros*.

Nesse quadro, toda autoridade central se vê diante de dois desafios simultâneos: as *ameaças externas* (AE) e as *ameaças internas* (AI). Aquelas estão representadas no plano horizontal, com base nos dilemas de *defesa e conquista* frente a outras autoridades centrais (AE_1, AE_2, AE_3,..., AE_n,..., AE_y, Ae_x). Do ponto de vista das grandes transformações por que passou o sistema, o esquema consegue ilustrar um tabuleiro marcado pela contiguidade, pressão competitiva e orientado pelo princípio de equilíbrio de poder, ao envolver não apenas as ameaças externas próximas (AE_1, AE_2, AE_3,..., Ae_n), como também as unidades político-territoriais mais distantes (AE_y,..., Ae_x), fosse através da diplomacia moderna ou por meio da própria guerra.

As ameaças internas, por sua vez, encontram-se representadas no plano vertical, onde os dilemas são os relativos à defesa da *ordem* contra conspirações de grupos internos (AI_1, AI_2,..., Ai_n). Em geral, ao longo de várias passagens de sua obra, Maquiavel considerou três grupos ou fontes de conspiração característicos de seu tempo. Referiu-se aos grandes (ou poderosos), aos soldados e ao povo. Na passagem a seguir, essa designação aparece de forma clara.

---

42. Maquiavel (1995 [1503], p. 99).

Figura 3 – Esquema de representação da *perspectiva analítica maquiaveliana*

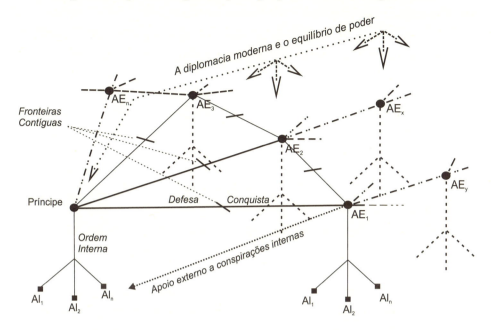

Fonte: elaboração própria.

> A primeira coisa a ser frisada é que, enquanto nos outros principados basta combater as ambições dos grandes e a insubordinação do povo, os imperadores se viam diante de uma terceira dificuldade, isto é, sustentar a crueldade e a avidez dos soldados, o que era tão difícil a ponto de ocasionar a ruína de muitos desses imperadores[43].

Trata-se, com efeito, de um recorte distinto do baseado no conceito de classe social. Neste, as lutas políticas organizam-se por razões econômicas, definidas em grande medida pela questão da apropriação (distribuição desigual) do excedente. Por isso, a atenção se volta às relações sociais de produção, a fim de se identificar e recortar os grupos envolvidos e entender como se estruturam as formas de exploração econômica, mapeando interesses de classe antagônicos.

Na perspectiva *maquiaveliana*, o foco recai sobre a disposição e/ou o potencial de determinado grupo confrontar uma autoridade central, independentemente de seu papel efetivo no processo econômico. Isto não significa dizer que não seja possível articular a ideia de interesse de classe com a capacidade e o propósito de ameaçar uma autoridade central. No entanto, muitas vezes as ameaças ao príncipe

---

43. Maquiavel (1996 [1513], p. 137).

provêm de grupos que não têm direta participação e interesse no processo econômico, como o caso dos soldados nos tempos de Maquiavel.

O *quarto aspecto* do modelo *maquiaveliano* em proposição refere-se ao fato de que, tendo partido do problema da guerra como uma verdade efetiva da vida que não se consegue eliminar, há uma necessidade permanente de se refletir continuamente sobre as capacidades e as vulnerabilidades em face das ameaças em geral (externas e/ou internas). Contudo, a forma como esse dilema se apresenta num determinado momento para cada uma das autoridades centrais envolvidas na pressão competitiva da guerra não é a mesma, embora todas respondam ao mesmo problema. Uma das razões para isso é geográfica, já que cada autoridade está assentada num território único, com base em uma específica posição relativa. Ademais, se este é um problema que se repõe continuamente, tais desafios se manifestam ao longo do tempo de diferentes formas a uma mesma autoridade. Isto ocorre tanto por conta da própria dinâmica das disputas quanto por causa das transformações por que passam as sociedades em geral[44].

Portanto, o importante a se observar é que, embora haja um desafio que se imponha a todas unidades do sistema internacional, as respostas a ele, provenientes de cada uma das autoridades centrais, em termos de ações conscientes e planejadas, são evidentemente distintas, seja quando se compara uma com as outras num mesmo momento, ou quando se analisam as ações de uma mesma autoridade ao longo do tempo[45].

Por outro lado, entre as autoridades centrais, além de diferentes, as estratégias podem ser antagônicas, já que envolvem um mesmo tabuleiro geográfico percebido a partir de distintas posições relativas e com uma dinâmica marcada por uma pressão competitiva de uns em relação aos outros. Inserções e percepções diversas geram distintas estratégias; muitas vezes, não convergentes; em outras, opostas. Porque tal disputa é dinâmica, as estratégias de uma mesma autoridade central tendem a sofrer adequações e reestruturações contínuas[46].

Ao final e ao cabo, o que se tem é uma permanente necessidade de reflexão geoestratégica. Nas palavras de Maquiavel, "[o]s incidentes imprevistos se remedeiam com dificuldade, os previstos, com facilidade"[47]. Em outra passagem, afirmou que: "Creio, ademais, que experimenta a felicidade do sucesso aquele que

---

44. Metri (2017).
45. Metri (2017).
46. Metri (2017).
47. Maquiavel (2013a, p. 260).

combina seu modo de proceder com a natureza dos tempos e, analogamente, experimenta a infelicidade da ruína aquele cujo procedimento não se ajusta à natureza dos tempos"[48].

Foi com base nesse entendimento que Maquiavel desenvolveu seu conceito de *virtù*, isto é: diante dos desafios dinâmicos com os quais se deparam as autoridades centrais, sejam os relacionados às invasões, ameaças externas, sejam as conspirações contra a ordem interna, ou uma combinação de ambos, tudo o que direta ou indiretamente tem relevância ao enfrentamento dessa situação ganha conotação estratégica enquanto saber, conhecimento e arte ao príncipe[49].

No livro, a formulação efetiva do referido conceito deu-se apenas ao final, no capítulo XX, depois de realizar toda a exposição de seu raciocínio. Trata-se de uma expressão sem tradução em português, uma vez que o exercício da *virtù* pode ser, muitas vezes, contrário à noção de virtude, como será visto a seguir. O autor se valeu da metáfora de um rio para delimitar seu conceito, e o contrapôs à noção de *fortuna* ("sorte" na tradução inadequada do livro), cujo sentido mais apropriado diz respeito àquilo que está além das possibilidades de ação da autoridade central.

> Todavia, para que nosso livre-arbítrio não seja completamente abolido, julgo que possa ser verdade que a sorte [fortuna] seja senhora de metade de nossas ações, mas deixando a nós o governo da outra metade, ou quase. Comparo a sorte [fortuna] a um desses rios impetuosos e transbordantes que, quando se enfurecem, alagam as planícies, destroem as árvores e os edifícios, deslocam porções da terra de uma parte para outra. E todos fogem dessa fúria desastrosa, todos capitulam diante de seu ímpeto, sem poder de alguma forma se lhe opor. Entretanto, embora tais coisas aconteçam, não impedem que os homens, nos tempos de tranquilidade, tomem providências por meio de proteções e diques [ações decorrentes do exercício da *virtù*, enquanto sabedoria estratégica] de modo que, quando certos rios depois crescem em volume de água, na cheia, podem ser canalizados e sua fúria pode deixar de ser desenfreada e danosa. Algo análogo ocorre com a sorte [fortuna], que demonstra seu poder onde não se organiza uma resistência para lhe opor, dirigindo sua fúria para onde sabe que não foram construídos diques de proteção para contê-la [onde não há *virtù*][50].

---

48. Maquiavel (1996 [1513], p. 171).
49. Metri (2017).
50. Maquiavel (1996 [1513], p. 169-170).

O exercício da *virtù*

O *quinto aspecto* da estrutura analítica do *modelo maquiaveliano* trata da prática da *virtù*, exposta ao longo dos capítulos 12 ao 21. Por conta das lutas de poder e da pressão competitiva, todos os campos do conhecimento com importância direta ou indireta ao problema da guerra tornam-se parte constitutiva da contínua reflexão estratégica das autoridades centrais. Para tanto, Maquiavel começou pelo campo da **segurança e defesa**, analisado nos capítulos 12-14. Decerto, entendia-o como a principal área do conhecimento relacionado ao exercício da *virtù*.

> Depois de haver considerado minuciosamente as qualidades dos principados [...], resta-me agora discorrer de maneira geral sobre os meios de ofensiva e defesa que cada principado pode adotar. [Isto porque as] bases principais de todos os estados são as boas leis e os bons exércitos. E porque não pode haver boas leis onde não há bons exércitos e onde há bons exércitos convém haver boas leis, deixarei de lado a discussão das leis e falarei dos exércitos[51].

Alguns anos depois, em 1521, retomou seus estudos sobre o tema e de maneira ainda mais detalhada no livro *A arte da guerra*, quando aprofundou a questão de como deveria uma república de seu tempo organizar exércitos; refletiu sobre as relações entre os poderes político e militar, procurando pensar acerca da articulação das forças militares nas estruturas políticas dos estados. De certo modo, pode-se dizer que, nesse livro, Maquiavel colocou em prática o exercício da *virtù* para um determinado campo específico do conhecimento. Efetuou uma reflexão de sentido estratégico a respeito dos problemas relativos à segurança e à defesa em geral e de Florença em particular.

Não deixa de ser instigante pensar que, se as leis de movimento e organização do sistema internacional permanecem sendo as mesmas, isto é, baseadas numa pressão competitiva interestatal, causadas por ameaças externas e internas, tal exercício valeria para qualquer tipo de ordenamento político em diferentes momentos históricos, seja uma república do início do século XVI, como a florentina, seja um Estado que se proponha democrático e de direito do século XXI, como o Brasil. Na lógica *maquiaveliana*, isto não ocorre porque se tem apreço às questões de segurança e defesa em si. A razão seria outra. Como escreveu Maquiavel no proêmio de *A arte da guerra*:

> Porque todas as artes que se instituem em uma civilização para proveito do bem-estar comum dos homens, todas as instituições criadas em uma civilização para se viver temente às leis e a Deus, seriam vãs se não fossem preparadas as suas defesas. Essas defesas, quando bem cons-

---

51. Maquiavel (1996 [1513], p. 100).

tituídas, mantêm as outras artes e instituições, mesmo que não sejam bem-ordenadas. Assim como, ao contrário, as boas instituições sem a ajuda militar desordenam-se, não diferentemente de um soberbo e real palácio que, mesmo ornado com gemas e ouro, sem o teto não teria o que protegesse da chuva[52].

Do ponto de vista dos interesses deste trabalho, mais importante do que as sugestões como formuladas por Maquiavel aos desafios de Florença de seu tempo, é a percepção de que se trata de uma questão a respeito da qual nenhuma autoridade central pode-se furtar de refletir e praticar, sob pena de desordens, conflitos, golpes e, no limite, caos e devastação. Como dito antes, a forma como os desafios desse sistema se impõem sobre as autoridades centrais não é a mesma ao longo do tempo e, portanto, as respostas a eles também não o são.

No capítulo 14, "Da relação entre o príncipe e o exército", o autor ampliou para além do âmbito da segurança e defesa sua reflexão sobre os campos que pertencem ao exercício da *virtù*. Procurou tornar claro que a sabedoria estratégica de uma autoridade central abrange tudo que tem relevância nas lutas de poder. Foi nesse contexto que abordou a geografia, no sentido de uma *geografia fundamental*[53], de uma geografia da ação, ou mesmo de uma geopolítica de outrora. Considerou-a como parte constitutiva da *virtù* de um príncipe, diante de sua *fortuna*, dada, dentre outros aspectos, pelos fatos geográficos, no caso, da geografia imóvel relacionada ao relevo, clima, vegetação etc.

Em suas palavras:

> Quanto às ações, além de manter seus homens bem disciplinados e exercitados, será conveniente praticar regularmente a caça, deste modo acostumando o corpo às durezas [...] e aprender a conhecer a natureza dos lugares [...] e descobrir como se elevam os montes, como irrompem os vales, como se estendem as planícies e compreender a natureza dos rios e dos pântanos, devotando a isto grande cuidado. Tal conhecimento é útil de dois modos: primeiramente aprende-se a conhecer o próprio país, podendo melhor avaliar suas defesas naturais; em segundo lugar, por intermédio do conhecimento e prática nesses locais será possível compreender facilmente a situação de qualquer outro lugar que lhe seja necessário considerar, pois as colinas, os vales, as planícies, os rios, os pântanos que, por exemplo, existem na Toscana guardam certa semelhança com aqueles que existem em outras províncias, de maneira que do conhecimento dos locais de uma província pode-se facilmente chegar ao conhecimento dos de outra[54].

---

52. Maquiavel (2013a, p. 31-32).
53. Cf. Lacoste (2008).
54. Maquiavel (1996 [1513], p. 113-114).

Portanto, o saber geográfico adquire caráter estratégico, transformando-se num exercício contínuo e necessário às autoridades centrais que comandam as unidades político-territoriais que compõem o sistema internacional. O conhecimento dos mais diversos aspectos que caracterizam o espaço geográfico é imprescindível à prática de defesa[55].

Ainda no capítulo 14, o pensador florentino situou o conhecimento do passado, a história, também no campo do que é estratégico, portanto, como parte da *virtù* de um príncipe. É como se situações antigas trouxessem ensinamentos preciosos aos desafios da conjuntura. Não tratou de sugerir uma busca por respostas prontas e acabadas nos livros de história. Mas, a partir do mergulho ao passado, encontrar pistas ou mesmo inspirações para tomada de decisões, perceber novos caminhos, ou adquirir consciência daqueles a se evitar. Nessa linha de raciocínio, o conhecimento histórico permite deduzir o que é efêmero e o que é estrutural em determinada conjuntura. Separar os fenômenos sem relevância daqueles com ponderosidade para assim melhor agir e influenciar o presente.

Em suas palavras:

> Com relação ao exercício do pensamento, o príncipe deve ler as obras de história e aí considerar as ações dos grandes homens, observar como se comportaram nas guerras, examinar os motivos de suas vitórias e derrotas de modo que possa estas evitar e aquelas imitar; e, sobretudo, deve agir como alguns grandes homens do passado, que tomaram como modelo um homem que antes deles fora louvado e glorificado, tendo sempre junto a si seus gestos e feitos, como se diz que Alexandre Magno imitava Aquiles, César tinha como modelo Alexandre e Cipião tomava como exemplo Ciro. E quem ler a vida de Ciro escrita por Xenofonte reconhecerá depois na vida de Cipião quanto aquela imitação lhe trouxe glória e quanto Cipião, em autenticidade, afabilidade, humanidade e generosidade, procurou assemelhar-se ao Ciro das páginas de Xenofonte[56].

Diante dos desafios "geopolíticos" de seu tempo, Maquiavel percebeu também outro problema de natureza distinta e a eles relacionado: a capacidade de defesa e conquista depende ou do provimento regular de recursos materiais e humanos ligados direta ou indiretamente ao exercício do poder, ou do acúmulo regular

---

55. "A geografia é, de início, um saber estratégico estreitamente ligado a um conjunto de práticas políticas e militares e são tais práticas que exigem um conjunto articulado de informações extremamente variadas, heteróclitas à primeira vista [...]. A geografia [...] deve absolutamente ser recolocada, como prática e como poder, no quadro das funções que exerce o aparelho de Estado, para o controle e a organização dos homens que povoam seu território e para a guerra" (LACOSTE, 2008, p. 23).

56. Maquiavel (1998 [1525], p. 114-115).

dos meios para sua aquisição (riqueza). Sem um destes, para o autor, não seria possível sustentar ou mesmo iniciar um conflito, como também garantir a defesa de um território. Maquiavel abordou, mesmo que superficialmente, o problema da reprodução material relativa ao exercício do poder, definindo de tal modo a economia também no campo do que é estratégico, como parte da *virtù*.

Em *O príncipe*, por exemplo, abordou o tema no capítulo X, "De como avaliar a força de um príncipe", ao apontar a relevância da riqueza para o financiamento da guerra. Em suas palavras: "A meu ver podem sustentar-se por si sós aqueles que estão em condições, pela grande quantidade de homens e de dinheiro, de reunir exército adequado e combater quem quer que os venha atacar"[57]. Em outra passagem, fez referência direta à necessidade de se assegurar, diante das ameaças externas, o provimento regular de "munições e víveres"[58]. A mesma ideia sobre a importância estratégica relativa à garantia de abastecimento de recursos materiais necessários ao exercício da guerra reaparece no livro *A arte da guerra*. "[Q]uem não prepara os víveres para manutenção de seu exército será vencido sem a necessidade da espada"[59].

Outro exemplo encontra-se em sua reflexão sobre os desafios relativos a conquistas de "estados numa província em que língua, costumes e regras são diferentes"[60], realizada no capítulo 3, sobre os principados mistos. Neste, Maquiavel desenvolveu um raciocínio em que o saber econômico aparece como categoria estratégica, ao sugerir o estabelecimento de colônias em detrimento da manutenção de tropas de ocupação.

> Mas dispondo-se de tropas em lugar de colônias gasta-se muito mais, acabando-se por consumir nas despesas militares toda a renda do Estado; de sorte que o ganho se converte em perda para o príncipe e causa muito mais prejuízo, pois lesa todo o Estado com os deslocamentos do seu exército de uma localidade para outra[61].

Nesse caso, interessa menos o mérito do argumento em si (se colonizar ou não), e mais a natureza do raciocínio, em que o exercício bem-sucedido da conquista e da ocupação envolvem outro desafio diferente do estritamente militar, relativo ao provimento e à gestão eficiente dos recursos materiais necessários à preservação e à defesa de um território recém-conquistado.

---

57. Maquiavel (1996 [1513], p. 94).
58. Maquiavel (1996 [1513], p. 96).
59. Maquiavel (2013a, p. 259).
60. Maquiavel (1996 [1513], p. 51).
61. Maquiavel (1996 [1513], p. 53)

Cabe mencionar por último que, em *Discurso sobre a maneira de prover-se de dinheiro*, de 1503, o autor deixou claro aquilo que posteriormente seria a pedra angular dos escritos mercantilistas, cujas primeiras formulações ainda se encontravam em gestação:

> [...] quem observou as mutações dos reinos, as ruínas das províncias e das cidades não as viu causadas por outra coisa senão pela falta das armas ou do dinheiro. Dado que vós concedais que isto possa ser verdade, como é, segue-se, necessariamente, que deveis querer, na vossa cidade, uma e outra destas duas coisas; e procurar bem, se elas existem, conservá-las; e se não existem, consegui-las[62].

Em resumo, esses desafios de natureza econômica aparecem em diversas passagens de sua obra. Embora não tenha desenvolvido uma formulação de ideias estruturadas sobre o tema, advertiu acerca de sua centralidade em diferentes oportunidades. Esteve, de fato, em consonância com as primeiras formulações mercantilistas de seu tempo.

Por fim, ao longo dos capítulos 15 a 21, Maquiavel tratou do agir político e do comportamento ético. Assim como fez com a questão militar, a história, a geografia e a economia, realizou um raciocínio sobre a ética de um príncipe a partir do conceito de *virtù*, situando-a como categoria pertencente ao campo do que é estratégico diante dos dilemas de poder característicos de cada momento. Já no início de sua exposição, ao apontar o tema, o comportamento do príncipe, apresentou sua perspectiva, a não idealizada (ou realista), assim como sua justificativa, baseada na verdade efetiva da vida. Em suas palavras:

> Resta agora examinar de que modo um príncipe deve se comportar com seus súditos e amigos. [...] Mas sendo minha intenção escrever algo útil para quem se dispõe a entendê-lo, pareceu-me mais conveniente perseguir a verdade efetiva do que a sua idealização. Muitos imaginam repúblicas e principados que nunca foram vistos nem conhecidos no mundo real. Mas há uma distância tão grande entre como se vive e como se deveria viver, que aquele que deixa aquilo que se faz por aquilo que se deveria fazer aprende mais o caminho da própria ruína do que o de sua preservação[63].

Em seguida, descreveu de modo mais detalhado alguns dos dilemas éticos a que estavam submetidas as autoridades centrais de seu tempo. Mencionou por ordem: ser generoso ou miserável; doador ou ladrão; cruel ou piedoso; desleal ou leal; covarde ou audacioso; gentil ou soberbo; lascivo ou casto; íntegro ou astuto;

---

62. Maquiavel (1995 [1503], p. 98).
63. Maquiavel (1996 [1513], p. 116).

rígido ou flexível; ponderado ou leviano; religioso ou crédulo; dentre outros[64]. A partir de então, apresentou sua tese central sobre o tema, a saber:

> [...] é-lhe [ao príncipe] necessário ser tão sábio [ou seja, possuir *virtù*, ser dotado de *sabedoria estratégica*] a ponto de saber escapar da infâmia daqueles vícios que o fariam perder o Estado [...] e daqueles que não o fariam perdê-lo também, se possível; não lhe sendo possível, deverá com eles preocupar-se menos e permitir que sigam seu curso. E, em contrapartida, que não se preocupe com o fato de atrair para si infâmia e censura por aqueles vícios sem os quais dificilmente poderia preservar o Estado[65].

Para o autor, em um sistema no qual as ameaças são uma verdade efetiva da vida que toda autoridade central deve ter como principal preocupação, todo tipo de princípio moral, ético ou religioso pode significar uma restrição aos graus de liberdade de ação do príncipe para enfrentar os desafios inerentes às lutas de poder. Em outras palavras, de um ponto de vista lógico e dentro desse universo estruturado na preparação e na perspectiva de guerra, concepções éticas podem restringir o grau (as possibilidades) de iniciativa estratégica no campo da ação do príncipe diante dos desafios constitutivos do sistema do qual faz parte.

Para tornar claro seu argumento, o autor percorreu alguns dos dilemas éticos descritos anteriormente. Por exemplo, no capítulo XVI, tratou da generosidade e da parcimônia. Concluiu que em determinadas situações a generosidade pode comprometer a capacidade de defesa diante de ameaças externas, sendo adequado em determinados momentos agir de forma sovina, miserável.

> Todo príncipe, portanto, impossibilitado de ostentar essa sua virtude de generoso sem que lhe acarrete dano, não deve, se for prudente, preocupar-se com a fama de miserável [...]; graças à sua parcimônia, sua renda lhe basta, pode defender-se daqueles que lhe fazem guerra, pode realizar seus empreendimentos sem onerar o povo[66].

A tese central de Maquiavel é que, quanto mais restritos são os códigos éticos, maiores tendem a ser as restrições às ações e às iniciativas estratégicas dos príncipes diante dos desafios característicos do sistema interestatal. Ao se definir fronteiras entre o que é certo e errado, entre o bem e o mal, reduz-se o conjunto de possibilidades de ações e de instrumentos à disposição das autoridades centrais. Quanto mais rígidas e quanto maiores são os campos em que se definem fronteiras, maiores tendem a ser as restrições.

---

64. Maquiavel (1996 [1513], p. 117).
65. Maquiavel (1996 [1513], p. 118).
66. Maquiavel (1996 [1513], p. 120).

No entanto, seu raciocínio não terminou aí. O autor deu outro passo, levando a lógica de seu argumento numa direção ainda mais controversa. Se primeiro ele mostrou como a ética pode restringir as possibilidades de iniciativa estratégica no campo da ação de um príncipe diante de seus desafios, ou seja, limitando o próprio campo do exercício da *virtù*, posteriormente, no capítulo XVIII, ele "reintroduziu" a ética não mais como uma "camisa de força" sobre o príncipe, mas como instrumento de poder do príncipe frente a seus adversários, como parte da própria *virtù*. E o fez por meio da *dissimulação*. Isto porque se fingir possuidor de virtudes morais, além de preservar o raio de ação, evitar críticas e oposições por ações "imorais", resguarda a si uma posição favorável para cobrar de seus "súditos", aliados, opositores e inimigos um comportamento moral que, por definição, lhes reduziria os espaços para iniciativas. Por isso, escreveu:

> Não é necessário, portanto, que um príncipe possua, de fato, todas as qualidades indicadas anteriormente – é necessário, porém, que pareça possuí-las... Ouso afirmar, pelo contrário, que as possuindo efetivamente e as usando sempre, elas lhe causarão dano. Se simplesmente fizer crer que as possui, ser-lhe-ão úteis. Deve parecer clemente, leal, humano, íntegro, religioso e o ser realmente, mas estar em tal disposição de ânimo que, precisando não o ser, tu possas e saibas mudar para o contrário[67].

Seria ainda possível um terceiro movimento no campo da ética *maquiaveliana*, não realizado pelo autor, mas que se deduz sem dificuldade de seu raciocínio. Trata-se de perceber que, no limite, o mais favorável a um príncipe seria ter a capacidade de arbitrar e reescrever, de tempos em tempos, quando conveniente, a própria fronteira entre o certo e o errado, o bem e o mal. Isto diz respeito ao exercício da escolha dos valores éticos e da sua proclamação aos seus "súditos", aliados e inimigos. O poder de proclamar um código de conduta e a faculdade de definir quem tem dificuldade em segui-lo, condenando quem está no lado do "mal", constitui considerável vantagem ao restringir o raio de ação dos inimigos e, em sentido relativo, ampliar o próprio, além de mobilizar mentes e corações a seus objetivos estratégicos.

Do ponto de vista histórico, isto foi algo que Henrique VIII logrou realizar alguns poucos anos depois da morte de Maquiavel (1527), quando criou a Igreja Anglicana em 1533, se autoproclamando chefe maior da Igreja em seu país, em oposição ao papa e à Igreja Católica de Roma. Deve-se observar que Henrique VIII empreendeu tal ruptura sem se submeter ao arbítrio definido pelas interpretações dos textos clássicos realizadas por outros, calvinistas e/ou luteranos.

---

67. Maquiavel (1996 [1513], p. 130).

Permaneceu de certa forma com algum grau de independência a qualquer interpretação específica dos textos sagrados, arbitrando, conforme sua conveniência, o entendimento sobre a fronteira entre o mal e o bem, o certo e o errado, já que ele mesmo era a autoridade máxima da Igreja Anglicana.

Nos tempos atuais não é difícil perceber que, desde a Segunda Guerra Mundial, por exemplo, no exercício de seu poder global, os Estados Unidos arrolaram a si o direito de arbitrar o critério que tem balizado a fronteira entre o "bem" e "mal" nas relações internacionais contemporâneas, utilizando-se desses parâmetros de modo dissimulado para promover e realizar ações estratégicas na forma de golpes, intervenções e guerras, justificando-as a partir de valores "universais" e "humanos" ou em oposição ao que seria "bárbaro" e "atrasado". Esta tem sido a retórica desde o lançamento das duas bombas atômicas no Japão, quando este já procurava negociar os termos de sua rendição; durante a Guerra Fria com sua política de combate ao inimigo vermelho; como no pós-Guerra Fria, momento em que desenharam as intervenções "humanitárias" que convinham; ou, no período mais recente, desde 2001, quando vêm arbitrando sem muita isonomia quais são as forças terroristas do eixo do "mal" e quais não são.

Talvez, por revelar tais características do jogo político e das guerras ditas justas, desnudando o próprio sentido estratégico do discurso ético, iluminando práticas tão desconhecidas do cidadão comum, o pensador florentino tenha exposto às partes mais desfavoráveis um dos mais importantes segredos do exercício e das lutas de poder. Algo percebido por Jean-Jaques Rousseau há tempos em seu livro *O contrato social*, de 1762, quando afirmou: "[f]ingindo dar lições aos reis, deu-as ele [Maquiavel], e grandes, aos povos"[68].

Portanto, não seria incorreto inverter a perspectiva do *modelo maquiaveliano* e, mais especificamente, a prática da *virtù*, colocando-a não apenas como instrumento de dominação e violência, o que de fato é, mas também como instrumento das lutas de emancipação e libertação, uma vez que as disputas de poder envolvem sempre posições relativas e exigem das partes envolvidas sabedoria estratégica em diversos campos. Com efeito, mesmo nos casos (i) das lutas de independência e autodeterminação; (ii) da busca por autonomia, desenvolvimento e superação do atraso; ou ainda, (iii) da construção e defesa de uma República ou de um Estado Democrático de Direito, em todas essas situações, tais objetivos envolvem sempre o permanente exercício da *virtù*, independentemente dos fundamentos que se escolha para balizar as ações e as iniciativas direcionadas a tais fins.

---

68. Rousseau (1971 [1762], p. 78).

A impossibilidade da guerra justa

Dentro desse quadro desenvolvido pelo autor, não é difícil perceber que não faz sentido considerar qualquer noção de "guerra justa". Isto porque, como visto, o sistema impele as autoridades centrais a considerarem o problema das lutas de poder e, no limite, a conquista como um imperativo, empurrando-os ao exercício contínuo da *virtù*, onde o próprio campo da ética torna-se instrumento para iniciativas estratégicas. No universo de Maquiavel, o justo adquire sempre uma noção relativa, reveladora não de uma "verdade", mas de uma intencionalidade orientada por objetivos, pautados por lutas de dominação. Tudo que, direta ou indiretamente, importa às lutas de poder acaba por se tornar campo e instrumento para ações conscientes e planejadas com efeitos sobre as próprias lutas de poder. Trata-se, decerto, de um autor cético.

No entanto, no último capítulo de *O príncipe*, o XXVI, poder-se-ia supor que haja uma contradição quanto a isso. Maquiavel fez referências explícitas a determinadas situações em que seria possível considerar algumas guerras como justas. Parafraseando Tito Lívio, o autor escreveu: "A guerra é justa para aqueles aos quais é necessária, e as armas são santas quando nelas unicamente reside a esperança"[69].

Uma forma de se interpretar essa aparente contradição é partir do entendimento dos objetivos do último capítulo de sua obra. Exatamente neste, o autor deixou de tratar das questões relativas ao poder em geral e começou a analisar a situação específica da Itália em que vivia, ou seja, refletiu a respeito da conjuntura política da Península Italiana de seu tempo. O autor abandonou uma análise distanciada sobre os dilemas de um príncipe em geral e passou a abordar o tema como alguém que era parte de uma sociedade (a florentina) e se sentia ameaçado por forças externas. Portanto, começou a escrever como alguém que tinha como propósito o sucesso, primeiro florentino e, em seguida, italiano (do ponto de vista de Florença), em relação aos dilemas de poder de então. Com efeito, pode-se afirmar que, nesse capítulo, "Maquiavel se instruiu em Maquiavel" para pensar as questões italianas de seu tempo e tentou, ao mesmo tempo, orientar o seu príncipe de então, Lourenço II de Médici.

Por isso que, logo no início do referido capítulo, o autor se perguntou acerca das circunstâncias da época na Itália e da possibilidade de melhorá-la. E esperançosamente escreveu: "Parece-me que há tantas coisas que favorecem a vinda de um novo príncipe que nem sei de outro tempo que fosse mais adequado do que

---

69. Maquiavel (1996 [1513], p. 176).

este"[70]. Isto porque, para ele, a Itália atravessava um momento delicado de sua história e, com efeito, torcia para o surgimento de algum príncipe capaz de enfrentar a situação.

> [...] a Itália que aguarda aquele que possa ser o curador de suas feridas e que ponha fim aos saques da Lombardia, à imposição de tributos em Reame [Reino de Nápoles] e na Toscana e que a faça sarar de suas chagas que já há tanto tempo estão gangrenosas. Vemos como pede a Deus que lhe envie alguém que a salve da crueldade e insolência dos bárbaros[71].

Em seguida, apontou com esperança para Lourenço II de Médici, sobrinho do famoso Lourenço o Magnífico.

> E não se vê hoje em que outra casa ela [a Itália] poderia ter mais esperança do que na ilustre Casa Vossa [a dos Médici], a qual com sua fortuna e valor, favorita de Deus e da Igreja, da qual é agora senhora [com o então Papa Leão X, 1513-1521, o Cardeal João de Médici] poderia dirigir essa redenção, o que vos não será muito difícil se tiverdes presentes as ações e as vidas daqueles previamente mencionados[72].

Portanto, em razão da situação de flagelo e vulnerabilidade da Itália e da condição favorável que a casa de Médici alcançou naqueles anos, comandando tanto Florença quanto o Estado Pontifício, Maquiavel incitou os Médici a aproveitarem a situação em nome de uma *guerra justa*. "Tudo aqui parece grandemente favorável e não pode existir grande dificuldade onde existe grande favorabilidade, desde que se tomem como exemplos aqueles que propus como modelos"[73]. Mas, como ensinou o próprio autor, esta não era uma avaliação compartilhada pelos demais reinos e repúblicas italianas daqueles tempos. Cada qual partia de uma perspectiva distinta, possuía uma avaliação diferente e implementava ações muitas vezes antagônicas umas em relação às outras. Todas percebiam suas iniciativas tão justas quanto qualquer outra, porque todas respondiam ao mesmo problema, embora de uma posição diferente e particular.

Para atingir seus fins, de um lado, a unificação da Itália sob comando de Florença em aliança com Roma e, de outro, seu desenvolvimento frente às ameaças externas, a ética não deveria ser algo que reduzisse o campo de iniciativa à ação do príncipe e, mais do que isso, deveria ser utilizada para viabilizar a melhor estratégia. Portanto, quando o autor falou de *guerra justa*, Maquiavel estava sendo

---

70. Maquiavel (1996 [1513], p. 174).
71. Maquiavel (1996 [1513], p. 175).
72. Maquiavel (1996 [1513], p. 175).
73. Maquiavel (1996 [1513], p. 176).

apenas *maquiaveliano*, pois o fez no único capítulo em que escreveu como ator envolvido em uma luta específica de seu tempo e do seu espaço, a Itália.

Referências

ARMESTO, F. *1492*: o ano em que o mundo começou. São Paulo: Companhia das Letras, 2009.

BARTLETT, R. *The making of Europe*. Londres: Penguin Books, 1993.

CARNEIRO, R. (org.). *Os clássicos da Economia*. São Paulo: Ática, 2004 [Série Fundamentos].

DAWSON, C. *A formação da Cristandade*: das origens na tradição judaico-cristã à ascensão e queda da unidade medieval. São Paulo: É Realizações, 2014.

DEYON, P. *O mercantilismo*. São Paulo: Perspectiva, 2004.

ELIAS, N. *O processo civilizador*: formação do Estado e civilização. Vol. 2. Rio de Janeiro: Zahar, 1993 [1939].

FIORI, J.L. Formação, expansão e limites do poder global. In: FIORI, J.L. (org.). *O poder americano*. Petrópolis: Vozes, 2004.

FRANCO JUNIOR, H. *A Idade Média, nascimento do Ocidente*. São Paulo: Brasiliense, 2006.

GILBERT, A. *Enciclopédia das guerras*: conflitos mundiais através dos tempos. São Paulo: M. Books do Brasil, 2005.

HOBBES, T. *Leviatã ou matéria*: forma e poder de um Estado eclesiástico e civil. São Paulo: Abril, 1979 [1651] [Coleção os Pensadores].

KENNEDY, P. *Ascensão e queda das grandes potências*. Rio de Janeiro: Campus, 1989.

LACOSTE, Y. *A Geografia*: isso serve, em primeiro lugar, para fazer a guerra. Campinas: Papirus, 2008 [1985].

LARIVAILLE, P. *A Itália no tempo de Maquiavel*. São Paulo: Companhia das Letras, 1988 [Coleção A Vida Cotidiana].

MacKINDER, H.J. The Geographical Pivot of History. *Geographical Journal*, vol. 23, n. 1904, p. 421-444.

MAQUIAVEL, N. *Arte da guerra*. São Paulo: Hedra, 2013a [1521].

_____. Discurso sobre a maneira de prover-se de dinheiro. In: *Escritos políticos*. São Paulo: Edipro, 1995 [1503].

_____. *Epistolario 1512-1527*. México: Fondo de Cultura Económica, 2013b.

_____. *História de Florença*. São Paulo: Musa, 1998 [1525].

_____. *O príncipe*. São Paulo: Hemus, 1996 [1513] [Coleção Ciências Sociais & Filosofia].

MELLO, L.I.A. *Quem tem medo da geopolítica*. São Paulo: Hucitec, 2011.

METRI, M. Imperativos geoestratégicos: o (geo)político, o (geo)econômico e o (geo)monetário. In: *Encontro da Abri*, 6, 2017, Belo Horizonte [Anais...].

_____. *Poder, riqueza e moeda na Europa Medieval*. Rio de Janeiro: FGV, 2014.

MOUSNIER, R. Os séculos XVI e XVII: os progressos da civilização europeia. In: CROUZET, M. (org.). *História geral das civilizações*. Vol. 9. Rio de Janeiro: Bertrand Brasil, 1994.

PERROY, E. A Idade Média: o período da Europa Feudal, do Islã Turco e da Ásia Mongólica (séculos XI-XIII). In: CROUZET, M. (org.). *História geral das civilizações*. Vol. 7. Rio de Janeiro: Bertrand Brasil, 1994.

ROUSSEAU, J.J. *O contrato social e outros escritos*. São Paulo: Cultrix, 1971 [1762].

SADEK, M.T. *Nicolau Maquiavel*: o cidadão sem *fortuna*, o intelectual de *virtù*. São Paulo: Ática, 2004 [Os Clássicos da Política, vol. 1].

The Times. Atlas da História do Mundo. São Paulo: Folha da Manhã, 1995.

TILLY, C. *Coerção, capital e estados europeus*. São Paulo: EdUSP, 1996.

VIROLI, M. *O sorriso de Nicolau*. São Paulo: Estação Liberdade, 2002.

Guerra e liberdade em Mill, Kant e Hegel

*Andrés Ferrari Haines**

Introdução

O século XIX foi considerado o período liberal, e por isso Mann[1] afirma que não se tomava a guerra como um assunto de análise. Isso porque se acreditava que a sociedade humana caminhava para um futuro pacífico e próspero, fruto dos séculos XVII e XVIII europeus, no qual havia a percepção de que o homem racional possuía plenas capacidades de conseguir se manter na trajetória da não beligerância[2]. Contudo, Mann observa que esse conceito de progresso se encontrava intimamente relacionado com a experiência econômica. Assim, *Progresso* foi entendido, pela forte influência da *Revolução Industrial*, como progresso *econômico*. Esta sensação de progresso se assentou em dois aspectos que eram entendidos como novos para o homem: o avanço na capacidade material e o período de paz europeu que se iniciava logo após a queda do Império Napoleônico em 1815. Evidentemente, essa grande etapa na qual os conflitos bélicos entre europeus foram escassos e de curta duração constituiu para os contemporâneos um acontecimento singular que contrastava com as contínuas guerras que açoitaram o continente nos séculos anteriores[3].

---

* Gostaria de agradecer a valiosíssima colaboração do graduando Matheus Bianco (RI/UFRGS) e da mestranda Betina Sauter (PPGEII/UFRGS).

1. Mann (1987).
2. Essa esperança tinha grande influência da Revolução Francesa vista como momento ápice da racionalidade humana em que se acreditava marcar o início de um processo de progresso sem fim. Mann (1987) trata particularmente da Sociologia, que surge como estudo acadêmico e científico na era do Iluminismo sem incorporar a guerra como um assunto de análise.
3. Tais esperanças seriam destruídas com a Grande Guerra iniciada em 1914, sobretudo porque a capacidade do homem racional de dominar a natureza, ou seja, a Revolução Industrial, seria no decorrer do conflito traduzida como uma ampliação, em formas nunca antes imaginadas, da capacidade de matar e destruir. Não obstante, apesar deste trágico final, o período ainda é definido por muitos autores como o *Século de Paz* ou *Pax Britânica*.

Mas o conceito de *Progresso* simultaneamente definiu seu oposto, o não progredir. Os europeus passaram a se considerar os agentes do progresso e a ver os demais povos como não progredindo: bárbaros, cruéis e atrasados. Isto por entenderem progresso como econômico, i.e., aumento da produção e criação de novos bens industriais. Na medida em que esta visão se disseminasse por todo o globo, o progresso humano continuaria. Esta concepção derivava em um projeto (ou utopia) de paz e liberdade eterna para a humanidade se, apenas, cada ser humano se dedicasse livremente a procurar seu próprio progresso (econômico). Assim, pelos efeitos pacificadores da sua extensão global, o comércio era visto como o eixo civilizador da humanidade, de caráter intrinsecamente pacifista, pois todos os homens racionais e livres passariam a entender os benefícios das trocas comerciais.

Será sobre os efeitos pacíficos da relação supracitada (liberdade-comércio-paz) que a questão da guerra será tratada por Immanuel Kant como expressão das visões otimistas *iluministas* europeias e incorporadas no liberalismo clássico, que tem em John Stuart Mill um de seus principais expoentes. Esses autores serão tratados nas duas próximas seções para apresentar, na seguinte, a visão da guerra de Hegel, a qual incorpora a crítica à racionalidade individualista-utilitarista do liberalismo. Hegel faz uma análise que nega o individualismo metodológico caro às correntes iluministas e volta às concepções aristotélicas da vida humana ser social sob o Estado. De sua análise, a paz perpétua liberal é só uma ilusão. Kant-Mill e Hegel representam, assim, as duas visões principais de análises das relações internacionais. Ambas tratam a guerra não como um assunto em si mesmo, mas somente como parte de algo maior, desprendendo-se de uma análise *filosófica* cujo eixo fundamental é a consolidação de uma civilização baseada na disseminação da liberdade pelo mundo. Assim, a guerra aparece dentro de suas respectivas filosofias *da liberdade*. Sobre estas questões, será realizado o comentário final que fechará este capítulo.

Kant e a economia de mercado como fundamento para a paz perpétua

Como é sabido, Kant é considerado um dos grandes filósofos da história. Sua extensa e importante obra se destaca principalmente ao estudar as bases da razão humana e, depois, sobre a ética. Contudo, os elementos principais do seu pensamento político também se encontram em algumas de suas obras mais curtas[4]. Uma das quais, de suas últimas, *Para a paz perpétua*[5], que será basicamente a única considerada aqui, constitui um aporte seminal para o pensamento atual nas

---

4. Covell (1998).
5. Kant (2006).

relações internacionais e sua proposta para alcançar a paz continua tendo grande influência[6]. De acordo com Holzhey[7], a paz perpétua é resultado da filosofia teórica de Kant porque, ao se resolver as controvérsias filosóficas por meio da crítica à razão, esta passa do estado da natureza ao estado de legalidade da paz. Assim, esta paz constitui um elaborado mas frágil logro da razão contra a natureza[8].

Para Kant, a razão do ser humano lhe outorga, à diferença das coisas da natureza, a capacidade de colocar os fins diante de si. Na *Crítica da faculdade do juízo*[9], afirma que a cultura deve ser promovida no homem enquanto fim último, o que só seria possível numa comunidade civil – isto é, um ordenamento jurídico das relações intersubjetivas. As desigualdades entre indivíduos, que são um fator de conflito, passam a ser também elementos dinâmicos do desenvolvimento de suas disposições naturais: um aspecto condicionado e outro incondicionado, suficiente para si mesmo, livre. Das sociedades civis surgiria um mundo cosmopolita, que possibilitaria ao homem ser um sujeito de moral e, consequentemente, de progresso[10].

Se para Kant a paz significava uma nova condição desse progresso[11], sua viabilidade requereria um regime republicano. Com líderes políticos interessados numa guerra, a paz não poderia ser alcançada. Por isso, em *O conflito das faculdades*, Kant[12] sustenta que só uma constituição do povo (em que a própria razão humana faz as leis) poderia pôr fim às guerras ofensivas. Desta forma, Kant transpassa ao plano internacional uma família de estados republicanos interessados na paz perpétua. Por um lado, esta ligação entre República e paz perpétua tem como fundamento que as leis às quais os seres humanos estão sujeitos são somente aquelas que sua própria razão criou, e por isso elas têm aceitação universal[13]. Por outro lado, porque sendo guiada pela vontade unificada de todos, ao deliberar

---

6. Para Franke (2001), as ideias de Kant constituem o arcabouço a partir do qual as relações internacionais são em geral tratadas na atualidade, embora basicamente sobre o pequeno panfleto *Sobre a paz perpétua*. Um claro exemplo da influência de Kant é, claro, o projeto do presidente norte-americano Woodrow Wilson da Liga das Nações após a Primeira Guerra Mundial.

7. Holzhey e Mudroch (2005).

8. Pereda, apud Pim (2006).

9. Kant (1995).

10. Não é o pleno desenvolvimento das predisposições de um indivíduo, mas da humanidade como totalidade, causado pela sua racionalidade, sem ser necessariamente algo consciente. Assim, Kant fala do desenvolvimento pleno das disposições da humanidade como um fim último (HÖFFE, 2009).

11. Franke (2001).

12. Kant (1993).

13. Lima (2007).

sobre a guerra, a percepção da destruição e do sofrimento pelo qual eles mesmos iriam passar os faria rejeitar a guerra[14].

Franke explica que o ideal político para Kant seria um Estado internacional, mas dado que uma república mundial não é realizável, também não o seria um direito internacional[15]. Assim, para superar um acordo de paz temporário, que seria só uma trégua, Kant procura em *Para a paz perpétua* (2006) definir um tratado para a criação de um direito que possibilite a paz permanente. Isto porque a essência do problema internacional, para Kant, é que a condição natural da sociedade de estados era a condição de guerra[16]. Kant define sua proposta em seis artigos preliminares e três definitivos. Os primeiros tratam de aceitar a abstenção de certos comportamentos pelos estados para viabilizar as normas dos três definitivos[17]. Preliminares são a proibição de artigos secretos nos acordos entre estados, assim como nenhum destes pode ser adquirido, de forma alguma, por qualquer outro. Também, que devem aceitar que a desaparição dos exércitos permanentes e se abster do uso de força em questões internas de outros estados[18]. Finalmente, não podem assumir dívidas ou ter comportamentos hostis (emprego de assassinos, envenenadores, quebra de capitulações e instigação à traição) que minem a confiança para uma paz futura. Satisfeitos esses artigos preliminares, Kant passa a definir os três definitivos: serem estados republicanos organizados numa constituição civil definindo num federalismo, como entidades livres, um direito internacional e um direito cosmopolita limitado às condições da hospitalidade universal[19]. A proposta kantiana se insere na visão iluminista europeia, ao ter como base a crença na possibilidade de aperfeiçoamento contínuo do homem, como indivíduo e como humanidade; e também, ao levar imbuída uma visão política constitucional republicana. Assim, sendo os estados republicanos, procurariam uma união federativa para viver em paz, dada a impossibilidade de uma autoridade internacional[20].

---

14. Ainda quando um povo não se visse forçado, por discórdias internas, a submeter-se à coação de leis públicas, o faria, desde fora, a guerra, pois, segundo a disposição da natureza antes referida, todo povo encontra ante si outro povo que o ameaça e contra o qual deve converter-se internamente em um Estado, para estar preparado como uma potência contra aquele. Agora, a constituição republicana é a única perfeitamente adequada ao direito dos homens (KANT, 2006, p. 88).

15. Franke (2001).

16. Covell (2009).

17. Pim (2006).

18. Kant observa que estados que procuram a paz por meio de acumular exércitos para inibir agressores podem acabar gerando confrontações se são financeira e socialmente uma demanda muito superior à guerra. Assim, esta última pode ser uma opção política mais atrativa (FRANKE, 2001).

19. Kant (2006).

20. Franke (2001).

O cidadão kantiano, único livre e racional, carrega em si os pressupostos morais e jurídicos europeus como sendo os universais. Quer dizer: um cidadão livre e racional procura viver num regime republicano. Contudo, Kant chega a essa conclusão a partir da análise dos interesses individuais de cada cidadão, que ele identifica como seu espírito comercial. Portanto, seria a atividade econômica das pessoas, num regime republicano, que veria a paz como sendo um benefício frente à guerra[21].

> Trata-se do espírito comercial que não pode coexistir com a guerra e que, antes ou depois, se apodera de todos os povos. Como o poder do dinheiro é, em realidade, o mais fiel de todos os poderes (meios) subordinados ao poder do Estado, os estados se veem obrigados a fomentar a paz (claro é, não por impulsos da moralidade) e a evitar a guerra com negociações, sempre que há ameaça em qualquer parte do mundo, como se estivessem em uma aliança estável, já que as grandes alianças para a guerra, por sua própria natureza, somente em raras vezes subsistem e têm êxito, inclusive, com menor frequência[22].

Como para Kant o Estado republicano satisfaz o próprio imperativo categórico moral dos indivíduos ao se associar num Estado, no plano internacional os obrigaria a se unir para formar uma união de estados. Forma inicialmente uma liga ou federação de povos, que se não busca terminar com todas as guerras para sempre, tem caráter defensivo e não ofensivo, apenas pela busca de manutenção e garantia da liberdade de cada Estado, como única via suscetível de situar outros povos no caminho certo para a paz eterna[23]. Esta união voluntária entre os estados não implica uma transferência de soberania entre os estados, mas[24] constituiria um avanço, pois os estados procurariam garantir os direitos fundamentais de todos os cidadãos quando qualquer um deles fosse atacado, sem ter a intenção de acumular poder como um Estado individual. Quer dizer, só procura preservar a liberdade de todos os estados-membro[25]. Essa proposta federativa poderia ir alcançando a paz perpétua na medida em que outros estados fossem se incorporando a ela, até sua absoluta extensão[26].

---

21. Segundo Kant, no marco dos regimes não despóticos (republicanos), não se pode esperar a geração (espontânea) do tipo de apoio universal à guerra existente durante as guerras clássicas do passado, do *Ancien Régime*. A legitimidade de uma ação determinada pode ser questionada abertamente, convertendo-se em uma decisão do indivíduo, que pode ver em perigo não só seus bens, mas sua própria vida, ao apoiar ou não o governo (PIM, 2006, p. 36).

22. Kant (2006, p. 91).

23. Pim (2006).

24. Franke (2001).

25. Franke (2001).

26. Kant considera irrealizável, mas ao mesmo tempo até terrível, a possibilidade de que surja um Estado civil universal. Uma República mundial, portanto, ainda que não realizável, constituiu uma ideia moral reguladora da qual se deve ir aproximando gradualmente, apesar de nunca pretender alcançá-la (PIM, 2006).

Para Kant, a cultura e a ordem social são frutos do antagonismo das tendências egoístas das pessoas, nas quais ele identifica um grupo centrífugo que os separa (p. ex., idiomas e costumes), e outro centrípeto que os une. Desse processo emana a cultura que estimula o espírito da liberdade, que conduzirá inevitavelmente a formas superiores de desenvolvimento[27]. Como elemento unificador, Kant destaca o interesse mercantil individual que será fundamento para a possibilidade da paz perpétua. Mas esta última possibilidade requer que os estados sejam repúblicas, porque nelas os interesses econômicos individuais são os que fariam as pessoas perceberem que a guerra não lhes traria benefício[28]. Isto fica claro no último artigo definitivo de Kant, que trata do Direito Cosmopolita da hospitalidade universal, no qual afirma que esta não se estende além das condições de possibilitar o comércio, que se converterão finalmente em legais e públicas, aproximando o gênero humano a uma constituição cosmopolita[29]. Para Franke, esse artigo constitui o alicerce da paz verdadeira, porque o trato civilizado ao viajante, em qualquer parte, é o reconhecimento universal de que o mundo é uma única comunidade de seres humanos.

> Em suma, para Kant a paz só pode ser "formalmente instituída" de uma forma política, que seria republicana, porque a decisão de entrar em uma guerra passa a ser das próprias pessoas[30]. Segundo Holzhey[31], Kant tinha uma atitude ambivalente em relação à guerra, porque por um lado a condenava como sendo fonte de todo mal e corrupção da moral, mas por outro encontrava nela algo sublime. Isto significava que a guerra servia para desenvolver todas as capacidades em sua máxima expressão. Assim, afirma que Kant estava convencido de que a natureza usava a guerra como um meio para obter, depois de muitas devastações e conflitos, uma situação entre países semelhante à constituição cívica dentro deles – a associação de países que chamava de Liga das Nações. Esse projeto pacifista, segundo Holzhey, foi a única obra de Kant, em vida e ao longo da maior parte do século XIX, que recebeu interesse na Inglaterra, porque a paz perpétua era a única cujas ideias se encaixavam nas discussões britânicas[32].

---

27. Pim (2006).
28. O interesse geral (de ir ou não à guerra) resulta da expressão racional dos interesses. Kant destaca o princípio da publicidade como desígnio primeiro da justificativa de toda norma jurídica que constitui um espaço público, possibilitando uma reunião de liberdades individuais em um contrato social de formação da vontade geral (PIM, 2006).
29. Kant (2006, p. 80).
30. Franke (2001).
31. Holzhey e Mudroch (2005).
32. Holzhey e Mudroch (2005).

John Stuart Mill e o pacifismo da economia política utilitarista liberal

Segundo Varouxakis[33], John Stuart Mill é o ícone do liberalismo. O autor observa que, até a década de 1990, havia sido dada pouca atenção a suas análises das relações internacionais, mas a partir de então ele passou a ter o *status* de grande pensador sobre o tema, assim como sobre ética internacional. Para Gray[34], a dependência do liberalismo de Mill a uma filosofia da história está fora de dúvida. Na introdução de sua obra mais destacada, *On Liberty*, de 1859, Mill afirma: "Eu considero a utilidade como sendo o fundamento último de todas as questões éticas; mas a utilidade tem de ser tomada em seu senso mais amplo, baseada nos interesses permanentes do homem como um ser que progride"[35]. Para Gray, o próprio Mill afirmava a dependência que sua teoria política e moral tinha com a concepção de progresso, dependência que Gray afirma possuir todos os tipos de filosofia política liberal.

Assim, Mill, por um lado, herdou as correntes inglesas de pensamento filosófico, econômico-político e ético-moral para se converter em um de seus fundamentais expoentes. Por outro, foi político-ativista enérgico nos debates públicos da sua época e profissional empregando quase toda sua vida na maior corporação empresarial de seu tempo (Companhia das Índias Orientais), que subjugava a Índia com anuência explícita da Coroa, até decidir tomar seu lugar e declarar formalmente o Império Britânico. É nesta dupla motivação que as avaliações de Mill sobre a guerra estão relacionadas; em ambas, ele deu continuidade ao legado de seu pai, que também foi funcionário da mesma empresa, constituindo-se pensador de certo destaque. Além disso, Mill sênior foi influenciado por Jeremy Bentham, principal filósofo britânico da época. Pode-se dizer que muitas das visões tratadas pelo filho tinham sido expostas, quiçá de forma mais rústica, por seu pai.

Mas também existe uma grande diferença no momento histórico em que cada um escreveu. Mill sênior foi pensador do início do século XIX, quando a incipiente corrente liberal se afrontava com as vicissitudes do resultado incerto das Guerras Napoleônicas. No seu *Commerce defended* (1808), expressou preocupação com que as demandas do conflito – dentre elas, o aumento dos impostos à população – estrangulassem a economia. Esse medo constituiu o cerne da visão otimista da filosofia utilitarista, pois para James Mill o principal caminho para se alcançar a paz seria o próprio comércio; uma paz de fato efetiva requereria que o

---

33. Varouxakis (2013).
34. Gray (1996).
35. Mill (1988).

comércio abrangesse completamente o mundo. Em contrapartida, a guerra geraria estagnação e miséria, impactando negativamente na prosperidade das nações. A guerra constituiria o oposto da paz, por sua grande capacidade de destruir o comércio entre os países. Assim, a guerra seria nociva, porque destrói pessoas e propriedades, enquanto a paz traria prosperidade para o homem[36].

Como acreditava que não faria sentido que a disputa entre Grã-Bretanha e França continuasse[37], sua manutenção se justificaria apenas na divisão de interesses entre governados e governantes[38]. A guerra seria um grande instrumento de poder, pois sua enorme necessidade de recursos humanos, materiais e econômicos possibilitava o enriquecimento de poucos às custas da população. Os governantes utilizavam artifícios para conquistar o apoio da opinião pública para a guerra, disseminando noções falaciosas como "orgulho nacional", "honra" e "glória".

Nesse sentido, James Mill[39] apresentou uma ideia que teria grande repercussão, ao declarar que as colônias são a causa fundamental da guerra. Para ele, elas seriam prejudiciais para a nação em si – pois seu custo administrativo excedia o benefício que podiam gerar –, pois só encontrava a razão de existência delas na mordomia de que os governantes desfrutavam[40]. A obtenção da paz passaria pelo *livre-comércio*, já que este beneficia a economia e a política de todos os países, eliminando suas rivalidades – enquanto barreiras comerciais, como as colônias, causariam as guerras. Nas relações entre estados, a ausência de instituições internacionais que zelem pela conduta dos países poderia levá-los às guerras preventivas.

No seu *Law of nations* (1825)[41], o autor declarou que qualquer tentativa de implementar o *Direito das nações* poderia aumentar os riscos de guerra, sobretudo se países individuais administrassem tal Direito. A saída, para Mill, estava na definição de um *poder moral*, codificado de forma clara, que adquirisse a autoridade de legislação internacional através de um constrangimento ao infrator. Porém, isto só seria possível se as nações se interessassem pelo comércio e seus benefícios. Mas a despeito do forte tom moralista em seus trabalhos, Mill, ao tratar as colônias, não faz menção alguma aos direitos políticos destas. Em *History of British India* (1817), ele havia se mostrado crítico da política e legislação britânica, mas sentia que era sua obrigação, como nação civilizada, governar a Índia, já que esta não

---

36. Mill (1825).
37. James Mill acreditava que, já que a Grã-Bretanha possuía o comando dos mares e a França era invencível no continente europeu, um país não poderia vencer o outro em um conflito armado.
38. Yasukawa (1991).
39. Mill (1824).
40. Joas e Knöbl (2013).
41. Mill (1825).

tinha capacidade de se autogovernar. Além disso, a extensão do domínio britânico no mundo era uma garantia de maior comércio e paz[42].

Portanto a paz passava pela extensão do livre-comércio no mundo, fiscalizada por uma hierarquia de nações, em cujo topo se encontrariam os países europeus, e no cume, a Grã-Bretanha. Como sua justificativa tinha razões *econômicas*, uma política imperial podia colaborar para a paz. Contudo, no Reino Unido que se aproximava da segunda metade do século XIX, o pensamento econômico utilitarista se misturava cada vez mais com um crescente nacionalismo imperial. Para estes últimos, a divisão proposta por Mill, na qual somente razões econômicas – e não políticas ou estratégicas – justificariam as colônias, era demasiado tênue. Desenvolveu-se a partir daí o que Joas e Knöbl denominam de lado escuro da versão "utilitarista" do liberalismo, o qual agrupava os pensadores liberais que facilmente se acomodavam às políticas imperialistas, utilizando para tanto também justificativas econômicas. Nesse marco, Mill filho irá se destacar como pensador influenciado pelas teorias do imperialismo de livre-comércio, levando o argumento de seus efeitos positivos até as últimas consequências[43].

Por isso Varouxakis chamou Mill de "nacionalista liberal"[44]. Assim, se Mill declarou, seguindo as ideias de seu pai, que o comércio estava tornando a guerra obsoleta[45], afirmou que o investimento externo se transforma em uma solução para o capital, e as colônias, necessárias, pela queda do lucro no tempo nas nações civilizadas. Assim, Mill preserva os princípios ético-morais do liberalismo utilitarista e justifica a expansão colonial dos impérios europeus (especialmente o inglês). Joas e Knöbl[46] afirmam que Mill, que também trabalhou na Companhia das Índias Orientais, apresentou seu argumento de maneira assombrosamente aberta: dividiria as colônias entre as que possuíam e as que não possuíam maturidade para se autogovernar. Mill[47] declara que o melhor, para estas últimas, era um

---

42. Para Mill, o governo inglês na Índia, mesmo com todos os seus vícios, era uma bênção para a população hindu, já que os indianos eram incapazes de se autogovernarem. Dessa forma, um governo arbitrário dotado de honra e inteligência europeia era preciso para civilizar a Índia. Mill chegou a afirmar inclusive que, mesmo o pior despotismo europeu era muito melhor do que o melhor despotismo oriental, concluindo que, quanto mais longe chegasse o domínio britânico, maior seria o reino da paz mundial. Após essa publicação, Mill foi contratado pela Companhia das Índias Orientais, e não mudou sua visão.

43. Joas e Knöbl (2013).

44. Varouxakis (2013).

45. Em 1859, em seu *A few words of no intervention* (1961), Mill afirma que o comércio promove a paz, pois faz o homem perceber que a riqueza e a prosperidade de seu vizinho geram benefícios mútuos para as partes.

46. Joas e Knöbl (2007).

47. Mill (1861).

"vigoroso despotismo" não supervisionado pelo Parlamento Britânico, pois este não entendia os problemas das colônias. A conciliação entre seu liberalismo e o apoio ao Império se dava através da afirmação de que o conceito de liberdade não se aplicava aos bárbaros, já que fazia sentido somente para as nações civilizadas[48]. A partir de uma absoluta lógica sobre premissas utilitárias, os argumentos econômicos de Mill conciliavam a aversão à guerra e às políticas coloniais da economia política clássica[49].

Num mundo pacífico, dado pela extensão global do comércio, Mill argumenta que a regulação supranacional corresponderia a um "Direito" que (com certa similaridade com seu pai) seria um conjunto de valores e costumes aceitos internacionalmente. Porém, para ele, era impossível haver um direito internacional, já que não havia um ordenamento ou estatuto que revogasse leis ou julgasse condutas. Só poderia haver costumes que, não sendo institucionalizados por um Congresso de Nações, não eram vinculantes. Assim, o desenvolvimento da moral internacional poderia acontecer apenas por meio de uma série de violações das regras existentes, que conduziriam à formulação de novos princípios, os quais se tornariam os novos costumes. Para Mill, assim seria um equívoco chamar qualquer tipo de ordenamento internacional de "Direito Internacional"; este deveria ser denominado de "Moralidade Internacional", constituindo parte do ensino universitário. Tal moralidade não deveria ser de obrigação total, de forma igual entre os países; deveria se aprimorar com o tempo, junto com o desenvolvimento deles. Em comum com o direito, haveria apenas a similaridade de possuir uma sanção imparcial. Esse conjunto de valores mitigaria os horrores durante o período de guerra, moldando uma conduta honesta às nações nos tempos de paz, servindo sobretudo para proteger os territórios mais fracos e indefesos, sendo dever das nações mais civilizadas e prósperas zelar pelo bom andamento da Moralidade Internacional.

Para definir essa hierarquia, Mill classifica povos civilizados e bárbaros segundo seu grau de desenvolvimento econômico. Assim, "civilizadas" seriam apenas as nações mais modernas da Europa, preeminentemente a Grã-Bretanha. Nesse sentido, tal como dizia seu pai, seria a expansão global das relações comerciais o instrumento fundamental para a paz no mundo, pois seus efeitos civilizatórios fariam elevar a moral das áreas mais subdesenvolvidas, promovendo uma harmonia

---

48. Na introdução de *Sobre a liberdade*, Mill advertia que o próprio conceito de liberdade não deveria ser aplicado nem às crianças, nem aos povos bárbaros. Assim, o despotismo europeu era uma forma legítima de atuação sobre esses países bárbaros, uma vez que o fim último seria o desenvolvimento deles.

49. Joas e Knöbl (2007).

mundial[50]. Desta forma, a paz a que Mill se refere é a ausência de guerras entre nações europeias. Como os bárbaros não possuem direitos como *nação*, Mill afirma que as críticas feitas aos impérios coloniais europeus têm premissas falsas. A visão de moralidade e liberdade de Mill não foi afetada pelo imperialismo europeu; pelo contrário, essa colonização se justificava porque os bárbaros não possuíam capacidade de se autogovernar, e o imperialismo europeu os libertaria. Isto não resultaria em uma violação ao direito ou à moralidade internacional, pois os bárbaros nem eram classificáveis como civilização. Contudo, Mill rejeita uma cruzada liberal intervencionista (com o objetivo de impor regimes liberais pelo mundo), por ser particularmente ruim para os receptores[51].

A comparação que Mill faz dos povos bárbaros, como sendo crianças, possibilita uma atitude paternalista – e até de sensibilidade humana – com aqueles que ainda não teriam chegado à fase adulta para exercer seus direitos, sendo necessário, para isso, um "tutor" maduro que deveria cuidar deles[52]. Esse tom que apagava o colonialismo como guerra lhe permitiu propor um futuro pacífico para o mundo, na base da propagação mundial do livre-comércio.

Hegel: a tarefa filosófica de entender a guerra como expressão de liberdade da vida ética[53]

Para Hegel, a possibilidade kantiana de que os estados podem renunciar à guerra de forma indeterminada, através de um acordo institucional, é impossível[54]. É por este motivo que Verene[55] afirma que, se Kant nos oferece uma teoria sobre a paz, Hegel nos oferece uma sobre a guerra. Nesse sentido, o enfoque de ambos é oposto, pois enquanto Kant possui uma visão da história que coíbe a guerra, para Hegel, a própria guerra é algo que deve ser explicado de maneira racional, já que consiste em uma forma de atividade humana. Para Kant, descreve Verene, a guerra é como um surto de irracionalidade e, por isso mesmo, solicita à consciência humana que supere essa forma de atuar; quer dizer, Kant não compreende que a guerra também é uma atividade humana e, dessa forma, não consegue entender as raízes que a geram. Enquanto Kant apresenta os Princípios da Paz

---

50. Miller (1961).
51. Varouxakis (2013).
52. Mill utiliza a mesma lógica em outros temas, como quando define defensor da democracia, mas só em forma plena, no futuro, a maioria da população de seu país alcançaria esses direitos.
53. Como a proposta aqui é fazer uma apresentação geral, sem objetivo acadêmico-científico, para facilitar a leitura, optou-se por não fazer citações ou referências diretas das obras de Hegel, que possuem linguagem e redação complexas. No entanto, tentou-se manter sua terminologia.
54. Covell (2009).
55. Verene (1976).

com a esperança de que a humanidade os siga, Hegel declara que a possibilidade da paz depende da análise da guerra como um momento concreto da história, já que sua raiz se encontra na estrutura da consciência humana[56].

Hegel contraria as visões que colocam a soberania do povo por cima da soberania do Estado, pelo que Siep[57] define Hegel como o filósofo da soberania estatal. Para Hegel, é a constituição do Estado que unifica os cidadãos com direitos e obrigações, constituindo assim o *populus* frente ao *vulgus*, no qual este último seria a simples agregação dos agentes privados que se colocam por cima da constituição. Hegel é fortemente criticado por essas visões, sendo tachado de nacionalista e totalitarista. Speight[58] define tal crítica como "Hegel a Hitler", e a exemplifica com Bertrand Russel, o qual advoga que a liberdade de Hegel não constituía mais que "o direito a obedecer a polícia". Entretanto, Verene[59] afirma que além dessa visão há outra que o vê como um conservador compatível com o Estado liberal que aceita as guerras por serem justamente parte da realidade de sua época. Para o autor, a primeira visão de Hegel toma a guerra de modo prescritivo, enquanto a segunda, descritivo. Para ele, entender a visão de Hegel sobre a guerra significa, porém, deixar de flutuar entre tais interpretações, sendo preciso colocar os dizeres hegelianos a respeito da guerra em sua relação correta com sua filosofia, porque para Hegel sua tarefa é entender racionalmente os fenômenos.

Hegel sustenta que é preciso aceitar a guerra como uma manifestação humana; isto é, o raciocínio filosófico não deve ver a guerra como uma situação não natural ou um simples caos, porque a própria história mostra que ela é uma forma de atividade do Estado. Ademais, como é um conflito entre estados, e não entre indivíduos, é parte da vida política humana. Por isso Hegel trata a guerra especialmente em *A filosofia do direito*, na qual o Estado emerge como um desenvolvimento final do *Espírito objetivo*[60], havendo incorporado seus momentos

---

56. Fritzman (2014) argumenta que Hegel rejeita a ideia cosmopolita kantiana, a qual advoga que um estado mundial seria a forma mais racional do sistema internacional e, por isso, os indivíduos e os estados existentes deveriam promovê-lo – ou ao menos não interferir na sua realização. Para Hegel, entretanto, a própria formação do sistema internacional vigente já era racional, sendo que a ideia cosmopolita-normativa de Kant era desprendida da realidade e assim invocava um "deve ser" vazio.

57. Siep (2017).

58. Speight (2008).

59. Verene (1976).

60. Na filosofia hegeliana, o espírito objetivo é o momento intermediário dos três que compõem o desenvolvimento do Espírito. Surge do desenvolvimento do Espírito Subjetivo, e seu desenvolvimento total é a precondição para que transcenda ao momento culminante do espírito absoluto. Por "espírito", Hegel se refere às distintas expressões da vida humana que a filosofia deve analisar. O mundo se faz "espiritual" com a emergência dos seres humanos, cuja principal característica é a liberdade de imaginação, pensamento e vontade (HOULGATE, 2008).

prévios, ou seja, a família e a sociedade civil, os quais constituem a estrutura geral do que se define o mundo ético-político[61]. Mas o Estado analisado nessa obra também incorpora o resultado de sua *Filosofia da história,* pois é a culminação de uma narrativa *filosófica* da história humana, ou seja, possui um *sentido*[62]. Assim, esse "Espírito Objetivo" está determinado pela Filosofia da História e da Política, pois constitui o desenvolvimento de um processo dialético hegeliano, sendo, ao mesmo tempo, lógico, ontológico e cronológico[63].

Sob essa perspectiva, para Hegel, diferentemente do animal que atua por instinto, o homem determina seus desejos com representações e expressa sua vontade porque transforma pensamentos em existência. Este momento do pensamento caracteriza a vontade, pois mostra a capacidade do homem de abstrair-se de todo conteúdo particular, de autodeterminar qualquer assunto particular do desejo e da capacidade de se manter livre, havendo conferido um conteúdo particular ao desejo. Assim, a "finitude ou particularização" do desejo – não apenas desejar, mas desejar algo – será relacionada por Hegel com a concepção de liberdade do individualismo utilitarista liberal. Essa ideia de liberdade a considera uma concepção insuficiente porque a vontade está sempre oscilando entre abstrair-se de todo conteúdo e desejar todo conteúdo. É no terceiro momento do desenvolvimento do espírito que Hegel considera constituir-se a verdadeira liberdade, pois é quando o homem pode definir os desejos particulares de seus próprios desejos. Mas esta liberdade apenas se pode alcançar dentro da vida ética que possibilita viver em um Estado. O homem não nasce livre, mas como ser racional, procura sê-lo. Deste processo Hegel deriva a "ideia", como a representação da liberdade que move os atos humanos, porque como o homem é racional, toda manifestação de seu espírito (toda ação humana) concretiza um pensamento (ideia) prévio.

O espírito de Hegel é a autoconsciência humana aprendendo através da história a autodeterminar-se – a ser livre. Inicialmente, enquanto espírito *subjetivo,* a vida humana está envolta em sensações e manifestações do livre-arbítrio. Mas logo como espírito objetivo, Hegel examina as distintas formas *objetivas* que a

---

61. Verene (1976).

62. Para Hegel, a história pode ser narrada de três formas: original, reflexiva e filosófica. A primeira se relaciona à memória porque se baseia em feitos narrados por quem os viveu. Quando os feitos são narrados por quem possui uma cultura diferente a eles por pertencer a uma era posterior, Hegel a chama de "reflexiva". Por história filosófica, Hegel se refere a uma história que narra feitos que refletem a progressão e o desenvolvimento da trajetória de uma estrutura racional. Por causa disso, pode ser entendida e não é meramente uma crônica de eventos (FRITZMAN, 2014). Assim, a história filosófica revela que há uma racionalidade em tudo que sucede que explica a realidade (MATARRESE, 2010).

63. Hartman (2004).

liberdade humana deve adotar. Aqui se faz presente a *Filosofia do direito* como revelação das estruturas e instituições objetivas que são necessárias pela própria natureza da liberdade: direito, propriedade, consciência, moral, vida familiar, sociedade civil e o Estado. Hegel analisa a ética em três partes principais, que definem, respectivamente, o sujeito no âmbito do direito: *Direito abstrato, que* corresponde à *pessoa*; *moralidade*, ao *sujeito moral*; e *vida ética*, ao *agente individual ético*. É o próprio conceito de liberdade, a partir de sua forma abstrata, que acaba fazendo o Estado necessário para a liberdade humana[64].

A análise hegeliana não se apresenta como uma visão utópica da liberdade; a liberdade se realiza de forma progressiva, ainda que imperfeitamente, ao longo da história. Trata-se de um processo dialético, pois são as manifestações mais simples que revelam suas insuficiências e necessidades de transformar-se em outras mais complexas, em uma progressiva e infinita *negação*. O conceito mínimo de liberdade, a simples habilidade de abstrair-se de tudo o que é dado, deve desenvolver-se em um "sistema racional" por meio de sua "purificação", "educação" ou "cultivo" dos desejos[65]. O espírito subjetivo se transforma em espírito objetivo, pois a liberdade humana deve objetivar-se em direito, leis e instituições, e não apenas na arbitrariedade do livre-arbítrio. Somente na vida ética do Estado se pode alcançar o que Hegel chama de *liberdade positiva*, pois através dele se permite dar "conteúdo e objeto" ao desejo. A forma abstrata inicial de liberdade seria a *liberdade negativa*, que consiste em conseguir abstrair-se, ou seja, tornar-se livre de tudo e todos. Para Hegel, é a liberdade negativa que a maior parte da sociedade tem em mente quando pensa o termo "liberdade", que trata da liberdade de *eleição*, que Hegel considera um aspecto necessário de liberdade, mas que não deixa de ser *liberdade limitada*, pois depende do que é dado para se eleger.

Assim, a *eleição* é um movimento dialético, pois é uma liberdade que por sua estrutura é uma forma de dependência, já que permite se eleger o que deseja, mas não determinar o que se deseja[66]. Por isso, a vontade de eleição deve se transformar em *liberdade de vontade da própria livre-vontade*; este momento da liberdade gera a ideia do direito, que é a "existência" objetiva da vontade, a qual requer reconhecimento. O Estado surge então para reforçar a identidade dos indivíduos em coletividade, permitindo que seus desejos sejam reconhecidos em leis e instituições. Assim, a liberdade, não no sentido de licença, mas no de liberdade organizada, só é possível nos estados[67].

---

64. Houlgate (2008).
65. Speight (2008).
66. Houlgate (2008).
67. Hartman (2004).

O Estado constitui a mais elevada encarnação do espírito objetivo, usando o conceito "objetivo" tanto para expressar o que existe quanto ao mundo com que se enfrenta uma pessoa com algo permanente e indissolúvel. Por isso é que o espírito objetivo possui uma validade mais ampla e supera o espírito subjetivo, o qual abarca apenas o ponto de vista individual. A realização da liberdade não é possível em qualquer Estado, mas só em um *racional* que por isso deve ser livre[68]. Para tanto, a família e a sociedade civil, fases transitivas do espírito objetivo, também devem ser livres. Uma vez desenvolvido, o espírito objetivo pode transcender o espírito absoluto, constituído pela arte, religião e filosofia – as atividades que manifestam as mais profundas expressões de liberdade[69]. Se o Estado não é livre, tampouco será o espírito absoluto, já que o Estado não pode determiná-lo[70].

Hegel relaciona a liberdade negativa com o pensamento liberal clássico, que a entende como o poder de adquirir algo sem qualquer limitação. A propriedade é vista como um direito "natural", gerando direito exclusivo sobre a posse e constituindo a melhor maneira de garantir a não interferência de outros[71]. Hegel questiona que se a liberdade é meramente a relação entre o que se deseja e o que se possui, não é possível estabelecer um sistema social e obrigações morais inteligíveis que deem suporte a um sistema de direito de propriedade. A propriedade requer que outro o aceite; portanto, precisa ser parte de um sistema mútuo de reconhecimento[72]. Essa visão se relaciona com a forma mais simples de liberdade vinculada ao direito abstrato, pois apenas reconhece que uma pessoa é portadora de direitos em si. De uma parte, implica a possibilidade de intercâmbio de propriedade e de entrar em contratos; de outra, sua negação, o crime. Assim, sem um sistema social de reconhecimento, o respeito ao direito da propriedade é sempre uma questão de contingência[73].

---

68. "Uma organização coletiva que mantém apenas a forma, mas não o conteúdo daquilo que Hegel chama de 'Estado', um poder burocrático sem uma cultura, ou, pior ainda, um pseudo-Estado que usa este poder formal para destruir todo o conteúdo cultural e todo o desenvolvimento individual dentro dele, é uma monstruosidade, o verdadeiro oposto de um Estado. É o que Hegel chama de 'existência podre', uma negação dialética do Estado, que deve perecer" (HARTMAN, 2004, p. 28-29).

69. Houlgate (2008).

70. A realização da "vocação" racional do indivíduo, para que possa levar "uma vida universal", requer reconhecimento dentro de um grupo, que começa na família, passa pela sociedade civil até chegar ao Estado, criando uma comunidade política que possibilita estas formas de vida, integrando-as e salvaguardando suas liberdades (SIEP, 2017).

71. Matarrese (2010).

72. Speight (2008).

73. Houlgate (2008).

Essa limitação do direito abstrato abre espaço para que emerja a noção mais ampla de *moralidade*, pois o que se reconhece como propriedade pessoal deve estar relacionado com interesse e preocupação pelo bem, o que requer obrigações morais que impliquem reconhecer para outros todos os direitos que um reclama para si mesmo. Portanto, o direito subjetivo transcende o direito objetivo, que possui como primeira manifestação a família, a qual Hegel entende como forma primária de associação política, já que se organiza sobre normas básicas de casamento, propriedade comum, relações sanguíneas, criação de filhos e direitos de herança. A pluralidade de famílias e a interação de seus membros indicariam um ponto mais amplo de associação política: a sociedade civil, na qual um indivíduo se desenvolve livremente interagindo com outros, aproximando seus interesses particulares com os da sociedade[74].

Será na esfera das relações econômicas, com o mercado competitivo como base, que se encontrarão os interesses mútuos que fazem com que os indivíduos percebam a interdependência entre eles. Os indivíduos buscarão satisfazer as necessidades particulares, mas num marco universal, abarcando a produção e o consumo da sociedade. Este movimento implica que as necessidades naturais sejam sobrepostas pelas artificiais, situação que Hegel visualiza como um desenvolvimento racional vinculado à existência moderna, que implica passar de mera existência animal à existência de seres definidos por necessidades que requerem o reconhecimento dos demais: uma esfera governada por leis econômicas, mas inerentemente ética[75].

Esses vínculos chegam até as organizações civis, onde seus membros passam a perseguir objetivos comuns, além da aquisição de riqueza, mas que procuram a prosperidade de seus membros[76]. Por isso, se na sociedade civil um indivíduo obtém o reconhecimento de uma pessoa dotada de direitos, não deixa de ser um reconhecimento estreito e externo. É uma esfera racional, mas de racionalidade incompleta, pois é embasada pelo interesse individual. A *propriedade* trata da vontade de quem "toma posse" como ato físico de apropriação de um objeto, enquanto que o contrato expressa uma vontade comum entre os envolvidos. No entanto, essa vontade não é universal, uma vez que não é respaldada pelo Estado.

Assim, existe um conflito potencial entre a vontade comum inerente ao contrato e a vontade particular dos participantes do mesmo, que podem decidir abandonar o compromisso; desse modo, a sociedade civil pressupõe a existência das leis estabelecidas e da maquinaria judicial para sua aplicação, condição sem a qual

---

74. Covell (2009).
75. Speight (2008).
76. Fritzman (2014).

as visões morais podem diferir, gerando tensões e conflitos[77]. Por isso, as visões individualistas de liberdade, pertencentes ao âmbito moral, são superadas pela vida ética, que oferece um conjunto de normas para que todos sejam livres[78]. A liberdade vista como independência subjetiva leva a reconhecer que a verdadeira independência exige dependência[79]. A liberdade "objetiva" surge quando os indivíduos entendem as estruturas normativas e institucionais que são objetivas, sob as quais formulam e perseguem seus comportamentos e fins como racionais, pois possibilitam seus desejos. Assim, o Estado passa a ser um lugar onde os indivíduos podem sentir-se "em casa" com si mesmos e com suas escolhas, sem que, ao mesmo tempo, se oponham aos projetos coletivos que apontam ao bem coletivo. Ser livre, para Hegel, é atuar racionalmente de forma adequada ao contexto social objetivo que existe e permite transformar essa racionalidade em ação.

Hegel rechaça as concepções contratualistas do Estado, e a ideia de uma transferência de soberania por parte dos indivíduos a um governo, porque confundem Estado e sociedade civil ao tomar os interesses privados do sujeito como fonte exclusiva que justifica as normas[80]. Este relato instrumental do Estado tem o problema que ilegitimamente assume o que se pretende determinar: que os contratualistas são cidadãos[81]. O Estado define e estabelece uma hierarquia de interesses comuns, mantendo-se indiferente aos direitos e interesses privados, mas permitindo que possam atuar na sociedade civil, estabelecendo a estrutura e validação final do direito público. Como unidade cultural da totalidade de ideias e instituições artísticas, econômicas, políticas e morais de uma sociedade, o Estado é a objetificação do espírito de um povo. Cada Estado histórico é a objetivação do espírito singular próprio de um povo numa cadeia contínua de gerações que se misturam ao conjunto da história[82].

Um povo não é uma nação no sentido de entidade natural, unido por uma descendência em comum, mas uma unidade *espiritual*, pois expressa uma forma de consciência distintiva, sendo o Espírito Nacional (como diferenciação do espírito universal) o definidor da cultura de um povo. Cada povo dá sua contribuição na história humana e, portanto, participa na definição e conteúdo de seu espírito,

---

77. Covell (2009).
78. Matarrese (2010).
79. Speight (2008).
80. Siep (2017).
81. Como explica Knowles (2002): para Hegel, no Estado de Natureza, os indivíduos, ao viverem em forma pré-social e apolítica, não teriam capacidade para formular e entender objetivos sociais, ao menos que se suponha que já sejam cidadãos, i.e., membros do Estado.
82. Hartman (2004).

mas nenhum espírito de um povo é o espírito universal. Sendo parte da história humana, todos expressam racionalidade através de suas instituições. Por isso, cada Estado possui elementos da *verdade humana*, mas adota uma visão tendenciosa quando acredita possuir toda a verdade.

Para que um povo se constitua em Estado, deve ser reconhecido pelos demais como um grupo de pessoas com legitimidade para autogovernar-se. Assim, se internamente a soberania do Estado se encontra na constituição que lhe provê poder específico de governo, externamente a soberania está embutida nos direitos e poderes que tem para conduzir as relações externas com outros estados, inclusive, e determinar a questão da guerra[83]. Por isso, os estados passam a ser os principais agentes das relações internacionais, constituindo, cada um, o reino de uma ética própria. Como todos têm sua existência legitimada, não há nesta esfera uma soberania superior entre eles; sem entidade superior, a guerra tem a função de definir um Estado como entidade política própria e está sempre iminente, já que é a forma, em última instância, de resolver disputas. A guerra expressa o limite de um Espírito Objetivo ao opor uma ética frente a outra, e é inevitável porque se trata de uma confrontação de direito sem que exista um princípio universal que possa discernir quem tem razão. Assim, a guerra não pode ser considerada como um acidente, como tampouco o pode a paz; ambas são comportamentos dos estados, e por isso devem ser parte de uma análise filosófica[84].

Como a guerra é a confrontação de dois estados éticos, atinge a relação do indivíduo com seu Estado. Isto porque uma guerra não é uma confrontação entre estados, senão entre concepções de liberdade, ou seja, distintos momentos de avanço da liberdade humana. Hegel considera, assim, a guerra um fator importante na relação do indivíduo com seu Estado, pois o faz perceber que sua existência está vinculada a uma entidade maior, a ordem social com a qual se identifica. A possibilidade de que a guerra o destrua provoca no cidadão a percepção de que seu mundo privado e sua propriedade existem, em última instância, apenas devido ao mundo público do Estado. Ao perceber a finitude e o caráter temporal de sua própria existência, o indivíduo internaliza o caráter de seu Estado e sua singularidade em relação aos demais estados. A guerra, assim, interrompe a ilusão dos momentos de paz, no qual o indivíduo está concentrado em suas metas particulares; quando a guerra irrompe, o indivíduo percebe que existe um bem comum superior aos seus bens particulares[85]. A coesão social de um Estado se

---

83. Covell (2009).
84. Verene (1976).
85. Fritzman (2014).

mostrará, então, o modo como os indivíduos irão aceitar sacrificar-se pelo todo: isto é a função ética que, segundo Hegel, a guerra possui.

A relação do indivíduo com seu Estado é possível porque ele é membro, em um marco estrutural de direitos reconhecidos, de uma instituição maior sem ter de renunciar ao mais próprio de si mesmo para fazer dele parte. Hegel afirma que apenas na vida ética "dever e direito coincidem". A negação do particular é, para o Estado, seu momento máximo, a sustância de seu poder absoluto sobre todo o individual e particular. Esta negação do direito, vida e propriedade não apenas é um meio aceito para preservar o Estado, mas a manifestação de sua soberania. A guerra é um mal, mas não absoluto para Hegel, porque permite ao Estado tomar consciência de sua própria integridade. Os indivíduos, frente ao perigo de uma guerra, passam a se sentir vazios por suas preocupações cotidianas, nas quais concentravam esforços na paz. A guerra prové aos cidadãos a oportunidade de mostrar a virtude formal[86] do valor porque eles estão preparados para sacrificar suas vidas e propriedades para cumprir seu dever de preservar a independência e a soberania do Estado. Para Hegel, esta negação realiza o maior direito, a maior obrigação e vocação ética do indivíduo, oferecendo sua única forma possível de imortalidade, pois a morte da ocorrência natural se converte em uma "evanescência desejada"[87].

Essas concepções de Hegel vão infligindo-lhe as acusações mencionadas, de glorificar a guerra. Segundo Verene[88], Hegel não está justificando a guerra *per se*; está apenas afirmando que existem elementos de racionalidade na guerra, a qual surge porque as nações politicamente organizadas se comportam como indivíduos sem um superior em comum. Um tratado não poderia resolver isto, pois, em última instância, nenhuma parte estaria atada a ele, podendo romper-se quando quisesse. A paz, para Hegel, não seria gerada nem por um "contrato social" – pois nos estados não existe uma sociedade civil – nem por uma legislação, dado que expressaria vontades particulares, e não uma vontade geral. O Direito Internacional pode gerar obrigações, mas não um poder que o obrigue. Por isso a *paz perpétua* kantiana não poderia escapar da possibilidade da guerra. Quando os estados não conseguem basear suas relações em tratados, suas disputas podem resultar em guerras – pois é o bem-estar do Estado que constitui, em última instância, a base para estabelecer tratados ou recorrer à guerra[89].

---

86. Formal por invocar a maior abstração de liberdade de todos os fins, posses, prazeres e vidas particulares.
87. Siep (2017).
88. Verene (1976).
89. Covell (2009).

Kant, na opinião de Verene[90], não vê nada de positivo na guerra e não a reconhece como um momento de desenvolvimento da história. A eliminação da guerra seria uma questão conceitual e organizativa, e bastaria, para viabilizar a *paz perpétua*, que todos os estados tivessem uma mesma visão. Hegel, por outro lado, declara que as adoções de costumes similares pelos estados podem ajudar a evitar conflitos, mas não conseguiriam anulá-los. Ele aceita os princípios constitucionais para os estados, mas não acredita, como Kant, que por isso deixariam de entrar em guerra. Ao contrário, na sociedade política moderna, a guerra seria uma das formas pelas quais os cidadãos assegurariam, como obrigação ética básica, a segurança e a independência do Estado[91]. Daí que considerava a Revolução Francesa como ponto máximo de realização de liberdade, pois ela reestruturou o Estado com base em princípios racionais, e não sobre a tradição ou privilégios[92].

Hegel denominaria esse novo Estado de *germânico*[93], resultante da evolução do período histórico que chama de "Mundo Germânico", surgido a partir de Carlos Magno. É uma etapa que se desenvolve na história mundial logo após o "Mundo Oriental" (antigas civilizações da China, Índia, Pérsia e Egito) e dos mundos "gregos e romanos" – como momentos cruciais do desenvolvimento do espírito universal e, assim, de um grau de liberdade[94]. Na última etapa se encontra o Estado Moderno, o qual permite a plena expressão das liberdades subjetivas, objetivas e absolutas[95]. A filosofia do direito e a filosofia da história de Hegel se unem, assim, no moderno Estado democrático e constitucional, pois para ele é o que constitui a realização da progressiva liberdade da história humana, pela vida ética que possibilita. Essa caracterização gerou para Hegel as acusações de estar justificando o Estado Prussiano no qual vivia, glorificando seu monarca. Também de ser eurocêntrico, somado ao fato de haver manifestado que a África e a Índia não possuíam história. O critério de Hegel para esta conceituação, porém, é apenas quanto cada um desses estados representavam em avanço na realização da liberdade.

---

90. Verene (1976).
91. Covell (2009).
92. Siep (2017).
93. Hegel refere-se aos estados vigentes de sua época nas regiões da Europa, que passaram pela Reforma sob o estabelecimento do princípio *Cuius regio, eius religio*, o qual evoluiu até definir-se sobre a liberdade de consciência e a separação da autoridade do Estado da autoridade da Igreja (SIEP, 2017).
94. Enquanto o mundo asiático caracteriza a tirania porque apenas o monarca era livre, e no greco-romano só alguns homes eram livres (a aristocracia), o Estado europeu moderno era a democracia porque nele, ao menos em conceito, todos são livres (SPEIGHT, 2008).
95. Matarrese (2010).

Não se trata de determinar, aqui, se a visão de Hegel é correta ou não, mas se essas manifestações de sua visão seriam eurocêntricas ou racistas. Para ele, como na África e na Índia não houve avanços na realização da liberdade, elas não possuíam história; da mesma forma, especulava que a terra do futuro seria a América, Norte e Sul. Tampouco explicou tal falta de progressão por razões étnicas, senão as geográficas[96].

Assim, Hegel afirma, como filósofo – cuja função é entender, e não julgar –, que a guerra, ao ser ato humano, é uma das formas com que se expressa a racionalidade. Na interpretação dele feita por Verene, as guerras existem porque existe o guerreiro, que se sacrifica em nome de um ideal[97]. Esta atitude, aponta, é uma das formas como os homens se percebem livres; sua coragem não é um ato vazio e possui um elemento ideal ético. Por isso aponta que qualquer intenção de modificar o guerreiro deve considerá-lo um elemento ético. O guerreiro possui este elemento ético por pertencer a um Estado, e esse Estado manifesta um espírito objetivo. Portanto, o Estado do guerreiro, como qualquer outro, possui elementos do espírito absoluto: as formas de arte, religião e filosofia – que são formas de racionalidade humana que tentam apreender as outras formas humanas. Assim, Verene conclui que tais atividades poderiam modificar o guerreiro – e não as de um político, porque este tem sua existência vinculada à forma do Estado[98]. Isto significa que a realização da liberdade que o guerreiro vive quando decide sacrificar-se na guerra deve ser levada a uma nova forma que alcance o mesmo objetivo de maneira não violenta. Hegel, no entanto, assim como Kant, achava que a paz perpétua é um ideal que deve ser procurado, e por ser inalcançável, a humanidade deveria aprender a viver com a guerra.

---

96. Em relação ao movimento dialético por trás do processo de realização da liberdade na história universal, Hegel expressa: *"O que é racional é atual e o atual é racional"*. Para ele, o atual leva consigo o movimento racional – a consciência de liberdade – e o contingente. Tudo que existe é racional porque é resultado da atividade humana. Mas o que existe não necessariamente existe conforme a ideia racional que motivou a ação humana. A incongruência entre ambos gera um movimento que tende à sua equiparação. Isto faz com que o atual, ao possuir uma contradição dialética, não seja eterno e se transforme. Nesse processo, Hegel aponta o trabalho de *astúcia da razão*, referindo que os atos conscientes das pessoas habitualmente produzem consequências não previstas nem intencionais, chegando inclusive a reverter o fim procurado, derivando em uma progressão na realização da liberdade. Evidentemente, este apenas pode perceber que são desenvolvidos tais resultados não procurados, ou seja, observando-se a história. A *astúcia da razão*, assim, não é uma força mística ou sobrenatural, mas a própria racionalidade humana em ação de forma agregada. Um indivíduo segue sua própria razão, mas não controla os resultados da racionalidade humana em sua totalidade (HARTMAN, 2004).

97. Verene (1976).

98. Verene (1976) explica que, para Hegel, as guerras não são motivadas pelos simples rompimentos diplomáticos entre os estados, mas apenas ocorrem, pois o "guerreiro" é uma forma de vida humana.

Conclusão: o universalismo imperial europeu como síntese da dialética da contradição entre a visão da paz kant-milliana e da guerra hegeliana

O século XIX, tido como o século da paz e da superação da guerra pelos europeus, se chocaria brutalmente com a realidade da Primeira Guerra Mundial. O alicerce dessa esperança de paz eterna era seu progresso provindo das revoluções industriais e da disseminação global do comércio que suas nações estavam fazendo, ainda que pela força. Kant, já em sua seminal proposta de *paz perpétua*, ainda criticando os excessos cometidos pelos europeus ávidos pelo ganho mercantil sobre outros povos, digitaria as bases dessa proposta, que continua sendo idealizada por muitos. Mas é John Stuart Mill o ícone desse projeto kantiano, enquanto se identifica com o projeto liberal inglês ao longo da *Pax Britanica*. Seguindo Kant, na base do livre-comércio smithiano, advogava a dispersão do mercado aberto em forma global como dever das nações mais civilizadas, ainda que fosse pela força, porque assim estariam ajudando os povos atrasados a progredir – aprovando o imperialismo europeu desse século. Estabelecido o liberalismo comercial no mundo todo, todas as nações e pessoas seriam civilizadas e livres e, portanto, a paz humana seria realizada. A "guerra" seria algo marginal, fruto da existência de impedimentos ao livre-comércio e à presença de nações não civilizadas.

Hegel critica essa interpretação apontando, contra a *paz perpétua* kantiana, que a guerra é parte da vida política dos estados que surgem pela necessidade de realização da liberdade humana. É impossível evitá-la enquanto continue sendo uma forma de atividade humana. Ademais, ao constituir uma disputa entre distintas formas de éticas humanas, tem seu lado racional, como toda atividade humana, dado que numa confrontação entre estados todos têm sua razão, e nenhum toda a razão. E não é possível que uma instância superior a eles possa dirimir esta disputa. Assim, o guerreiro que sacrifica sua vida por seu Estado está realizando sua liberdade num ato ético – e Hegel procurou entender a guerra sem julgá-la.

Tanto Kant e Mill quanto Hegel têm recebido fortes críticas, às quais alguns autores têm procurado responder. No caso de Mill, sua justificativa do despotismo tem sido vista como o aspecto mais hipócrita de seu liberalismo[99]. Stafford[100] afirma que Mill não era um pacifista, embora considerasse o egoísmo nacional inaceitável. Ele tinha esperança de que fossem criados os Estados Unidos da Europa; porém, como isso demoraria a acontecer, não se opunha ao Império Britânico,

---

99. Hollander (2015) cita essa afirmação de Claeys e lhe responde que qualquer visão ética, liberal ou não, está, por definição, declarando-se superior às outras, sem necessariamente se fazer paternalista, etnocêntrica, estreita ou hipócrita, criando a impressão de que o liberalismo é essencialmente incoerente.

100. Stafford (1998).

pois era importante para o prestígio inglês e a liberdade que este representava. Nesse sentido Mill aceitava – e praticava como administrador imperial – que um país avançado dominasse paternalisticamente um país atrasado, pois se era para o bem, este constituiria um ato moral. Stafford afirma que isso não faria de Mill um racista, pois não era esse o motivo, segundo ele, que impediria determinado povo de progredir[101].

Em relação a Hegel, Matarrese[102] observa que sua filosofia da história é tida como eurocêntrica, a qual justifica os imperialismos dos séculos XIX e XX; além disso, a grande desconsideração dos estados não europeus é tida como racista. Contudo, McCarney[103] afirma que Hegel ridicularizava as visões que surgiam a respeito de uma raça ariana (a qual corresponderia aos germanos); pelo contrário, destacava que os povos históricos não são grupos étnicos, sendo a impureza de raça que fazia o desenvolvimento do espírito. Matarrese trata essa situação como uma confusão, dado que para Hegel nenhum dos fatores principais que determinavam a história universal estariam relacionados com as diferenças raciais ou biológicas, mas sim com a geografia[104]. Fritzman[105] rechaça o euroetnicismo em Hegel, pois sua interpretação teria a ver com a realização da liberdade no mundo, e por isso sinalizava o futuro na América e até na Rússia. Os críticos de Hegel geralmente relatam que este ignorava civilizações que existiram na África e na Índia. Fritzman[106] diz que isto é irrelevante, pois a questão principal para Hegel era se teria havido ou não uma progressiva realização da liberdade na história humana. Assim, o autor observa que quando Hegel fala do Estado germano, ele não diz que nele todas as pessoas são de fato livres, mas que todas são reconhecidas como tendo o direito de serem livres, sendo esse o sentido do fim da história hegeliana. Esta última interpretação de Hegel se relaciona com seu prefácio à *Filosofia do direito*, habitualmente mencionado para expressar seu conservadorismo.

Todas estas defesas apresentam o mesmo problema: procuram responder às críticas à objetividade em suas obras com interpretações sobre a subjetividade na pessoa do autor. Não só isso é insolúvel, porque depende da interpretação de cada um, mas é sobretudo irrelevante, pois a opinião do leitor não pode mudar o lugar que a obra escrita passou a ter objetivamente. Mas também não resolve o elo mais frágil nas filosofias de liberdade desses autores, que é o tratamento

---

101. Stafford (1998).
102. Matarrese (2010).
103. McCarney (2002).
104. Matarrese (2010).
105. Fritzman (2014).
106. Fritzman (2014).

que ambos fazem das colônias – e que aparece quando analisam a guerra. Para ambos, a guerra – propriamente dita – não é feita contra as colônias. Para Kant, porque ao não serem repúblicas, não poderiam se liberar do líder despótico; para Mill, não são civilizadas; para Hegel, não constituem estados, dado que não são livres. Mas enquanto Kant e Mill visualizavam a possibilidade de uma paz perpétua entre nações civilizadas, Hegel declarava sua impossibilidade. Em ambas as análises, a obtenção da liberdade humana é a justificativa analítica. Assim, é a questão colonial que valida as limitações dessas interpretações. Para Gray[107], Mill possui a fragilidade fundamental inerente a todos os liberalismos: sua autoridade universalista se baseia numa anacrônica e estreita interpretação europeia da história[108]. Contudo, para ele, tal universalização dos valores ocidentais *individualidade* e *progresso*, equacionados ao progresso da espécie humana, era um elemento central do Iluminismo europeu.

Em relação ao tratamento dado às colônias por Hegel, Friztman afirma que sua análise era parte do processo da realização da liberdade no mundo, pois se os colonizadores exploravam os povos dominados, ao menos reconheciam e acreditavam racionalmente que eles também tinham direito à liberdade, e que justamente por isso se sentiam obrigados a justificar suas malfeitorias como sendo para o melhor bem-estar dos oprimidos[109]. Contudo, as colônias, no processo de *necessidade* da vida ética no Estado, aparecem como uma das formas sistemáticas e inevitáveis de resolver a pobreza na sociedade civil . Por isso, o Estado precisava de uma ética própria com fins comunitários, que se colocasse acima do interesse individual dos agentes do mercado[110].

Compartilhando o pobre a consciência de ser um cidadão igual a qualquer outro, o Estado pode estabilizar a sociedade civil. Isso, entretanto, não resolve a estrutura dialética autodestrutiva da sociedade civil, pelo que precisa de grande apoio do Estado para evitar que uma grande massa de pessoas caia na pobreza[111]. Caso contrário, as classes empobrecidas sem esperanças podem quebrar qualquer compromisso com o direito. Siep[112] explica que Hegel chama este processo, marcado pela produtividade e riqueza crescente, de um lado, como a divisão de classe

---

107. Gray (1996).

108. Se para Parekh o colonialismo não era marginal ao liberalismo de Mill, mas parte da sua própria definição, Mehta afirma que o liberalismo achou no império "o lugar concreto de seus sonhos", e Said queixou-se do "iliberalismo" de Mill em relação à Índia. Cf. Hollander (2015).

109. Friztman (2014).

110. Siep (2017).

111. Siep (2017).

112. Siep (2017).

e erosão da consciência comunitária, do outro, de "dialética" da sociedade civil, que a leva *além de si mesma*. Como Hegel não apresenta nenhuma síntese neste nível – da organização econômica da sociedade – esse *além de si mesma* pode ter três significados diferentes. Uma *primeira* possibilidade é que a própria sociedade civil desenvolva internamente formas conscientes de controlar suas crises. A *segunda* possibilidade de sair de si mesma é a imigração, colonização e abertura de novos mercados para seus produtos, podendo ser apoiada pelo Estado sem ser restringida nem pelo Direito Internacional nem pelas organizações supranacionais. De fato, na filosofia do Direito, Hegel outorga às nações civilizadas o direito de tratar as atrasadas como bárbaras.

Em uma interpretação singular, Habib afirma que Hegel é a dialética do Império[113]. Isto porque Hegel reconhecia que o capitalismo era intrinsecamente imperialista, uma vez que os mercados precisavam continuamente se expandir. Para ele, no sistema hegeliano, o imperialismo não seria nem acidental ou marginal, porque está sancionado pela autoridade da Ideia absoluta e seu absoluto imperativo de conquistar todo o outro para se realizar. Por isso, Hegel rejeitava o imperialismo de outras culturas por meio da sua dialética, que é intrinsecamente apropriativa: nega e faz seu o que tem na sua frente. Assim como Gray fez o imperialismo de Mill parte de seu contexto europeu, Habib faz o mesmo com Hegel, citando que Kant afirmou que "os negros da África por natureza não possuem sentimentos que superam as futilidades"; e Hume negou que tivessem capacidade para a arte ou ciência, alegando que a opinião de Hegel não era de forma alguma uma anomalia no pensamento ocidental. Conclui que a falha no intento de Hegel de escrever uma história "universal" não é o propósito *per se*, mas sua identificação com os elementos do desenvolvimento ocidental, que bem poderia chamar de "subjetividade totalizante do capitalismo moderno"[114].

Fritzman aponta que é a mesma filosofia de Hegel que refuta qualquer das objeções mencionadas ao próprio Hegel. Similar observação poderia ser feita ao liberalismo utilitarista que Mill representa. Essas autorrefutações vão ao encontro da *terceira* possibilidade de saída para a dialética na sociedade civil hegeliana. Consiste na elevação a um nível superior do conjunto das maneiras de pensar e se comportar, dos fins, direitos e obrigações. Isto representa a necessidade da transição ao que Hegel chama do verdadeiro Estado como "atualidade da ideia ética"[115]. Habib afirma similarmente que a concepção de história de Hegel infringe seus próprios princípios dialéticos, porque o "universal concreto" hegeliano

---

113. Habib (2017).
114. Habib (2017).
115. Siep (2017).

implica que o universal se encontre em *todas* suas manifestações[116]. Em Hegel, a Ideia absoluta só existe nas diversas encarnações da história humana, e a razão está sempre incorporada nas comunidades e instituições humanas. Assim, o sesgo eurocêntrico e racista viola seus próprios princípios.

Para Habib[117], a dialética de Hegel é a dialética do Império, mas sua potencialidade perdura como uma dialética do reconhecimento. Este reconhecimento faz parte também da visão de guerra de Hegel, quando afirma que, no fundo, é um choque entre duas éticas objetivadas em cada Estado que, sendo ambas manifestações da Ideia, o conflito é uma tragédia, pois os dois se acham com a razão quando cada um tem parte dela, mas não toda. A razão toda são os dois juntos, pois constituem a universalidade da história humana. Quiçá entender isto seja a maior dificuldade para a civilização do *Iluminismo* europeu e, portanto, o maior impedimento para a paz no mundo.

Referências

COVELL, C. *The Law of nations in political thought* – A critical survey from Vitoria to Hegel. Londres: Palgrave Macmillan, 2009.

_____. *Kant and the Law of peace* – A study in the Philosophy of International Law and International Relations. Londres: Palgrave Macmillan, 1998.

FRANKE, M.F.N. *Global limits* – Immanuel Kant, international relations, and critique of world politics. Albânia: State University of New York, 2001.

FRITZMAN, J.M. *Hegel*. Cambridge: Polity Press, 2014.

GRAY, J. *Mill on liberty*: a defence. Londres: Routledge, 1996.

HABIB, M.A.R. *Hegel and Empire* – From Postcolonialism to Globalism. Londres: Palgrave Macmillan, 2017.

HARTMAN, R. Introdução. In: HEGEL, G.W.F. *A razão na história* – Uma introdução geral à filosofia da história. São Paulo: Centauro, 2004.

HEGEL, G.W.F. *Outlines of the philosophy of right*. Oxford: University Press, 2008.

_____. *Lecciones sobre la historia de la filosofía*. México: Fondo de Cultura Económica, 1995.

HÖFFE, O. O ser humano como fim terminal: Kant, Crítica da faculdade do juízo. *Studia Kantiana*, n. 8, 2009, p. 20-38. Sociedade Kant Brasileira.

HOLLANDER, S. *John Stuart Mill*: political economist. Singapura: World Scientific Publishing, 2015.

---

116. Habib (2017).
117. Habib (2017).

HOLZHEY, H. & MUDROCH, V. *Historical dictionary of Kant and Kantianism*. Maryland: Scarecrow Press, 2005.

HOULGATE, S. Introduction. In: HEGEL, G.W.F. *Outlines of the philosophy of right*. Oxford: Oxford University Press, 2008.

JOAS, H. & KNÖBL, W. *Hobbes to the present*: war in Social Thought. Nova Jersey: Princeton University Press, 2013.

KANT, I. *Para a paz perpétua*. Galizia: Instituto Galego de Estudos de Segurança Internacional e da Paz, 2006.

_____. *Crítica da faculdade do juízo*. Rio de Janeiro: Forense Universitária, 1995.

_____. *O conflito das faculdades*. Lisboa: Ed. 70, 1993 [Coleção Textos Filosóficos, vol. 37].

KNOWLES, D. *The Routledge Philosophy Guidebook to Hegel and Philosophy of Right*. Londres: Routledge, 2002.

LIMA, E.C. Formação social da "consciência jurídica": observações sobre a conexão entre intersubjetividade e normatividade em Kant e Fichte. *Princípios*, vol. 14, n. 22, 2007, p. 221-252. Natal.

McCARNEY, J. *Routledge philosophy guidebook to Hegel on history*. Londres: Routledge, 2002.

MANN, M. War and Social Theory: Into Battle with Classes, Nations and States. In: CREIGHTON, C. & SHAE, M. *The Sociology of War and Peace*. Londres: British Sociological Association, 1987, p. 54-72.

MATARRESE, C. *Starting with Hegel*. Londres: Continuum, 2010.

MILL, J. *Law of Nations*. Londres, 1825 [Disponível em http://oll.libertyfund.org/titles/mill-law-of-nations – Acesso em 10/11/2017].

_____. *Colony*. Londres, 1824 [Disponível em http://oll.libertyfund.org/titles/mill-colony].

_____. *Commerce defended*. Londres, 1808 [Disponível em http://oll.libertyfund.org/titles/mill-commerce-defended-1808 – Acesso em 10/11/2017].

MILL, J.S. *On Liberty*. State College, PA: The Pennsylvania State University, 1988.

_____. *The collected works of John Stuart Mill*. Vol. XXI. Londres: Routledge, 1984.

_____. *The contest in America* – Dissertations and Discussions. Nova York, 1875.

_____. *Considerations on Representative Government*, 1861 [Disponível em http://www.gutenberg.org/ebooks/5669].

_____. *A few words on non-intervention* – Dissertations and Discussions, 1859.

MILLER, K. John Stuart Mill's Theory of International Relations. *Journal of the History of Ideas*, vol. 22, n. 4, out.-nov./1961, p. 493-514.

PIM, J.E. Estudo introdutório: paz e conflito no pensamento kantiano. In: KANT, I. *Para a paz perpétua*. Galizia: Instituto Galego de Estudos de Segurança Internacional e da Paz, 2006.

SIEP, L. How modern is the Hegelian state. In: JAMES, D. (ed.). *Hegel's elements of the Philosophy of Right* – A critical guide. Cambridge: Cambridge University Press, 2017.

SPEIGHT, A. *The philosophy of Hegel.* Londres: Routledge, 2008.

STAFFORD, W. *John Stuart Mil.* Londres: Macmillan, 1998.

VAROUXAKIS, G. *Liberty abroad*: J.S. Mill on international relations. Cambridge: Cambridge University Press, 2013.

VERENE, D.P. Hegel's account of war. In: PELCZYNSKI, Z.A. (ed.). *Hegel's political philosophy* – Problems and perspectives. Cambridge: Cambridge University Press, 1976.

YASUKAWA, R. James Mill on peace and war. *Utilitas*, vol. 3, 1991, p. 179-197.

Guerra e violência na teoria marxista

Carlos Eduardo Martins

A guerra é um dos fenômenos mais antigos da humanidade, desenvolvendo-se em distintos tipos de estruturas sociais. Podemos entendê-la como uma atividade na qual grupos humanos buscam que outros façam sua vontade através do emprego da força física em grande escala, ameaçando-lhes a autonomia, a organização e a territorialidade[1]. Suas causas são objeto de diversas interpretações, que expressam pensamentos sociais relacionados a diferentes estruturas de poder e interesses, dedicadas a explicar sua existência, motivações, prognosticar sua inexorabilidade, condições de recorrência ou superação como fenômeno social.

Este texto tem por objetivo apontar como a guerra tem sido analisada e interpretada pelo pensamento marxista, em algumas de suas principais vertentes, e para isso buscaremos evidenciar questões centrais lançadas sobre o tema. Nossa reflexão será norteada pelas seguintes interrogações:

a) As guerras são inexoráveis? Derivam das leis gerais da dialética ou vinculam-se às condições concretas de existência das sociedades humanas? Qual o lugar hierárquico da coerção e da violência na organização do poder e como este se redefine com a história? Quais os limites históricos e dialéticos do militarismo como forma de poder? Que condições concretas permitem o surgimento da guerra e quais suas vinculações com o excedente, o Estado e a sociedade de classes?

b) Que modificações o capitalismo introduz sobre a guerra com o vasto processo de acumulação primitiva que dá lugar e com o surgimento do imperialismo no último quartel do século XIX?

c) Que redefinições se estabelecem com a reconstrução da economia mundial no pós-guerra e a introdução do militarismo como parte de sua economia política permanente e, posteriormente, a afirmação do padrão neoliberal?

---

[1]. Segundo Clausewitz, a definição mais geral e simples de guerra é a de um duelo em grande escala que tem como objetivo obrigar o inimigo a satisfazer nossa vontade.

d) Qual a relação entre a revolução socialista, a guerra e a paz? Pode a luta pelo socialismo se vincular à luta pela paz como parte da construção de uma estrutura de poder? Quais são sua estratégia e tática?

O campo do marxismo apresenta-se, todavia, como dotado de enorme variedade e diversidade de orientações políticas e ideológicas expressando sua enorme difusão em diversas estruturas de poder, grupos de interesses e formações sociais. Não temos aqui a pretensão de esgotá-lo. Priorizaremos aqui as reflexões de Marx e Engels sobre história, poder e capital; os debates organizados em torno das teorias do imperialismo, em particular nas primeiras décadas do século XX, quando se projetam os pensamentos de Lenin, Bukharin, Hilferding, Kautsky, Bernstein, Trotsky e Dimitrov; os aportes que analisam o surgimento do militarismo como parte da economia política do capitalismo do pós-guerra, onde se destaca o pensamento de Ernst Mandel, parcialmente antecipado pelas reflexões de Rosa Luxemburgo; as contribuições oriundas das teorias dos ciclos e da longa duração do imperialismo onde se destacam as análises heterodoxas de Giovanni Arrighi, que se estendem sobre o padrão neoliberal de acumulação; e as diversas formulações em torno da guerra e da teoria da transição onde se destacam, para além dos aportes de Engels, Lenin, as contribuições de Antonio Gramsci.

Marxismo, dialética e guerras

Diferentemente das dialéticas de Heráclito ou de Hegel, que consideravam a guerra necessária, em Marx e Engels esta surge como uma forma específica e histórica de interpenetração dos contrários, não derivando sua existência nem das leis gerais da dialética nem de uma fase superior, progressiva e insuperável do espírito humano. Se, em Heráclito, o combate/guerra é visto como o pai e o rei de todas as coisas, e a justiça como a síntese da discórdia e da necessidade, em Hegel a guerra é vista como uma forma transitória mas inevitável de resolução de discórdias entre estados, que no plano internacional constituem vontades particulares, mas que se relacionam com o desenvolvimento do espírito universal[2]. Este se encarna provisoriamente na vontade particular de determinado povo e o capacita a exercer durante esse período a dominação sobre os demais, que, diante das formas concretas em que aparece o princípio de universalidade, nada são na história, podendo no limite ter sua independência colocada em questão.

Já para Marx e Engels, as guerras devem ser explicadas por formas históricas e concretas de existência da história humana, não derivando sua existência de

---

2. Cf. *Os fragmentos* (1980), de Heráclito de Éfeso, e *Princípios da filosofia do direito* (1997), de G.W.F. Hegel.

uma lei universal da dialética que incida sobre a espécie humana, uma vez que o princípio geral de afirmação da vida exige que cada uma de suas formas singulares de manifestação defina-se tanto pela síntese entre os contrários quanto pela identidade com sua negação. Para Marx e Engels, o processo histórico e dialético desdobra-se necessariamente em formas concretas e particulares que redefinem suas formas mais gerais e abstratas, surgindo as guerras como formas específicas de relação entre contrários a partir de determinados contextos históricos criados pelos homens.

Segundo Marx e Engels, no entanto, os homens se transformam ao transformarem a natureza que os cerca, não sendo a história humana senão a transformação contínua da natureza humana, não se autorizando pelo vínculo das guerras com a história dos homens interpretá-las como naturais, nem como idênticas ou inevitáveis. Estas devem ser vistas em sua singularidade histórica, articuladas a classes sociais e modos de produção específicos, e não como algo que se define principalmente por uma lógica geral e abstrata e que se repita necessariamente de forma cíclica.

O homem separar-se-ia dos animais ao transformar a natureza através do trabalho, criando sua própria história. Esta seria modificada pelo desenvolvimento das forças produtivas, que tanto estruturariam quanto entrariam em contradição com relações de produção e superestruturas ideológicas determinadas, a partir das quais esse desenvolvimento ocorreria[3]. Tais contradições poderiam abrir períodos revolucionários que estabeleceriam novos padrões civilizatórios de relações dos homens entre si e com a natureza[4]. Assim, a presença, o lugar hierárquico da violência física como forma de poder e as maneiras de empregá-la entre comunidades e estados dependeriam de contextos históricos específicos e concretos de existência.

Ao criticar a teoria do poder de Eugen Dühring, Engels, em *Anti-Dühring*[5], analisa o lugar do poder político, da violência e da coerção na história humana. Ele aponta que seu emprego sistemático entre os homens é precedido pelas relações econômicas e associa-se às condições criadas por estas, cumprindo funções sociais em sua organização; todavia, quando pretende se estabelecer como forma

---

3. "Aqui como em toda parte, a identidade entre o homem e a natureza aparece de modo a indicar que a relação limitada dos homens com a natureza condiciona a relação limitada dos homens entre si, e a relação limitada dos homens entre si condiciona a relação limitada dos homens com a natureza, exatamente porque a natureza ainda está pouco modificada pela história" (MARX & ENGELS, 1986, p. 44).

4. Este tema é desenvolvido por Marx (2001), em particular, no *Prefácio da Crítica à contribuição à economia política*.

5. Engels (2015).

independente e autônoma de existência, limitando o desenvolvimento das forças produtivas, possui perspectivas limitadas de prevalência na longa duração. Para o autor, o roubo e a violência só podem cumprir um papel sistemático na história humana a partir da geração do excedente econômico: a servidão e a escravidão o exigem para enriquecer as classes dominantes e persistir como forma de exploração, mas a pilhagem não pode subsistir em condições de escassez, quando elimina a produção e o trabalho.

Segundo Engels, as guerras, que existiam eventualmente nas disputas entre grupos que viviam lado a lado, oriundas de suas relações anárquicas durante o período do comunismo primitivo, passam a estabelecer vínculo sistemático com as relações econômicas de produção e as formas políticas de poder a elas associadas quando se vinculam ao fornecimento de força de trabalho para a expansão do excedente econômico por meio da conquista e dominação militar. O desenvolvimento das forças produtivas transforma o sentido das guerras e o próprio estatuto do prisionciro: estas deixam de ser guerras exclusivamente por rivalidade de território ou vingança de usurpação para se constituírem principalmente em guerras de domínio ou anexação; e os prisioneiros, ao invés de serem exterminados ou devorados por serem um peso para a organização social, passam a formar parte da massa escrava ou trabalhadora, vinculando-se à expansão das relações de produção do poder dominante.

Engels demonstra, em *A origem do Estado, da família e da propriedade privada*, que a expansão da população e das forças produtivas leva ao desdobramento das gens, em fátrias, tribos e hordas, à separação do poder político e militar do comunal, à superação da propriedade coletiva pela privada e à separação desta do trabalho. Constituem-se assim o Estado e a divisão da sociedade em classes sociais que tendem em maior ou menor grau a destruir e/ou subordinar as gens e as formas comunais de organização social. O Estado tem a função de apresentar os interesses privados como se fossem coletivos, baseando-se para isso, em última instância, no monopólio da violência. A escravidão, a servidão e o assalariamento serão as formas dominantes de relações de trabalho e de estruturação da vida produtiva e social, segundo varie o grau de desenvolvimento das forças produtivas e das relações de produção, constituindo a base de formas de poder estatal e ideológicas específicas e historicamente diferenciadas, ainda que estas possam se articular, constituindo uma totalidade complexa e heterogênea, em conjunturas determinadas, como as de transição entre modos de produção.

As guerras se originam, assim, de formas de poder que não desenvolveram de forma suficiente a universalidade das relações humanas por insuficiência de desenvolvimento das forças produtivas: seja por constituírem tipos primitivos de organização social que, por não formarem uma totalidade integrada, nem uma divisão de trabalho articulada, disputam territórios; seja por constituírem poderes privados que disputam populações e territórios para expandirem seu excedente econômico e as bases de sua divisão do trabalho. Para Marx e Engels, essa realidade só poderia ser superada quando se eliminasse a divisão do trabalho entre atividade intelectual e manual, e com ela a divisão da sociedade em classes sociais[6].

Segundo Engels, o desenvolvimento do poder coercitivo se vincula ao econômico, uma vez que a capacidade militar dos estados depende das condições gerais de produção, isto é, dos meios materiais à disposição, da qualidade e quantidade da população e da técnica[7]. Ele aponta, como efeito das condições gerais de produção, não apenas a influência do progresso técnico, mas também das revoluções na reorganização da estratégia e da tática, ao estabelecerem relações sociais mais avançadas. Neste sentido, menciona que a Revolução Francesa, ao emancipar os cidadãos e agricultores, criou os exércitos de massa e produziu mudanças nos métodos de combate, rompendo com a organização em linha dos exércitos absolutistas[8]. Ao analisar os limites de poder do militarismo, Engels assinala que dialeticamente este os encontra em seu próprio desenvolvimento. Aponta que a competição entre os estados os leva, de um lado, a cada vez mais armarem a população, criando um exército de trabalhadores que passa a ter materialmente a capacidade de impor

---

6. "A divisão do trabalho torna-se realmente divisão apenas a partir do momento em que surge uma divisão entre trabalho material e espiritual. A partir deste momento, a consciência pode realmente imaginar ser algo diferente da consciência da práxis existente, representar realmente algo sem representar algo real; desde este instante a consciência está em condições de emancipar-se do mundo e entregar-se à criação da teoria, da teologia, da filosofia, da moral etc., "puras". Mas ainda que esta teoria, esta teologia, esta filosofia e esta moral entrem em contradição com as relações existentes, isso só pode acontecer porque as relações sociais se encontram em contradição com as forças de produção existentes; o que, além disso, também pode acontecer num determinado círculo nacional de relações, pelo fato de que a contradição se instaura não neste âmbito nacional, mas entre esta consciência nacional e a práxis de outras nações, i. é, entre sua consciência nacional e a práxis de outras nações [...]. Que estes três momentos – a força de produção, o Estado social e a consciência – podem e devem entrar em contradição entre si, porque com a divisão do trabalho fica dada a possibilidade, mas ainda a realidade, de que a atividade espiritual e material, a fruição e o trabalho, a produção e o consumo caibam a indivíduos diferentes; e a possibilidade de não entrarem estes elementos em contradição reside unicamente no fato de que a divisão do trabalho seja novamente superada" (MARX & ENGELS, 1986, p. 46-47).

7. "Em suma, em toda parte e em todo tempo, são as condições econômicas e os meios econômicos de poder que levam o 'poder' à vitória, sem os quais ele deixa de ser poder, e quem quisesse reformar o sistema bélico a partir do ponto de vista contrário, seguindo os princípios dühringuianos, nada conseguiria além de pancadas" (ENGELS, 2015, p. 200).

8. Um dos avanços militares produzidos pela Revolução Francesa foi a criação do exército nacional, uma vez que os estados absolutistas baseavam seus exércitos em mercenários, já que seus compromissos ideológicos e econômicos com a nobreza não lhes permitiam armar os camponeses. Sobre este tema, cf. Anderson (1985).

sua vontade aos déspotas, dependendo apenas de a organizarem[9]; e de outro, cita a competição entre blindagem naval e artilharia militar, que torna, a partir de certo ponto, o desenvolvimento da fuselagem tão insuficiente para garantir invulnerabilidade quanto caríssimo para ser economicamente viável.

Ainda que relativamente datadas, em função do desenvolvimento da automação no uso dos equipamentos de guerra e das novas tecnologias espaciais e aéreas que superam a competição entre infantaria e armada, as reflexões de Engels sobre os limites do militarismo trazem metáforas que nos permitem ampliar seu alcance para dimensões contemporâneas: na competição entre artilharia e armada, está implícita a questão central dos limites da tecnologia militar para garantir a invulnerabilidade quando se generaliza certo poder de destruição mediante a conquista e difusão tecnológica das armas de destruição em massa; e na criação de um exército que arme extensamente os trabalhadores em função da competição interestatal, minimizada pelo emprego da automação como antídoto, há questões que transcendem este recurso, como a dos limites do gasto público para a guerra, quando se ampliam a cidadania e a demanda de direitos, e a do grau de tolerância das populações a estas, quando aumenta sua vulnerabilidade com o risco de uso das tecnologias automatizadas de destruição em massa.

Para Marx e Engels, o militarismo vai-se desenvolver como expressão do poder das classes dominantes sobre o Estado e da sua necessidade de se apropriar de territórios, recursos estratégicos e força de trabalho para expandirem o excedente econômico. Será, no entanto, o capital em seu movimento rumo à

---

9. O armamento em massa da população trabalhadora, quando se vinculou a lideranças políticas que buscavam eliminar barreiras ao desenvolvimento das forças produtivas em guerras de larga escala, ou quando se associou a derrotas de sua classe dominante, muitas vezes levou a importantes transformações sociais: assim, a Guerra de Secessão teve importante papel na abolição da escravatura nos Estados Unidos; as lutas pela independência aceleraram o desmonte e abolição da escravidão na América Latina e Caribe; a participação da Rússia na Primeira Guerra Mundial abriu o caminho para a Revolução de Outubro de 1917; as lutas pela manutenção do império colonial português levaram à Revolução dos Cravos e à queda do Regime Salazarista. O envolvimento maciço de tropas estadunidenses no Vietnã levou a importantes movimentos internos de protesto que culminaram com a derrota política do aparato imperialista, tecnologicamente muito superior. Walter Sheidel (2017), em seu livro *The great leveler*, procura apontar o papel nivelador da renda e da riqueza das guerras em larga escala. Entretanto, suas teses devem ser recebidas com cautela, por duas razões: a) períodos de caos sistêmico e guerras entre as principais potências mundiais aumentaram as disparidades mundiais entre estados; b) não há evidências de que os casos de armamento em massa conduzidos por lideranças políticas regressivas tenham reduzido a desigualdade, como durante a Alemanha nazista e a construção do seu *Lebensraum* – quando se reintroduziram a pilhagem e o trabalho escravo como forma de acumulação, levando a que mesmo países como a França, que sofreu ocupação alemã muito menos violenta que o Leste Europeu, tivesse drástica queda do PIB *per capita* sob o regime de Vichy (MADDISON, 2013) –, ou durante a Guerra Civil Espanhola e a ditadura franquista, que a sucedeu, nos anos de 1940 (ESCOSURA, 2016).

acumulação ilimitada que, ao se apossar do Estado, empreenderá um processo de conquista e dominação planetária de povos e espaços geográficos, levando guerras, pilhagem, despojo e produção do excedente a uma dimensão nunca alcançada na história humana.

Guerras e capital: da acumulação primitiva às teorias sobre o imperialismo

Marx descreve a acumulação capitalista como um processo de desdobramento de D em D' que exige, desde o início, a formação do mercado mundial para produzir os insumos materiais e propiciar as condições sociais necessárias ao seu desenvolvimento. Isto implica a conquista de territórios, a organização do trabalho em escala mundial, a produção de metais preciosos para viabilizar a circulação de moeda e o fornecimento em massa de matérias-primas que permitam, inicialmente, o exercício do monopólio comercial e a especialização dos centros na produção manufatureira. Depois demanda, na grande indústria, um processo de retroalimentação com a economia mundial que amplia a exigência de controle sobre territórios, populações e recursos naturais para impor o intercâmbio universal e a divisão internacional do trabalho.

Tal processo se inicia com a acumulação primitiva que Marx menciona como um pecado original do capitalismo, um gigantesco processo de expropriação de trabalhadores dos meios de produção e de destruição de formas pré-capitalistas por meio da violência, para impulsionar a acumulação dos capitais usurário e comercial e pavimentar sua transição para a grande indústria. A acumulação primitiva busca criar as bases do trabalho assalariado nos países centrais e se efetiva através da violência estatal mediante um conjunto de processos articulados: a transformação da propriedade feudal em propriedade privada burguesa, via roubo das terras comuns e expropriação das terras da Igreja Católica; o sistema colonial, que introduziu o trabalho forçado nas Américas, para estabelecer as bases da divisão internacional do trabalho da economia mundo capitalista, depreciando os metais preciosos, reduzindo o valor da renda da terra e dos salários e criando, ao mesmo tempo, a base monetária do assalariamento nos centros e as fontes de matérias-primas para a indústria têxtil; a dívida pública, que se articula com o sistema colonial e permite libertar, até certo ponto, a acumulação de capital dos inconvenientes das aplicações comerciais, industriais ou usurárias privadas, lavando o sangue que corre das guerras, do extermínio e da escravidão; e o desenvolvimento do sistema tributário, que ao lado da alta finança lhe dão apoio e sustentação.

A acumulação primitiva, entretanto, deu lugar e subordinou-se a outro período, que é o de concentração e centralização do capital mediante expropriação dos próprios capitalistas pelas frações monopolistas mais dinâmicas. Ao descrever tal processo histórico, Marx menciona que, diferentemente do primeiro, este seria dirigido pela própria aplicação da lei do valor imanente à própria produção capitalista, apesar de reconhecer que nele estão presentes, de forma ampliada, alguns dos principais instrumentos que impulsionaram a acumulação primitiva, como são a formação da dívida pública e o sistema tributário. Embora a preocupação de Marx fosse enfatizar o protagonismo da lei do valor marcando sua diferença em relação a um processo em que a violência era central para lançar suas bases, a contraposição que fez não destacou, apesar de reconhecer suas implicações recíprocas, que o escalonamento da concentração e a centralização de capitais no mundo exigiriam mais Estado e intervenção da violência[10]. Mas a violência se ampliou, seja para destruir o excesso de capitais, seja para criar padrões regulatórios

---

10. Entendemos que essa desvinculação dos processos de concentração e centralização de capitais do uso da violência em Marx obedeceu tanto a fins analíticos provisórios quanto às condições históricas que presenciou, anteriores ao *boom* imperialista. Marx analisou o funcionamento da lei do valor antes de reintegrá-la a outros aspectos da sociedade capitalista, como o desenvolvimento do Estado, etapa que não teve tempo para cumprir satisfatoriamente. Marx não desconhecia o uso da violência articulado à expansão do capitalismo industrial como um instrumento necessário de organização de uma nova divisão internacional do trabalho. Seus escritos sobre a dominação britânica na Índia, na China e na Pérsia são eloquentes sobre a importância do uso da força como um instrumento-chave para romper o isolamento dessas regiões, destruir sua base socioeconômica pré-capitalista e vinculá-las às necessidades da economia mundial capitalista. Assim se expressavam Marx e Engels sobre a colonização britânica na Índia e seu domínio sobre a China, no *New York Daily Tribune*, em 1853: "*A Inglaterra precisa cumprir na Índia uma dupla missão: uma destruidora, a outra regeneradora; a aniquilação da velha sociedade asiática e a colocação dos fundamentos materiais da sociedade ocidental na Ásia [...]. A unidade política da Índia, mais consolidada e estendida a uma esfera mais ampla do que em qualquer momento da dominação dos grão-mogóis, era a primeira condição de sua regeneração. Esta unidade imposta pela espada britânica ver-se-á agora fortalecida e perpetuada pelo telégrafo. [...] Todos estes agentes dissolventes [o grande consumo improdutivo de ópio, a influência destruidora da concorrência da manufatura estrangeira com a manufatura nacional, a desmoralização da administração pública – CEM] que atuavam juntos sobre as finanças, a moral, a indústria e a estrutura política da China, alcançaram seu máximo desenvolvimento em 1840, sob os canhões ingleses que abateram a autoridade do imperador e obrigaram o Celeste Império a entrar em contato com o mundo terreno*" (MARX & ENGELS, 1979, p. 78-79). Todavia, embora apresentem o papel da violência como parteira da história, mencionam em diversas passagens suas contradições com a universalização da lei do valor e o desenvolvimento das forças produtivas, quando dá lugar à afirmação de interesses particulares sem conexão com a expansão dos setores de ponta da acumulação capitalista. Evidências disso são as considerações sobre as limitações que a expansão do comércio de ópio e a pilhagem colocaram à expansão da produção manufatureira britânica, ao restringir a capacidade de importação da China e reduzir a demanda dos países coloniais ou semicoloniais. "*Seja como for, é preciso admitir que todos os obstáculos às importações que começaram no estado perturbado do império irão aumentar e não diminuir, com a última guerra piratesca e com as recentes humilhações de que foi objeto a dinastia reinante. Após um exame cuidadoso da história do comércio chinês, parece que, falando em termos gerais, sobreestimou-se muito a capacidade de consumo e de pagamento dos chineses. [...] A China poderia absorver um excedente de mercadorias inglesas e norte-americanas desde que se elimine o comércio do ópio*" (MARX & ENGELS, 1979, p. 190).

que impusessem marcos gerais necessários ao estabelecimento de novos regimes de acumulação, seja para integrar vastas regiões que permaneciam pré-capitalistas e escassamente integradas à economia mundial durante os albores da grande indústria, como eram a África e a Ásia, em fins do século XVIII e início do XIX.

O saldo de mortes e destruição gerado pelo desenvolvimento da economia capitalista é imenso: durante o período da acumulação primitiva, aproximadamente sete milhões de escravos chegaram às Américas, excluindo-se os Estados Unidos, e mesmo assim a população da América Latina caiu segundo estimativas de 17,5 milhões em 1500 para 8,6 milhões em 1600, só recuperando seu patamar no início do século XIX, e no México, ao final deste século[11]. As duas grandes guerras interimperialistas do século XX produziram amplo desenvolvimento das forças produtivas, que se tornaram parte do longo período de crescimento dos anos dourados de 1950-1973 e deixaram mortos que, calcula-se, somam entre 70 e 90 milhões de pessoas.

A análise sobre a vinculação entre os processos de concentração e centralização de capitais e o emprego da violência, que não ganhou prioridade na obra de Marx e Engels, tornou-se tema-chave das teorias marxistas do imperialismo, refletindo a corrida neocolonial à África e ao Pacífico Asiático, que se realizou em grande parte após a morte de Marx. Como relata Eric Hobsbawm, entre 1876-1915, cerca de 25% da superfície terrestre foram distribuídos ou redistribuídos entre Grã-Bretanha, França, Alemanha, Bélgica, Itália, Espanha, Portugal, Rússia, Estados Unidos, Japão[12]. A palavra "imperialismo", que foi introduzida na política da Grã-Bretanha em 1870, apenas se tornou de uso corrente a partir da década de 1890.

Essa nova etapa do poder burguês nas grandes potências ou candidatas a esta condição não se desenvolveu sem importantes contradições internas. Pierre Renouvin afirma que demorou uma década para que os argumentos que priorizavam a busca de novos mercados, de novas fontes de matérias-primas, o controle de pontos geopolíticos estratégicos e a afirmação da civilização liberal e da missão do homem branco contra o mundo selvagem e semicivilizado preponderassem sobre as ressalvas colocadas por aqueles que enfatizavam os custos da conquista, o aumento dos gastos fiscais e as incertezas dos resultados dessa missão, em função da participação de recrutas em operações longínquas[13].

Expressando o discurso de crítica do liberalismo político ao imperialismo, desenvolve-se o pensamento de John Hobson[14]. O autor escreve uma obra pa-

---

11. Maddison (2003).
12. Hobsbawm (1988).
13. Renouvin (1988).
14. Hobson (2009).

radigmática na qual responsabiliza certas frações do capital desconectadas do desenvolvimento do mercado interno pelo estabelecimento e expansão do imperialismo. Para ele, o imperialismo é um tipo de expansão perversa dos países conquistadores que não leva ao transplante de liberdades cívicas e políticas, nem ao governo independente e nem à migração de povoamento aos territórios conquistados, mas sim a uma autocracia dirigida por uma minoria branca sobre uma imensa população nativa. Para Hobson, esse tipo de expansão se articularia sobretudo com os interesses dos *trusts* industriais e da alta finança, que constituiriam seu núcleo decisório mais importante, sendo respaldado pelas cegas forças patrióticas vinculadas ao espírito militar, à aventura, à ambição política e à filantropia. Os *trusts* imporiam a produção nacional regulada e restrições de investimento para impedir a queda de preço, deslocando a poupança interna aos investimentos nos países neocoloniais que vinculariam a expansão da produção nacional ao comércio exterior e permitiriam à alta finança alcançar e repatriar os vultosos lucros ali obtidos. Segundo Hobson, a solução do problema estaria na eliminação do subconsumo mediante a ação do Estado, impondo um capitalismo democrático de *laissez-faire* ou um socialismo de Estado que aliviassem a pobreza e permitissem ao consumo crescer *pari-passu* à produção, reservando o comércio exterior para as necessidades indispensáveis do consumo nacional. *Laissez-faire* democrático, sindicatos e socialismo de Estado seriam os antídotos ao imperialismo[15].

A desvinculação entre a dinâmica do capitalismo e do imperialismo se manifesta em outras obras, como as de Joseph Schumpeter[16], para quem o imperialismo era resultado de uma síntese contraditória entre a autocracia feudal pré-capitalista e métodos capitalistas que associavam o lucro ao monopólio da exportação, à indústria da guerra e a uma aura psicológica de inclinação agressiva e supremacia masculina. Entretanto, tal associação violaria a natureza do capitalismo, inclinado à concorrência e ao livre-cambismo. Para o autor, o crescimento e a produção em grande escala não romperiam com o sistema competitivo nem levariam à concentração ilimitada. A guerra representaria o aumento de impostos e perdas no

---

15. "*Um Estado inteiramente socialista que estivesse em dia com seu livro de contabilidade e apresentasse com regularidade balanços de receitas e despesas, não tardaria muito em descartar o imperialismo; uma democracia inteligente de* laissez-faire, *que concedesse por igual a todos os interesses econômicos a devida importância relativa, faria o mesmo*" (HOBSON, 2009, p. 64). O pensamento de Hobson situou-se politicamente muito à frente do chamado social-imperialismo, que representava as correntes marxistas que haviam aderido à tese do colonialismo sob o pretexto de que o capitalismo levaria para os povos semisselvagens ou selvagens as bases da civilização e o desenvolvimento das forças produtivas. Estas posições são bastante bem representadas por Eduard Bernstein (1978), em seu texto *La socialdemocracia y los distúrbios turcos*, escrito em 1896/1897.

16. Cf. o livro *Imperialismo, classes sociais*, que reúne os textos "Sociologia do imperialismo", publicado em 1919, e *Las clases sociales*, em 1927 (SCHUMPETER, 1986).

estrangeiro que, ao longo do tempo, mais que compensariam o aumento da produção e do consumo.

Nessa mesma direção, Karl Kautsky assume uma dupla posição frente ao imperialismo. Em seu texto *Velha e nova política colonial*, publicado em 1898, afirma que o capitalismo industrial manchesteriano era o fator revolucionário no mercado mundial e que este não se interessava pela política colonial, mas por uma política de abertura de mercados, baseada no livre-cambismo e na paz. Para o autor, o imperialismo não provinha da Inglaterra, mas da França, da Alemanha e da Rússia, que reagem ao seu protagonismo e representavam o poder da burocracia, dos militares e da alta finança. Entretanto, quanto maior fosse o peso do capital industrial, maior seria a inclinação para a paz[17].

O autor reformula parcialmente seu pensamento ao desenvolver o conceito de ultraimperialismo em seu artigo de 1914[18]. Admite então uma fase imperialista articulada ao desenvolvimento industrial em função das crises de desproporção entre a produção industrial concentrada nos países imperialistas e a produção agrária nos países coloniais e semicoloniais, que se desenvolve mais lentamente. O capital industrial não necessitaria apenas de mercados para vender seus produtos. O imperialismo seria necessário para garantir o suprimento de matérias-primas, alimentos e minerais estratégicos aos países industriais mediante investimentos que ampliassem sua oferta e, ao mesmo tempo, para impedir que os países agrários utilizassem a base tecnológica gerada pela construção de estradas de ferro e pelo aumento da composição orgânica do capital para suas necessidades internas, promovendo a própria industrialização. Entretanto, Kautsky aponta para o fato de que a corrida armamentista e as guerras entre as principais potências capitalistas são importantes contradições ao seu domínio, produzindo altos custos ao capital, aumento dos impostos sobre o proletariado e debilidade frente a Ásia, África e Oriente Médio. Prevê então o surgimento de uma fase ultraimperialista, na qual as principais potências capitalistas renunciariam à corrida armamentista e à guerra e se uniriam numa federação para explorar os países coloniais e semicoloniais[19].

A crítica à desvinculação entre as tendências dinâmicas do capitalismo e o imperialismo vai surgir de um conjunto de autores que representavam distintas frações do marxismo revolucionário, como Lenin, Bukharin e Rosa Luxemburgo, dos quais o primeiro se destaca como referência paradigmática deste enfoque. Partindo das análises de Hilferding e de Hobson, Lenin definiu o imperialismo

---

17. Kautsky (1978).
18. Cf. o artigo de Karl Kautsky, "Ultra-imperialism", publicado em 1914 e disponível em https://www.marxists.org/archive/kautsky/1914/09/ultra-imp.htm
19. Kautsky (1978).

como a política colonial do capital financeiro. O imperialismo era o resultado da passagem do capitalismo à etapa dos monopólios que implicava a formação do capital financeiro, fundindo o capital industrial e o bancário, criando escalas produtivas que geravam crises de superprodução pela incapacidade de os salários acompanharem a produtividade. Os excedentes de capital resultantes buscariam investimentos no exterior que barateassem os capitais constantes e variáveis dos países industriais, vinculando-os simultaneamente à abertura de mercados para a exportação desde as metrópoles. A disputa pela anexação de territórios e a consequente partilha do mundo seriam o resultado inexorável desse movimento, que levaria ao militarismo e à guerra entre as principais potências como forma superior de competição, seja pelos apetites de expansão ilimitados, seja porque a política colonial conduzia ao parasitismo e a ritmos distintos de expansão dos imperialismos das principais potências que entravam em contradição com a distribuição de territórios e colônias existentes. A distribuição das rendas coloniais entre as classes trabalhadoras dos países centrais estaria na base do fenômeno da aristocracia operária e da corrupção das direções sindicais, que as levava a apoiar o chauvinismo expansionista de suas burguesias nacionais imperialistas.

Para Lenin, o imperialismo levava necessariamente à guerra, pois era expressão de uma fase irreversível do capitalismo, onde: o capital financeiro exerce protagonismo; o monopólio se impunha sobre o livre-cambismo, associado à era pretérita de prevalência do capitalismo industrial; e o parasitismo impulsionava desproporções de crescimento entre velhos e novos imperialismos, levando a choques e conflitos. Se a leitura leninista do imperialismo descreve corretamente as tendências dos anos de 1900-1930, a reorganização do capitalismo e do imperialismo no pós-guerra sob a *pax americana* a coloca em xeque, restringindo seu alcance de uma interpretação definitiva do fenômeno para uma leitura do seu desenvolvimento adequada a condições históricas específicas[20].

Em *La Geometría del imperialismo*, Giovanni Arrighi procura situar as condições históricas que marcaram a especificidade do período imperialista descrito por Lenin e seu trânsito a uma nova etapa sob a hegemonia dos Estados Unidos[21]. Segundo o autor, o imperialismo na era capitalista é um processo de longa duração que se desdobra em processos, descritos sob a forma de tipos ideais, mas nem sempre sucessivos ou necessários, marcados pelo imperialismo nacionalista, quando um país amplia as bases territoriais e demográficas do seu *Lebensbaum*; pelo imperialismo formal, quando expande sua área de influência em colônias de povoamento com autonomia política limitada; pelo imperialismo informal,

---

20. Cf. Lenin (1979).
21. Arrighi (1978).

quando estabelece uma divisão internacional do trabalho baseada em relações internacionais razoavelmente consensuais de circulação de capitais e mercadorias; e pelo imperialismo *tout-court*, que implica ruptura das relações consensuais para a circulação de capitais e mercadorias, uso da violência como recurso para competir por posições na divisão internacional do trabalho e anexação, pela força, de territórios e populações que passam a ser submetidas a autocracias sob controle direto ou indireto do país imperialista. Tais períodos podem ser dirigidos ainda por distintas frações de classe como o capital financeiro, o capital industrial e o capitalismo de Estado.

Arrighi menciona que o período analisado por Lenin se caracteriza por uma perda crescente de poder, da Grã-Bretanha, da condição de fábrica do mundo, o que a leva a abandonar progressivamente o imperialismo de livre-comércio em busca da anexação de novas colônias para compensar o protecionismo dos centros industriais emergentes – representados na Europa por Alemanha e França; nas Américas, pelos Estados Unidos; e na Ásia, pelo Japão –, garantindo assim investimentos e mercados, repatriação de lucros, demanda de crédito e poder de tributação para fortalecer a alta finança em Londres e expandir o militarismo. Tal processo deslocou parte da competição intercapitalista para as relações de poder e violência exercidas pelos estados, o que implicou a disputa por *Lebensbaum* e colônias, ameaçando poderes territoriais e navais e projetos de expansão das distintas burguesias imperialistas, levando ao aumento da anarquia, à guerra e ao caos sistêmico. Esse período, que o autor posteriormente, em *O longo século XX*, analisará como de crise da hegemonia britânica dentro do seu conceito de ciclos sistêmicos, desloca o eixo de poder do capital industrial ao capital financeiro, impulsionando o subconsumo e as tendências imperialistas descritas por Lenin[22].

Se o imperialismo britânico, que era o dominante, podia ser descrito pelo predomínio do capital financeiro, o alemão e o estadunidense representavam muito mais o protagonismo do capital industrial. O caos sistêmico que se iniciou em 1914, com a Primeira Grande Guerra, se aprofundou com as revoluções russa, chinesa e mexicana, o colapso definitivo da convertibilidade da libra esterlina e do padrão-ouro, a ascensão do nazi-fascismo, e ganhou novo impulso nos anos de 1930/1940 com os preparativos e o acontecimento da Segunda Grande Guerra, girando o protagonismo da economia mundial para os capitalismos de Estado. A economia de pleno emprego, a destruição de capitais e a vitória das forças liberais e socialistas no conflito mundial estabeleceram uma nova repartição de poder entre os distintos projetos imperialistas em disputa e um novo padrão de acumulação

---

22. Arrighi (1996).

internacional[23]. Para tanto, conjugaram-se elementos do capitalismo de Estado estadunidense, que se internacionalizou para regiões estratégicas da economia mundial impulsionando o gasto público, o controle da liquidez e a presença militar; o protagonismo das novas corporações industriais multinacionais; e o deslocamento do imperialismo *tout-court*/imperialismo nacionalista para o imperialismo informal, centrado na descolonização territorial progressiva e substituição do imperialismo de livre-comércio pelo de livre-circulação das empresas. Elevaram-se as taxas de investimento produtivo, reduziram-se o subconsumo e a desigualdade nos Estados Unidos, na Europa Ocidental e no Japão, bem como em países que passaram por processos revolucionários, como China ou México. A nova potência dominante e seu prolongamento estratégico na Europa Ocidental tornaram-se os eixos dinâmicos do crescimento econômico até o fim dos anos de 1960, quando este começou a se deslocar para o Leste Asiático, inicialmente para o Japão e, posteriormente, para Taiwan, Coreia do Sul e China.

Ainda que a obra de Lenin abra o espaço para se pensar o imperialismo de forma mais ampla, ao mencionar os imperialismos britânico, francês, alemão e estadunidense como distintos, ao admitir a possibilidade de novas repartições de poder mundial e situar a política colonial do capital financeiro como uma das formas de imperialismo, não desenvolveu, entretanto, essas implicações e terminou

---

23. Não foi a guerra em si mesma, mesmo generalizada, que produziu mudanças substanciais nos padrões de desigualdade, reduzindo o peso da alta finança e o subconsumo. Apenas quando se vinculou à vitória da aliança entre liberais, socialistas e anti-imperialistas e teve a capacidade de destruir tanto o padrão de acumulação vigente, centrado na financeirização, como a tentativa das forças autocráticas e fascistas relançarem o imperialismo *tout-court* e a acumulação por despossessão em escalas muito mais amplas e radicais, foi que a guerra produziu uma redução substancial na desigualdade. Assim, os dados apresentados por Piketty sobre a participação dos 10% mais ricos na renda europeia indicam que esta participação se mantém relativamente estável durante a Primeira Guerra Mundial, com uma pequena queda de 46,4% em 1913 para 41,5% em 1919, mantendo-se neste patamar durante os anos de 1920-1930, quando oscila de 40,2% em 1920 até 43,1% em 1935 (PIKETTY, 2014, tabela TS 9.4). No caso da Alemanha, a participação dos 10% mais ricos se mantém praticamente inalterada durante a Primeira Guerra Mundial, caindo de 44,3% em 1913 para 43,6% em 1919, após subir a 48,3% em 1917. Cai nos anos de 1920 para a faixa de 38 e 39%, subindo durante a expressiva expansão dos gastos militares da economia nazista nos anos de 1930 até alcançar 43,9% em 1938 (PIKETTY, 2014, tabela TS 9.2). A expansão dos gastos militares no período foi expressiva e, segundo Otto Nahan (1944), os gastos públicos saltaram na Alemanha de 31,6% do PIB para 52,7% entre 1938-1939. Foi durante a Segunda Guerra Mundial, quando se lançaram as bases de uma nova hegemonia, que caiu significativamente a desigualdade no interior dos países centrais, reduzindo-se de 41,6% na Europa em 1938 para 31,7% em 1950, patamar que se manteve constante com pequenas oscilações até 1989-1991, quando passou a se elevar até atingir 36,9% em 2010. Nos Estados Unidos houve queda expressiva da desigualdade entre 1939-1945, quando a participação dos 10% mais ricos caiu de 45,5% para 34,4%, mantendo-se neste patamar até o início dos anos de 1980, quando se elevou sistematicamente até atingir em 2007, 49,7%, o nível mais alto de toda a série, iniciada em 1910 (PIKETTY, 2014, tabela TS 8.2).

por encerrá-las pelo fato de apontar a anexação territorial pelas grandes potências e o protagonismo do capital financeiro como dimensões derradeiras do capitalismo e específicas do imperialismo desde o último quartel do século XIX[24].

Nos anos de 1930, nem Trotsky ou Dimitrov ampliaram substancialmente o paradigma teórico estabelecido por Lenin sobre o imperialismo, ao diferenciarem o fascismo da social-democracia como formas distintas de imperialismo, opondo-se às políticas stalinistas do social-fascismo. Se Trotsky qualificou o fascismo como um regime de guerra civil contra o proletariado, que repercutiria na política exterior burguesa e ameaçaria inevitavelmente a sobrevivência da União Soviética (URSS), rompendo com a política de tolerância às organizações do proletariado, não transcendeu a visão de que o imperialismo vinculava-se necessariamente à anexação colonial de territórios e povos, sendo o fascismo apenas sua forma extrema[25]. De forma semelhante, Dimitrov, ao formular a política de Frente Única, ainda que divergindo de Trotsky quanto ao escopo da estratégia de alianças antifascistas, apontou o fascismo como a ditadura terrorista dos elementos mais reacionários do capital financeiro, representando uma forma extrema de imperialismo que ameaçaria não apenas a URSS, mas outros estados capitalistas interessados em manter a repartição de poder existente e, consequentemente, a paz[26].

O pós-guerra reestruturaria amplamente as relações de poder na economia mundial, levando a um novo padrão de acumulação que tensionou os paradigmas

---

24. Arrighi exagera duplamente: tanto na vinculação que faz entre a alta finança e o conceito de capital financeiro, que atribui a Lenin a partir de Hobson, e na contraposição que faz entre este conceito e o de capital industrial. Justifica seu unilateralismo mencionando que, apesar de Lenin basear-se na leitura de Hobson e de Hilferding sobre capital financeiro, estas são incompatíveis, optando por enfatizar as implicações hobsonianas da leitura de Lenin. Consideramos essa leitura equivocada. O que nos parece ser o ponto central na leitura de Lenin sobre o capital financeiro, que é original apesar de ele se basear em Hobson e Hilferding, é sua definição de que este significa a fusão entre o capital bancário e o capital industrial. Tal visão de Lenin, entretanto, é insuficiente, pois não indica as contradições internas que persistem apesar da fusão, não possibilitando analisar as oscilações pendulares do padrão de acumulação, seja na direção da geração de rendas e capital fictício, seja na direção da taxa de lucro mediante modificações na composição técnica e orgânica do capital. Para Lenin, no imperialismo coexistiriam de forma cada vez mais conflitiva e disruptiva distintas políticas expansionistas do capital financeiro: a hegemonizada pela alta finança e pelo rentismo, representada principalmente pela Grã-Bretanha e de forma menos exuberante por França, Bélgica e Holanda; e a hegemonizada pelo capital industrial, cujas principais expressões são a Alemanha, os Estados Unidos e o Japão.

25. Cf. *Revolução e contrarrevolução na Alemanha* (TROTSKY, 1979), publicado originalmente em 1932.

26. "A causa principal da guerra imperialista reside, como se sabe, no próprio capitalismo, em suas aspirações de conquista. Mas nas condições internacionais concretas de agora o instigador da guerra que está se preparando é o fascismo: punho blindado das forças mais agressivas e guerreiristas do imperialismo" (DIMITROV, 1976).

dominantes na economia política marxista. A descolonização e a recomposição do imperialismo, de imperialismo *tout-court* para imperialismo informal, abriram espaço para o surgimento das teorias da dependência que redimensionaram o significado de imperialismo, sem fazer um balanço mais profundo da longa duração do conceito e dos limites e alcances da obra de Lenin sobre o tema.

A economia política da guerra em tempos de paz: do padrão keynesiano ao neoliberalismo

A reorganização da economia mundial implicou o redesenho do imperialismo em função da consolidação de um novo poder hegemônico, do estabelecimento de novos padrões de acumulação e marcos regulatórios internacionais, bem como da redefinição das relações centro-periferia impulsionadas pelos movimentos de liberação nacional. A elevação da composição orgânica do capital e sua forte concentração inicial nos Estados Unidos exigiram o aumento substancial do gasto público e o papel ativo do governo desse país no restabelecimento do crescimento econômico mundial, em particular com a injeção de liquidez em zonas geopoliticamente estratégicas (Europa Ocidental, Japão, Coreia do Sul e Taiwan) para a expansão do poder político e econômico estadunidense e da nova forma de capitalismo mundial que representava.

A escassez de dólares bloqueava a reativação da economia e era em parte resultado do desmonte das economias industriais do Japão e da Europa Ocidental, da desorganização de seu comércio, da liquidação de grande parte de seus investimentos em suas periferias e da crise e colapso de seus impérios coloniais. No período anterior à Segunda Grande Guerra, os Estados Unidos obtiveram forte superávit com a Europa Ocidental, que financiava seus déficits com a repatriação de lucros e superávits que obtinha de suas colônias, estas por sua vez, superavitárias com os Estados Unidos. O Plano Marshall e a ajuda bilateral (Garioa[27]) eram, entretanto, insuficientes para que o capitalismo de Estado estadunidense lançasse as bases de um novo padrão de acumulação mundial, impulsionando a demanda efetiva na Europa Ocidental e Japão, e a reconstrução de sua indústria e sua projeção sobre as periferias. Isto só foi possível com o restabelecimento, a partir da Guerra da Coreia, do seu keynesianismo militar que havia sido descontinuado no pós-guerra, e seu direcionamento para os aliados estratégicos mediante o financiamento da ocupação de seus territórios. Esta política se complementou com a descolonização das periferias, cuja autonomia nacional era limitada pelas exigências estadunidenses de política de portas abertas às suas empresas e às potências industriais do capitalismo mundial.

---

27. *Government Aid and Relief in Occupied Areas.*

A Guerra da Coreia duplicou o orçamento militar estadunidense, elevando-o a 14% do PIB, patamar inferior aos 41% atingidos em 1945, mas muito superior aos 1-2% das primeiras duas décadas do século XX, excetuado o período da Primeira Guerra[28]. Revela-se assim no pós-guerra uma nova economia política mundial, em que o aumento substancial do gasto público e do gasto militar constitui parte inerente do funcionamento do capitalismo em períodos de predomínio de paz da ordem internacional, entendidos como aqueles em que as confrontações militares são relativamente localizadas, não ensejam uma corrida armamentista generalizada entre as grandes potências, nem ameaçam desorganizar as relações institucionais no seu centro orgânico. O keynesianismo militar deu assim sentido real às especulações de Keynes sobre para onde orientar a expansão do gasto público que ativa o multiplicador do crescimento econômico: ao invés de simplesmente contratar trabalhadores para fechar e tapar buracos, tratou de vincular a expansão do gasto público à defesa e à segurança, o que não implicou exatamente uma ruptura teórica com o Estado mínimo, uma vez que a segurança está entre as funções públicas básicas a serem garantidas por este, não tendo seus custos predefinidos ou especificados, uma vez que podem variar com a conjuntura.

Assim, o gasto público estadunidense, que atingia cerca de 8 a 9%, somados os três níveis de governo (federal, estadual e municipal) entre 1900-1910, alcançou 20% nos anos de 1930, mantendo ainda o desemprego em altos patamares[29], até chegar a 25-30% nos anos de 1950-1960, após o pico de cerca de 50% do PIB em 1944-1945[30]. O gasto militar oscilou de 1-1,5%, na década de 1900-1910, para aproximadamente 2% nos anos de 1920 e 1930, excetuando-se o pico de 15 a 20% em 1918-1919, para atingir cerca de 10% do PIB nos anos de 1950-1960, com variações para 14,6% durante o auge da Guerra da Coreia, em 1953, ou 8,3% em 1965, a partir do que há o engajamento dos Estados Unidos na Guerra do Vietnã, que o leva a 10% do PIB em 1968, ano em que ocorre a ofensiva do Tet, ponto de inflexão que deu a vitória político-militar aos norte-vietnamitas.

Os gastos militares estadunidenses na década de 1950-1960 mais que duplicaram aqueles da Grã-Bretanha nos anos de 1900-1914 ou 1923-1938, em proporção ao PIB, quando se nivelaram em aproximadamente 3% do PIB[31]. Por outro lado, os gastos em recursos humanos – que incluem saúde, seguridade social e educação – mantiveram-se estáveis no padrão de acumulação do pós-guerra em

---

28. Cf. https://www.usgovernmentspending.com/defense_spending
29. O desemprego caiu nos Estados Unidos de 24,9% a 19% em 1938, alcançando 1,2% em 1944 e nivelando-se entre 3-5% nos anos de 1950 (LEBERGOT, 1957).
30. Cf. https://www.usgovernmentspending.com/
31. Cf. https://www.ukpublicspending.co.uk/

cerca de 3 a 5% do PIB entre 1947-1965, quando então começam a subir aceleradamente até alcançar 8,2% em 1971, ano da quebra da paridade do dólar com o ouro, e 11,2% ao final do Governo Carter, despertando forte reação conservadora.

A importância dos gastos militares para a reprodução do capital já havia sido teorizada na obra de pensadores marxistas. Rosa Luxemburgo destacou as vantagens de uma demanda homogênea e concentrada no Estado sobre a multiplicidade das demandas individuais, quando a indústria atingia grande escala e elevava sua composição orgânica. Assim, a importância que os gastos militares assumem no pós-guerra encontra forte relação com a elevação da composição técnica e orgânica do capital produzida pelo novo paradigma eletromecânico, que teve na indústria militar e na automobilística seus elementos mais dinâmicos, contribuindo para o estabelecimento de um novo padrão de acumulação que resolveu os problemas de desemprego e desproporção entre países e permitiu à economia mundial retomar seu dinamismo. A autora apontou, ainda, os efeitos dos gastos militares para a ampliação da taxa de mais-valia, que diminuiu capital variável e transferiu demanda à realização de produtos que não constituem bens de consumo necessários. Negligenciou, entretanto, seus impactos sobre a elevação da massa salarial, quando promoveu a demanda efetiva que impactou positivamente o nível geral de emprego, não oferecendo elementos para explicar sua vinculação à estruturação de um novo padrão de acumulação que restringiu a fabricação de capital fictício e conservou uma distribuição de renda mais favorável ao trabalho nos países centrais que a dos anos de 1900-1930[32].

Mandel, em seu *Tratado de economia marxista*, menciona a necessidade de estabelecer mercados de substituição no capitalismo monopolista. O Estado se converte em um gerador de demanda que minimiza as crises de superprodução, atuando como comprador da indústria pesada. O autor aponta o papel estratégico da indústria militar como cliente do Estado, e supera certos limites da obra de Rosa Luxemburgo ao referir-se à dupla dimensão dessa vinculação, que favorece a redistribuição de recursos em favor de bens que não integram o consumo necessário, mas ativam a expansão geral da economia. Ele menciona que a produção crescente de armamentos não pode se acumular indefinidamente sem a utilização de seus valores de uso, dando lugar a ciclos de guerra para a destruição e renovação de armamentos[33].

---

32. Luxemburgo (1979).

33. Cf. o vol. 3 do *Tratado de economia marxista* (MANDEL, 1978), publicado originalmente em 1963. O autor antecipa, de certa forma, as guerras do Vietnã, do Golfo, do Kosovo, do Afeganistão, do Iraque e da Líbia, quando houve envolvimento direto de tropas estadunidenses e/ou da Otan. Mandel (1972) retoma esta problemática em seu clássico *O capitalismo tardio*.

Após décadas de pleno emprego, as pressões dos trabalhadores para elevação do valor histórico moral da força de trabalho, por meio do aumento dos salários e ampliação dos direitos sociais, somadas à elevação dos custos das matérias-primas, em função do excesso de demanda provocado pelo incremento da composição orgânica do capital, impactaram negativamente nas taxas de lucro nos Estados Unidos e na Europa Ocidental no fim dos anos de 1960. Abriram um período de crise e reestruturação na economia mundial que levou à mudança do padrão de acumulação vigente. Desarticularam-se o padrão monetário estabelecido em Bretton Woods, os controles à circulação de capitais e mercadorias, a vinculação da dívida pública à demanda efetiva, as políticas desenvolvimentistas e de pleno emprego, e subordinou-se o keynesianismo militar ao padrão neoliberal. Os Estados Unidos romperam a paridade do dólar com o ouro, impuseram o dólar flutuante, sobrevalorizaram sua moeda, capturaram capital circulante, produziram capital fictício, geraram uma importante dívida pública que drenou capital do circuito produtivo para a alta finança e o rentismo, e desenvolveram importantes déficits comerciais que deslocaram o dinamismo produtivo para o Leste Asiático, em particular à China[34].

Nesse contexto, elevaram-se a desigualdade, o subconsumo e a pressão por mercados externos, recrudescendo o imperialismo informal mediante o consenso em torno à globalização neoliberal, ainda que em detrimento da autonomia nacional dos países periféricos. A dívida pública, como geradora ou garantidora do capital fictício, deslocou a centralidade do keynesianismo militar. Os gastos militares caíram fortemente nos anos de 1970 com a derrota no Vietnã, recrudescendo nos anos de 1980, sem voltar aos níveis dos anos de 1960, diminuindo significativamente nos anos de 1990, quando se impôs o consenso de Washington após a queda do Muro de Berlim e o fim da URSS. A retomada de um período de crescimento longo na economia mundial, desde meados dos anos de 1990, em função da projeção internacional da economia chinesa e da elevação das taxas de lucro nos países centrais, ativou novamente as pressões para elevação dos preços das matérias-primas, reduzindo o custo de oportunidade das políticas nacionalistas nos países periféricos, criando tensões com o imperialismo informal da coalizão neoliberal liderada pelos países atlantistas, sob hegemonia estadunidense. Essas tensões se manifestaram no recrudescimento do imperialismo *tout-court*, expresso em nova escalada de gastos militares e intervenções imperialistas no Oriente Médio, Ásia Central e norte da África. Todavia, o imperialismo *tout-court* é limitado pelo padrão de acumulação dominante e pelo grau de consenso em torno à globalização neoliberal. Sua escolha como forma predominante

---

34. Cf. Arrighi (2008), Fiori (1999) e Martins (2011).

de acumulação por parte do grande capital anglo-saxão e europeu dependeria de uma combinação de fatores:

a) Do colapso da estratégia de acumulação centrada na geração de riqueza fictícia e expansão da dívida pública nos Estados Unidos e União Europeia. Este colapso só seria possível caso a China deixasse de financiá-las, o que poderia ser plausível em um cenário no qual se combinassem a queda do seu crescimento interno, as pressões sociais contra a elevação da desigualdade e pela utilização dos excedentes para reduzi-la, inviabilizando o duplo papel que a China tem cumprido, isto é, de um lado, o financiamento da expansão do mercado interno e de um eixo geopolítico do crescimento, e de outro a sustentação dos centros parasitários e rentistas da economia mundial.

b) Da imposição de controles sobre a circulação de capitais e mercadorias, em função da emergência de forças protecionistas que desmantelassem o consenso em torno à globalização neoliberal.

c) Da necessidade de conter uma ofensiva nacional-popular nos países periféricos que pusesse em risco o êxito do imperialismo informal nessas regiões.

O cenário de um eventual esgotamento histórico da hegemonia do imperialismo informal neoliberal tenderia a levar a um aumento da intervenção do Estado que poderia se orientar em duas direções opostas, dependendo das forças sociais que prevalecessem: ou ao predomínio da acumulação por despossessão do imperialismo *tout-court*, ou à ampliação dos gastos sociais e ecológicos numa economia fortemente socializada[35]. Esse cenário se aproximaria bastante do caos sistêmico descrito por Giovanni Arrighi, em que as transições hegemônicas no âmbito do capitalismo têm levado ao estabelecimento de guerras mundiais de 30 anos. Caberia, entretanto, nos perguntar se uma eventual transição para outro sistema poderia ensejar o protagonismo de outro método de transição[36].

Guerras e paz, violência e cultura na transição ao socialismo

Domenico Losurdo, em seu brilhante *Guerra e revolução*[37], distingue três grandes tradições de pensamento sobre a questão da guerra e da paz. A tradição

---

35. No século XX, cada inflexão do padrão de acumulação tem sido acompanhada por um forte aumento da intervenção estatal. Assim, para Estados Unidos, França, Grã-Bretanha, Alemanha, Holanda e Japão, os gastos públicos se expandiram de 10% para 11,7%, entre 1880 e 1913, alcançaram 27,7% em 1938, caindo ligeiramente para 26,7% em 1950, elevando-se novamente para 40% em 1973 e 45,7% em 1992 (MADDISON, 1995, tabela 3.5).

36. Cf. *O longo século XX* (ARRIGHI, 1996) e meu *Globalização, dependência e neoliberalismo na América Latina* (MARTINS, 2011).

37. Losurdo (2017).

revolucionária que se inicia com o jacobinismo de Robespierre e a revolução haitiana, e se reformula e amplia no marxismo radical; a tradição liberal que legitima o expansionismo militar em nome de um universalismo democrático, centrado na defesa das liberdades contra as opressões; e a tradição conservadora radical, que justifica esse expansionismo não como resultado de valores universalistas, mas superiores e específicos de determinado povo, ou como uma guerra civil preventiva contra o universalismo liberal, sobretudo contra o universalismo fraternal jacobino e bolchevique.

A tradição liberal se aproxima ou se afasta da conservadora-radical ou da socialista em função da correlação de forças determinada pelas lutas entre capital e trabalho e pelas lutas interestatais. Assim, se Woodrow Wilson expressava a democracia das baionetas da Entente contra o Império Guilhermino, mas também as políticas internas de segregação racial; Franklin Roosevelt representava a aliança com a URSS contra o nazi-fascismo e a reivindicação da liberdade da necessidade que apontava para um projeto de democracia social avançada. Todavia, a aliança com a URSS deu-se sob circunstâncias históricas muito específicas, de combate à expansão do imperialismo fascista, cujo reacionarismo estendia a dimensão colonial aos países europeus e centros da economia mundial. Superado esse contexto histórico de ameaça, o liberalismo retomou sua hostilidade contra a URSS, através das teorias do totalitarismo que identificavam a URSS ao nazi-fascismo, defendendo as teses de que a democracia e a liberdade se sustentavam mediante o progresso e a expansão de uma civilização atlântica sem revoluções[38]. A tese da identidade entre URSS e o nazi-fascismo foi ainda ultrapassada pelo crescente protagonismo das correntes liberais que se opunham ao avanço da democracia social e escolhiam o socialismo como o inimigo principal, aceitando a aliança com o fascismo para eliminar o seu risco, atualizando as teses de Von Mises sobre o fascismo italiano para o Chile de Pinochet[39].

Como assinala Losurdo, a tradição revolucionária que se inicia em Robespierre, diferentemente da liberal e da conservadora-radical, recusa as guerras imperialistas e de dominação. Se os liberais colocam a democracia, a liberdade, os direitos humanos como valores universalistas que justificam a dominação

---

38. Cf. o livro de Hannah Arendt (2014), *Sobre a revolução*, publicado originalmente em 1963.

39. Cf. o livro de Mises (1985), *Liberalism*, publicado originalmente em 1927, onde ele afirma: "*O fascismo pode triunfar hoje porque a indignação universal contra as infâmias cometidas pelos socialistas e comunistas angariou-lhe as simpatias de amplos círculos [...]. Não se pode negar que o fascismo e movimentos semelhantes, que visam o estabelecimento de ditaduras, estão cheios das melhores intenções e que sua intervenção salvou, por enquanto, a civilização europeia*". Milton Friedman e Frederich Hayek tiveram destacada colaboração com o Governo Pinochet. Sobre isto, cf. o artigo *Frederich Hayek y sus dos visitas al Chile* (CALDWELL & MONTES, 2015).

imperialista, e os conservadores impõem como causa para esta suas motivações geopolíticas, seus princípios assimétricos ou pretextos defensivos, o pensamento revolucionário coloca a expansão militar e a guerra sob outra perspectiva.

Robespierre defende o fim das guerras de conquista e vota, em 1790, contra os subsídios militares em favor da Espanha, por ocasião de suas disputas com a Inglaterra. Em seu *Projeto de Declaração dos Direitos do Homem e do Cidadão* (1793), formaliza a declaração de fraternidade a todos os povos, mencionando que todos os países são irmãos e devem ajudar-se na medida do seu poder. Afirma que aquele que oprime uma nação declara-se inimigo de todas e que aqueles que fazem a guerra a um povo para deter os progressos da liberdade devem ser combatidos não como inimigos ordinários, mas como bandidos e assassinos que se rebelam contra o gênero humano e a natureza. Para Robespierre, entretanto, a liberdade não pode ser imposta de fora a uma nação por forças estrangeiras, mas deve partir das lutas internas de uma nação contra a opressão.

O desenvolvimento da razão é desigual e lento, a população oprimida se identifica com os vícios dos opressores e a ocupação transforma os missionários armados em inimigos, favorecendo as guerras de libertação nos territórios ocupados. Os povos que primeiro se libertarem da tirania devem buscar influenciar os oprimidos através de seus exemplos e ideias, e apenas a partir das guerras de libertação de outros povos e, na medida de suas próprias possibilidades, devem somar-se a elas[40]. Todavia, este cenário estava muito longe de ocorrer e a França revolucionária tinha que se ocupar primeiro de derrotar seus inimigos internos, do que desviar o foco da atenção para inimigos externos, o que fortaleceria os inimigos da Revolução. Apenas a reorganização do poder estatal em bases populares poderia liquidar os inimigos internos e impedir a intervenção dos aliados estrangeiros para derrotá-la.

Da mesma forma Engels, em carta a Kautsky sobre a política colonial, menciona que "o proletariado vitorioso não pode impor a nenhum povo estrangeiro uma felicidade"[41]. Lenin, em um conjunto de textos elaborados entre 1915-1917 – *Os princípios do socialismo e a guerra de 1914-1915*, de julho-agosto de 1915; *O programa militar da revolução proletária*, de setembro de 1916; e em conferência pronunciada em maio de 1917, intitulada *A guerra e o socialismo* –, especifica o caráter da relação dialética do marxismo com as guerras. Aponta que, embora os marxistas busquem a supressão completa das guerras, não podem se colocar contra todas as guerras, diferenciando-se dos partidários do desarme. As guerras

---

40. Vejam-se os escritos de Robespierre (2008) reunidos em *Virtude e terror* e o artigo de Anne Marie Coustou (2016), *"Robespierre et la question de la guerre"*.

41. Cf. a carta de Engels a Karl Kautsky, de 12/09/1882.

são distintas, e embora a imensa maioria seja de conquista e dominação, e as predominantes em sua época, imperialistas e organizadas pelo capital monopolista, existem três situações em que os marxistas devem apoiar a guerra: a) as guerras de liberação de um povo contra a dominação colonial; b) as guerras civis dos trabalhadores contra o domínio do Estado pelo capital; c) as guerras para defender a revolução socialista que se estabelece em determinado Estado e passa a ser hostilizado por potências capitalistas.

Tais guerras são apontadas por Lenin como defensivas, justas e legítimas. Seu sucesso depende da liderança política de um partido que seja capaz de combinar uma visão estratégica que parte de uma vanguarda intelectual revolucionária, mas que a redefine quando se afirma em um partido de massas e nas mobilizações populares a que dá lugar, desdobrando-se de visão abstrata e teórica para a realidade concreta. Para Lenin, só será possível suprimir as guerras quando for superada a divisão da humanidade em classes, a exploração do homem pelo homem e de uma nação pela outra.

O tema da transição ao socialismo e da guerra contra o capital é também aprofundado por Engels e Gramsci no pensamento marxista radical. Engels, no prefácio de 1895 a *Luta de classes em França*[42], assinala que a estratégia revolucionária deveria priorizar a conquista da legitimidade e poder dentro da legalidade liberal burguesa, ao invés do enfrentamento insurrecional nas ruas, dada a desproporção crescente de forças entre o monopólio da violência por um aparato repressivo estatal profissionalizado e as forças populares. Para o autor, as lutas de ruas não seriam suprimidas, mas deveriam articular-se com um longo trabalho de propaganda e atividade política parlamentar capaz de organizar as massas e compensar o desequilíbrio militar. Diante da ofensiva legítima e legal do proletariado dentro da ordem burguesa, esta recorreria à ditadura e à violência por meio do aparato repressivo estatal, que frente à organização e resistência do proletariado poderia se cindir, fraturando-se e abrindo o espaço para o processo revolucionário. Não há em Engels uma apologia da via pacífica, mas a defesa de um caminho que organize as massas no âmbito da legalidade burguesa, capacitando-a para vencer uma batalha onde a violência está presente, mas não como elemento decisivo para a transição socialista. A vitória da revolução socialista seria a vitória, ainda que relativa e não absoluta, da legitimidade como método sobre a violência, e o triunfo da contrarrevolução seria exatamente o oposto.

Esta questão é desenvolvida na obra de Gramsci, que introduz o conceito de Estado ampliado, de guerras de posição e de guerras de movimento para analisar a luta de classes, na qual o poder burguês repousa sobre uma combinação equilibrada

---

42. Engels (2012).

de coerção e consentimento, viabilizando-se através da articulação entre os organismos privados de hegemonia e o poder estatal jurídico-repressivo estrito. O Estado moderno surge nos países centrais a partir de 1870 e estabelece uma ampliação do aparelho governamental, de sua organização militar e, principalmente, de sua articulação com a sociedade civil. Esta supera a organização estritamente econômico-corporativa de seus grupos de interesse que se transformam em partidos políticos de uma sociedade de massas para articularem seus interesses particulares como se fossem interesse geral dos grupos subordinados. Para Gramsci, quanto mais se desenvolve o Estado burguês, maior o papel das superestruturas na organização das relações de dominação de determinados grupos sobre outros. Estas funcionam como trincheiras que resistem às guerras de movimento, representadas pelas ações insurrecionais e de assalto, concentradas no tempo[43].

O autor não descarta o papel das guerras de movimento, mas considera que elas perdem centralidade na organização das transformações em direção à revolução socialista. A irrupção do elemento econômico não é capaz de isoladamente organizar as tropas, nem desmoralizar aqueles que buscam manter suas defesas. Os elementos conjunturais e aleatórios devem ser articulados a partir da organização de um novo projeto intelectual e moral capaz de impor um novo interesse geral e uma nova visão de mundo que supere a anterior. Assim, para Gramsci, grande parte da batalha pela transformação social se articula mais no plano político-cultural, isto é, das guerras de posição, do que no plano especificamente militar e insurrecional. O êxito no âmbito intelectual-moral permitirá enfrentar com maiores probabilidades de vitória as resistências que se organizam no plano estritamente coercitivo, afetando sua disciplina e organização interna[44].

---

43. Gramsci (1999).

44. "No período posterior a 1870, com a expansão colonial europeia, todos estes elementos se modificam, as relações de organização internas e internacionais do Estado tornam-se mais complexas e robustas; e a fórmula 'revolução permanente', própria de 1848, é elaborada e superada na ciência política com a fórmula de 'hegemonia civil'. Ocorre na arte da política o que ocorre na arte militar: a guerra de movimento torna-se cada vez mais guerra de posição; e pode-se dizer que um Estado vence uma guerra quando a prepara de modo minucioso e técnico no tempo de paz. A estrutura maciça das democracias modernas, seja como organizações estatais, seja como conjunto de associações da vida civil, constitui para a arte política algo similar às 'trincheiras' e às fortificações permanentes da frente de combate na guerra de posição: faz com que seja apenas 'parcial' o elemento do movimento que antes constituía 'toda' a guerra etc." (GRAMSCI, 1999, p. 24). Ainda, que Gramsci tenda por vezes para uma concepção excessivamente gradualista das mudanças sociais, tema que não podemos tratar aqui por questões de espaço, e que se desdobra na obra de autores como Palmiro Togliatti (1984) e de Carlos Nelson Coutinho (1984), mediante os conceitos de *democracia progressiva* ou *democracia como valor universal*, interessa-nos sobretudo sublinhar para fins deste capítulo o protagonismo que Gramsci atribui à dimensão histórico-moral nas lutas no capitalismo moderno e contemporâneo. Todavia nos aproximamos mais da visão de

Dessa forma, podemos sustentar a partir da tradição revolucionária marxista de Engels, Lenin e Gramsci que a violência e as guerras, embora possam fazer parte do projeto teórico de transformação social em direção ao socialismo, encontram-se nele subordinadas ao elemento político-moral que impulsiona a ofensiva do proletariado e das camadas populares. Tal especificidade distingue estrategicamente as potencialidades de projetos socialistas e imperialistas. A vinculação dos gastos militares ao capitalismo monopolista tem pressionado na direção do encurtamento do ciclo de guerras e as sucessões históricas de comando secular na economia mundial capitalista têm levado a guerras mundiais de 30 anos que destroem excessos de capacidade e de competição. Pensar um futuro sustentável para a humanidade no século XXI, quando se aprofunda a capacidade tecnológica de destruição e a tendência à difusão das armas de destruição em massa, requer o estabelecimento de um novo padrão de acumulação intensivo em gastos sociais e ecológicos, assim como a luta pela paz para viabilizar sua imposição. Neste sentido, a derrota dos Estados Unidos no Vietnã constitui um importante precedente onde guerras de posição e guerras de movimento se combinaram para impor a vitória das dimensões político-culturais sobre as militares.

Referências

ANDERSON, P. *Linhagens do Estado absolutista*. São Paulo: Brasiliense, 1985.

ARENDT, H. *Sobre a revolução*. São Paulo: Companhia das Letras, 2014.

ARRIGHI, G. *Adam Smith em Pequim*. São Paulo: Boitempo, 2008.

_____. *O longo século XX*. Rio de Janeiro: Contraponto, 1996.

_____. *La geometria del imperialismo*. México: Siglo Veintiuno, 1978.

BERNSTEIN, E. La socialdemocracia y los distúrbios turcos. In: ARICÓ, J. (org.). *La Segunda Internacional y el problema colonial*. México, 1978 [Cuadernos de Pasado y Presente, 73].

CALDWELL, B. & MONTES, L. Frederich Hayek y sus dos visitas al Chile. *Estudios públicos*, n. 137, 2015. Santiago [Disponível em https://www.cepchile.cl].

CLAUSEWITZ, C.V. *Da guerra*. São Paulo: Martins Fontes, 2003.

COUSTOU, A.M. *Robespierre et la question de la guerre*. Paris, 2016 [Disponível em http://docplayer.fr/57592231-Robespierre-et-la-question-de-la-guerre.html].

Engels de que o protagonismo dos elementos histórico-morais é muito mais característico das lutas socialistas, uma vez que o capital tem enorme vantagem no uso do aparato coercitivo de Estado e no comando despótico das empresas para impedir os avanços sociais da legalidade, não abandonando o emprego desse recurso.

COUTINHO, C.N. *A democracia como valor universal e outros ensaios*. Rio de Janeiro: Salamandra, 1984.

DIMITROV, J. *Escritos sobre el fascismo*. Madri: Akal, 1976.

EFESO, H. *Fragmentos*: origem do pensamento. Rio de Janeiro: Tempo Brasileiro, 1980.

ENGELS, F. *Anti-Dühring*. São Paulo: Boitempo, 2015.

_____. Prefácio. In: MARX, K. *A luta de classes em França*. São Paulo: Boitempo, 2012.

_____. *El origen de la família, de la propriedade privada y del Estado*. Buenos Aires: Claridad, 2007.

_____. *Carta a Karl Kautsky*, 1882 [Disponível em https://www.marxists.org/portugues/marx/1882/09/12.htm#topp].

ESCOSURA, L.P. *La desiguald en España*: una visión de largo plazo. Madri, 2016 [Disponível em http://www.fedea.net/wp-content/uploads/2016/07/W-HPD2016-07_prados-escosura.pdf].

FIORI, J.L. (org.). *Estados e moedas no desenvolvimento das nações*. Petrópolis: Vozes, 1999.

GRAMSCI, A. *Cadernos do cárcere*. Rio de Janeiro: Civilização Brasileira, 1999.

HEGEL, G.W.F. *Princípios da filosofia do direito*. São Paulo: Martins Fontes, 1997.

HOBSBAWM, E. *A era dos impérios*: 1875-1914. Rio de Janeiro: Paz e Terra, 1988.

HOBSON, J. *Estudio del imperialismo*. Madri: Captain Swing, 2009.

KAUTSKY, K. *Velha e nova política colonial*. In: ARICÓ, J. (org.). *La Segunda Internacional y el problema colonial*. México, 1978 [Cuadernos de Pasado y Presente, 73].

_____. *Ultraimperialism*, 1914 [Disponível em https://www.marxists.org/archive/kautsky/1914/09/ultra-imp.htm].

LEBERGOT, S. *Annual estimates of unemployment in United States*, 1957 [Disponível em http://www.nber.org/chapters/c2644.pdf].

LENIN, V. *Que fazer*. São Paulo: Hucitec, 1986.

_____. *Imperialismo, fase superior do capitalismo*. São Paulo: Global, 1979.

_____. *La guerra y la revolución*, 1917 [Disponível em http://agendacomunistavalencia.blogspot.com.br/2017/03/lenin-la-guerra-y-la-revolucion.html].

_____. *El programa militar de la revolución proletaria*, 1916 [Disponível em https://www.marxists.org/espanol/lenin/obras/1910s/1916mil.htm].

_____. *O socialismo e a guerra*, 1915 [Disponível em https://www.marxists.org/portugues/lenin/1915/guerra/index.html].

LOSURDO, D. *Guerra e revolução* – O mundo um século após outubro de 1917. São Paulo: Boitempo, 2017.

LUXEMBURGO, R. *A acumulação de capital*. Rio de Janeiro: Zahar, 1976.

MARTINS, C.E. *Globalização, desenvolvimento e dependência na América Latina*. São Paulo: Boitempo, 2011.

MARX, K. *O capital*. São Paulo: Boitempo, 2013.

_____. Prologo a la contribución a la crítica de la economía política. *Marxist internet archive*, 2001 [Disponível em https://www.marxists.org/espanol/m-e/1850s/criteconpol.htm].

MARX, K. & ENGELS, F. *A ideologia alemã*. São Paulo: Hucitec, 1986.

MADDISON, A. *Project*, 2013 [Disponível em http://www.ggdc.net/maddison/maddison-project/home.htm].

_____ *The World economy*: a millennium perspective. Paris: Oecd Development Centre, 2003.

_____. *Monitoring the world economy*. Paris: Oecd Development Centre, 1995.

MANDEL, E. *Capitalismo tardio*. São Paulo: Abril, 1982.

_____. *Tratado de economia marxista*. Vol. III. Lisboa: Bertrand, 1978.

MISES, L. *Liberalism in classical tradition*. São Francisco: Cobden Press, 1985.

NAHAN, O. *Germany's expenditure for war*, 1944 [Disponível em http://www.nber.org/chapters/c9480.pdf].

PIKETTY, T. *Capital in the twenty-first century*. Cambridge: Harvard University Press, 2014.

REIFER, T. & SUDLER, J. The interstate system. In: HOPKINS, T. & WALLERSTEIN, I. (eds.). *The age of transition*. Londres/Nova Jersey: Zed Books, 1996.

RENOUVIN, P. *Historia de las relaciones internacionales* (siglos XIX y XX). Madri: Akal, 1998.

ROBESPIERRE, M. *Virtude e terror*. Rio de Janeiro: Zahar, 2007.

SCHUMPETER, J. *Imperialismo, clases sociales*. Madri: Tecnos, 1986.

SHEIDEL, W. *The great leveler*. Princeton: Princeton University Press, 2017.

TOGLIATTI, P. *Socialismo e democracia*. Rio de Janeiro: Muro, 1984.

TROTSKY, L. *Revolução e contrarrevolução na Alemanha*. São Paulo: Ciências Humanas, 1979.

Guerra e moral internacional em Carr, Aron e Morgenthau

Paulo Vitor Sanches Lira

Introdução

Dois eixos principais organizam a argumentação desenvolvida neste ensaio: Guerra e moral internacional. O tratamento dado a estas questões e o entrelaçamento entre ambas são considerados a partir do pensamento de três dos autores mais caros ao campo das Relações Internacionais (RI), a saber: Edward Carr, Raymond Aron e Hans Morgenthau. Livre de qualquer ensejo em exaurir o pensamento dos autores, propomo-nos aqui a dois objetivos, quais sejam: (i) examinar a construção teórica em cada um dos autores em torno de tal entrelaçamento; e (ii) pensar as consequências lógicas dessas construções teóricas. A despeito de constarem sob o guarda-chuva teórico do realismo, Carr, Aron e Morgenthau possuem percepções bastante diferentes sobre o sistema internacional e, portanto, apontam limites distintos para as possibilidades do real sobre o fim das guerras e a construção de uma moral universal.

A primeira seção deste texto é dedicada ao pensamento de Edward Carr, principalmente por meio da interpretação de seu livro teórico mais importante para o campo das Relações Internacionais, *Vinte anos de crise*. Por ser uma obra que nos apresenta um universo amplo e complexo na caracterização do sistema de estados em que vivemos, buscamos extrair da percepção de movimento da história apresentada por Carr as questões sobre guerra e moral.

Em sequência, faremos algumas considerações sobre os escritos do pensador francês Raymond Aron, em sua obra *Paz e guerra entre as nações*. Assim como Carr, Aron se utiliza da forma dialética para explicitar o desenvolvimento do sistema internacional. Entretanto, as similitudes enquanto quesito metodológico encerram-se tão logo se iniciam. Guerra e moral são analisadas por Aron por meio de tipologias de paz e guerra em um movimento dialético, de modo que as possibilidades de superação dos conflitos e constituição de uma moral universal são apresentadas pelo ângulo do desenvolvimento tecnológico derivado do jogo contínuo das guerras.

Na última seção, são realizadas considerações acerca do pensamento de Hans Morgenthau. Por suas próprias convicções acerca da impossibilidade de uma teoria sobre as relações internacionais que não seja focada no pragmatismo e na busca de poder político por determinado Estado, Morgenthau pode ser considerado um dos pilares do pensamento estadunidense em termos realistas. Guerra e moral internacional são analisadas pelo autor como condições da luta política pelo aumento de poder presentes em qualquer tipo de relação, sendo o relacionamento entre os estados uma ampliação de tal natureza humana.

Além dessas palavras introdutórias, algumas considerações finais serão tecidas no intuito de realizar uma pequena comparação entre as posições dos autores quanto à forma de caracterização do sistema e, consequentemente, as possibilidades para as questões de guerra e moral internacional.

Edward H. Carr: "poucas descobertas são mais irritantes do que as que expõem a origem das ideias"[1]

Edward Hallett Carr (1892-1982) nasceu em Londres, Inglaterra. Teve uma longa carreira como teórico e jornalista em temas internacionais, além de ter servido na diplomacia britânica no período da Primeira Guerra (1914-1918), participando da Conferência de Paris (1919). Sua principal e mais importante obra para o campo das Relações Internacionais é, sem dúvida, o livro *The Twenty Years' Crisis*, publicado em 1939. Mais do que uma obra teórica – no sentido comumente entendido enquanto variáveis interconectadas em que se apresentam em um modelo de entendimento da realidade –, Carr explora a complexidade empírica do sistema internacional. Nesse sentido, a obra pode ser mais bem-entendida enquanto uma descrição do movimento do sistema desenhado pelas grandes potências europeias e, mais tardiamente, pelos Estados Unidos.

Este último ponto, em nossa percepção, é o que diferencia o autor britânico dos demais autores realistas. Não sendo apenas uma questão de exposição, a dialética utopia-realismo é utilizada pelo autor para interconectar aspectos morais, os meios de se fazer a guerra e a paz, além de dar a tônica das produções intelectuais do campo das Relações Internacionais modernas.

O período entreguerras (1919-1939) em que, segundo o autor, foram mantidas intactas as condições para o retorno do conflito, é o espaço de tempo em que Carr se debruça para compreender a essência do fracasso em eliminar a guerra. Sendo a forma dialética o modo de observar o movimento do sistema internacional como

---

1. ACTON, L. *History of Freedom*, apud Carr (2001, p. 94).

um todo, Edward Carr parte do entendimento do que chamou de "Ciência Política Internacional" como intento de decifrar a espiral de desenvolvimento guerra-paz. Ou seja, a própria criação de tais condições para a guerra passa, também, pela influência que as ideias exercem sobre ações dos estadistas.

Segundo o autor, diferentemente de outras ciências, em Ciência Política o "dever ser" presente na mente de alguns é pretendido como um entendimento do universal. E, ao conectar-se com o poder político, tende a levar a resultados catastróficos. Assim, Carr conclui que o desejo inicial que promove o pensar e que em outras ciências pode ser separado dos resultados, em ciência política não ocorre no mesmo sentido[2].

Tal fato faz com que projetos ancorados em uma leitura utópica acerca da moral humana e do comportamento dos estados tendam a desmoronar. Segundo Carr, a estrutura sobre a qual se intentou construir a paz no entreguerras é um exemplo claro desse processo. Esse período coroa o que o autor denominou de "período infantil" da ciência política internacional, comparada por ele às hipóteses alquímicas baseadas na aspiração em transformar chumbo em ouro. Entretanto, como bem reconhece Carr, a utopia é parte das ciências políticas. A ideia é a grande força por detrás do pensar político.

A despeito de reconhecer a importância da variável utópica, Carr demonstra como a "cura" para a doença do corpo político europeu iniciou-se com pouca análise crítica acerca dos "fatos existentes e dos meios disponíveis". Carr argumenta que apenas após 1931 foi que se tornou possível um desencadear de raciocínio crítico sobre os problemas internacionais. É sob contextos desse tipo que o Realismo Político é apresentado pelo autor como a força negativa dentro da dialética do sistema; força que impulsiona a espiral do campo das Relações Internacionais e possibilita a percepção das intenções e objetivos por detrás de projetos idealistas. Como discutiremos mais adiante, Carr demonstra como um conjunto moral de ideias utópicas progressistas passa a posições reacionárias e conservadoras servindo ao *status quo* de poder relativo no sistema.

O principal antagonismo na dialética utópico-realista está na diferença entre moral e política. Segundo Carr, a extremidade utópica tende a estabelecer um padrão moral/ético *a priori*, independentemente da política. A negatividade objetivo-fato é apontada pela visão realista, que nega, pelo menos desde o Renascimento com Maquiavel, a impossibilidade de construir uma moralidade universal e apartada do político.

---

2. Para efeito de exemplo, Edward Carr demonstra que, seja qual for o desejo inicial que faz com que um pesquisador da área da saúde se lance para entender a cura de um câncer, o resultado final independe totalmente dos motivos iniciais de pesquisa.

> A identificação da realidade suprema com o bem supremo, que a Cristandade conseguiu por intermédio de um vigoroso golpe de dogmatismo, o realista alcança através da presunção de que não existe outro bem que não a aceitação e a compreensão da realidade[3].

A destruição do universalismo cristão marca, segundo Carr, o período de nascimento da utopia liberal como uma resposta ao realismo renascentista. Tal edifício moral fora constituído, então, sobre bases de uma suposta "lei natural" que imprime em todo ser uma razão individual. E, portanto, por meio de tal faculdade, os indivíduos se adaptariam a um conjunto de códigos éticos deduzidos a partir do próprio esforço racional – "O Iluminismo era a estrada real para a felicidade"[4]. Sobre tal estrutura, a opinião pública ganhou, segundo o autor, *status* de árbitro moral e racional; as repúblicas, o estatuto de construções racionais indiferentes às vontades reais e seus privilégios irracionais que levavam a "doença guerra"; a educação ganhou a dimensão de grande pacificadora internacional. *Grosso modo*, esse é o núcleo da moral utópica identificado por Edward Carr, que vai ganhando atualizações e sobrevida durante os séculos após o século XVIII[5].

Todas essas características são apontadas pelo autor quando da construção da Liga das Nações. Nesse contexto, o racionalismo decretava a opinião pública como base da construção de longo prazo do universalismo; da mesma forma, havia a crença de que a guerra estaria fora do menu político dos estados, dado o poder dessa coerção racional. No caso de possíveis deslizes, novamente a punição moral (pelas opiniões públicas nos demais estados) tomaria a frente e colocaria o processo universalista novamente nos trilhos. Entretanto, conforme o dito conhecido de Winston Churchill – "*there is no such thing as public opinion. There is only opinion published*" –, o que se seguiu na Europa foi não apenas políticas contrárias aos postulados iluministas por parte dos estados, mas também ações suportadas por suas populações.

A despeito da ruptura aparente causada pelo estado de guerra, o ponto importante para entendermos a conexão entre moral e guerra no pensamento de Edward Carr está em sua resposta sobre o porquê os postulados liberais do século XIX tiveram tanta aceitação. Em geral, seria possível apostar em uma velha máxima

---

3. Carr (2001, p. 29).
4. Carr (2001, p. 34).
5. "Assim como Bentham, um século antes, tomou a doutrina da razão do século XVIII e adaptou-a às necessidades da nova era, da mesma forma, agora Woodrow Wilson, o apaixonado admirador de Bright e Gladstone, transplantava a fé na racionalidade do século XIX ao solo quase virgem da política internacional e, levando-a com ele para a Europa, deu-lhe um novo alento de vida. Quase todas as teorias populares sobre política internacional entre as duas grandes guerras foram reflexos, vistos num espelho americano, do pensamento liberal do século XIX" (CARR, 2001, p. 39).

"direito é poder" por parte de pensadores compreendidos no grande guarda-chuva do realismo; e do outro lado da dialética utopia-realismo, a ideia de submissão individual ao bem social. A explicação dada por Carr apresenta tal quadro de forma mais complexa, apontando as mudanças de determinada moral enquanto parte de uma sociedade em movimento e os limites claros à sua continuidade.

É nesse sentido que o autor inglês aponta a sobrevivência do credo liberal enquanto este ainda não sofre as pressões do desenvolvimento social e político de uma sociedade, ou mesmo do sistema internacional. A chamada "harmonia de interesses" popularizada por Adam Smith é apresentada como um bom exemplo desse processo.

Desenvolvida enquanto uma teoria moral, a harmonia de interesses é apontada como parte da natureza individual que identifica a felicidade do outro como necessária à própria felicidade, contrabalanceando, assim, os instintos de autointeresse e autopreservação. Em sua versão econômica, ainda desenvolvida por Smith, seria concernente ao Estado a preocupação em zelar para que o ambiente nacional fosse livre de interesses particularistas e monopolistas, de maneira a criar um ambiente propício para o desenvolvimento das atividades econômicas, com especialização e ampliação de quantidades produzidas.

Entretanto, como ressalta Carr, tal harmonia de interesses só poderia ser possível em uma sociedade de pequenos produtores e comerciantes, cuja preocupação central seria a maximização da produção e da troca. Ou seja, nenhuma ou pouca preocupação com a distribuição da riqueza no interior dessa sociedade. Com o desenvolvimento inglês em níveis industriais e a criação de um ambiente urbano, criou-se também uma nova figura que já não harmonizava com os interesses da razão smithiana. O proletário urbano minava tais premissas, colocando, assim, uma ideia a princípio progressista (de possibilidade de uma nova vida em uma sociedade mais inventiva e menos imobilizada por títulos de nobreza) em uma ideia reacionária sustentada por um grupo dominante interessado em identificar seus interesses com o de sua sociedade.

Quando pensada em termos internacionais, Carr demonstra que a "harmonia natural", baseada na ideia de que "as nações servem à humanidade, como os indivíduos servem a suas sociedades"[6], encontra ressonância enquanto há melhora relativa conjunta entre os países. E, da mesma forma, o progressismo da harmonia de interesses em termos internacionais passou, segundo Carr, a uma posição reacionária e de uma sobrevida por meio da inserção do "darwinismo" na política internacional. Dessa forma, ganhou força a ideia de que os países que se colocaram

---

6. Carr (2001, p. 62).

no topo do sistema não só estavam em tal ponto por merecimento, mas também possuíam a missão de levar tal sistema moral adiante[7].

A manutenção da harmonia de interesses na paz como uma razão comum baseada na visão utópica sobreviveu após a Primeira Guerra nos países de língua inglesa, em especial nos Estados Unidos. Esse é um ponto fundamental apresentado por Carr, pois explicitava o desejo de manutenção do *status* de poder sem a necessidade de conflito. Segundo Carr, o final dos anos de 1930 seria, então, de "completa falência da concepção de moral que dominou o pensamento político e econômico durante um século e meio"[8]. Nesse período, a criação de mais estados e, consequentemente, de mais fronteiras, intensificou as rivalidades; a busca do avanço industrial na tentativa de criar um espaço independente dos produtores europeus passou a ser a bússola de diversos países em regiões distintas. Ou seja, não havia mais espaços não abertos para o alívio da pressão em um tabuleiro em que o nacionalismo passou a dominar. Esse foi de fato um golpe bastante forte na ideia de alcance de uma virtude correta por meio da razão, pois a crença de que um Estado que visasse ao bem comum para o mundo estaria buscando também o bem de seus cidadãos já não encontrava ressonância[9].

A despeito de apontar o raciocínio moral *a priori* como a vestimenta de um interesse parcial que se pretende universal, Edward Carr reconhece que todo nacionalismo utilizado como contestação a determinado cosmopolitismo, quando vitorioso, lança as bases de um novo internacionalismo. Como apontamos, tal fato fica bastante claro ao refletirmos sobre as posições estadunidenses em momentos distintos de sua inserção na hierarquia internacional. Nesse sentido, a moral internacionalista ou cosmopolita do momento corresponde a uma realidade nacional específica, baseada em uma interpretação do interesse do país que professa o universal. A Segurança Coletiva seria então a figura essencial de manutenção de uma moral pretensamente correta.

A revelação dos interesses reais por detrás dos conceitos pelos realistas, como no caso da visão utópica, não significa para Carr uma negação da paz ou da própria

---

7. "A doutrina do progresso através da eliminação das nações inaptas parecia um corolário justo da doutrina do progresso através da eliminação dos indivíduos inaptos e algo desta crença, embora nem sempre abertamente admitido, estava implícito no imperialismo do final do século XIX. No final do século XIX, como ressalta um historiador americano, 'o problema básico das relações internacionais era o de quem iria destruir as vítimas'. A harmonia de interesses foi estabelecida através do sacrifício de africanos e asiáticos 'inaptos'" (CARR, 2001, p. 67).

8. Carr (2001, p. 83).

9. "O realista pôde, então, demonstrar que as teorias intelectuais e os padrões éticos dos utópicos, longe de serem a expressão de princípios absolutos e aprioristicos, são historicamente condicionados, sendo tanto frutos dos interesses e circunstâncias como armas forjadas para a defesa de interesses" (CARR, 2001, p. 91).

cooperação. O autor reconhece que, em certo sentido, a paz e a cooperação são um fim comum e universal. Contudo, esse fim não seria constituído por mecanismos abstratos ou mesmo desinteressados. Ao reconhecer pontos do pensamento utópico como variáveis importantes no cálculo político, Carr apresenta alguns limites do pensamento realista.

Ainda que as bases do realismo professem a continuidade da política como uma camisa de força a impedir movimentos de mudança, não é incomum realistas políticos apontarem objetivos fora de seus postulados iniciais. Carr demonstra, entre alguns exemplos, que o desejo de Maquiavel em "Libertar a Itália dos bárbaros" não pode ser deduzido de nenhum pressuposto realista, pois se basearia em um apelo emocional para a autoridade moral de transformação do real. Além disso, o julgamento sobre processos históricos, em geral, não aceita a racionalidade da política como base universal. Portanto,

> [...] qualquer pensamento político lúcido deve basear-se em elementos tanto de utopia quanto de realidade. Onde o pensamento utópico tornou-se uma impostura vazia e intolerável, que serve simplesmente como um disfarce para os interesses dos privilegiados, o realista desempenha um serviço indispensável ao desmascará-lo. Mas o puro realismo não pode oferecer nada além de uma luta nua pelo poder, que torna qualquer tipo de sociedade internacional impossível. Tendo demolido a utopia atual com as armas do realismo, ainda necessitamos construir uma nova utopia para nós mesmos, que um dia haverá de sucumbir diante das mesmas armas. A vontade humana continuará a procurar uma saída para as consequências lógicas do realismo na visão de uma ordem internacional que, ao se cristalizar numa forma política concreta, torna-se eivada de interesse egoísta e hipocrisia devendo, uma vez mais, ser atacada com os instrumentos do realismo[10].

Se a moral internacional é uma construção de poder no intuito de manter o *status quo*, como discutido, e o realismo analítico e político, respectivamente, um explicitar de interesses escondidos e o conflito aberto contra tais interesses, seria possível a saída de tal dialética por meio do próprio processo dialético? Em outras palavras, quais seriam as possibilidades de paz dentro de tal sistema?

Apesar de o autor não se propor a responder tais questões, nossa interpretação em relação à forma de análise apresentada por Carr e algumas de suas conclusões é a de que ele se aproxima de posições que o autor mesmo julga ter sido o caminho tomado por outros autores que usaram a dialética, como é o caso de Karl Marx. Ou seja, a saída da dialética e a chegada à paz por meio de uma variável nascida dentro desse processo.

---

10. Carr (2001, p. 122-123).

Ao chamar atenção de que nenhuma das posições dentro da dialética utopia-realismo represente a posição do homem comum, Carr aponta alguns traços de universalidade. Certamente não uma universalidade fora da perspectiva europeia, cujo *status* de igualdade não é expandido a outros espaços do globo, mas apenas as nações autointituladas "civilizadas"[11]. Tais traços de universalidade não partiriam dos filósofos, mas dos homens comuns e políticos.

Além do afastamento entre o que chamou de homem comum e os filósofos, o autor inglês chama atenção para outro distanciamento: a moral dos estados e a moral desse mesmo homem comum. A peculiaridade da sociedade na forma de Estado estaria na participação compulsória por meio da coerção e a guerra como elemento central na formação, pois o medo seria a principal variável de unificação nacional. Por conta desse ponto, moral e poder passam a ser conflitantes em sua perspectiva[12]. Ainda que as pessoas esperem que o Estado aja moralmente, estes não esperam o mesmo tipo de moral individual. Isto se dá por alguns motivos: o primeiro é que mesmo o impulso ético/moral sendo proveniente de um indivíduo, o ato é sempre relacionado a uma pessoa-grupo (Estado); outro ponto importante é a atração emocional que o Estado exerce sobre os indivíduos em detrimento de outros tipos de pessoas-coletivas (como empresas, p. ex.). "O Estado, assim, passa a ser visto como possuindo um direito à autopreservação que supera a obrigação moral"[13]. Ao fim e ao cabo, não há como esperar comportamento moral do Estado porque não há meio de compeli-lo a tomar tal código como objetivo a ser construído.

A despeito disso, Carr chama atenção para alguns traços "universais" entre os países civilizados e que escapam, a nosso ver, de todo seu processo de análise ao ser apresentada como uma espécie de denominador comum fora da dialética que se põe sobre a tentativa de uma moral internacional e a guerra. Uma espécie de código moral que interconecta os estados, como, por exemplo, a ideia de não infligir sofrimento ou morte "desnecessárias".

> Mesmo Hitler, num de seus discursos, se negou a concluir um pacto com a Lituânia "porque não podemos celebrar tratados políticos com um Estado que não observa as mais primárias leis da sociedade huma-

---

11. "Algum reconhecimento de uma obrigação para com nossos semelhantes parece implícito em nosso conceito de civilização e a ideia de certos deveres que obrigam automaticamente o homem civilizado deu origem à ideia semelhante (embora não necessariamente idêntica) de deveres que obrigam as nações civilizadas" (CARR, 2001, p. 199).

12. "Não se pode identificar a obrigação do Estado com a obrigação de qualquer indivíduo, ou indivíduos; e as obrigações dos estados é que são o sujeito da moral internacional" (CARR, 2001, p. 195).

13. Carr (2001, p. 206).

na", e ele, frequentemente, alegava a imoralidade do bolchevismo como uma razão para excluir a Rússia Soviética da família das nações. Todos concordam que existe um código moral que liga os estados entre si. Um dos mais importantes e mais claramente reconhecidos itens deste código é a obrigação de não infligir morte ou sofrimento "desnecessários" a outros seres humanos, ou seja, morte ou sofrimento não necessários à realização de algum objetivo mais alto que, certo ou errado, justifique uma derrogação da obrigação geral. Este é o fundamento da maioria das regras de guerra, o mais antigo e mais desenvolvido capítulo do direito internacional, e essas regras são geralmente observadas na medida em que não impeçam a condução eficaz das operações militares[14].

O mais importante sobre a citação acima, do nosso ponto de vista, se dá menos na tentativa de apontar um denominador de igualdade, e mais em suas últimas palavras, ao apontar claramente a precedência do poder sobre qualquer tipo de acordo que parta de uma moral abstrata, ou como chamou, à época, a tentativa dos "metafísicos de Genebra" de tentar acabar com a guerra com alguns documentos assinados pelos estados.

Raymond Aron: a paz por meio do desenvolvimento tecnológico para a guerra

Nascido em Paris, França, Raymond Aron (1905-1983) iniciou sua carreira como docente na Alemanha no início do século XX. Com o partido nazista angariando forças, Aron retorna à França, onde se doutorou em Filosofia em 1938, focando seus estudos em Filosofia da História. Poucos anos depois, a luta contra a invasão alemã o levou ao jornalismo, que se tornou atividade constante em sua vida, além de seu retorno à academia no pós-guerra. Em sua obra clássica, *Paix et guerre entre les nations*, publicada originalmente em 1962, Raymond Aron apresenta uma análise histórica por meio de um movimento dialético, assim como Carr. Entretanto, a "filosofia da história" utilizada pelo autor tem como forças extremas a paz e a guerra. Além dessa percepção, que será apresentada mais adiante, é latente a preocupação com o desenvolvimento tecnológico para se fazer a guerra, mais especificamente com a bomba atômica e a conjuntura de então[15].

A despeito de considerar sua análise como uma espécie de dialética, Aron cria uma série de categorias para compreender as relações internacionais tanto em

---

14. Carr (2001, p. 199).

15. "*O aparecimento da bomba atômica encheu todos os espíritos de medo e de estupor; impunha-se tanto aos civis quanto aos militares a pergunta: Como inserir, no jogo tradicional dos estados, este instrumento de destruição, de um poder que não se compara com o das armas batizadas ao mesmo tempo como clássicas e convencionais?*" (ARON, 2010, p. 585).

tempos de paz como em tempos de guerra. *Grosso modo*, a primeira parte do livro trata dos conceitos para a interpretação das políticas externas e a lógica estratégica por detrás da atuação diplomática dos países. A segunda categoriza as formas nas quais o sistema internacional pode se formatar, tanto em termos do que podemos chamar de forma objetiva e subjetiva, respectivamente, a "balança de poder", que aponta para um sistema de multipolaridade ou bipolaridade, e a organização jurídica e relações de forças morais, que tornam o sistema homogêneo ou heterogêneo. Todas as categorias discutidas dentro desse arcabouço formam a "dialética da paz e da guerra", para a qual Aron chama atenção mais adiante em seu livro. Isso significa dizer que toda a primeira parte de sua análise, baseada na diplomacia, se dá sob a sombra da guerra que se aproxima no horizonte. Portanto, dentro da sua dialética, a guerra tem de ser pensada na formação, ou na estruturação, da paz que existia antes do período do despertar do conflito.

Para Aron, a guerra é o fenômeno estrutural que liga todos humanos que viveram sobre a Terra. Como um denominador comum, a diferenciação e a busca de um entendimento de seu movimento no tempo e, portanto, a interpretação de algum sentido possível, são realizadas por intermédio de uma "tipologia sociológica" que poderia ser percebida de forma diacrônica em cujo desenvolvimento dos meios, como demonstraremos, residiria a possibilidade do fim do próprio movimento.

Determinada a guerra como ponto essencial de toda conduta estratégico-diplomática referente à eventualidade de seu acontecimento, a paz é, para Aron, a continuidade do intercâmbio entre as nações após um período de conflito. Portanto, toda estruturação das próximas guerras subsiste nas relações estabelecidas pela formatação da paz em determinado momento da história.

> A rivalidade entre as coletividades políticas não se inicia com o rompimento de tratados, nem se esgota com a conclusão de uma trégua. Contudo, qualquer que seja o objetivo da política externa – posse do solo, domínio sobre populações, triunfo de uma ideia –, esse objetivo nunca é a guerra em si (ARON, 2002, p. 219).

A guerra é pensada como um desenrolar das rivalidades inscritas no próprio sistema e que continua seu movimento mesmo em momentos de paz. A paz, então, seria a "suspensão, mais ou menos durável, das modalidades violentas das rivalidades entre os estados"[16]. Nesse sentido, o reino da paz no sistema internacional – ou o intercâmbio que não se manifesta de maneira militar – subsiste sob as rivalidades historicamente construídas. E, mais do que isso, sob a sombra de guerras e acordos passados e sob o temor dos próximos conflitos.

---

16. Aron (2002, p. 220).

A propulsão, por assim dizer, do movimento dialético paz-guerra é denominado por Aron como potência. Aparecendo como "diferentes graus de capacidade que têm as unidades políticas de agir umas sobre as outras"[17]. Nesse sentido, capacidade assume não apenas formas militares. Haja vista a própria natureza da dialética aroniana, esta assume também padrões morais que têm potencialidade para se expandir para além das fronteiras do Estado, e assim criar diversos tipos de paz.

A Paz Aroniana possui basicamente três tipos principais: a Paz Imperial, a Paz Hegemônica e a Paz de Equilíbrio. A primeira forma seria compreendida não apenas da dissolução das fronteiras, mas também da dissolução da memória que atava a determinado tempo uma população a uma organização política e moral independente. Como exemplo dessa categoria de paz, é-nos apresentado pelo autor o movimento de unificação alemã de 1871.

Do ponto de vista da Paz Hegemônica, há a ausência de guerras, porém não por uma possível igualdade em termos de *status* de força, mas pela própria assimetria incontornável da potência que se coloca sobre as demais. Diferentemente da Paz Imperial, não haveria o interesse de absorção das unidades "reduzidas à impotência". A paz propagada pelos Estados Unidos nas Américas tem tal característica. Segundo o autor, esse tipo de paz se organiza de forma precária, pois a composição do sistema é sempre a de "unidades ciumentas de sua autonomia". Ainda dentro da análise da paz pela hegemonia, Aron chama atenção para a possibilidade de preponderância de uma nação sobre outras, não caracterizando uma hegemonia, pois não apresenta a totalidade de um sistema fechado em nuances como a questão militar e moral[18].

Por fim, a Paz de Equilíbrio, em que unidades de mesmo *status*, que se reconhecem mutuamente, tendem a estabilizar as relações entre estas, sobretudo por reconhecerem no passado a ruína comum após períodos contínuos de guerras. São o que o autor chama de "sócios rivais"[19].

E com essas possibilidades de paz que o autor francês chama atenção para a guerra como resultado. Efeitos e consequências muito distintos para todo o sistema constituem, então, o que denominou de guerras perfeitas, imperiais (ou superestatais) e infraestatais (ou infraimperiais). As guerras envolvendo entes que se reconhecem mutuamente, os "sócios rivais", apresentam-se como guerras perfeitas, pois a legitimidade moral de ambas as unidades, ou ambos os grupos de unidades, se coloca de maneira indiferenciada. As guerras imperiais são as que

---

17. Aron (2002, p. 220).
18. Esse tipo de relação é utilizado pelo importante geopolítico brasileiro Leonel Itaussu Almeida Mello para a análise da rivalidade entre Brasil e Argentina, em especial após 1970 (MELLO, 1996).
19. Aron (2002, p. 223).

têm como objetivo, ou consequência, a eliminação de determinados beligerantes, ou mesmo a "formação de uma unidade superior"[20]. As guerras infraestatais são apresentadas como aquelas surgidas por dentro de um ente político, em geral imperial, para a construção ou manutenção de uma unidade política antes eclipsada – no primeiro exemplo, Aron cita a guerra de independência argelina e, no segundo, a guerra dos batavos para reaver sua independência.

Segundo Aron, em geral as guerras imperiais surgem das guerras interestatais. O caráter hiperbólico dessas guerras se daria quando do estabelecimento, ainda que momentâneo, da hegemonia ou de forma imperial de uma unidade em relação às demais. Fato este que, pensado pelo lado da moral internacional, diferenciaria aqueles sob a sombra da unidade que se projeta e assim retiraria o *status* de igualdade de ser – sendo um tipo de guerra que muda a composição do sistema, de multi para unipolar, por exemplo. Em ocasiões como essas – como na Primeira e Segunda Guerras Mundiais, por exemplo –, a geometria de forças e capacidades dão a tônica da violência utilizada na guerra.

Esta última questão assume, no pensamento de Raymond Aron, ponto significativo, pois as tecnologias utilizadas nas guerras a cada tempo compõem o rol de possibilidades do desenrolar das mesmas. O desenvolvimento tecnológico possui, como destacamos anteriormente, importância central para a possibilidade de paz no sistema. Por conseguinte, a realização objetiva da tecnologia vem da potência inerente das unidades nacionais que estão compreendidas na dialética da paz e da guerra a diferentes tempos.

As três modalidades de paz apresentadas pelo autor são guiadas pelo princípio de potência inscrito: (i) na natureza das unidades políticas e das ideias históricas que cada uma carrega em si; (ii) na natureza das armas e do aparato militar que tais unidades possuem – portanto, e mais objetivamente, os objetivos morais na esfera internacional e os meios para fazer valer determinada verdade como universal a ser seguida.

Há uma inter-relação clara no pensamento de Aron entre hierarquia social, desenvolvimento das capacidades de se fazer a guerra, bem como do corpo militar que a sustentará. Do ponto de vista da relação com os demais estados, tal forma de organização interna marca o *status* da relação com as demais unidades, tanto as de mesmo *status* quanto as que são diferenciadas. Isso significa dizer a capacidade moral de arbitrar o legítimo e o ilegítimo; a concepção do que é diplomacia e do que é guerra[21]. Segundo Aron, as guerras mantêm semelhança aos princípios da

---

20. Aron (2002, p. 223).
21. Aron (2002, p. 225).

legitimidade que imperam de maneira moral sobre o tempo e espaço em que tais se desenrolam: respondem a questões sobre quem manda dentro do Estado e a qual Estado pertencem determinado território e população.

A arbitragem moral do que é legítimo ou não resulta nas formas de paz especificadas pelo autor; entretanto, desse movimento de arbítrio é gerada a potência do questionamento pelos submetidos. Nesse sentido é que Aron usa a dialética, de recorte hegeliano, para mostrar o movimento de sua "tipologia sociológica":

> O princípio de legitimidade cria a oportunidade ou a causa para o conflito. As relações entre vassalo e suserano entrecruzam-se de tal modo que fazem surgir contradições; a vontade de potência leva alguns vassalos a não cumprir suas obrigações. Os limites da ação legítima são difíceis de traçar quando tantas unidades subordinadas detêm os meios militares e reivindicam uma certa liberdade de decisão. Enquanto os países e seus habitantes estão sob o domínio das famílias reinantes, o que está em jogo, no caso de guerra, é uma província, disputada por dois soberanos com argumentos jurídicos ou a força armada (ou então é o trono, pretendido por dois príncipes). Mas quando a consciência coletiva reconhece o direito que têm os homens de escolher seu Estado, as guerras passam a ser nacionais ou porque dois estados reivindicam a mesma província ou porque uma certa população, dispersa em mais de uma unidade política, deseja constituir um só Estado[22].

Assim como ressaltado por Carr, a figura do Estado cria seu princípio de legitimidade por essa vontade, ou como chama Aron, pela vontade de potência. E, ao criar essa ideia histórica de direito à sobrevivência, simultaneamente desenvolve sua capacidade de defendê-la. Assim, ideia histórica e aparelho militar caminham juntos; organização política, moral e militar são inseparáveis e possuem um relacionamento retroalimentado.

Portanto, quanto maior a complexidade do fenômeno social, maior a ideia de legitimidade moral no sistema e, reciprocamente, maior o aparato militar. Ou, em claves aronianas, maior a expressão da vontade de potência. Nesse sentido, a própria relação desenvolvida por uma unidade com seu território, o tamanho dos inimigos que percebe, a forma da organização militar, a formação política e o desenvolvimento industrial dão a tônica da leitura de determinada unidade no mundo. Ou seja, sua ideia histórica de participação no sistema. Portanto, "[c]ada aparelho militar é a manifestação armada de uma dada hierarquia social, ou ainda, para inverter a fórmula, é a ordenação militar de uma certa sociedade, levando em conta a eficácia das armas e de suas diversas combinações"[23].

---

22. Aron (2002, p. 225).
23. Aron (2002, p. 228).

A expressão do desenvolvimento é, então, a capacidade de fazer guerra, e por meio de formas de paz pode assegurar um espaço muito mais amplo que sua designação territorial. Nesse sentido, do nosso ponto de vista, a cooptação doutrinária do braço da segurança e de defesa de um país potencialmente rival pode ser entendida como essa projeção hegemônica que nos diz Aron; exatamente por limitar maior complexificação social, o desenvolvimento tecnológico e uma ideia histórica autônoma[24].

> Indústria e guerra são parentes inseparáveis. O crescimento da primeira (que todos desejam) fornece recursos à segunda (que todos maldizem). A própria linguagem nos lembra esta aliança indissolúvel, simbolizada pela semelhança entre automóveis e carros de assalto; das longas filas de operários com as colunas de soldados; das divisões blindadas em marcha com as famílias que se retiram de uma cidade. A mesma palavra, potência, designa a capacidade de impor a vontade aos semelhantes e de manipular a natureza[25].

É no processo dialético de paz e guerra que o progresso tecnológico se apresenta como resultado principal. O progresso industrial, o progresso da técnica, da produção e da destruição introduzem, segundo Aron, um novo princípio de paz: a paz do terror entre unidades capazes de desferir golpes mortais umas sobre as outras[26]. Como nos referimos anteriormente, a tecnologia para se fazer a guerra, e principalmente o desenvolvimento do artefato atômico, poderia, segundo o autor francês, colocar a guerra fora das possibilidades de relacionamento entre os entes nacionais. Desse ponto de vista, a dialética até então vista pelo autor desde os primórdios do gênero humano na Terra se esfacelaria. "Coloca-se assim a questão de saber a partir de que nível de destruição a guerra deixa de ser um instrumento justificável da política." A escalada de armamentos de destruição em massa, como bombas termonucleares, poderia levar a catástrofes irreparáveis para a humanidade. "Nesse sentido, as armas de destruição maciça poderiam ter como efeito o questionamento da fórmula de Clausewitz, de que 'a guerra é a continuação da política por outros meios'"[27].

Portanto, dentro desse argumento realista, a guerra pode deixar de ser uma opção a partir do superdesenvolvimento de armas que acabariam com a

---

24. "As unidades políticas sempre foram função ao mesmo tempo de uma ideia histórica, das instituições internacionais e da tecnologia bélica. Em nossa época, a ideia histórica predominante é a nação em lugar do império, pois ela proclama o direito de autodeterminação dos povos e considera necessária a adesão dos governados ao Estado" (ARON, 2002, p. 420).
25. Aron (2002, p. 228).
26. Aron (2002, p. 229).
27. Aron (2002, p. 231).

possibilidade de restauração de sociedades, que apareceram historicamente como forma de levar adiante o próprio desenvolvimento do sistema. Essa paz seria uma espécie de ponto de satisfação na história dos estados, sobre a preponderância em relação a outras unidades, a suspensão de rivalidades. Uma espécie de reconhecimento mútuo fora da dialética da paz e da guerra.

> Em outras palavras, uma paz de satisfação supõe que haja confiança generalizada; exige, portanto, uma revolução nas relações internacionais, revolução que poria fim à era da suspeita, inaugurando a era da segurança. A menos que haja uma conversão dos espíritos, esta revolução afetará as instituições. Em outras palavras, a paz pela satisfação universal e a confiança mútua só me parecem possíveis se as unidades políticas encontrarem uma base para sua segurança que não seja a força. Esta base seria dada pelo império universal, ao suprimir a autonomia dos centros de decisão. O reino da lei, no sentido de Kant, o forneceria também, na medida em que os estados se empenhassem em obedecer às decisões de um árbitro, um tribunal ou assembleia, e não tivessem qualquer dúvida de que tal engajamento fosse respeitado por todos[28].

Apesar da distinção de forma entre Estado Universal e Império da Lei, Aron argumenta que ambos retirariam a essência do sistema internacional, qual seja: "a rivalidade de estados que cultivam a honra e o dever de fazer justiça por si mesmos"[29]. A despeito da possibilidade do rompimento da dialética que construiu o superdesenvolvimento dos estados pares do sistema, essa significaria apenas a paz entre iguais. Isso não impediria, como chama atenção Aron, a continuidade do padrão de guerra entre "civilizados e bárbaros", dada a incapacidade destes de combater no mesmo nível que as superpotências[30].

Entretanto, mesmo com a suspensão das guerras de forma clássica, dada a capacidade de destruição mútua entre os pares, a rivalidade entre os estados continuaria a existir. Nesse sentido, Aron fala sobre a possibilidade de uma paz belicosa. Tal categoria se constituiria em uma inversão da famosa máxima apresentada pelo alemão Carl von Clausewitz, de que "a guerra é a continuação da política por outros meios". Do ponto de vista aroniano, nesse tipo de paz a "política passa a ser a continuação da guerra por outros meios". De forma mais explícita ao analisar o período da Guerra Fria, o autor aponta que "[d]o ponto de vista formal, esses dois enunciados são equivalentes e exprimem ambos a continuidade da competição e o emprego de meios violentos e não violentos para alcançar objetivos que não diferem essencialmente"[31].

---

28. Aron (2002, p. 232).
29. Aron (2002, p. 232).
30. Aron (2002, p. 416).
31. Aron (2002, p. 233).

Nesse sentido, a Guerra Fria apresentou traços originais de dissuasão, persuasão e subversão. Criou aparatos até então não disponíveis aos estados que se antagonizavam na longa dialética paz e guerra que formou o sistema internacional em sua visão – originalidade dada a partir de um antagonismo bastante distinto das demais experiências já vividas no sistema; opostos em termos de construção histórica e arbítrio da moral. Dessa maneira, mais do que o aspecto de ameaça bélica mútua, a persuasão, por meio de propaganda, passou a ser uma arma importante no sentido de criar subversão na sociedade a qual se antagoniza, além de uma maneira eficaz de criar um espaço coeso em termos da moral internacional sem necessidade de recorrer aos militares.

Hans J. Morgenthau: a natureza humana como impedimento para a paz

Alemão de origem judaica e nascido em uma pequena cidade da Baviera, Hans J. Morgenthau (1904-1980) emigrou para os Estados Unidos no início da década de 1930, onde se estabeleceu. Anos mais tarde iniciou o que viria a ser uma longa carreira na Universidade de Chicago, tornando-se um dos mais proeminentes teóricos sobre relações internacionais.

A despeito de sua origem, o pensamento de Morgenthau está diretamente ligado ao interesse americano, figurando, assim, também como uma espécie de "cartilha fundamental" para a condução da política externa dos Estados Unidos. Sua principal obra, *Politics among nations*, de 1948, ganhou posteriormente diversas reimpressões e edições. Não obstante, o autor manteve-se fiel às balizas principais do pensamento realista estadunidense que ajudou a forjar.

Diferentemente dos autores analisados anteriormente, as reflexões de Morgenthau não pretendem demonstrar alguma "filosofia da história" das relações internacionais, mas antes fixar padrões relacionados à estrutura-base desse sistema, a saber, as fronteiras entre os estados nacionais. Como uma teoria pragmática focada na prática da política externa, a necessidade constante de ganhos relativos na política de poder figura em seu pensamento como uma espécie de "imperativo categórico" na estratégia de qualquer país que pretenda manter sua soberania e civilização.

A dicotomia utópicos-realistas encontra no pensamento de Hans Morgenthau um caráter determinístico em termos de consecução da política externa de um país. De um lado estariam os utópicos, crentes da moral e da razão abstrata, que entendem ser possível a transformação da ordem política dos estados, de uma hora para a outra, seja qual for a conjuntura vigente. Segundo o autor, isso se dá por uma pressuposição da maleabilidade da natureza humana, motivo pelo qual debita a incapacidade de a ordem social refletir os mais altos padrões morais e de conhecimento julgados pelos mesmos autores utópicos.

Do seu ponto de vista, o ponto de partida das considerações internacionais deve ser a de um mundo imperfeito, cujo encontro de "forças inerentes à natureza humana" não deve ser descartado no intuito de se construir um mundo melhor.

> Tendo em vista que vivemos em um universo formado por interesses contrários, em conflito contínuo, não há possibilidade de que os princípios morais sejam algum dia realizados plenamente, razão por que, na melhor das hipóteses, devem ser buscados mediante o recurso, sempre temporário, ao equilíbrio de interesses e à inevitavelmente precária solução de conflitos[32].

O realismo para Morgenthau é, então, uma forma de pensar os controles recíprocos entre as nações. Nesse sentido, a paz é um movimento temporário nos impedimentos da política de poder das grandes potências. Portanto, a história deriva da ação dessas potências, de como agirão para ampliar seu poder relativo. Contudo, tal história não possui uma teleologia por conta da própria forma de seu movimento, ou da potência que a empurra adiante, mas antes pela continuidade de padrões dada à manutenção de estruturas das balanças de poder. Dessa maneira, o autor se afasta da ideia de que os, então à época, tempos atuais possuíssem novidades que relegariam à matéria de "história do pensamento" teorias mesmo as mais antigas sobre a questão do poder político entre polos de poder. Nesse sentido é que Morgenthau argumenta que a humanidade reage a situações sociais por meio de "padrões repetitivos". Portanto, o enfrentar dos problemas com criatividade seria uma forma preconceituosa e ilusória, e, provavelmente, teria efeitos perversos: "[a] mesma situação, uma vez reconhecida em sua identidade com situações anteriores, suscita a mesma resposta"[33].

Baseado nesse pressuposto, Morgenthau determina seis princípios fundamentais do realismo político, em cuja guerra e morais internacionais se sustentariam. O primeiro pilar é o da objetividade das leis que governam a sociedade em geral, que teriam então raízes na própria natureza humana. Assim, segue-se que tal natureza seria fundada no interesse, que em termos internacionais resume-se a poder. Esse seria, então, o elo entre a razão e o fato; o ponto crucial em que qualquer política externa deveria fixar-se, pois assim criaria na política a autonomia necessária e evitaria problemas como a preocupação com as razões de determinadas ações ou mesmo ideologia[34], o que denomina de "falácias populares". Assim

---

32. Morgenthau (2003, p. 4).

33. Morgenthau (2003, p. 11).

34. Aqui Morgenthau aponta que o anticomunismo perdeu sua relação com a estrutura do jogo global durante o período chamado de macarthismo. Segundo o autor, houve, ainda que momentaneamente, a perda da percepção do real inimigo americano, a Rússia, por conta da propagação de uma agenda ilusória do inimigo interno, que, segundo sua percepção, levou à instabilidade interna nos Estados Unidos; e, consequentemente, a uma perda de racionalidade da capacidade, ainda que momentânea, de fazer frente à guerra.

como Edward Carr, tais falácias são apresentadas como motivos para a falência das políticas no entreguerras: "Quantas vezes estadistas, levados pelo desejo de melhorar o mundo, acabaram por torná-lo ainda pior? E com que frequência eles não têm buscado um objetivo, para terminar realizando algo que não era esperado nem desejado?"[35]

Isso porque, para o autor, a tese de que os países possuem igualdade em soberania é um pensamento supervalorizado. A existência sistêmica de superpotências com capacidade de destruição assimétrica e "miniestados" sem capacidades de assegurar seu "direito" coloca a estrutura política internacional "às raias da anarquia". Para Morgenthau, isso explicaria, por exemplo, ações terroristas. Tal interligação de capacidades de força e interesses políticos deveria, segundo o autor, ser levada em consideração na análise do sistema internacional, abandonando, portanto, o conceito de estados como estanques e soberanos.

Além dos dois pontos apresentados – objetividade e interesse como parte da natureza humana –, em um terceiro Morgenthau define interesse como possuindo bases na relação de poder. A despeito de assumir que interesse não possui significado fixo e permanente, entende ser essa uma categoria objetiva e universalmente válida.

> O poder pode abarcar tudo que estabeleça e mantenha o controle do homem sobre o homem. Assim, o poder engloba todos os relacionamentos sociais que se prestam a tal fim, desde a violência física até os mais sutis laços psicológicos mediante os quais a mente de um ser controla uma outra. O poder cobre o domínio do homem pelo homem não só quando se apresenta disciplinado por desígnios morais e controlado por salvaguardas constitucionais (tal como ocorre nas democracias ocidentais), como quando ele se converte nessa força bárbara e indomável que só consegue encontrar leis em sua própria força e justificação em seu próprio desejo de engrandecimento[36].

Apesar de reconhecer a supremacia da política de poder sobre a moral, em um quarto ponto Morgenthau aponta a consciência do realista sobre a importância das questões morais. Ainda que reconheça a significação moral por detrás de qualquer ação política e a tensão existente, isso não significa uma real competição entre ambas na cabeça do estadista. "O indivíduo pode dizer por si próprio: 'Que se faça justiça, mesmo que o mundo pereça', mas o Estado não tem o direito de dizer o mesmo, em nome daqueles que estão aos seus cuidados"[37]. Portanto, a

---

35. Morgenthau (2003, p. 8).
36. Morgenthau (2003, p. 18).
37. Morgenthau (2003, p. 20).

avaliação da tensão moral e política tem, sempre, que ser considerada sob a ótica do resultado das ações em termos da balança de poder do sistema.

Por meio desse alicerce é que Morgenthau chega à questão da moral internacional propriamente dita por meio do quinto ponto de seus fundamentos: "O realismo político recusa-se a identificar as aspirações morais de uma determinada nação com as leis morais que governam o universo [...] [a] equiparação leviana de um determinado nacionalismo aos desígnios da Providência é moralmente indefensável"[38]. Portanto, como ponto de definição, o realismo difere em essência dos demais pensamentos políticos pela sua objetividade, segundo o autor; o realista se baliza, então, a partir da questão sobre como determinada política pode afetar o poder da nação.

De posse de tais bases, os esforços dos analistas realistas deveriam focar na busca das forças que determinam as relações políticas entre as nações, bem como os meios pelos quais tais forças agem umas sobre as outras. Dessa forma, "[a] política internacional, como toda política, consiste em uma luta pelo poder. Sejam quais forem os fins da política internacional, o poder constituiu sempre o objetivo imediato"[39]. O poder político, nesse sentido, é entendido por Morgenthau como um exercício de A sobre B, no sentido de que B realize os objetivos de A sem que seja necessário o recurso da violência; ainda que a violência, muitas vezes, seja o próprio motivo de B aceitar os caminhos apontados por A, sobretudo em termos da política de poder dos estados[40].

> No campo da política internacional, de modo muito particular, a força armada como ameaça ou potencialidade representa o fator material mais importante na construção do poder político de uma nação. Quando ela se transforma em realidade, em um caso de guerra, ocorre a substituição do poder político pelo militar. O exercício real de violência física substitui a relação psicológica entre duas mentes, fator que constitui a essência do poder político, pela relação física entre dois corpos, um dos quais é suficientemente forte para dominar os movimentos do outro[41].

A disponibilidade de armas nucleares por parte de determinado país o coloca, então, em posição de superioridade quase que inquestionável. A capacidade

---

38. Morgenthau (2003, p. 22).

39. Morgenthau (2003, p. 50).

40. "A declaração de que um sujeito A tem ou quer ter poder político sobre o sujeito B significa sempre que A é capaz, ou quer ser capaz, de controlar determinadas ações de B, mediante uma influência sobre a mente de B [...] Sejam quais forem os objetivos materiais de uma política externa, tais como a aquisição de fontes de matérias-primas, o controle das rotas marítimas ou mudanças territoriais, eles sempre acarretam o controle das ações de outros mediante a influência sobre as suas mentes" (MORGENTHAU, 2003, p. 57).

41. Morgenthau (2003, p. 52-53).

destrutiva e a própria extinção do país coagido passam a ser um caminho quase livre para a cooptação. Entretanto, quando da equiparação em artefatos desse tipo, segundo Morgenthau, as nações desprezam tal ameaça. Isso, pois, seria irracional, do ponto de vista do autor, a guerra nuclear, dado que o interesse é ancorado na sobrevivência e expansão do poder do Estado. "Em contraste, a força convencional pode ser empregada como ferramenta de política externa, uma vez que, ao infligir danos limitados e assumir riscos comensuráveis com tal ato, o país pode usá-la efetivamente como um instrumento apropriado para modificar a vontade do antagonista"[42].

A despeito do peso incomensurável da força em relação a outros meios de se realizar o jogo internacional, Morgenthau chama atenção para a efetividade em se revestir determinado objetivo político de uma moral que encontre ressonância nos demais países. A ideia de poder legítimo é então oposta à ideia de poder ilegítimo, cuja efetividade é relativamente menor. A força utilizada em nome da defesa, ou mesmo em nome da "sociedade de estados" confere uma aparência que justifica perante seus pares determinada ação, ou uma aparência de legitimidade moral, ainda que em política internacional inexista tal coisa fora do interesse egoísta de um Estado.

Nesse sentido, a guerra é o rompimento das possibilidades de influenciar o outro por meio do poder político. A força militar é o rebaixar do outro à impossibilidade de negar tal influência e, assim, conseguir o que se objetiva.

> Os preparativos militares, seja qual for a sua modalidade, têm por objetivo fazer parecer demasiado arriscado para outras nações o emprego da força militar, dissuadindo-as, desse modo, de recorrer a tal recurso. Em outras palavras, os preparativos militares têm por alvo político tornar desnecessária a aplicação efetiva de força militar, ao levar potenciais inimigos a desistir do recurso à força militar. O propósito político da guerra propriamente não se resume em conquistar o território inimigo e aniquilar os seus exércitos, mas em conseguir a mudança de mentalidade do inimigo, de modo a fazer com que este se curve à vontade do vencedor[43].

Em um cenário de possibilidade de prevalecimento sem a necessidade da violência física, o autor chama atenção para os outros meios capazes de realizar o mesmo objetivo. Assim, a "guerra por outros meios" se coloca muitas vezes sem o ônus de um enfrentamento tradicional. A questão da legitimidade pode ser ancorada na formação de arcabouços que embasem a política de outros estados; por exemplo, em termos econômicos, pode-se dar pela expansão de determinada

---

42. Morgenthau (2003, p. 54).
43. Morgenthau (2003, p. 57-58).

mentalidade que faça com que o outro assuma posições que joguem contra seu próprio interesse de ganhos relativos de poder no sistema.

> Portanto, sempre que em matéria de questões internacionais estiverem em discussão políticas econômicas, financeiras, territoriais ou militares, será necessário distinguir entre, digamos, políticas econômicas que são adotadas por seu próprio mérito e políticas econômicas que constituem parte dos instrumentos de uma orientação política – isto é, uma política cujo propósito econômico não passa de um meio para a finalidade de controlar as políticas de outra nação[44].

Assim, em termos do pensamento de Morgenthau, a guerra é um corolário da natureza humana, "[d]os impulsos para viver, propagar e dominar [que] são comuns a todos os homens". Não sendo as capacidades divididas entre iguais, "[a] força relativa de cada um de tais impulsos depende das condições sociais, que podem favorecer um e tender a reprimir outro, ou negar aprovação social a certas manifestações desses impulsos, enquanto incentivam outras". Ainda que para o autor a política interna se dê pelo poder relativo, assim como externamente, as condições se apresentam de maneiras distintas. A guerra enquanto fenômeno comum a grupos políticos distintos se coloca em bases morais distintas: "que a maioria das sociedades condena o ato de matar como meio de alcançar o domínio da comunidade, mas todas as sociedades incentivam a matança de inimigos nessa luta pelo poder que é chamada de guerra"[45]. Portanto, enquanto moral internacional, o indivíduo não julga a si mesmo, nem o outro, com a mesma moral que julga a política de poder dos estados.

Para Morgenthau, há uma relação direta entre a guerra e maior coesão política, cultural e hierárquica nas sociedades modernas que permitem expressar seus interesses de forma cada vez mais ampla. "Toda a história nos mostra que as nações ativas em política internacional se encontram em um processo contínuo ligado à guerra, seja preparando-se para a mesma, seja nela envolvendo-se, seja recuperando-se da violência organizada que assume a forma da guerra"[46].

Ao analisar a questão da moral internacional com a política externa americana[47], Morgenthau aponta o erro primordial que constituiu a política externa americana em princípios do século XX. O autor argumenta que tal empreitada teve sua origem na ideia de excepcionalidade moral dos Estados Unidos em relação às nações europeias: o imperialismo americano visto como civilizacional em

---

44. Morgenthau (2003, p. 228).
45. Morgenthau (2003, p. 63).
46. Morgenthau (2003, p. 88).
47. Morgenthau (1950).

detrimento da simples conquista pelos europeus. A negação da política de poder e a percepção de que a política mundial seria constituída pela nação moralmente superior levou ao fracasso da política wilsoniana. Desse modo, Morgenthau, mantendo-se fiel a seu argumento, chama atenção ao fato de que os Estados Unidos só poderiam contar com os objetivos que almejavam se identificassem claramente os atos que os fizeram grandes em décadas passadas.

Considerações finais

Historicamente, como a escola mais importante das relações internacionais, o realismo costuma ser caracterizado por meio de grandes categorias que por vezes retiram a complexidade e homogeneizam tal tradição de pensamento sem levar em consideração nuances importantes em que os diversos autores se apoiam para realizar suas análises. Por meio do exercício realizado aqui, tivemos como objetivo amplificar tais nuances e demonstrar os limites entendidos para os temas da guerra e moral internacional a partir de diferentes obras.

Do nosso ponto de vista, entre os três autores aqui analisados, Edward Carr é o que propõe uma análise da inter-relação entre moral internacional e guerra de forma menos fechada em termos de uma teoria acabada, porém de forma mais robusta. Ao caracterizar o sistema com base em um movimento que inter-relaciona tanto sua história intelectual quanto a maneira objetiva dos estados de lidarem com a política de poder e a moral, Carr explora as contradições inerentes a um sistema marcado pela fronteira e pela diferenciação de uns pelos outros.

Ao definir o realismo como uma forma de pensar, um revelar das intenções políticas por detrás das ações feitas em nome das mais altas razões abstratas, Carr identifica dois movimentos importantes nas relações internacionais: as ideias morais (a utopia) como elementos centrais para a ação política e a cooptação das mesmas pelas bases políticas objetivas para a continuação do jogo de poder internacional. O movimento dialético utopia-realismo, ora de prevalência das ideias abstratas na política externa, ora o realismo político em seu estado mais bruto, constituem para o autor o desenvolvimento do jogo da guerra e paz que perpassa as mais diversas formas de relações entre os estados.

Ao pensarmos em claves propostas por Carr, nenhuma moral internacional poderia sair dos polos constituintes desse sistema. Ainda que um movimento que levasse à paz menos efêmera devesse sair de dentro das situações objetivas das relações entre os estados, o denominador comum da saída dessa dialética passaria pela ideia do universal. A consciência do homem comum, então, ganha importância por não ser parte central da relação dialética entre os estados e por possuir uma ideia comum de civilização e a possibilidade de perceber, em seus conterrâneos europeus, o *status* de igualdade.

Entretanto, se considerarmos a descrição do desenvolvimento do sistema internacional apresentada por Edward Carr, a ideia de superação da guerra é então um movimento *ad hoc* que surge mais de um ensejo do que do desenvolvimento histórico das relações internacionais. Nuança que o próprio autor reconhece historicamente na percepção de consagrados realistas, o apelo emocional e as ideias estão tão conectadas com as possibilidades quanto a política de poder objetiva dos estados.

Da perspectiva aroniana, um movimento similar de "paz menos efêmera" tem na tecnologia sua possibilidade mais crível. Ainda que a guerra seja considerada o núcleo central que determina as formas de relação entre os estados, em alguns momentos pelo próprio conflito, em outros pelas relações diplomáticas, a possibilidade de superação da mesma se dá apenas com a possibilidade real de aniquilamento mútuo.

Utilizando-se de tipologias de paz e guerras possíveis, Aron argumenta acerca de um movimento dialético bastante heterodoxo que teria como possibilidade a superação do fenômeno bélico. Assim, aponta a possibilidade de uma moral internacional, não pelo império da lei, mas antes pelo medo mútuo que deixa de fora a guerra como possibilidade racional.

A perspectiva aroniana conta com um grande número de análises *ad hoc* que incompatibiliza sua tipologia sociológica e sua percepção dialética – que por seu caráter de movimento torna-se inconciliável com uma abordagem de categorização atemporal. Dessa forma é que, do nosso ponto de vista, reside a maior fragilidade da análise apresentada pelo autor: o apontar dos limites para um movimento que é compreendido por estruturas atemporais, cujo principal resultado é o desenvolvimento industrial para a guerra que teria capacidade de mudar a trajetória da dialética da guerra e da paz.

A posição de Hans J. Morgenthau é certamente a mais conservadora dentre as demais. A equalização da natureza humana como relações de poder desde o nível mais micro das relações familiares até o nível da política dos estados não deixa espaço para a possibilidade de uma paz prolongada. Ainda que haja considerações quanto à importância do apelo moral das ações internacionais, a política externa nacional não passa por tais balizas. A política de poder e as capacidades de força de cada Estado é que organizam as bases de relacionamento entre os estados, criando hierarquias. Desse ponto de vista, a figura do direito internacional como soberania é antes um aspecto a ser mantido pela ampliação de poder relativo, e não algo parte de um direito adquirido dentro de instituições internacionais.

Com a vantagem de pensarmos com certo distanciamento em relação à conjuntura em que os autores se inscrevem, e também por nos localizarmos em uma outra área geopolítica que não o centro, torna-se possível analisar a guerra não apenas como fenômeno físico de enfrentamento, mas sobretudo pelas nuanças menos sublinhadas pelos autores e que impactam de forma mais severa a periferia sul-americana. Consequentemente, o conceito de guerra toma um caráter mais amplo com base na estruturação social, cuja guerra multidimensional com seus pares passa a ser um reflexo dos movimentos políticos que almejam alguma mudança estrutural dentro de tais sociedades e, portanto, uma inserção diferente no jogo geopolítico e geoeconômico global.

Referências

ARON, R. *Mémoires*. Paris: Robert Laffont, 2010 [1983].

_____. *Paz e guerra entre as nações*. Brasília: EdUnB, 2002 [1962].

CARR, E.H. *Vinte anos de crise*: 1919-1939. Brasília: EdUnB, 2001 [1939].

_____. *Que é história?* Rio de Janeiro: Paz e Terra, 1982.

MELLO, L.I. A. *Argentina e Brasil*: a balança de poder no Cone Sul. São Paulo: Annablume, 1996.

MORGENTHAU, H.J. *A política entre as nações*. Brasília: EdUnB, 2003 [1948].

_____. The mainspring of American foreign policy: the national interest vs. moral abstraction. *The American Political Science Review*, vol. 44, n. 4, dez./1950, p. 833-854.

Guerras humanitárias e ordem ética[*]

Juliano Ernani Malengreau Fiori

A Cúpula Mundial

No vasto salão da Assembleia Geral da ONU, o passado é obscurecido pelo *design*: os assentos côncavos e funcionais de Le Corbusier e os murais globulares de Léger contribuem para uma estética impessoal que insinua uma história universal, para além das guerras, conquistas e genocídios que são o fundamento do sistema interestatal e, claro, da ONU. Como anfitriões nesse local aparentemente neutro de administração global, os secretários-gerais da ONU são obrigados a se conformar com a abstração da história. Mas, para promover a tutela da ONU de uma ordem ética baseada em normas liberais, eles também devem apontar rupturas com o passado: demonstrações de progresso, ou malfeitos que comprovam a necessidade de reformas.

Em 14 de setembro de 2005, o secretário-geral da ONU, Kofi Annan, dirigiu-se a um salão lotado, abrindo a Cúpula Mundial. O evento foi apresentado como um seguimento da Cúpula do Milênio, realizado cinco anos antes, mas também foi organizado para coincidir com o sexagésimo aniversário da ONU. Com um resumo neutro e tecnocrático do documento final proposto à Cúpula, Annan reservou um único momento de grandiloquência por uma causa que ele defendia com afã. "Pela primeira vez", disse ele aos delegados, "vocês aceitarão, de forma clara e inequívoca, que têm a responsabilidade coletiva de proteger as populações contra o genocídio, os crimes de guerra, a limpeza étnica e os crimes contra a humanidade". O compromisso coletivo de prevenir e responder ao que agora se chamava de "crimes de atrocidade em massa", potencialmente por meio de intervenção militar coerciva, não havia saído do nada. Em seu Relatório do Milênio, Annan havia questionado se a defesa da humanidade ou a soberania deve preva-

---

[*] Tradução por Ana Silvia Gesteira.

lecer quando os dois estão em conflito, afirmando que a intervenção armada "é uma opção que não pode ser abandonada" quando o homicídio em massa está sendo cometido[1]. Em 2001, a Comissão Internacional de Intervenção e Soberania Estadual (Iciss), patrocinada pelo governo canadense, publicou um relatório estabelecendo a doutrina da Responsabilidade para Proteção (R2P), que seria a base para as deliberações sobre a intervenção humanitária na Cúpula Mundial[2]. E, ao longo da década e meia anterior, com uma frequência sem precedentes, guerras haviam sido travadas em nome de preocupações humanitárias.

Os desenvolvimentos normativos relacionados à intervenção humanitária atingiram seu apogeu na Cúpula Mundial. Mas, paradoxalmente, a moeda política da razão humanitária entre as elites ocidentais já estava em declínio. Apresentando o compromisso coletivo da Assembleia Geral como uma ruptura histórica progressiva, Annan, no entanto, despojou-o de seu histórico recente. Além disso, ele não mencionou por que, nos últimos sessenta anos, um compromisso coletivo não foi alcançado, ou não foi mantido, ou não foi suficiente. Através da omissão, ele chamou a atenção para o consenso aparente e longe de suas fundações frágeis. A partida da apatia para as vítimas da atrocidade em massa foi apresentada como definitiva e absoluta – "Nunca mais!" Mas talvez possamos ver a Cúpula como mais um episódio ilusório na luta interminável para definir uma ordem ética global.

O "novo humanitarismo"

O fim da Guerra Fria criou condições para a consolidação da governança global liberal e o crescimento do humanitarismo internacional. A ONU e as instituições financeiras internacionais foram estimuladas pelos Estados Unidos e seus aliados para promover os mercados livres, a democracia, o Estado de Direito e os direitos humanos nos países em desenvolvimento. Salvando vidas em resposta a conflitos e desastres, civilizando as fronteiras da economia mundial, as agências humanitárias iriam assentar as bases para essa transformação liberal. Com o aumento do financiamento privado e governamental para as operações de socorro, essas agências expandiram os programas em países do Terceiro Mundo, onde elas eram frequentemente vistas com desconfiança, tidas como vetores da influência ocidental.

O desaparecimento de um bloco de poder pelo menos simbolicamente oposto ao modelo ocidental de desenvolvimento capitalista contribuiu para o esgotamento intelectual, a desmoralização e o colapso político da esquerda anticapitalista

---

1. Annan (2000, p. 48).
2. Iciss (2001).

mundial. Nas democracias liberais ocidentais, as lutas por justiça e igualdade foram jogadas à obscuridade por uma explosão de iniciativas de redução do sofrimento e da pobreza. Uma sentimentalização da esfera pública trouxe linguagem humanitária para a linguagem comum[3].

À medida que a organização política popular diminuiu e a esquerda tornou-se cada vez mais institucionalizada, a partir dos anos de 1960, muitos jovens idealistas ocidentais já trocaram o ativismo político pelo voluntariado das ONGs. Na década de 1990, o setor humanitário tornou-se o local de fomento de um radicalismo híbrido que combinava um idealismo pós-político com um profissionalismo neogerencialista[4]. As agências humanitárias reforçaram sua organização interna através de linhas corporativas. A maioria afrouxou seu compromisso com um limitado assistencialismo, abraçando a chamada "*new policy agenda*" associada à liberalização no mundo em desenvolvimento. Os cidadãos e os meios de comunicação ocidentais passaram a olhar cada vez mais as ONGs para prover consciência moral pública, e o capital político dos humanitários cresceu. Para a nova geração de entusiastas humanitários, como para muitos comentaristas liberais naquele momento, as possibilidades da *Pax Americana* pareciam limitadas apenas pela própria história, que alguns então declaravam haver terminado.

As guerras que surgiram em sequência rápida no início dos anos de 1990 desafiaram esse otimismo. Mas elas também proporcionaram oportunidades para o aprofundamento de alianças entre estados ocidentais, empresas privadas, agências da ONU e ONGs. As agências humanitárias sempre existiram em estranha simbiose com o Estado, mas os funcionários humanitários agora pareciam livrar-se de seu antigo ceticismo da moralidade do poder do Estado. Os proponentes do "novo humanitarismo" seriam mais abertos a trabalhar com militares ocidentais, de modo a assegurar a proteção para as operações de ajuda.

A fusão de atividades militares e humanitárias foi exposta pela primeira vez no Iraque, em 1991. Operação *Provide Comfort*, lançada em abril por uma coalizão liderada pelos Estados Unidos, usou recursos militares para fornecer "refúgio seguro" para curdos fugindo de perseguição após a Guerra do Golfo.

A incursão inicial dos Estados Unidos no Iraque em agosto de 1990, Operação *Desert Shield*[5], foi realizada para proteger os interesses do petróleo (em consonância com a chamada Doutrina Carter, que estabeleceu que os Estados Unidos defenderiam seus interesses no Golfo Pérsico usando força militar, se necessário).

---

3. Fassin (2012, p. 6).
4. Fiori et al. (2016, p. 49).
5. Operação *Tempestade no Deserto*, como ficou conhecida no Brasil.

A intervenção humanitária, oito meses depois, deu à Guerra do Golfo um significado estratégico mais amplo, transformando-a na primeira "guerra ética" desse período[6] – uma guerra travada não só para responder a um mal percebido, mas também para definir o bem e o mal, e os limites do comportamento aceitável. Com a iminente dissolução da União Soviética reafirmando a ideia do excepcionalismo americano, os Estados Unidos usaram a Operação *Provide Comfort* para sinalizar o estabelecimento de uma nova ordem ética global.

A Resolução 688 do Conselho de Segurança das Nações Unidas, adotada um dia antes do lançamento da Operação *Provide Comfort*, condenou a repressão dos curdos no Iraque. Mas ela não invocou o capítulo VII da Carta das Nações Unidas, que autoriza os estados-membro a tomarem quaisquer medidas necessárias para manter ou restaurar a paz e a segurança internacionais. A *Desert Shield* também não foi autorizada formalmente pelo Conselho de Segurança. No entanto, entre essas duas operações, uma série de resoluções sobre o Iraque e o Kuwait invocaram o capítulo VII. A fluidez entre intervenções militares sancionadas e não sancionadas obscureceu a distinção entre interesses coletivos e os interesses dos Estados Unidos, e entre o apoio coletivo para intervenções específicas e o apoio coletivo para a guerra em geral. Essa ambiguidade contribuiria para a associação da ordem ética emergente com o bem comum – parte de um processo mais amplo de "universalização" dos valores americanos que se aceleraria nos anos de 1990.

À medida que se misturavam com os ideais políticos do movimento dos direitos humanos, as normas humanitárias liberais – dentre as quais o direito à sobrevivência, principalmente – tornaram-se a base para a nova ordem ética. Sua promoção mais ampla (ainda irregular) representou, inevitavelmente, um desafio à soberania nacional, o princípio fundamental do sistema interestatal. No entanto, os Estados Unidos agora podiam estender seu próprio poder soberano. Como autor e último responsável por esta ordem, esse país se tornou o árbitro ético *de fato* não apenas de assuntos interestatais, mas cada vez mais de assuntos intraestatais.

Pelo menos inicialmente, a ONU desempenhou papel central na desconstrução prática da soberania nacional. Em junho de 1992, em resposta a um pedido do Conselho de Segurança, o secretário-geral recentemente nomeado, Boutros Boutros-Ghali, publicou um relatório sobre diplomacia preventiva, pacificação e manutenção da paz, intitulado *Agenda para a Paz*. Descrevendo o contexto global em mudança, ele afirmou que "o tempo da soberania absoluta e exclusiva [...] passou"[7]. O aumento das operações de paz da ONU já havia começado no final dos anos de 1980, refletindo maior disposição da ONU para responder a conflitos

---

6. Cf. o prefácio deste livro, escrito por José Luís Fiori.
7. Boutros-Ghali (1992).

civis. (A ONU realizou treze operações de paz entre 1945 e 1988, e iniciou cinquenta e nove desde 1988.) Enquanto as operações de paz anteriores incluíam apenas militares, as operações de "segunda geração" também incluíam especialistas civis, o que lhes deu uma aparência mais suave e mais técnica. No final dos anos de 1980 e início dos anos de 1990, a Assembleia Geral da ONU adotou uma série de resoluções que enfatizaram o papel das organizações intergovernamentais e não governamentais no fornecimento de assistência humanitária após desastres dentro das fronteiras nacionais.

A face humana das intervenções em assuntos domésticos não simplesmente escondeu estratégias militares, nem anunciou o nascimento de uma política internacional nova, mais justa e cooperativa. Em vez disso, indicava a incorporação política mais ampla de uma ética voltada para os direitos individuais. Os Estados Unidos conseguiram moldar as normas internacionais e apropriar-se da retórica humanitária na medida em que esta última se tornou uma expressão aberta de seus interesses. Embora a política externa dos Estados Unidos no início dos anos de 1990 tenha sido frequentemente caracterizada como cosmopolita e idealista liberal, ela também pode ser vista como quase-realista: uma vez que a ética se tornou um instrumento útil na busca do poder global, a promoção dos valores era interesse nacional.

Com a fusão da ética e da política, ameaças contidas aos direitos individuais assumiram implicações estratégicas. Uma concepção crescente de ameaças à paz e segurança internacionais então levou à adoção mais frequente de resoluções citando o capítulo VII. Também aumentou a pressão sobre estados-membro da ONU para atuar quando o capítulo VII não foi invocado. A Resolução 688 do Conselho de Segurança refletiu e contribuiu para essa concepção expandida com a afirmação de que "a repressão da população iraquiana [...] ameaça a paz e a segurança internacionais na região"[8]. No ano seguinte, em 1992, uma série de resoluções relacionadas à guerra civil da Somália confirmou a nova interpretação. Mais notavelmente, em dezembro, a Resolução 794 determinou que "a magnitude da tragédia humana causada pelo conflito na Somália, exacerbada pelos obstáculos que estão sendo criados para a distribuição da assistência humanitária, constitui uma ameaça para a paz e a segurança internacionais"[9]. Invocando o capítulo VII, essa resolução endossou uma proposta do governo dos Estados Unidos para liderar uma força multinacional, a Força-tarefa Unida, em substituição à Operação da ONU na Somália (Unosom I). As próprias ONGs humanitárias (principalmente Care, juntamente com o International Rescue Committee e a Oxfam America,

---

8. Conselho de Segurança da ONU (1991).
9. Conselho de Segurança da ONU (1992).

entre outros) pediram intervenção militar para proteger as operações de socorro, que estavam sendo atacadas regularmente enquanto milhares de somalianos morriam de fome.

A resposta internacional à guerra civil da Somália tem moldado nossa imaginação contemporânea de intervenção humanitária. Envolveu operações da ONU e dos Estados Unidos em um país de pouca importância geoestratégica, o qual analistas ocidentais haviam chamado de "Estado falido"[10], e que, no mínimo, não tinha governo. A Força-tarefa Unida utilizou a força para permitir a ajuda – antes de iniciar a operação, funcionários da administração dos Estados Unidos discutiram a necessidade de uma política de "atirar para alimentar". A ONU foi amplamente criticada, como costuma ser, por sua ineficiência e falta de cumprimento dos objetivos estabelecidos pelo Conselho de Segurança. O governo dos Estados Unidos parecia estar preparado para intervir unilateralmente, mas todas as operações foram finalmente sancionadas pelo Conselho de Segurança. Em um ponto, os políticos ocidentais e a opinião pública estavam com entusiasmo por trás da intervenção militar. Houve uma mudança de missão da proteção das operações de socorro para a busca de objetivos políticos e econômicos mais ambiciosos, uma vez que a Força-tarefa Unida foi substituída por uma segunda operação da ONU, a Unisom II. E esta foi encerrada sem cerimônia em março de 1995, um ano e meio após a chamada Batalha de Mogadíscio, durante a qual dois helicópteros Black Hawk dos Estados Unidos foram derrubados e dezoito soldados dos Estados Unidos foram mortos. A Somália ainda estava sem governo; a imagem da carcaça carbonizada de um dos helicópteros derrubados se tornaria simbólica de uma intervenção fracassada.

Entre 1992 e 1995, enquanto sangue escorria na Somália, as forças armadas sérvias tentaram limpar a Bósnia dos muçulmanos. Os governos europeus impediram a entrada de milhares de refugiados bósnios, pressionando a agência das Nações Unidas para Refugiados, o Acnur, a mantê-los dentro da Bósnia. O Acnur coordenou a maior operação de socorro em sua história (950 mil toneladas de alimentos e itens não alimentares foram entregues a 2,7 milhões de pessoas), salvaguardada por 30 mil soldados da Força de Proteção da ONU (Unprofor).

Acontecimentos na Somália pesavam muito. Os comandantes da Unprofor procuraram projetar a neutralidade, limitando o alcance de suas atividades militares. Em uma entrevista ao *Le Figaro*, em fevereiro de 1994, Michael Rose, comandante da Unprofor na época, disse: "Assim que nos envolvemos na luta – veja o que aconteceu na Somália – nos tornamos impotentes"[11]. Realizando suas primeiras

---

10. Helman e Ratner (1992).
11. Entrevista com Michael Rose, por Renaud Girard, citada em Divjak (2001).

operações de combate, a Otan se concentrou sobretudo na proteção do pessoal das Nações Unidas, pelo menos inicialmente.

As forças sérvias muitas vezes impediam os comboios humanitários de alcançar os muçulmanos bósnios mais vulneráveis em "áreas seguras", conforme a ONU as designava; muita ajuda do Acnur foi fornecida para aqueles que teriam sobrevivido sem ela. Foi somente em junho de 1995, depois que soldados e paramilitares sérvios abateram oito mil muçulmanos bósnios no enclave de Srebrenica, que a estratégia ocidental começou a mudar. Sem mais discussão no Conselho de Segurança, mas com autorização direta do secretário-geral da ONU, Boutros-Ghali, a Otan lançou ataques aéreos.

Em abril de 1994, paramilitares hutus iniciaram uma campanha de estupro e assassinato de tutsis e hutus moderados. À medida que as notícias se espalhavam pelo mundo nos dias seguintes, um memorando do Departamento de Estado norte-americano advertiu sobre um "banho de sangue". Mas, com a Somália fresca na memória do eleitorado americano, o governo dos Estados Unidos desconfiou do envolvimento em outra guerra africana e fez campanha para a retirada da Missão de Assistência das Nações Unidas em Ruanda. O Conselho de Segurança, em última instância, votou para manter a missão, mas reduziu seus já sobrecarregados 2.500 soldados em quase 90%. À medida que a violência aumentava, o governo francês, que havia armado e treinado a milícia hutu nos anos anteriores, propôs ao Conselho de Segurança liderar uma operação militar para estabelecer uma zona segura. Em junho, o Conselho de Segurança aprovou a Resolução 929, autorizando a operação com base no capítulo VII e observando seu "caráter estritamente humanitário"[12]. Mas, para então, o genocídio estava chegando ao fim: 800 mil pessoas haviam morrido.

A não intervenção na Bósnia e em Ruanda contribuiu mais para a emergente ordem ética do que as operações de socorro ou eventuais intervenções humanitárias. Não apenas as estatísticas da mortalidade, mas as fotografias e noticiários, os filmes e relatos dos funcionários humanitários e das forças de paz, foram utilizados para fazer da Bósnia e de Ruanda exemplos do que pode acontecer quando os Estados Unidos e seus aliados não tomam medidas coercivas para prevenir ou fazer cessar o assassinato em massa.

As respostas internacionais à guerra na Bósnia e Ruanda refletiram a primeira baixa em uma tendência oscilante no apoio público ocidental à intervenção humanitária, que começou com a Guerra do Golfo: redução de apoio quando a intervenção falha; relutância em intervir em um conflito mortal que, em seguida,

---

12. Conselho de Segurança da ONU (1994).

choca a consciência coletiva; aumento de apoio novamente. Bósnia e Ruanda deram um novo impulso ao movimento humanitário. Inspiraram uma onda de reformas para profissionalizar e padronizar a ação humanitária. E proporcionaram uma razão para o aperto da ordem ética e uma redução na tolerância das transgressões.

Na ONU, os limites da soberania nacional foram discutidos com maior urgência. A ideia de que a soberania está condicionada à proteção dos direitos individuais, embora não seja nova – está presente nas teorias do contrato social de Hobbes, Locke, Rousseau e Kant, entre outros – foi ressuscitada. O conceito de segurança humana, que desloca o foco da política externa da segurança nacional para a segurança individual, tornou-se mais influente na estratégia das agências da ONU, e não menos que a do Programa das Nações Unidas para o Desenvolvimento, cujo Relatório do Desenvolvimento Humano de 1994 é um longo elogio disso. Em 1997, Kofi Annan foi nomeado secretário-geral. Ele tinha liderado o Departamento de Operações de Manutenção da Paz da ONU desde 1993, supervisionando as operações de paz na Somália, na Bósnia e em Ruanda. Nos primeiros anos de seu mandato, ele priorizou os direitos humanos e fez uma série de discursos públicos sobre intervenção e soberania.

Em setembro de 1999, Annan escreveu um artigo para *The Economist*, no qual se referiu a dois conceitos de soberania: o do Estado e o do indivíduo. Seis meses antes, a Otan havia iniciado a Operação *Allied Force*, uma campanha de bombardeio contra a República Federativa da Iugoslávia com o objetivo declarado de travar as atividades militares iugoslavas no Kosovo, estabelecer condições para a entrada de uma força de manutenção da paz e permitir o retorno seguro dos refugiados albaneses kosovares para a Albânia. A Otan agiu sem a autorização da ONU quando ficou claro que China e Rússia se oporiam à intervenção militar no Conselho de Segurança. Mas, no Ocidente, a intervenção tem sido muitas vezes caracterizada como moralmente legítima, apesar de sua ilegalidade. Este foi o julgamento da Comissão Internacional Independente sobre o Kosovo, criada pelo governo sueco, em agosto de 1999. Em seu artigo, Annan lamentou a falta de consenso internacional sobre a intervenção no Kosovo, mas demonstrou apoio cauteloso à ação da Otan. Ele sugeriu que, quando houvesse divisão no Conselho de Segurança, valeria a pena considerar a legitimidade das organizações regionais para intervir.

O Kosovo foi o campo de testes para um novo modelo de intervenção humanitária. O Conselho de Segurança assumiu papel muito mais ativo na arbitragem de assuntos internacionais durante os anos de 1990, adotando quase exatamente o mesmo número de resoluções (638) como ocorreu nos primeiros quarenta e quatro anos (646) da ONU e impondo mais regimes de sanções. Mas no final da década, os Estados Unidos não estavam mais dispostos a tolerar oposição em potencial aos seus interesses no Conselho. A hegemonia se baseia na diferenciação, e os grandes poderes, em última análise, têm de tornar-se exceções às regras que eles autorizam se quiserem ampliar seu alcance[13]. Os Estados Unidos agora procuravam isentar-se do multilateralismo que promoveram para outros estados ao longo dos anos de 1990. À margem da Europa, o Kosovo forneceu um cenário adequado para os Estados Unidos marginalizarem a ONU. A operação da Otan poderia ser apresentada como a resposta legítima de uma organização regional a um problema regional. Mas a Otan também era a única organização regional com poder e capacidade organizacional para atuar além dos limites territoriais de seus membros. E, intervindo com o objetivo declarado de proteger uma população muçulmana, parecia estar defendendo não apenas os interesses paroquiais dos estados do Atlântico Norte, mas também os direitos individuais do Outro não ocidental. A Operação *Allied Force* transformou a Otan em suplente da ONU, como uma organização com autoridade internacional para levar a cabo guerras humanitárias e, em geral, responder a ameaças à paz e à segurança. Analistas liberais ocidentais depois legitimaram o novo modelo, celebrando a *Allied Force* como a "boa intervenção", apesar da repressão mortal do exército iugoslavo contra os albaneses kosovares.

Entre os defensores mais proeminentes da intervenção da Otan no Kosovo, estava o primeiro-ministro britânico, Tony Blair. O Reino Unido contribuiu com forças aéreas, terrestres e marítimas para a Operação *Allied Force*, enviando quase sete mil soldados para os Bálcãs. Blair também usou a guerra para fazer um caso mais geral para a intervenção humanitária. Durante um discurso no Clube Econômico de Chicago, em abril de 1999, um mês após o lançamento da Operação *Allied Force*, ele apresentou a intervenção da Otan como a aplicação de uma "doutrina da comunidade internacional" emergente. A Doutrina Blair, como se tornou conhecida, refletiu um tipo de internacionalismo já promovido por seu governo trabalhista através do conceito de "política externa ética". "A Grã-Bretanha também tem um interesse nacional na promoção de nossos valores", argumentou Robin Cook, logo após Blair tê-lo nomeado ministro das Relações Exteriores, em 1997[14]. Blair e Cook articularam com clareza conceitual e zelo prescritivo a fusão de ética e política que tinha sido central para a geoestratégia dos Estados Unidos desde o fim da Guerra Fria.

Em 2000, o Reino Unido liderou sua própria intervenção humanitária em sua antiga colônia da Serra Leoa, depois que forças oposicionistas avançaram na capi-

---

13. Fiori (2007).
14. Cook (1997).

tal, Freetown. Sete meses antes, as tropas australianas haviam liderado uma força de paz da ONU em Timor-Leste, em resposta a um surto de violência após um referendo de independência. Na virada do milênio, aliados dos Estados Unidos se tornaram os campeões mais entusiasmados da intervenção humanitária. Para os próprios Estados Unidos, no entanto, o valor estratégico da ação humanitária em geral, e a intervenção humanitária coerciva em particular, agora começavam a diminuir. Uma nova lógica estratégica se tornou necessária para a consolidação da hegemonia global e da ordem ética.

As origens da intervenção humanitária

As guerras humanitárias eram um instrumento de ordem ética muito antes dos anos de 1990. A doutrina moderna da intervenção humanitária surgiu no século XIX, especificamente para fornecer uma justificativa moral para as invasões europeias no Império Otomano. Inicialmente, as potências europeias não qualificaram suas intervenções no Império Otomano como "humanitárias". Essas guerras foram travadas numa base religiosa, em nome de proteger os cristãos sob o governo otomano. Contribuíram para noções de europeidade, em oposição ao islamismo. Na segunda metade do século, o desenvolvimento de um conceito jurídico de intervenção protetora ampliou os limites de preocupação além da comunidade religiosa para uma humanidade que, no entanto, excluiu os "bárbaros"[15]. Usando invasões anteriores do Império Otomano como um *corpus* jurisprudencial, uma nova arquitetura jurídica ligou inextricavelmente a prática de intervenção humanitária com a civilização europeia. Além disso, os fundamentos intelectuais da intervenção protetora, em suas formas religiosas e seculares universalistas, são inequivocamente europeus. Mesmo uma vez que a humanidade tenha substituído a Cristandade como objeto de salvação, a intervenção protetora promoveu uma ordem ética definida pelos europeus de acordo com seus próprios valores.

Em 1827, França, Grã-Bretanha e Rússia enviaram frotas para a Baía de Navarino, na costa oeste do Peloponeso, depois que as forças turcas e egípcias haviam chegado para sufocar uma rebelião grega. Os poderes europeus estavam sobretudo preocupados com o impacto da presença turca e egípcia no comércio com a Grécia. E a ameaça para a população civil era talvez menor do que em ocasiões anteriores durante a guerra de independência grega, quando os europeus não intervieram. No entanto, quando os representantes franceses, britânicos e russos se reuniram em Londres, em 1830, para ratificar a independência grega, refe-

---

15. Rodogno (2012, p. 10-11).

riram-se a sua intervenção como um "dever imperativo da humanidade"[16]. Esta justificativa *post hoc* estabeleceu sua intervenção como um precedente para as guerras éticas que seriam travadas no Império Otomano nas próximas décadas. Utilizou uma linguagem moral que se tornaria efetiva para obter apoio à guerra entre os cidadãos europeus e que, às vezes, até pareceria remodelar os cálculos estratégicos dos estados europeus.

Na medida em que as potências europeias estabeleceram uma base moral para suas intervenções otomanas desde Navarino, elas reviveram e, através da prática, revisaram as ideias cristãs de guerra justa. A partir do Renascimento, o conceito de direito natural, particularmente na medida em que foi desenvolvido por juristas europeus como Francisco de Vitória, Alberto Gentili, Hugo Grotius e Emer de Vattel, colocou os direitos dos fracos e oprimidos no coração da moral cristã. Em seu tratado de 1625, *De Iure Belli ac Pacis*, Grotius propôs um direito legal dos soberanos para fazer guerra em nome daqueles oprimidos por outro soberano, introduzindo uma inalienabilidade para os direitos naturais quando se conectam à teoria da guerra justa. No século XVIII, os *filósofos* do Iluminismo desenvolveram e propagaram ainda mais a ideia de que os indivíduos têm direitos fundamentais, derivados não do Estado ou da Igreja, mas da lei natural.

Este cosmopolitismo filosófico e jurídico, que transcende os limites do Estado em defesa dos direitos individuais, proporcionou o fundamento intelectual para a doutrina emergente da intervenção humanitária no século XIX. Isso se refletiu na redação dos intelectuais liberais do século XIX, como John Stuart Mill, que definiu uma ética identificável da intervenção humanitária em seu ensaio de 1859, intitulado "Poucas palavras sobre a não intervenção". No entanto, a *prática* de intervenção no século XIX também foi moldada pelo nacionalismo e o romantismo decorrentes da Revolução Francesa, cujos protagonistas declararam que "os homens nasceram e continuam sempre, livres e iguais em relação aos seus direitos", mas imaginaram esses direitos fundamentais para uma cidadania nacional e não universal.

Os interesses nacionais e culturais que, para os estados europeus, fizeram das relações otomanas uma "Questão Oriental", também informaram o moralismo que motivou, ou pelo menos justificou, a intervenção no Império Otomano. Tanto quanto a ideia da guerra justa foi moderada pelo princípio da não intervenção após os tratados da Westfália de 1648, então o universalismo liberal que veio definir os ideais humanitários ao longo do século XIX permaneceu inseparável do interesse próprio e do autocentrismo de estados-nação europeus. Isso foi evidente quando os estados europeus justificaram a intervenção por motivos religiosos –

---

16. Rodogno (2012, p. 88).

como quando Rússia, Prússia e Áustria formaram a Santa Aliança em 1815, reivindicando o direito de usar a força para "proteger a religião, a paz e a justiça" –, mas também foi evidente mais adiante nesse século, uma vez que os limites da preocupação moral foram estendidos.

Pensa-se que a palavra inglesa "*humanitarian* [humanitário]" foi usada em torno da virada do século XIX para denotar a crença que Cristo era humano e não divino[17]. Em meados do século XIX, o termo desenvolveu um significado mais geral, referindo-se a uma preocupação pelo bem-estar humano universal ou a "religião da humanidade". A filosofia positivista de Auguste Comte propôs uma base científica para o progresso humano e promoveu o amor pela humanidade, o que poderia trazer "melhoria universal". Na Europa Ocidental e na América do Norte, os projetos que então se associaram ao crescente movimento humanitário eram politicamente diversos, mas se identificaram, pelo menos retoricamente, com uma versão desse ideal progressista.

Surgindo de uma sociedade profissionalizante, essas várias iniciativas humanitárias refletiram uma moral burguesa. Elas eram produtos de transformações na produção capitalista e uma sentimentalização da arena política, que tinha começado com a Reforma Protestante no século XVI. À medida que a Revolução Industrial causava agitação social, a caridade cristã, a filantropia secular e as reformas sociais podiam ser paliativas, talvez até emancipadoras, mas também eram um meio de pacificar o revolucionismo latente. A atividade missionária além do Ocidente cristão misturou esse idealismo burguês com ambições civilizadoras, que na França, embora não na Grã-Bretanha, floresceram durante o Novo Imperialismo (1870-1914). O humanitarismo internacional tomou forma como um conjunto de práticas institucionais em grande parte como resultado do nascimento, em 1863 – e da expansão – do movimento da Cruz Vermelha, com sua ênfase na humanização da guerra. Nos anos seguintes, quando os humanitários operacionalizaram a busca dos ideais humanistas abstratos, eles também foram guiados por pressupostos imperiais sobre hierarquia e civilização.

É nesse contexto que advogados, estudiosos e ativistas humanitários desenvolveram a teoria e a arquitetura para governar a conduta legal na guerra (*ius in bello*) – principalmente a Primeira Convenção de Genebra – bem como a legalidade de ir à guerra (*ius ad bellum*). Na década de 1860, o Direito Internacional foi estabelecido como uma disciplina acadêmica na Europa e na América do Norte. Professores de Direito, como o americano Theodore Dwight Woolsey e o alemão Johann Caspar Bluntschli, promoveram a intervenção em nome do Direito internacional em resposta a crimes soberanos contra indivíduos; eles acreditavam

---

17. Davies (2012, p. 3).

invariavelmente que "nações civilizadas" eram responsáveis por definir o que seria considerado crime. Em 1876, quando os cristãos se rebelaram nos Bálcãs, o professor de Direito belga Egide Arntz escreveu uma carta a Gustave Rolin-Jaequemyns, advogado belga e cofundador do Instituto de Direito Internacional, argumentando que a intervenção era legítima quando "os direitos da humanidade" eram violados. Essa violação, segundo ele, feriu profundamente "nossos costumes e civilização". A publicação da carta por Rolin-Jaequemyns transformou Artnz em um dos mais influentes teóricos europeus da intervenção. Como Rolin-Jaequemyns, Arntz tornou-se um defensor da notória ocupação da África Central pela Bélgica, representando legalmente a principal organização do rei belga Leopoldo II, a Associação Africana Internacional, na tentativa de obter soberania sobre o Congo.

Em 1884, em *A Treatise on International Law*, o influente advogado britânico William Edward Hall afirmou que "o Direito internacional é um produto da civilização especial da Europa moderna"[18]. Os juristas europeus pensaram que o Direito internacional nasceu na Europa devido à superioridade moral da civilização europeia e, com a lógica circular, que o desenvolvimento do Direito internacional confirmou essa superioridade moral.

A distinção civilizacional que assim informou teorias jurídicas de intervenção foi legalmente formalizada no Tratado de Berlim, assinado em 1878 por Áustria, Grã-Bretanha, França, Alemanha, Itália, Rússia e o Império Otomano. O tratado concedeu aos estados europeus o direito de intervir no Império Otomano se seu governo violasse os direitos individuais das minorias religiosas. No entanto, o tratado não permitiu a intervenção otomana na Europa pelos mesmos motivos. O poder e o território otomanos foram diminuídos pela guerra russo-turca, que terminou quatro meses antes em uma vitória russa, e os delegados otomanos em Berlim foram obrigados a aceitar a paz do perdedor. A intervenção humanitária era uma via unidirecional, que descia das alturas de uma Europa civilizada e moralmente exaltada em direção às planícies bárbaras morais.

Os argumentos morais e legais apresentados pelos intervencionistas europeus no século XIX obscureciam a política de intervenção. Mas mesmo quando os estados estão genuinamente motivados a agir em prol de seu conceito particular de humanidade, essa política é irredutível. No contexto do imperialismo do século XIX, os argumentos morais para a guerra assumiram caráter civilizatório; os europeus acreditavam que suas guerras otomanas eram travadas contra a própria barbárie. Uma vez que a intervenção foi justificada usando a linguagem humanitária, tornou-se um instrumento ainda mais útil na construção de uma ordem ética hierárquica.

---

18. Hall (1884).

A construção intelectual da civilização europeia entrou em colapso sob o peso de 18 milhões de cadáveres na Primeira Guerra Mundial. No período entreguerras, os poderes europeus e os Estados Unidos – já aceitos como europeus em termos civilizacionais – continuaram a prover uma autoridade moral colonial, mas seu interesse pela intervenção humanitária diminuiu. Com a fundação da Liga das Nações, um sistema jurídico internacional que permitia intervenção deu lugar a outro desenhado para prevenir a guerra – uma mudança de *bellum iustum* para *bellum legale*[19]. O Pacto da Liga proibiu as guerras de agressão e estabeleceu a unanimidade entre os membros da Liga como condição para a intervenção. Intelectuais liberais britânicos influentes, como John A. Hobson, promoveram um "novo internacionalismo", baseado em paz e cooperação. E um foco racionalista no planejamento e gestão científica que motivaria a expansão das burocracias governamentais no Ocidente também contribuiu para a convicção de que a guerra poderia ser prevenida através da regulação do sistema interestatal, apesar de sua inclinação para a anarquia. Em 1928, o Pacto Kellogg-Briand, patrocinado pela França e os Estados Unidos, "condenou o recurso à guerra para a solução de controvérsias internacionais"[20]; no ano seguinte, quarenta e seis outros países o assinaram. A não intervenção tornou-se uma norma *ius cogens* – um princípio peremptório do Direito internacional.

Após a Segunda Guerra Mundial, uma abordagem legalista para o desenvolvimento da governança global liberal consolidou o sistema de *bellum legale*. No entanto, foi incluída na Carta das Nações Unidas uma permissão legal para a intervenção coercitiva: o capítulo VII. Como o poder de veto em questões de paz e segurança internacionais foi concedido apenas aos cinco membros permanentes do Conselho de Segurança (P5), o capítulo VII foi uma reafirmação legal de que os fortes têm um direito exclusivo de intervenção, a ser exercido contra os fracos; equacionou autoridade legítima (embora a de um grupo ligeiramente redefinido) com a legalidade.

Nas décadas seguintes, até os anos de 1990, a moral da intervenção foi geralmente submetida a um cálculo estratégico realista convencional. A ética, *stricto sensu*, estava subordinada a uma política chauvinista e milenarista, em ambos os lados da divisão ideológica da Guerra Fria. Embora houvesse uma proliferação de agências de ajuda humanitária, a linguagem humanitária desempenhou papel menor na definição da ordem ética. Assim como a prática da intervenção humanitária.

---

19. O jurista austríaco Josef Kunz foi o primeiro a caracterizar a mudança no sistema legal dessa forma, em 1951 (KUNZ, 1951).

20. Kellogg-Briand Pact (1928).

O declínio do humanitarismo liberal

Os defensores da intervenção humanitária saudaram a Cúpula Mundial de 2005 como o momento em que os estados chegaram a um consenso sobre a intervenção humanitária. As preocupações expressas particularmente no Sul Global, sobre o uso da intervenção humanitária como um cavalo de Troia para façanhas imperiais, poderiam finalmente ser colocadas de lado. A política foi superada.

O relatório da Iciss, publicado quatro anos antes, baseou sua doutrina R2P em dois princípios: que os estados têm a responsabilidade primária de proteger seus cidadãos; e que o princípio da não intervenção cede à responsabilidade internacional de proteger quando uma população está sofrendo sérios danos e seu governo não consegue ou não está disposto a detê-los. O documento final da Cúpula Mundial (Resolução 60/1 da Assembleia Geral das Nações Unidas) reafirmou esses princípios. Entretanto, enquanto o Iciss se concentrou mais no segundo, 60/1 mudou a ênfase para o primeiro. E enquanto o Iciss tinha sido moderado em seu apoio à intervenção unilateral (consideravelmente mais do que Tony Blair em seu discurso de Chicago em 1999), a 60/1 não previa nenhuma intervenção unilateral. Do Kosovo à R2P para a Cúpula Mundial, o conceito de intervenção humanitária aos poucos se tornou menos ameaçador.

Em última análise, a novidade do acordo sobre intervenção humanitária na Cúpula Mundial limitou-se a apoiar a *ideia* de que os estados têm uma "responsabilidade de proteger". Embora a Cúpula tenha levado à criação do Conselho dos Direitos Humanos, ela não trouxe mudanças estruturais ou processuais diretamente relacionadas ao ato de intervenção. A autorização do Conselho de Segurança ainda seria necessária para que a intervenção fosse considerada legal. E apesar de a 60/1 reafirmar a ameaça e a perpetração de genocídio, crimes de guerra, limpeza étnica e crimes contra a humanidade como desencadeadores de intervenção, a adoção das resoluções do capítulo VII ainda dependeria dos interesses estratégicos do P5.

John Bolton, representante permanente dos Estados Unidos na ONU, havia proposto revisões drásticas ao anteprojeto do documento final algumas semanas antes da Cúpula. A versão final foi então produzida a portas fechadas, com representantes de alguns estados com acesso privilegiado. E foi apresentado a todos os estados-membro apenas minutos antes da Cúpula, em vez do mínimo estatutário de um dia para propostas levadas à Assembleia Geral.

A sugestão de que, na Cúpula Mundial, os governos alcançaram um consenso histórico sobre a intervenção humanitária, ou mesmo a R2P, é pelo menos enganosa. Na medida em que introduziu nas negociações multilaterais uma nova linguagem sobre a intervenção, a 60/1 possuía significado normativo. A influência e a defesa de um pequeno núcleo de intervencionistas liberais que trabalhavam na ONU e ao redor dela tinham sido fundamentais para colocar a intervenção humanitária no topo da agenda da Cúpula. Mas os Estados Unidos pressionaram a ONU para concentrar a Cúpula na reforma da ONU; também garantiram que fosse dada atenção considerável à luta contra o terrorismo.

Até então, a relevância da intervenção humanitária para a estratégia dos Estados Unidos já havia diminuído significativamente. Após os ataques do 11 de setembro de 2001, os Estados Unidos lançaram a guerra global contra o terrorismo (Gwot) – uma guerra total exigindo mudança na geoestratégia. Concedendo jurisdição universal aos Estados Unidos sobre um inimigo onipresente, a Gwot tornou-se um meio de globalização verdadeiro da ordem ética e de sua redefinição em termos ainda mais maniqueístas. De fato, a Gwot reviveu a noção de uma falha civilizacional. Também forneceu uma justificativa estratégica para que os Estados Unidos continuassem se desarmando das estruturas jurídicas internacionais, incluindo as relativas à prevenção de "crimes de atrocidade em massa", como o Estatuto de Roma do Tribunal Penal Internacional. Humanitarismo tornou-se pouco mais do que uma reflexão tardia: embora os Estados Unidos e seus aliados tenham justificado retroativamente as invasões no Afeganistão (2001) e no Iraque (2003) por motivos humanitários, eles inequivocamente declararam a segurança como sua motivação principal.

Investiu-se muita energia na institucionalização da R2P na ONU. Em abril de 2006, o Conselho de Segurança afirmou seu compromisso com a R2P em uma resolução sobre a proteção de civis em conflitos armados. Dois anos depois, o secretário-geral da ONU, Ban Ki-Moon, nomeou um consultor especial sobre a Responsabilidade de Proteger. Em 2009, Ban Ki-Moon publicou um relatório intitulado *Implementando a Responsabilidade de Proteção*. Seis meses depois, a Assembleia Geral realizou seu primeiro "diálogo interativo" informal sobre a R2P. Desde então, o diálogo interativo tornou-se um evento anual, sempre precedido pela publicação de um relatório do secretário-geral sobre o estado de implementação da R2P. E o Conselho de Segurança tem-se referido à R2P com cada vez mais frequência em suas resoluções: quatro referências desde o início de 2006 até o final de 2009; quinze de 2010 a 2013; e quarenta e nove de 2014 a 2017.

Muitas dessas resoluções têm prorrogado ou reafirmado o mandato das missões de paz e de assistência da ONU existentes, no Sudão, na Somália e na República Democrática do Congo. Outros têm aprovado novas intervenções das Nações Unidas, bem como de outras organizações, no Mali, no Sudão do Sul, na República Centro-africana, na Líbia e na Costa do Marfim. No entanto, a referência à R2P e o desenvolvimento das instituições R2P não provocaram intervenções mais frequentes ou atividade operacional mais intensa para proteger civis. Da

Cúpula Mundial em setembro de 2005 até o final de 2017, o Conselho de Segurança autorizou onze novas intervenções militares, incluindo operações de paz. Na mesma quantidade de tempo antes da Cúpula, o Conselho autorizou 35. No entanto, o número de mortes em conflitos violentos aumentou significativamente no final da primeira década do novo milênio e manteve-se alto[21]. Sem a liderança dos Estados Unidos, os esforços para transformar a intervenção humanitária de uma responsabilidade moral em uma legal não têm alterado substancialmente o comportamento de outros estados.

A campanha aérea da Otan na Líbia (Operação *Unified Protector*) é a única instância dos Estados Unidos a assumirem papel de liderança numa intervenção humanitária convencional desde a virada do milênio. E foi uma intervenção que serviu de vitrine para a R2P. Mas, como o cientista político Thomas Weiss sugere, "a Líbia era incomum"[22]. Legalidade, condições políticas (nos Estados Unidos e outros estados-membro líderes da Otan, mas também no Conselho de Segurança e na Liga Árabe) e viabilidade militar se alinharam. Se a *Unified Protector* conseguiu impedir um massacre de forças oposicionistas em Benghazi, a maioria dos analistas ocidentais, no entanto, a considerou uma intervenção fracassada em função do que se seguiu: ilegalidade, mortes extrajudiciais generalizadas e tortura, a disseminação de armas e violência nas fronteiras da Líbia, um aumento das forças islamistas declaradas inimigas do Ocidente, e um ataque mortal ao consulado dos Estados Unidos.

Quatro dias antes da intervenção da Otan na Líbia, os manifestantes se reuniram na capital síria, Damasco. Eles foram violentamente dispersos pela polícia. Os confrontos entre as forças governamentais e um crescente movimento de protesto em toda a Síria evoluiriam para a guerra civil mais sangrenta do século XXI e a primeira prova real do suposto consenso sobre a R2P. Sete anos depois, quase meio milhão de pessoas foram mortas e esse número continua a aumentar. Mas a vacilação ocidental na Síria não apenas reflete uma queda na tendência oscilante de apoio às intervenções humanitárias; não é uma expressão de remorso para o fracasso na Líbia. Em vez disso, é uma demonstração definitiva do esgotamento da contribuição do humanitarismo liberal para a geoestratégia e expansão soberana dos Estados Unidos. E à medida que os Estados Unidos abandonam este instrumento de ordem ética, abandonam um campo de luta, convidando os rivais a ocupá-lo.

Em 2008 Barack Obama foi eleito para a presidência dos Estados Unidos, prometendo um internacionalismo pacífico. Ele trouxe ideais cosmopolitas para

---

21. Iiss (2015, 2017).
22. Weiss (2016, p. 76).

a Casa Branca, no entanto tingidos por uma profunda crença no excepcionalismo americano. Em outubro de 2009, após o anúncio de que ele receberia o Prêmio Nobel da Paz em seu primeiro ano no cargo, Obama se referiu ao prêmio como "uma afirmação da liderança americana em prol das aspirações de pessoas em todas as nações"[23].

Como resposta às duradouras críticas à intervenção americana no Iraque, Obama esperava elevar a posição moral dos Estados Unidos precisamente através da disseminação dos valores americanos. Ele assumiu a presidência com uma equipe de política externa que incluiu destacados intervencionistas liberais: Samantha Power, ativista de direitos humanos e autora de um livro premiado com o Pulitzer sobre respostas americanas ao genocídio, foi nomeada assistente especial do presidente, com assento no Conselho Nacional de Segurança; Susan Rice, ex-secretária adjunta de Assuntos Africanos, cuja simpatia pela intervenção humanitária refletiu o arrependimento de sua própria vacilação durante o genocídio ruandês, foi nomeada representante permanente dos Estados Unidos na ONU; e Hillary Clinton, que, como senadora, votou a favor da invasão do Iraque em 2003, foi nomeada secretária de Estado. Elas influenciariam significativamente na decisão de Obama de intervir na Líbia.

Obama e seu assessor de política estrangeira mais próximo, Ben Rhodes, relutaram em se comprometer com a guerra na Líbia. Obama justificou a intervenção dos Estados Unidos como limitada: ataques aéreos ao invés de uma campanha terrestre, com uma coalizão internacional assumindo maior responsabilidade em "uma questão de dias e não uma questão de semanas"[24]. Mas seu governo passou longe de ser pacifista. Ele foi o único presidente dos Estados Unidos na história a servir dois mandatos completos em guerra. Não foi, então, o apetite dos Estados Unidos pela guerra que se reduziu sob Obama. Em vez disso, foi a relevância estratégica dos ideais cosmopolitas que ele promoveu no início de seu mandato, inclusive na medida em que se relacionam à proteção de civis no exterior. Isso se refletiu na marginalização de Power sobre questões de intervenção após a Líbia, apesar de sua nomeação como diretora do novo Conselho de Prevenção de Atrocidades em 2012, e depois como representante permanente na ONU. Ela tentou, mas não conseguiu convencer Obama a tomar medidas firmes e precoces na Síria, no Iraque e na Ucrânia.

Donald Trump foi eleito, em 2016, promovendo o *slogan* "América primeiro". A política externa dos Estados Unidos pareceu confusa durante a maior parte

---

23. O discurso de Obama no Jardim das Rosas da Casa Branca, logo depois do anúncio da sua premiação pelo Comitê Nobel pode ser acessado em https://www.nytimes.com/2009/10/09/us/politics/09obama-text.html

24. Condon (2011).

do seu primeiro ano como presidente. Mas apesar das declarações contraditórias e invariavelmente extemporizadas do próprio Trump na frente de uma câmera, um conjunto de lemas retóricos consistentes agora confirma o abandono do cosmopolitismo.

Em maio de 2017, em artigo publicado no *Wall Street Journal*, o ex-conselheiro de segurança nacional, Tenente-general Herbert McMaster, e o ex-diretor do Conselho Econômico Nacional, Gary Cohn, escreveram que "o mundo não é uma 'comunidade global', mas uma arena onde as nações, atores não governamentais e as empresas se envolvem e competem por vantagem"[25]. Então, em dezembro, a administração Trump publicou sua primeira Estratégia Nacional de Segurança (NSS). Não é tanto uma estratégia como uma declaração que equilibra, não de forma totalmente coerente, as prioridades de Trump, seus assessores e seu gabinete (no qual ele incluiu o diretor da Agência Central de Inteligência), bem como os *lobbies* e grupos de interesse que os influenciam. Ele propõe que a estratégia dos Estados Unidos será guiada por um "realismo baseado em princípios". A ameaça de outros estados aos Estados Unidos – primeiro os "poderes revisionistas" da Rússia e da China, e depois os "estados desonestos" como Coreia do Norte e Irã – é mencionada antes daquela representada pelas organizações transnacionais[26]. E os interesses têm precedência sobre os ideais morais. A NSS não apresenta interesse em arbitragem ética internacional, mas estabelece que os Estados Unidos "derrotarão a agressão" contra seus interesses, incluindo "agressão econômica".

Na primeira NSS de Obama, em 2010, a palavra "humanitário" aparece sete vezes; "direito humano" ou "direitos humanos", trinta e duas vezes; e "direito universal" ou "direitos universais", oito vezes. Na segunda dele, em 2015, as mesmas palavras são usadas duas, dezesseis e duas vezes, respectivamente. Na NSS de Trump, uma, uma, e nenhuma vez. Isso não só demonstra a reduzida contribuição da linguagem e ideias humanitárias e de direitos humanos para a estratégia de segurança desde Obama até Trump, mas também demonstra que tal redução faz parte de uma tendência que começou mais cedo, atravessando o Governo Obama. Essa tendência não é simplesmente parte da flutuação secular da política externa americana entre o internacionalismo idealista (na forma do moralismo de Woodrow Wilson ou do globalismo neoliberal de Bill Clinton, p. ex.) e do realismo (na forma do imperialismo de Theodore Roosevelt ou da doutrina de contenção de Harry Truman); seu fim é uma ruptura com o excepcionalismo americano que é essencial a ambas as tradições. O próprio Trump criticou anteriormente o

---

25. McMaster e Cohn (2017).
26. The White House (2017).

excepcionalismo como "perigoso"[27]. E a NSS de 2017 afirma que "o modo de vida americano não pode ser imposto aos outros, nem é o culminante inevitável do progresso"[28]. A ideia de uma história excepcional e, por implicação, uma vitória final inevitável, tem condicionado não só o comportamento dos Estados Unidos, mas também o de outros estados. Agora, repudiando essa narrativa histórica, os Estados Unidos intensificam a concorrência entre os rivais na nova luta pela ordem ética, que provocaram com o abandono de sua agenda humanitária. Assim, preparam o terreno para o uso de táticas novas e potencialmente mais agressivas.

Entre os potenciais rivais, a Rússia tem sido mais direta em suas tentativas de redefinir a ordem ética. Seu ressurgimento como pretendente ao poder global é em si mesmo uma consequência da fragmentação do poder no sistema interestadual sob a liderança dos Estados Unidos pós-Guerra Fria – o processo de destruição e reinvenção de rivais através do qual *hegemons* promovem a concorrência de que necessitam para consolidar e ampliar seu próprio poder[29]. A invasão russa da Geórgia em 2008 sinalizou uma mudança estratégica para uma política externa mais expansiva. No momento em que a Rússia se envolveu no leste da Ucrânia, em 2014, apoiando milícias das chamadas repúblicas populares de Donetsk e Lugansk, ficou clara a disposição de Putin de agir com força além dos limites territoriais da Rússia, dentro da sua esfera de interesse. No entanto, é a guerra na Síria que marca um ponto de viragem, tanto no exercício da força militar russa quanto no desafio à ordem ética.

O Governo Obama teve dificuldade em equilibrar valores e interesses na Síria; na verdade, ele teve dificuldade em *determinar* seus interesses na Síria. Em contrapartida, Putin tem sido perspicaz. A guerra síria tem proporcionado uma oportunidade para a Rússia fortalecer o relacionamento estratégico com um aliado da Guerra Fria que tem minado os interesses dos Estados Unidos no Oriente Médio consistentemente desde que a Família Assad assumiu o poder, em 1971. Também tem proporcionado à Rússia um contexto favorável para a tentativa de assumir liderança ética. O presidente sírio Bashar al-Assad tem exposto a falta de compromisso de Washington com os ideais humanitários, obviamente quando, em agosto de 2013, ele pareceu usar armas químicas contra civis em Ghouta, cruzando uma linha vermelha previamente estabelecida por Obama, sem a resposta militar dos Estados Unidos. Depois, em setembro de 2015, a Rússia abertamente interveio militarmente na Síria, a pedido do governo sírio. Este pedido permitiu

---

27. Entrevista com Trump, por Jeffrey Lord, da *American Spectator*, em 2014 [Disponível em https://spectator.org/59571_trump-card/].
28. The White House (2017, p. 4).
29. Fiori (2007).

que Putin reivindicasse que as operações russas na Síria são legais, enquanto as dos Estados Unidos, e não menos os ataques aéreos encomendados por Trump em abril de 2017, violam o Direito internacional, uma vez que não são apoiados pela Síria nem pelo Conselho de Segurança.

À medida que a Rússia se move para ocupar o espaço desocupado pelos Estados Unidos, Putin apresenta-se como uma figura reconhecível de autoridade internacional. Ele apresenta a Rússia como uma nação cristã, capitalista, humanitária, branca-ocidental, comprometida em combater o terrorismo jihadista. Dirigindo-se à Assembleia Geral da ONU, em setembro de 2015, ele sugeriu a formação de uma coalizão para combater os militantes do Isis que "assim como os nazistas, semeiam o mal e o ódio da humanidade"[30]. Assim, ele simultaneamente apontou um inimigo comum da Rússia, dos Estados Unidos e da Europa, e a participação russa em alianças históricas contra a "desumanidade". Em fevereiro de 2018, quando as forças sírias bombardearam Ghouta Oriental em uma das mais sangrentas campanhas da guerra, Putin dominou as manchetes, propondo um "corredor humanitário", mesmo que o Conselho de Segurança já tivesse concordado com uma trégua de 30 dias[31]. Ele tem se referido com frequência à motivação humanitária das atividades da Rússia na Ucrânia. E invocou o R2P durante a invasão da Geórgia.

A Rússia não está construindo uma alternativa ao sistema multilateral de governança global. Em vez disso, Putin procura assumir a liderança desse sistema para redefini-lo e projetar o poder russo. Desde o início de 1990 até o final de 2006, vinte resoluções do Conselho de Segurança foram vetadas por membros permanentes, quinze pelos Estados Unidos; e de 2007 até agora, outras vinte foram vetadas, dezoito pela Rússia. No entanto, Putin também tem minado processos multilaterais que não servem aos interesses russos. Desde 2012, a ONU vem coordenando negociações em Genebra entre o governo sírio e representantes da oposição. Mas no final de 2016 a *troika* de Rússia, Turquia e Irã estabeleceu um caminho separado de negociações. Pelo menos em público, o enviado especial da ONU para a Síria, Staffan de Mistura, tem-se referido às negociações apoiadas pela *troika* como complementares ao processo de Genebra. No entanto, enquanto as forças de Assad têm se aproximado de uma vitória contra sua oposição, essas negociações têm suplantado gradualmente o processo de Genebra, apresentadas pela *troika* como legítimas, viáveis, multilaterais e, de fato, apoiadas pela ONU.

---

30. O discurso de Putin à Assembleia Geral da ONU, em set./2015, está disponível em https://www.washingtonpost.com/news/worldviews/wp/2015/09/28/read-putins-u-n-general-assembly-speech/?utm_term=.a32e9825ec5b
31. Reuters (2018).

Para a consciência liberal ocidental, simpatizante das causas humanitárias, a ideia de que a atividade da Rússia na Síria nos últimos anos deve ser considerada ética pode ser desagradável. No entanto, é precisamente uma compreensão estabelecida da ética, desenvolvida das verdades liberais anteriormente promovidas pelos Estados Unidos, que a Rússia de Putin agora desestabiliza. Putin trata a linguagem ética, e mesmo certas instituições da desbotada ordem liberal, como essencialmente vazia, buscando aumentar a autoridade da Rússia. A crítica liberal comum de que a adoção, por Putin, de linguagem e símbolos humanitários seja simplesmente um disfarce cínico para a implacável expansão da Rússia, implica que o próprio humanitarismo seja um conceito imutável, e que aqueles que o invocaram anteriormente o fizeram com mais honestidade. Putin muitas vezes já respondeu a acusações ocidentais de cinismo e manipulação, apontando um espelho para a hipocrisia humanitária do Ocidente. No entanto, se houver uma distância significativa entre a intenção real e o significado retórico implícito quando Putin declara preocupação humanitária, isso pode ser de consequência humana, mas é de pouca relevância estratégica. Na construção da ordem e na busca do poder, a honestidade é incidental.

Humanitarismo além do liberalismo

Que os Estados Unidos já não valorizam uma política externa ética talvez indique que atingiram o auge de seu poder e que um futuro mais disputado esteja por vir. A promoção de Trump de um interesse próprio e competição – "vocês, os líderes de seus países, irão e devem colocar seus países em primeiro lugar", disse ele à Assembleia Geral em setembro de 2017[32] – é um convite para que outros estados exerçam seu poder de forma mais aberta, independentemente de seus próprios projetos de ordem ética: em setembro de 2017, a Rússia realizou sua maior mobilização militar desde a Guerra Fria, enviando 100 mil soldados para a fronteira dos estados bálticos; em março de 2018, Putin anunciou que a Rússia havia produzido um novo arsenal de armas nucleares "invencíveis" que "poderiam alcançar em qualquer lugar do mundo"[33]; em janeiro de 2018, a Turquia lançou uma operação militar em larga escala em Afrin, no norte da Síria, contra grupos curdos apoiados pelos Estados Unidos.

---

32. O discurso de Trump à Assembleia Geral da ONU, em set./2017 pode ser acessado em https://www.whitehouse.gov/briefings-statements/remarks-president-trump-72nd-session-united-nations-general-assembly/

33. O discurso anual do presidente à Assembleia Federal Russa, feito por Putin em março de 2018, está disponível em http://en.kremlin.ru/events/president/news/56957

À medida que a administração Trump renuncia aos ideais liberais e à narrativa histórica progressista americana, o "século americano" se encerra. Os governos europeus agora também reavaliam seu internacionalismo em relação ao interesse nacional, provocado pela propagação do sentimento antimoderno. Mas qual o destino do humanitarismo? Uma onda, que se elevou com a maré liberal no início dos anos de 1990, quando parecia não haver contracorrente, o "novo humanitarismo" perdeu força gradualmente e agora perece contra as rochas da Síria. Mas o próprio humanitarismo não está morto.

As iniciativas humanitárias modernas, incluindo as intervenções humanitárias militares, foram em geral associadas com a política liberal e inspiradas por ela, mesmo quando a implementação dessas iniciativas envolveu práticas iliberais. Mas o humanitarismo não é um pilar da ideologia liberal, nem é uma ideologia em si mesmo. Em vez disso, é um conjunto de práticas éticas discursivas, que refletem uma moralidade nascida do conflito inerente à política; uma moralidade relacionada a uma concepção particular de "humanidade", imaginada como incorporando uma verdade universal e, portanto, implicando um ideal universal. Como tal, o humanitarismo é uma dimensão essencial da política universalista, que emerge exclusivamente da filosofia ocidental. (O filósofo francês François Jullien escreve que "o universal", uma regra conceitual deduzida da razão, ou *logos*, explodiu da filosofia socrática "como Athena da cabeça de Zeus")[34].

Mas há universalismos não liberais. O caráter liberal do humanitarismo é, portanto, contingente. E enquanto tentativas de redefinir a ordem ética preenchem a linguagem humanitária com um novo significado, o próprio humanitarismo está sendo redefinido. Nesse contexto, as instituições humanitárias liberais, das agências de ajuda a artigos do direito humanitário, estão perdendo influência. Sua aliança com os governos ocidentais que as patrocinaram é mais fraca do que em qualquer momento desde o fim da Guerra Fria. À medida que novos desenvolvimentos desafiam as histórias abstratas e seletivas através das quais os representantes do humanitarismo liberal construíram momentos progressivos, os fundamentos frágeis do idealismo liberal humanitário estão expostos.

Se o humanitarismo é a projeção de uma certa concepção da humanidade, é também a projeção do Eu. E é dependente da existência do Outro, que deve ser salvo, convertido ou civilizado. O humanitarismo constantemente constrói o Outro. Dessa forma, simultaneamente provincializa e universaliza: estabelece fronteiras para ampliar seu alcance.

---

34. Jullien (2014, p. 33).

Os idealistas liberais esperam que desapareçam as diferenças, inclusive quando omitem e abstraem desenvolvimentos históricos. Eles imaginam um ponto claro em que a proteção do indivíduo sobrepõe a soberania do Estado, ou eles imaginam que é possível definir esse ponto através de meios racionais, científicos e através do consenso.

Mas num sistema interestatal em que atores irreconciliavelmente diferentes estão constantemente lutando por sobrevivência ou expansão, não pode haver consenso estável. O consenso nada mais é do que a ilusão de permanência. A moralidade e a justiça nunca são absolutas então; são simplesmente reflexos de uma determinada ordem, que é construída através do poder e da concorrência, e é temporária por natureza.

Nestes termos, a razão humanitária não pode tornar a guerra e a intervenção mais moral ou justa. Em vez disso, o humanitarismo substitui a moral e a justiça, costurando as diferenças juntas para fazer delas uma tapeçaria universal duradoura.

Qualquer que seja a forma que o humanitarismo assume, ele seguirá tendo essa função depois da guerra na Síria.

Referências

ANNAN, K. *We the Peoples*: the role of the United Nations in the 21st Century. Nova York: United Nations, 2000.

BOUTROS-GHALI, B. *An Agenda for Peace*: preventive diplomacy, peacemaking and peacekeeping. Nova York: United Nations, 1992.

CONDON, S. Obama: Qaddafi Must Go, but Current Libya Mission Focused on Humanitarian Efforts. *CBS News*, 21/03/2011 [Disponível em https://www.cbsnews.com/news/obama-qaddafi-must-go-but-current-libya-mission-focused-on-humanitarian-efforts/ – Acesso em 23/12/2017].

CONSELHO DE SEGURANÇA DA ONU. *Security Council Resolution 929 [Rwanda]*, 22/06/1994.

_____. *Security Council Resolution 794 [Somalia]*, 03/12/1992.

_____. *Security Council Resolution 688 [Iraq]*, 05/04/1991.

COOK, R. Robin Cook's Speech on the Government's Ethical Foreign Policy. *The Guardian*, 12/05/1997 [Disponível em https://www.theguardian.com/world/1997/may/12/indonesia.ethicalforeignpolicy – Acesso em 30/11/2017].

DAVIES, K. Continuity, Change, and Contest: Meanings of "Humanitarian" from the "Religion of Humanity" to the Kosovo War. *HPG Working Paper*, 2012.

DIVJAK, J. The First Phase, 1992-1993: struggle for survival and genesis of the Army of Bosnia-Herzegovina. In: MAGAŠ, B. & ŽANIĆ, I. (eds.). *The War in Croatia and Bosnia--Herzegovina, 1991-1995*. Abingdon: Frank Cass Publishers, 2001, p. 152-177.

FASSIN, D. *Humanitarian reason*: a moral history of the present. Berkeley/Los Angeles: University of California Press, 2012.

FIORI, J.L. *O poder global*. São Paulo: Boitempo, 2007.

FIORI, J. et al. *The Echo Chamber*: results, management, and the humanitarian effectiveness agenda. Londres: Humanitarian Affairs Team/Save the Children, 2016.

HALL, W.E. *A Treatise on International Law*. Oxford: Clarendon, 1884.

HELMAN, G. & RATNER, S. Saving failed states. *Foreign Policy*, vol. 89, Winter 1992, p. 3-20.

ICISS. *The responsibility to protect*. Ottawa: International Development Research Centre, 2001.

IISS. *Armed Conflict Survey 2017* [Disponível em https://www.iiss.org/en/publications/acs/by%20year/armed-conflict-survey-2017-8efc – Acesso em 13/12/2017].

_____. *Armed Conflict Survey 2015* [Disponível em https://www.iiss.org/en/publications/acs/by%20year/armed-conflict-survey-2015-46e5 – Acesso em 13/12/2017].

JULLIEN, F. *On the universal, the uniform, the common, and dialogue between cultures*. Cambridge: Polity Press, 2014.

Kellogg-Briand Pact, 1928 [Disponível em http://avalon.law.yale.edu/20th_century/kbpact.asp – Acesso em 03/12/2017].

KUNZ, J. Bellum Iustum and Bellum Legale. *The American Journal of International Law*, vol. 45, n. 3, 1951, p. 528-534.

LORD, J. Trump Card. *American Spectator*, 20/06/2014 [Disponível em https://spectator.org/59571_trump-card/ – Acesso em 03/01/2018].

McMASTER, H.R. & COHN, G. America First Doesn't Mean America Alone. *The Wall Street Journal*, 30/05/2017 [Disponível em https://www.wsj.com/articles/america-first-doesnt-mean-america-alone-1496187426 – Acesso em 23/12/2017].

OBAMA, B. President Obama's Nobel Reaction. *NY Times*, 09/10/2009 [Disponível em https://www.nytimes.com/2009/10/09/us/politics/09obama-text.html – Acesso em 23/12/2017].

PUTIN, V. Presidential Address to the Federal Assembly. *President of Russia*, 01/03/2018 [Disponível em http://en.kremlin.ru/events/president/news/56957 – Acesso em 14/01/2018].

_____. Putin's un General Assembly Speech. *Washington Post*, 28/09/2015 [Disponível em https://www.washingtonpost.com/news/worldviews/wp/2015/09/28/read-putins-u-n-general-assembly-speech/?utm_term=.a32e9825ec5b – Acesso em 23/12/2017].

REUTERS. Putin Orders "Humanitarian Corridor" Syria's Eastern Ghouta. *Reuters*, 26/02/2018 [Disponível em https://uk.reuters.com/article/uk-mideast-syria-crisis-russia-putin/putin-orders-humanitarian-corridor-in-syrias-eastern-ghouta-agencies-idUKKC N1GA1QN – Acesso em 30/12/2017].

RODOGNO, D. *Against massacre*: humanitarian interventions in the Ottoman Empire 1815-1914. Princeton: Princeton University Press, 2012.

THE WHITE HOUSE. *The National Security Strategy of the United States of America*. Washington: The White House, 2017 [Disponível em https://www.whitehouse.gov/wp-content/uploads/2017/12/NSS-Final-12-18-2017-0905.pdf – Acesso em 03/01/2018].

TRUMP, D. Remarks by President Trump to the 72nd Session of the United Nations General Assembly. *White House*, 19/09/2017 [Disponível em https://www.whitehouse.gov/briefings-statements/remarks-president-trump-72nd-session-united-nations-general-assembly/ – Acesso em 03/01/2018].

WEISS, T. *Humanitarian Intervention*. 3. ed. Cambridge: Polity Press, 2016.

III
Economia e geopolítica

Guerra, moeda e finanças

Ernani Teixeira Torres Filho

> *As crises que instabilizaram a economia mundial na década de 1970 foram seguidas de dois movimentos de reafirmação da hegemonia americana no plano geoeconômico (diplomacia do dólar) e no plano geopolítico (diplomacia das armas) que modificaram profundamente o funcionamento e a hierarquia das relações internacionais a partir do começo da década de 1980*[1].
>
> *O que realmente importa é a força da moeda. A Grã-Bretanha possui armas nucleares, mas a libra é fraca, e por isso todos a tratam do modo como querem*[2].
>
> *[A] solvência incontestável dos holandeses foi decisiva em seu triunfo sobre os espanhóis em sua guerra de independência. Eles sempre podiam usar seu crédito para, ano após ano, comprar exércitos mercenários que lançaram contra os espanhóis que não tinham crédito. Tudo o que a Espanha tinha era o acesso ao ouro no novo mundo*[3].

Introdução

A relação entre moeda, financiamento, guerra e poder é um tema ainda pouco explorado na literatura. Os economistas simplesmente ignoram o assunto. Os acadêmicos de relações internacionais e da Economia Política Internacional (EPI) possuem contribuições importantes, especialmente no campo da coerção e da hierarquia das moedas.

Entre os avanços realizados pela EPI está o conceito de poder monetário estrutural, desenvolvido por Benjamin Cohen e Susan Strange. Para esses dois autores, trata-se de uma das dimensões do poder estrutural que a potência hegemônica exerce sobre as demais nações relevantes na arena internacional. Refere-se

---

1. Tavares e Melin (1997, p. 55).
2. J.F. Kennedy, apud Kirshner (1995, p. 3).
3. Whitley (2013, p. 18).

especificamente a sua capacidade de reescrever as regras que comandam, globalmente, a geração de crédito dos sistemas financeiros nacionais e a conversibilidade das diferentes moedas.

Uma perspectiva alternativa para se analisar o poder monetário estrutural é o ponto de vista histórico. Sua origem está diretamente relacionada ao comando de um país sobre um conjunto de instituições que foram fruto da Revolução Financeira ocorrida na Inglaterra no século XVIII. Essas inovações se materializaram na modernização da dívida pública (a introdução do *Dutch finance*), na criação de banco central e no desenvolvimento e proteção dos mercados secundários de ativos financeiros. Esse complexo integrado de mecanismos institucionais determinou as características básicas dos sistemas de moeda e de crédito nacionais que se constituíram nas décadas seguintes e que se mantêm, com alguns ajustes, até os dias atuais. A integração desses sistemas nacionais ao dominante permite a operação global do sistema capitalista.

Essa "máquina" moderna de moeda e crédito teve uma característica internacional desde o início. A originalidade e a efetividade desse novo sistema possibilitaram aos ingleses aumentar o volume de recursos a sua disposição – e de seus aliados – muito além da capacidade de seus inimigos. Consequentemente, a Inglaterra acumulou uma grande vantagem nos conflitos militares que se sucederam nos séculos XVIII e XIX. Passou a ter condições muito melhores que seus rivais para levantar recursos para financiar suas guerras. Ao mesmo tempo, essas mesmas inovações criaram as bases para que Londres se firmasse como principal centro financeiro global, enquanto a libra assumia o papel de moeda internacional dominante.

Entretanto, a hipótese aqui sustentada é que a centralidade alcançada pelo sistema monetário e financeiro inglês entre 1870 e 1914 não foi suficiente para que a Inglaterra chegasse a deter um poder monetário estrutural frente a seus principais rivais. A montagem do sistema monetário e financeiro global do século XIX não foi fruto de regras e normas impostas pelos ingleses. Foi uma decorrência das vantagens que cada um dos países relevantes na arena internacional viu na sua adesão ao monometalismo inglês – o padrão-ouro. Do mesmo modo, quando o padrão-ouro deixou de poder ser gerido pelos ingleses, a Grã-Bretanha não teve poder para impor às demais potências um novo sistema monetário internacional que lhe fosse favorável. Pelo contrário, só lhe restou opção de submeter os países que estavam sob seu domínio político direto – o Império – ou submetido economicamente – como a Argentina – a um bloco isolado que manteve a libra como moeda internacional comum.

Essa experiência inglesa contrasta com a americana a partir do final da Segunda Guerra Mundial. A centralidade dos Estados Unidos e da sua moeda no sistema monetário e financeiro internacional foi, de partida, fundada no poder monetário estrutural americano. A vitória americana sobre os inimigos do Eixo e sobre as pretensões imperiais inglesas conferiu aos Estados Unidos uma posição singular e sustentável que lhes permitiu impor às demais potências, à exceção da União Soviética, e em seu benefício os diferentes contornos que o sistema monetário internacional viria a ter nas décadas seguintes.

Este texto está dividido em cinco seções, além desta introdução. A primeira aborda de modo sucinto as questões da hierarquia das moedas e do poder monetário estrutural do ponto de vista teórico e conceitual, tomando por base as contribuições de Benjamim Cohen e Susan Strange. A segunda seção trata da gênese dos mecanismos que permitem que o poder estrutural se efetive. O foco é a Revolução Financeira Inglesa dos séculos XVII e XVIII e, em particular, as três instituições financeiras que foram integradas em um mecanismo complexo desde então: a dívida pública, o banco central e os mercados de capitais.

As seções seguintes analisam, do ponto de vista histórico, o papel do poder monetário estrutural nas transformações do sistema financeiro internacional dos séculos XIX e XX. A terceira trata do papel central que a Inglaterra e a libra esterlina tiveram na montagem do padrão-ouro. O Banco da Inglaterra (BoE) tinha uma função sistêmica relevante, e isso gerava vantagens para os bancos e para o governo inglês. Entretanto, a liderança inglesa tinha que obedecer a limites claros, entre os quais o mais importante era a conversibilidade da sua moeda em ouro. Isso se tornou um elemento de grande fragilidade para a Inglaterra a partir de 1914.

A quarta seção aborda os sistemas monetários que surgiram no século XX, ambos centrados no dólar americano. Sua gestação e operação se apoiaram numa base de poder muito diferente do antigo regime ouro-libra, já que a liderança americana se baseia em uma grande assimetria de poder, inclusive monetário, frente a seus rivais. As conclusões estão contidas na quinta e última seção.

A hierarquia de moedas e o poder monetário estrutural

O dólar se sustenta no topo da hierarquia monetária internacional desde 1945. Desde então, é de longe a mais utilizada em todo o mundo. Segundo o sistema de compensações internacionais Swift[4], a moeda americana era responsável por 52% do volume total de liquidações desse sistema de transações internacionais em 2014. O mercado financeiro dos Estados Unidos é o mais líquido e profundo de

---

4. Swift (2015).

todo o mundo. A maior parte das reservas internacionais – 64% – é denominada em dólar[5]. Todos esses indicadores apontam para uma indiscutível supremacia do dólar no conjunto das moedas utilizadas globalmente.

Com base nessas evidências, existem na Economia Política Internacional duas visões complementares que buscam dar conta do papel central do dólar na economia internacional: a funcionalista e a estruturalista. De acordo com a visão funcionalista, proposta por Cohen[6], uma moeda nacional se torna internacional na medida em que passa a desempenhar no exterior as funções clássicas da moeda, como unidade de conta, reserva de valor e meio de troca, tanto para agentes públicos quanto privados.

Essa segregação é importante por que instituições públicas e empresas têm demandas diferentes nas suas transações internacionais. Desse ponto de vista, as funções da moeda são, do ponto de vista privado, as de meio de pagamento/moeda veicular; moeda de denominação; e moeda de investimento e financiamento. Bancos centrais e tesouros nacionais, por sua vez, precisam, além disso, escolher uma das moedas internacionais como referência para sua taxa de câmbio, para suas operações de intervenção no mercado e para a denominação de suas reservas internacionais. Ainda que muitas moedas possam ser consideradas internacionais, existe uma hierarquia entre elas. Apenas umas poucas – entre as quais se destacam o dólar, o euro, a libra e o iene – podem ser consideradas "plenas", pelo fato de atenderem a todas as funções. As demais são consideradas "parciais", pelo fato de desempenharem apenas algumas funções[7].

Quadro 1 As funções da moeda em âmbito internacional

Função	Uso privado	Uso público
Meio de pagamento	Meio de pagamento ou moeda veicular	Moeda de intervenção
Unidade de conta	Moeda de denominação	Moeda de referência (âncora)
Reserva de valor	Moeda de investimento e financiamento	Moeda reserva

Fonte: Cohen (1971).

---

5. FMI (2017).
6. Cohen (1971).
7. Chey (2013) e Cohen (2015).

A perspectiva funcionalista permite identificar uma clara hierarquia entre as moedas internacionais. Entretanto, deixa de lado questões políticas relevantes, que envolvem o relacionamento político entre os países emissores das moedas internacionais e os que as utilizam. As moedas internacionais não são hierarquizadas apenas por que atendem em melhores condições às necessidades de seus usuários. Elas oferecem esses "serviços" desde o século XIX, como parte de um sistema global ordenado segundo regras e convenções estabelecidas *ex-ante* e aceitas por todos.

Como tal, essas normas estão sujeitas a mudanças, às vezes radicais, que visam permitir a acomodação de interesses de atores de mercados e de governos, em particular os da nação emissora da moeda principal. Além disso, existem vantagens e obrigações para os países emissores conforme sua posição na hierarquia no sistema. É a existência dessa assimetria de poder e de benefícios o que dá origem às críticas de que, no atual sistema monetário internacional baseado no dólar, os Estados Unidos detêm um "privilégio exorbitante"[8].

A temática central tratada pela visão estruturalista é, portanto, questão do poder associado à moeda internacional. Na perspectiva de Cohen, há que se fazer uma distinção entre a dimensão de processo e a de estrutura. A primeira tem um foco operacional e de curto prazo. Está associada à capacidade de se conseguir atingir um resultado desejado dentro de um determinado esquema institucional de negociação entre países. A segunda dimensão, a estrutural, tem uma perspectiva temporal mais longa e está relacionada à capacidade de um país reescrever, em seu benefício, as regras do jogo da interação entre as nações[9].

A definição de poder estrutural de Cohen se aproxima da que é utilizada por Susan Strange. Segundo a autora, *"o poder estrutural decide os resultados (tanto positivos quanto negativos) muito mais do que o faz o poder relacional"*[10], e *"o poder estrutural é o poder de escolher e de moldar as estruturas da economia política global dentro da qual os outros estados, suas instituições políticas, suas empresas econômicas e (não menos importante) seus profissionais precisam operar"*[11].

Nesse contexto, o poder monetário é visto como uma das dimensões do poder estrutural. Ele se refere especificamente à capacidade de um país mudar, em seu próprio benefício, os mecanismos de natureza sistêmica que regem a originação de crédito e comandam a conversibilidade entre as diferentes moedas relevantes.

---

8. Eichengreen (2011).
9. Cohen (1977).
10. Strange (1987, p. 553).
11. Strange (1987, p. 565).

Essas normas determinam a possibilidade de as nações emissoras de moeda internacional utilizarem seus sistemas monetário e financeiro para impedir ou postergar ajustes em suas contas externas. Consequentemente, têm repercussões sobre o grau de autonomia desses estados na formulação de suas políticas.

Isso pode afetar aspectos econômicos como a determinação dos níveis de emprego e de renda domésticos. Entretanto, pode também limitar a capacidade de governos sustentarem ações de poder na arena internacional, sejam de natureza econômica ou militar. Um exemplo desse segundo tipo de limitação pode ser encontrado na crise que envolveu o Canal de Suez em 1956. A Inglaterra se viu obrigada a retirar suas forças militares da região, então recém-ocupada, como resposta à ameaça dos Estados Unidos de, em caso contrário, desestabilizarem a moeda inglesa nos mercados de câmbio e, consequentemente, a economia doméstica inglesa[12]. Desse ponto de vista, a hegemonia monetária se refere a um sistema político e econômico *"organizado em torno de um único país líder com responsabilidades (e privilégios) reconhecidos"* na esfera monetária[13].

A revolução financeira e as guerras modernas: a dívida pública, o banco central e a liquidez

A disponibilidade de recursos financeiros é um dos itens mais importantes em uma estratégia de enfrentamento militar, em especial quando envolve um inimigo de porte. Dinheiro é essencial para um Estado em guerra conseguir mobilizar as armas e os soldados de que necessita. Essa tarefa, no entanto, não é fácil por dois motivos. O primeiro decorre do volume muito elevado de recursos que precisa ser mobilizado. As despesas com a guerra foram ao longo da história o item mais relevante do orçamento dos estados europeus modernos. O segundo motivo é o prazo curto para viabilizar o recebimento desses fundos adicionais, dada sua natureza emergencial.

O gráfico 1 mostra a evolução das despesas do governo inglês entre 1695 e 1820, ou seja, entre a data da criação do Banco da Inglaterra e a do fim das guerras napoleônicas. Ao longo desses 125 anos, as despesas militares representaram em média 51% de todos os gastos, oscilando entre um máximo de 79% em 1695 e um mínimo de 27,4% em 1725. Nesse mesmo período, os gastos com o serviço da dívida pública (juros e amortização), que em boa medida corresponderam a despesas militares financiadas com empréstimos, responderam em média por 36,5% do total.

---

12. Kirshner (1995).
13. Cohen (1977, p. 9).

A arrecadação de impostos, mesmo que ampliada por medidas extraordinárias, mostrou-se um mecanismo limitado para financiar esse tipo de empreitada, particularmente em seus momentos iniciais. Por esse motivo, os estados nacionais europeus desde o século XIV recorreram a dois outros mecanismos para financiamento bélico: o aumento da dívida junto aos grandes financiadores domésticos e externos e a redução do conteúdo metálico das moedas em circulação no país (*currency debasement*).

Gráfico 1 Despesas do governo inglês entre 1695 e 1820*

Em milhões de libras esterlinas

Fonte: elaboração do autor a partir de dados de Mann (1988, p. 106).

(*) A preços médios de 1690 a 1696.

O endividamento decorrente das guerras era feito em grandes montantes, a taxas elevadas e a prazos curtos. O serviço dessa dívida, por sua vez, trazia consequências negativas para o exercício do poder dos reis nos períodos posteriores ao conflito. Os níveis de taxação necessários para atender aos pagamentos correntes do governo com principal e juros eram muitas vezes incompatíveis com o volume das receitas provenientes dos tributos. Se os credores eram estrangeiros, o problema se agravava, quando havia uma desvalorização cambial.

O *currency debasement*, por sua vez, foi um mecanismo inicialmente utilizado pelos governantes europeus para lidar com a escassez relativa de metais para cunhagem (ouro e prata) ou com as desvalorizações competitivas das moedas de estados próximos. Entretanto, nos séculos XV e XVI, na França e na Inglaterra, *"as desvalorizações tinham o objetivo de gerar receita, particularmente em tempo de guerra, aumentando a margem de lucro do governo ou a taxa sobre a cunhagem de moedas"*[14]. Houve mais de 123 desvalorizações monetárias na França entre 1295 e 1490. O impacto fiscal dessas medidas foi relevante. Em 1299, metade das despesas do rei francês foi financiada com os recursos provenientes da redução do conteúdo metálico das moedas. Em 1349, esse expediente respondeu por dois terços dos ingressos reais[15]. O mesmo aconteceu na Inglaterra de Henrique VIII.

O grande avanço institucional nos mecanismos do financiamento das guerras surgiu nos séculos XVII e XVIII e está associado à introdução de duas inovações importantes: a modernização da dívida pública, transformando-a em um ativo atraente para o mercado financeiro, e a criação do banco central. Os passivos dos governos eram, até então, tidos como débitos relacionados à pessoa do monarca. Não havia uma separação jurídica entre a dívida do Estado e a da casa real. Com isso, o risco dos detentores desses créditos era elevado. Isso, por sua vez, se traduzia em prazos curtos, taxas de juros elevadas e montantes limitados.

Mudar esse quadro significava transformar radicalmente a qualidade da dívida pública, transformando-a no ativo financeiro de menor risco denominado na moeda nacional. O primeiro país a adotar essa providência foi a Holanda, com resultados muito positivos em termos de alongamento de prazos, redução de juros e ampliação dos montantes financiáveis. Diante desse resultado, o chamado *"Dutch finance"* tornou-se o mecanismo institucional mais moderno de administração de dívida pública[16].

A remonetização das economias europeias, a expansão do comércio internacional e a escassez de moeda metálica haviam levado ao surgimento de um capitalismo financeiro de porte na Europa. Esses atores privados desenvolveram mecanismos próprios de crédito e de liquidação de pagamentos – as letras de câmbio. Com o tempo, Amsterdã veio a desempenhar o papel de principal praça financeira do continente. Na medida em que a dívida do governo central holandês passou a ser gerenciada de forma a atender às necessidades dos grandes financiadores privados – atingindo baixo risco de crédito – esses títulos se tornaram um porto seguro para uma massa de capital local e internacional em busca de valorização.

A capacidade de os holandeses financiarem seus gastos militares com a emissão de títulos públicos de longo prazo em larga escala foi imediatamente reconhecida como um dos principais determinantes por trás de sua vitória na longa

---

14. Fox e Ernst (2016, p. 42).
15. Martin (2014).
16. Martin (2014).

guerra que travaram contra os espanhóis. Seu principal inimigo, a Espanha, não dispunha dessas mesmas vantagens. Sua credibilidade financeira havia sido comprometida por sucessivas moratórias no século XVI, que levaram, entre outras, à falência da Casa Fuggers, os principais banqueiros da Europa da época.

Segundo Lacey:

> *O Império Espanhol [...] travou uma guerra de 80 anos contra a minúscula Holanda, uma guerra que passou a envolver tanto a classificação de crédito quanto o poder militar intrínseco. A Holanda acabou vitoriosa porque, numa base* per capita, *podia sustentar um múltiplo de nível de dívida acima do que a Espanha podia se permitir. O motivo era claro. Os credores haviam aprendido a desconfiar dos monarcas, que podiam por um capricho não cumprir o contrato e deixá-los sem recursos*[17].

Com o sucesso alcançado pela modernização da dívida pública holandesa, uma nova dimensão financeira passou a ser incorporada à estratégia das guerras na Europa. As vantagens do arranjo institucional holandês se tornaram rapidamente evidentes e houve tentativas de emulação por parte de outras nações. O conflito militar, daí em diante, passou a envolver não só soldados e armas, mas também, como apontado por Lancey, risco de crédito. Essa relação mais próxima com os mercados financeiros envolvia novos benefícios para os estados nacionais europeus em termos militares, mas também novas limitações. As decisões sobre taxação, gastos públicos e endividamento dos reis, independentemente do caráter absoluto do poder que detivessem, estariam, de agora em diante, sujeitas à lógica da acumulação dos mercados financeiros. Caso contrário, os ganhos decorrentes da maior capacidade de financiamento, a prazos longos e a taxas de juros baixas, imediatamente deixariam de existir.

A segunda inovação financeira importante para fins militares, introduzida no século XVII, foi a criação do banco central. Isso se deu na Inglaterra em 1694. Os ingleses estavam à época envolvidos em um de seus vários conflitos militares com a Holanda e já haviam adotado em 1665 o esquema de financiamento público do "tipo holandês". Naquele ano, foi autorizada a primeira emissão de dívida pública garantida pelo Parlamento e não mais pelo rei.

Quase três décadas depois, o país enfrentava outro conflito com a Holanda. O tesouro inglês se encontrava em dificuldades para financiar suas despesas militares. Para fazer frente a essa situação, o governo deu um passo que foi além do mecanismo de crédito criado pelos holandeses. Autorizou a criação de um novo banco, o Banco da Inglaterra (BoE), que teria o monopólio da emissão de papel-moeda com o mesmo valor legal das moedas emitidas pelo rei. Tratava-se, de

---

17. Lacey (2015, p. 43).

certa forma, de uma novidade no cenário europeu. Até então esse mecanismo só havia sido tentado na Suécia alguns anos antes, mas teve vida curta. Com essa iniciativa, o rei inglês aceitava dividir com o mercado um de seus mais importantes e intocados privilégios, a emissão de moeda.

O novo banco seria gerenciado pelo setor privado, como forma de garantir credibilidade à instituição. Seria uma sociedade por ações, a serem subscritas com títulos públicos, e sua finalidade imediata era emprestar 1,2 milhão de libras ao governo. Esse empréstimo seria integralizado em papel-moeda emitido pelo próprio banco, e não em moedas metálicas[18]. Segundo Martin: "*O Banco da Inglaterra seria de fato uma parceria público-privada. [...] Com efeito, seu objetivo, direção e administração deviam ser entregues à classe mercantil precisamente para assegurar confiança em suas operações*"[19].

O BoE foi um ator importante no manejo da dívida pública nos anos que se seguiram. O banco, no entanto, não teria conseguido lidar tão bem com essa tarefa se, ao mesmo tempo, o tesouro inglês não desenvolvesse um amplo mercado secundário para seus títulos. A preservação e a expansão desse mecanismo de liquidez foram umas das principais medidas que deu sustentação ao endividamento público inglês. Para tanto, foi muito importante o processo de renegociação da dívida pública que ocorreu ao final da Guerra da Sucessão Espanhola no século XVIII.

Naquela oportunidade, a Inglaterra, a exemplo de seus rivais europeus, enfrentou um sério problema para administrar o elevado estoque de títulos emitidos durante o conflito, com prazos curtos e taxas elevadas. Nesse cenário, o país se destacou por manejar a renegociação desses débitos, alongando prazos e reduzindo taxas, mas preservando e expandindo o mercado secundário de seus títulos públicos, que vinha crescendo através de operações em bolsa de valores desde 1688. Diferentemente do que fez a França, os credores da dívida pública inglesa tiveram o valor dos seus ativos relativamente mantidos.

Conforme descrevem Carlos et al.:

> *A renda tributária não aumentando tão rapidamente quanto os títulos da dívida a pagar no curto prazo, a dívida do governo começou a cair no valor de compra à medida que os fornecedores só aceitavam as faturas com descontos crescentes. Foi então que o governo experimentou formas diferentes de dívida financiada no longo prazo, que ele oferecia com desconto ao público – permitindo que a dívida descontada no curto prazo fosse recolhida e creditada pelo valor nominal em troca da nova dívida a longo prazo*[20].

---

18. Roseveare (1991).
19. Martin (2014, p. 165).
20. Carlos et al. (2015).

Nessa oportunidade foram lançados títulos perpétuos – os *Consols* – que, apesar de renderem menos (5% ao ano), podiam ser usados para integralizar ações de empresas autorizadas pelo governo, entre as quais a South Sea, que foi o centro de uma das maiores bolhas financeiras da história[21].

Ainda de acordo com Carlos et al.:
> [o] Consol tornou-se então a forma dominante de dívida nacional britânica daí em diante, ofuscando o estoque contínuo da dívida nacional de longo prazo do Banco da Inglaterra, da Companhia das Índias Orientais e da Companhia dos Mares do Sul. As guerras futuras travadas pela Grã-Bretanha foram todas caracterizadas por novas questões dos Consols dos Três por Cento[22].

Apesar de serem dívidas perpétuas, os detentores desses papéis sempre tiveram garantidos o direito de saída através da negociação desses papéis no mercado secundário. Essas inovações – *Dutch finance*, banco central e mercados secundários de ativos estáveis e amplos – levaram o capitalismo financeiro na Europa a um novo patamar. Desde o século XIV havia se constituído no continente uma rede de casas bancárias privadas, que realizavam a emissão e a liquidação de letras de câmbio. Esse sistema, que deu origem aos bancos modernos, permitia a realização de pagamentos em escala continental mediante a compensação de créditos e débitos entre uma multiplicidade de atores econômicos. Existiam, inclusive, mecanismos intercontinentais de liquidação operando durante a realização de grandes feiras, como a de Lyon[23].

A moeda privada (letras de câmbio) tinha grande circulação na Inglaterra no século XVII e nas transações internacionais. Entretanto, seu uso sofria algumas limitações, uma vez que os emissores dessas letras podiam falir e essa moeda privada só circulava entre mercadores e financistas, mas não servia à liquidação das transações de natureza pública. Além disso, o circuito da moeda privada não conseguia isolar integralmente seus detentores dos impactos financeiros das expropriações comandadas pelo rei.

Com a subordinação da dívida e da moeda públicas aos mecanismos do mercado de crédito, a soldagem de interesses entre o capital financeiro e os estados nacionais europeus entrou em nova fase. Não só a dívida pública passou a ser administrada de acordo com as regras de mercado, mas a oferta de moeda seria daí em diante gerenciada de acordo com as necessidades de liquidez dos bancos,

---

21. Kindleberger (1978).
22. Carlos et al. (2005, p. 13).
23. Martin (2014).

dos mercados e do financiamento público. Para tanto, foram criadas duas burocracias públicas de alto nível – os Tesouros Nacionais e os Bancos Centrais – com o objetivo de desempenhar essas tarefas.

O correto manejo do endividamento público em conjunto com a oferta de moeda aumentou em muito o volume de títulos do governo que os mercados podiam financiar. Criou-se assim um mecanismo elástico de oferta de crédito e de moeda capaz de atender à intensa demanda de recursos públicos para o financiamento de conflitos militares, integrada harmonicamente com a acumulação privada. Com isso, a escala financeira das guerras aumentou substancialmente, atingindo níveis historicamente muito elevados. O resultado pode ser visto nos montantes que o governo inglês conseguiu mobilizar em dois enfrentamentos militares que travou em curto espaço de tempo na passagem entre os séculos XVII e XVIII[24]. Segundo Lacey:

> Durante 3.000 anos as guerras haviam sido limitadas pela incapacidade dos estados pré-modernos de arrecadar os recursos financeiros necessários para envolver-se em conflitos em grande escala. Mas, com o raiar do século XVIII, foram-se impondo novos métodos financeiros, aumentando imensamente tanto o alcance quanto o custo da guerra. Por exemplo, Guilherme e Maria (da Inglaterra) foram obrigados a emitir £ 6.900.000 em dívida para sustentar a Guerra da Liga de Ausgsburgo (ou Guerra da Grande Aliança) contra a França (1688-1697). Para sustentar a Guerra da Sucessão Espanhola (1702-1713), porém a Grã-Bretanha emitiu £ 28.796.006 numa nova dívida[25].

Em um espaço de tempo muito curto, o governo inglês conseguiu mais do que quadruplicar sua emissão de dívida para fins militares. Esse novo mecanismo de moeda e crédito se mostrou novamente um diferencial importante durante as campanhas napoleônicas. Graças à ampla disponibilidade de dinheiro a sua disposição, a Inglaterra conseguiu não só pagar as despesas com seus próprios exércitos, mas também financiar em larga escala seus aliados a sustentarem o conflito contra os franceses. Os subsídios dos ingleses a seus aliados continentais até a vitória em Waterloo em 1815 teriam atingido £ 65,8 milhões[26].

Nos dois grandes conflitos militares do século XX – 1914-1918 e 1939-1945 –, novamente se ampliou a escala do endividamento das nações envolvidas. Nas duas oportunidades, diferentemente das outras vezes, os ingleses precisaram, no entanto, recorrer diretamente ao auxílio americano em dólares, não só para

---

24. Cf. gráfico 1.
25. Lacey (2015, p. 46).
26. Sherwig (1969).

financiar o esforço de guerra, mas para sustentar a conversibilidade da libra nos anos seguintes.

Na Segunda Grande Guerra, o centro financeiro dos Aliados passou a ser os Estados Unidos, e o uso dos mecanismos financeiros para fins militares foi levado a um novo extremo. Bancos e mercados de capitais tornaram-se, na prática, instrumentos para a colocação de sucessivas emissões de dívida pública a preços muito baixos e controlados pelo governo. Para tanto, os bancos centrais foram chamados a garantir a liquidez que fosse necessária à sustentação do esforço de guerra.

Do ponto de vista militar, essa mudança transferiu o limite à escala dos conflitos da restrição de recursos financeiros para o da produção e do emprego. Até então, a dimensão das guerras era dada pela quantidade de dinheiro disponível para pagar suas despesas. Com o elevado volume de fundos à disposição, a quantidade de armas e de soldados para atender às necessidades das frentes de batalha deixou de ser vista como uma restrição. Sempre havia equipamentos de destruição e pessoas disponíveis para serem adquiridos em algum lugar do planeta, desde que houvesse recursos para tanto.

Essa percepção mudou durante a Segunda Guerra. Os montantes de dinheiro voltados para as atividades bélicas atingiram níveis tão elevados que o problema principal passou a ser a escassez de meios de destruição e de pessoal. Conforme afirmou Henry Stimson, secretário da Guerra dos Estados Unidos durante o conflito: "*Nunca, durante todo o período da emergência, precisei preocupar-me com recursos; as verbas do Congresso destinadas a fins específicos eram sempre rápidas e generosas. O aperto vinha na hora de transformar o dinheiro em armas*"[27].

Nos Estados Unidos, isso foi feito através da compra pelo Federal Reserve de títulos públicos da carteira dos bancos no mercado secundário (*open market*). Na prática, a política monetária do Banco Central americano foi inteiramente subordinada à política de crédito adotada pelo Tesouro. Os bancos americanos tiveram durante a Segunda Guerra acesso ilimitado a fundos do Fed (moeda primária) para financiar suas aquisições dos títulos públicos que estavam sendo emitidos a taxas baixas. Em 1942, quando os americanos entraram diretamente no conflito, o uso do financiamento monetário da dívida pública atingiu seu auge. As estimativas são de que naquele ano 42% das despesas de guerra foram feitas pelo Fed, através do *open market*, 34% pela venda de dívida do governo diretamente ao público e apenas 24% por meio de impostos[28].

A superioridade financeira americana se mostrou uma grande vantagem nas décadas posteriores a 1945. A menor capacidade de mobilização financeira de

---

27. Stimson (1971, p. 352).
28. Lancey (2015).

inimigos relevantes acabou se revelando uma fragilidade estratégica que levou à derrocada da União Soviética em 1989. A corrida armamentista levada a cabo pelo Governo Reagan nos anos de 1980 foi baseada no aumento do endividamento público a prazos longo e baixas taxas de juros. As limitações dos soviéticos em conseguir mobilizar recursos na mesma magnitude em um momento de elevadas tensões internas e baixo preço internacional do petróleo – seu principal produto de exportação – teve contribuição decisiva a derrota soviética na Guerra Fria[29].

A supremacia monetária britânica durante o padrão-ouro

Foi a partir das inovações introduzidas no início do século XVIII que Londres se firmou como principal praça financeira do mundo e a moeda inglesa adquiriu centralidade no sistema internacional. Entretanto, essa posição precisou esperar quase um século após a criação do BoE para ser alcançada. Durante todo o século XVIII, Londres e Amsterdã conviveram como os dois mais importantes centros financeiros do continente. Nesse período, colaboração e competição estiveram presentes lado a lado. Os dois mercados desenvolveram uma relação simbiótica proveitosa, que durou seis décadas (1723-1783), mas foi definitivamente extinta com a derrota de Napoleão em 1815. Só então a supremacia inglesa nas finanças internacionais se consolidou.

Ao longo desse período, as duas cidades possuíam centros financeiros com características distintas. Londres era dominante na negociação de letras de câmbio por agentes privados enquanto Amsterdã se destacava pelo sistema de pagamentos, baseado em um banco público. Na Inglaterra, as transações eram usualmente liquidadas com letras de câmbio sendo transferidas de pessoa a pessoa por sucessivos endossos. Caso o proprietário desse título precisasse de dinheiro em espécie poderia vendê-lo no mercado secundário ou emitir novas letras em seu nome. Na Holanda, diferentemente, os negócios eram pagos por meio da transferência de depósitos junto ao Banco de Amsterdã. Londres sediava uma importante bolsa de valores, em que corretoras atuavam ativamente na compra e venda de ações. Na Holanda, os bancos de negócios (*merchants banks*) tinham papel dominante.

Na prática esses dois mercados operavam integradamente. Os bancos e capitais holandeses, por exemplo, eram investidores relevantes em ações em Londres. Ao mesmo tempo, ações de empresas inglesas eram utilizadas como garantia para empréstimos concedidos em Amsterdã. As duas cidades proviam serviços de liquidação de pagamentos internacionais. Entretanto, rapidamente o BoE se tornou mais importante nessa atividade, uma vez que os depósitos no Banco de Amsterdã

---

29. Suri (2016).

deixaram de ser conversíveis em 1700. Com a derrota de Napoleão em 1815, a Holanda perdeu definitivamente relevância financeira frente à Inglaterra. O desaparecimento de Amsterdã como competidor não levou, no entanto, Londres a assumir uma posição incontestável no cenário financeiro europeu.

A restauração da monarquia francesa após a queda de Napoleão abriu mercado para os ingleses financiarem o pagamento das reparações de guerra da França e de outros países na Europa. As independências latino-americanas também constituíram importantes oportunidades de negócios a partir de 1820. Entretanto, o colapso dos mercados de títulos públicos estrangeiros em 1825 e 1826 levou a City a focar-se no crédito ao comércio internacional e em operações nos Estados Unidos, sobretudo no setor ferroviário. Durante a crise da dívida latino-americana, o apoio do Banco da França ao BoE foi essencial para sustentar a conversibilidade da libra em ouro. Essa cooperação foi retomada na década de 1830, em duas outras oportunidades ao longo do século XIX e novamente na crise de 1907.

A Inglaterra, durante todo o século XIX e início do XX, manteve um nível relativamente baixo de reservas de ouro e as utilizou apenas para garantir a liquidez externa de sua própria moeda e nunca como um instrumento de estabilização de terceiros países. Apesar de o mercado privado londrino ser o mais importante, o BoE não operou como um banco de outros bancos centrais do sistema financeiro internacional durante o período do padrão-ouro.

Por mais de um século, Londres ocupou a posição de principal praça do sistema financeiro internacional. Era o centro responsável pela emissão da moeda reserva mais importante, pela maior parte das liquidações internacionais e pela maioria das emissões de dívidas de governos e de empresas de outros países. Esse papel foi seguido de perto, em várias oportunidades, por outros centros financeiros do continente. Paris, particularmente durante o Segundo Império de Napoleão III (1851-1872), deteve algumas vantagens competitivas frente à Inglaterra. A França tinha uma conta corrente desfavorável com seus parceiros continentais e ao mesmo tempo era superavitária com os ingleses, que tinham déficit com o resto da Europa. Segundo Plessis: *"That situation imposed the franc as the continental reserve and settlement currency, which meant that Paris could play an important part as a clearing centre, be the leading exchange market in Europe, and play a key part in world payments"*[30].

Com a derrota francesa frente aos prussianos em 1870, Paris perdeu relevância. A suspensão da conversibilidade do franco em ouro reduziu o interesse dos

---

30. Plessis (2005, p. 42).

negócios internacionais em liquidar suas operações na França. Sobre esse fato, Bagehot comentou em seu livro *Lombard Street*:

> *Desde a guerra franco-germânica, pode-se dizer que mantivemos também a reserva europeia. O depósito bancário é de fato tão pequeno no continente que não é necessário manter nenhuma grande reserva por causa disso. [...] Antes havia duas reservas desse tipo na Europa: uma era o Banco da França e a outra o Banco da Inglaterra. Mas, desde a suspensão dos pagamentos em espécie pelo Banco da França, seu uso como estoque de moeda sonante chega ao fim. Ninguém pode preencher um cheque por conta dele e ter certeza de receber ouro ou prata pelo cheque. Por conseguinte, toda a responsabilidade por esses pagamentos internacionais em dinheiro recai sobre o Banco da Inglaterra*[31].

A perda de competitividade do mercado financeiro francês permitiu que a supremacia inglesa se consolidasse no sistema monetário e financeiro internacional até 1931. Pouco a pouco, os países relevantes foram aderindo ao regime monometalista inglês. Em 1870, apenas Inglaterra e Portugal haviam formalmente adotado o padrão-ouro. Ao final dessa década, quase todos os grandes países já haviam aderido. A transformação começou com a Alemanha em 1871, acompanhada pelos países escandinavos e a Holanda. Os Estados Unidos desmonetizaram formalmente a prata em 1873, apesar de na prática já estarem sujeitos ao padrão-ouro desde os anos de 1830. Foram seguidos pela França e pela Bélgica. As potências restantes aderiram na década de 1890: Áustria-Hungria em 1892, Rússia e Japão em 1897. Adotar o padrão-ouro reduzia os custos dos financiamentos internos e externos e permitia aumentar os prazos das operações financeiras. Era, de certo modo, um selo de qualidade de risco de crédito para os estados, empresas e bancos participantes do sistema.

Em nenhum desses casos, a adoção do padrão-ouro foi decorrência de imposição ou de coerção por parte da Inglaterra. Essas decisões, em todos os países relevantes, foram tomadas de forma unilateral. Em parte, tal mudança decorria da contínua perda de valor da prata frente ao ouro nos anos anteriores a 1870. Esse fenômeno explica o fato de tantos países entrarem no padrão-ouro em um período relativamente curto. Como salientou Galarotti:

> *Quando as condições no mercado de metais mudaram no final da década de 1860 e início da década de 1870, de uma maneira que aumentou significativamente o valor do ouro em barras em relação ao da prata (ou seja, tornou mais lucrativo conservar o ouro em barras e a prata como moeda), as nações passaram a desmonetizar a prata a fim de manter o ouro em circulação. A rapidez da transição foi o resultado do alto nível de*

---

31. Bagehot (1873, p. 25).

> *interdependência comercial e financeira entre as nações, que serviu para uni-las numa espécie de cadeia monetária: uma mudança numa ou em diversas nações importantes significava que as outras eram obrigadas a acompanhá-las*[32].

Os países que aderissem ao padrão-ouro por último sofreriam mais a pressão de especuladores sobre suas paridades fixas entre os dois metais. As reservas internacionais de seus bancos em ouro tenderiam a se exaurir pela excessiva entrada de prata desmonetizada por seus parceiros.

Durante o padrão-ouro, o financiamento e a liquidação das transações internacionais (comerciais e de investimento) foram efetivados em grande parte através de instrumentos de crédito privado, como as letras de câmbio. O principal mercado desses títulos era Londres e a unidade de conta desses papéis era a libra esterlina. A City era o centro natural dessas operações internacionais e provia serviços financeiros para todo o mundo da forma mais eficiente e barata. Com o tempo, os títulos comerciais ingleses se tornaram tão líquidos e seguros que passaram a ser utilizados como ativos financeiros, chegando mesmo a serem demandados como instrumentos de reserva pelos bancos. Mesmo assim, marcos e francos eram também amplamente utilizados, inclusive rivalizando com a libra nos mercados do continente europeu.

A forte presença da libra, no entanto, não significa dizer que o ouro não tivesse um papel próprio e relevante como moeda reserva internacional. A maior parte das reservas dos bancos centrais dos 35 países mais relevantes em 1913 era, segundo Galarotti[33], composta por barras desse metal (68,1%), estando o restante dividido em partes quase iguais entre divisas estrangeiras e estoques de prata. Do total das reservas em divisas, a libra era a moeda mais importante, mas detida em montante semelhante ao conjunto dos valores denominados em francos e marcos.

O ouro era a última reserva do sistema, uma vez esgotadas as disponibilidades em moedas internacionais conversíveis. Estas, por sua vez, tinham sua liquidez baseada na expectativa de sua conversibilidade em ouro. O uso do metal em transações internacionais, obviamente, tendia a aumentar nos momentos de crise financeira, que na prática foram eventos pouco comuns entre 1870 e 1914 envolvendo grandes centros financeiros do sistema, como Londres, Paris, Berlim e Nova York.

Por fim, o papel dos bancos centrais nas transações internacionais era muito pequeno frente aos volumes transacionados pelo mercado. O ambiente era

---

32. Galarotti (1995, p. 142).
33. Galarotti (1995).

muito desregulado, deixando plena liberdade de ação para os atores privados. O manejo das autoridades monetárias, em geral, era feito através de instrumentos como as taxas de desconto e o preço do ouro.

Em suma, o padrão-ouro não se constituiu a partir do poder monetário estrutural inglês; nem foi uma base para o exercício de poder monetário da Inglaterra sobre seus rivais. Sua existência decorreu da adesão não coercitiva dos demais países relevantes ao sistema que já era praticado na Inglaterra há décadas. Essas iniciativas foram voluntárias, em busca de integrar os diferentes sistemas monetários e financeiros nacionais nascentes ao centro financeiro principal, Londres, e à moeda dominante, a libra. Havia vantagens nessa integração em termos de escala e custos de transação, públicos e privados. No caso dos Estados Unidos, o sistema financeiro inglês chegou a atuar de fato como banco central do sistema bancário americano. De acordo com De Cecco: *"A maior fonte de fraqueza para Londres era, no entanto, a 'Conta Americana'. Os Estados Unidos utilizavam o dinheiro londrino como seu banco central"*[34].

Aos ingleses, a adesão das grandes nações ao padrão-ouro proporcionou um aumento dos ganhos do seu sistema financeiro em termos da escala das operações que eram transacionadas em libras em Londres e da oferta de serviços financeiros especializados e de alto valor agregado. A centralidade do mercado inglês permitia ao Tesouro e aos bancos ingleses operarem com as taxas de juros mais baixas do sistema e atrair uma massa enorme de capitais de todo o mundo. A autonomia política inglesa no sistema era, no entanto, limitada. O ouro servia como um forte limite ao uso político da vantagem financeira inglesa.

Ao mesmo tempo, a centralidade inglesa sobre o sistema era um bem que precisava ser preservado pelos demais países por interesse próprio, sob a ameaça de serem também impactados por uma crise financeira de proporções sistêmicas. Esse foi o motivo que fez com que franceses, alemães e russos corressem para ajudar o Banco da Inglaterra através de empréstimos em ouro para sustentar a paridade da libra, nos poucos momentos em que a moeda inglesa esteve sob forte pressão dos mercados.

Os ingleses, ao longo da vigência do padrão-ouro (1870-1914), detiveram o papel de administradores de um sistema globalmente integrado e de emissores da moeda básica para um conjunto de países que formava um "clube de ouro". Segundo Galarotti:

> *O padrão-ouro se impôs em parte porque o comércio internacional era financiado desproporcionalmente em libras esterlinas, as nações desejavam acesso ao mercado financeiro de Londres e aprenderam da experiência*

---

34. De Cecco (1974, p. 120).

britânica a respeito da relação entre padrões monetários e desenvolvimento econômico (ou seja, a respeito de aprender da história). Mas, mesmo aqui, os resultados foram um tanto diferentes do tratamento dado na literatura sobre regimes hegemônicos: os britânicos não contribuíram intencionalmente para a coerção estrutural nem a orquestraram, e o processo de socialização foi um resultado de deduções tiradas em nações estrangeiras e não da inculcação direta de normas ou injunções por parte dos agentes hegemônicos[35].

O poder monetário estrutural americano

O processo de constituição do dólar como moeda central da economia internacional guardou grandes diferenças frente à montagem do padrão "ouro-libra", que o antecedeu. A transição entre os dois sistemas não foi uma simples "mudança de guarda" entre moedas e países gestores do sistema monetário internacional. Pelo contrário, os americanos olharam a Segunda Guerra Mundial como uma oportunidade não só para consagrarem sua moeda como peça central de um novo sistema monetário que desejavam impor, mas também para desmontar seu único competidor próximo, a libra esterlina.

Essa estratégia foi distinta daquela que os Estados Unidos seguiram ao final da Primeira Grande Guerra. Naquela oportunidade, preocuparam-se apenas em garantir, para seus bancos e para sua moeda, uma presença forte e ativa no mercado internacional. Wall Street passaria a ser um competidor relevante da City e o dólar seria uma entre as moedas relevantes no sistema monetário internacional. Isto foi possível graças aos esforços conjuntos dos bancos americanos e do então recém-criado *Federal Reserve*, o banco central americano, para desenvolver um mercado de câmbio amplo e profundo em Nova York, baseado no dólar. Os Estados Unidos foram a única praça de câmbio que se manteve aberta durante toda a Primeira Guerra[36].

A entrada dos Estados Unidos no "clube do ouro", como ator relevante nos mercados e na governança internacionais, gerou, no entanto, desequilíbrios estruturais que impediram que o sistema monetário internacional conseguisse, de forma estável, retornar ao *status quo* pré-1914. Isso se deveu à escala que os financiamentos aos ingleses junto ao sistema financeiro americano em dólares adquiriram durante os anos que se seguiram à Primeira Grande Guerra e à concorrência que passou a ser exercida por Nova York, como centro financeiro internacional de porte.

Ao final do conflito, os créditos acumulados pelos Estados Unidos contra os Aliados atingiram US$ 12 bilhões, sendo US$ 5 bilhões devidos pelos ingleses. A

---

35. Galarotti (1995, p. 224).
36. Miaguti (2016).

posição credora americana foi, ao longo dos anos de 1920, reforçada por elevados superávits externos, que totalizaram US$ 11 bilhões. Como resultado, os Estados Unidos em 1923 detinham dois terços de todas as reservas em ouro dos bancos centrais. Esse volume era muito maior do que o necessário para o banco central americano garantir a liquidez internacional do dólar[37].

Apesar dessa posição financeira pujante, os Estados Unidos atuaram fortemente para que a Inglaterra retornasse ao padrão-ouro o mais rapidamente possível. Operaram abertamente para que o papel de coordenação do sistema fosse mantido com o BoE e para que a moeda internacional dominante continuasse a ser a libra. Segundo Liaquat Ahmed, o presidente de fato do Federal Reserve à época, Benjamim Strong *"permaneceu convencido de que, dada a importância da libra para o comércio mundial, um retorno global ao padrão-ouro só seria possível se a Grã-Bretanha assumisse o comando: 'O grande problema é a libra esterlina, os outros se resolveriam facilmente caso se pudesse lidar com a libra', ele dizia continuamente aos seus colegas"*[38]. Strong e os banqueiros do J.P. Morgan – principal banco internacional americano – teriam inclusive oferecido em 1924 ao presidente do BoE, Norman Montagu, um empréstimo de US$ 200 milhões proveniente do New York Fed, mais uma promessa de US$ 300 milhões que viriam do J.P. Morgan. O retorno da libra ao regime de câmbio fixo do padrão-ouro na paridade anterior à Primeira Guerra mostrou-se, no entanto, um fardo demasiadamente pesado para a Inglaterra e foi novamente suspenso em 1931.

Na Segunda Guerra, o financiamento americano aos britânicos foi realizado em bases distintas do conflito anterior. Até 1941, os britânicos usaram suas reservas em ouro e em divisas para liquidar seus pagamentos com os Estados Unidos. Esse modelo chegou à exaustão em junho daquele ano. Naquela data, o BoE dispunha de apenas US$ 50 milhões em ouro e o Tesouro inglês menos de US$ 100 milhões. Eram valores muito baixos, inferiores ao mínimo necessário para sustentar a libra e as necessidades dos países do Império[39].

Entre 1941 e 1945 foi criado um mecanismo de financiamento especial, o *lend-lease*, por meio do qual os americanos realizaram, como parte do esforço de guerra, doações a seus aliados, sobretudo à Inglaterra. Apesar de esse mecanismo não envolver a geração de uma dívida bilateral a ser negociada após o final do conflito, como em 1914, os Estados Unidos exigiram, em troca, compensações políticas. O compromisso mais importante dos ingleses era a eliminação, ao final

---

37. Ahmed (2009).
38. Ahmed (2009).
39. Woods (1990).

do conflito, das preferências imperiais e do bloco da libra, criado em 1931. Esse princípio foi consagrado no Artigo VII do *Anglo-American Mutual Aid Agreement*, de fevereiro de 1942, em que se lia:

> Na determinação final dos benefícios a serem concedidos aos Estados Unidos pelo governo do Reino Unido em troca da ajuda fornecida com base na Lei do Congresso de 11 de março de 1941, os termos e condições disso deveriam ser tais que não onerassem o comércio entre os dois países, mas promovessem relações econômicas mutuamente vantajosas entre eles e a melhoria das relações econômicas em âmbito mundial. Para isso, deverão incluir uma cláusula de ação convencionada por parte dos Estados Unidos da América e do Reino Unido, aberta à participação de todos os outros países da mesma opinião, destinada à expansão, através de medidas internacionais e domésticas apropriadas, da produção, do emprego e do intercâmbio e consumo de bens, que são os fundamentos materiais da liberdade e bem-estar de todos os povos; **à eliminação de todas as formas de tratamento discriminatório no comércio internacional e à redução de tarifas e outras barreiras comerciais** [...] (grifo nosso)[40].

A questão da ruptura definitiva do bloco da libra havia sido introduzida pelos americanos nas negociações bilaterais no ano anterior, quando da elaboração da Carta do Atlântico. O tema era controverso, já que ambos os lados tinham clareza que a sujeição da Inglaterra a um multilateralismo imediato ao final do conflito seria incompatível com as condições objetivas de financiamento do balanço de pagamentos inglês.

Para reduzir a resistência dos ingleses, o governo dos Estados Unidos contingenciou seus financiamentos à Inglaterra ao longo de toda a guerra, de modo a evitar que o aliado acumulasse um saldo em dólares superior a US$ 1 bilhão. Sempre que esse valor era superado, os recursos para importações de natureza civil eram reduzidos. Esse tipo de controle não foi, no entanto, estendido a outros países. A União Soviética, por exemplo, foi autorizada a manter saldos em dólares muito superiores aos dos ingleses[41].

A subordinação da libra ao poder monetário americano voltaria ainda a ser tratada nesse período como tema central de dois outros mecanismos de cooperação entre os dois países. No Acordo de Bretton Woods (BW), firmado em 1944, apenas o dólar foi mencionado como moeda alternativa ao ouro como reserva do novo sistema. Desse ponto de vista, a libra em nada se diferenciava das moedas dos demais países. No ano seguinte, com o fim do conflito, o *lend-lease* foi

---

40. Disponível em http://avalon.law.yale.edu/wwii/angam42.asp
41. Woods (1990).

imediatamente suspenso e os ingleses voltaram a acumular dívidas em dólares. Nessa oportunidade, os americanos voltaram à carga e exigiram a volta em prazo curto da conversibilidade da libra. Em troca, comprometeram-se com um empréstimo de US$ 3,75 bilhões em dinheiro novo, valor pequeno para assegurar aos ingleses condições para estabilizar sua economia.

Como esperado, a tentativa de tornar a libra conversível em 1947 teve curta duração. Houve um forte ataque especulativo que obrigou à reimposição de controles cambiais em menos de um mês. Ingleses e americanos não tinham dúvidas de que isso aconteceria. Entretanto, os americanos desejavam promover o mais rápido possível o desmantelamento do Império Britânico e, consequentemente, eliminar qualquer resquício do papel histórico da libra como moeda central no sistema monetário internacional. Do ponto de vista do governo da Inglaterra, era melhor, por motivos estritamente políticos, postergar a crise cambial por 12 meses do que ser obrigado a atravessá-la em 1946.

Conforme apontado por Mann:

> Os termos da entrada dos Estados Unidos na Segunda Guerra Mundial e os termos do acordo de 1945-1946 estavam ambos destinados a enfraquecer o poder britânico no pós-guerra. Assim as importações de bens dos Estados Unidos tinham agora acesso igual ao Império; assim o danoso ônus da dívida em dólar em 1945 devia ser pago através da importação de bens dos Estados Unidos; assim a insistência dos Estados Unidos na conversibilidade da libra esterlina. Em 1946 uma corrida à conversão dos títulos em libra esterlina para o dólar esgotou as reservas em ouro e dólar da Grã-Bretanha e causou uma crise. A conversibilidade foi suspensa em 1947 após uma demonstração, satisfatória aos olhos americanos, da vulnerabilidade da libra esterlina. Isto foi calculado para acabar com a restante rivalidade global da Grã-Bretanha com os Estados Unidos[42].

Além de eliminar seu principal rival na partida, o poder monetário estrutural americano determinou as características do novo sistema dólar fixo[43]. O sistema de Bretton Woods (BW) não foi uma simples atualização dos mecanismos existentes durante o padrão-ouro (1871-1914), tendo agora o dólar na posição central. Diferentemente, a moeda americana teria um *status* único e garantido por legislação internacional. Além disso, a função do mercado financeiro privado no funcionamento do sistema seria diferente do que a City londrina tinha desempenhado até o início da Primeira Guerra.

A concepção que deu base a Bretton Woods respondeu a uma visão própria dos Estados Unidos sobre as características do novo sistema internacional e do

---

42. Mann (1988, p. 215).
43. Serrano (2002).

papel que nele a sua moeda deveria desempenhar. Entre os princípios que nortearam o acordo, dois foram destacados pelo secretário do Tesouro americano da época, Henry Morgenthau. O primeiro era a intenção de retirar *"os agiotas usurários do templo das finanças internacionais (e) transferir o centro financeiro do mundo de Londres e Wall Street para o Tesouro dos Estados Unidos e criar entre as nações um novo conceito das finanças internacionais"*[44].

Em BW, os sistemas financeiros nacionais seriam internacionalmente desintegrados e sujeitos ao ordenamento das autoridades locais. As contas de capitais seriam inconversíveis. Os bancos privados americanos estabelecidos em Nova York – maior praça financeira internacional – teriam sua atuação internacional limitada às operações de crédito comercial, não se aventurando no mundo das altas finanças como seus antecessores ingleses. Londres continuaria a existir, mas limitada às finanças do antigo império e com uma base precária – sua moeda nacional, a libra – com problemas estruturais de conversibilidade. Os ajustes de balanço de pagamentos, que viessem a requerer assistência americana, seriam operados bilateralmente com o governo dos Estados Unidos ou através de organismos multilaterais, controlados pelos Estados Unidos. Finança internacional passaria a ser um jogo predominantemente interestatal.

O segundo princípio era o papel absoluto que o dólar teria no novo sistema monetário internacional. Isso significava submeter os demais países Aliados e, em particular, todo o Império Inglês, a cotar, pagar e se financiar externamente na moeda americana. Para tanto, seria melhor não existirem rivais, que, à semelhança do que havia acontecido nas décadas anteriores, pudessem criar obstáculos políticos ou servir de base a especulações contra o regime de taxas de câmbio fixo que estava sendo implantado. Os Estados Unidos já não se satisfariam, por motivos de segurança – e não apenas pelos interesses privados das empresas e bancos americanos –, em ver o dólar ser apenas mais uma entre as moedas relevantes. O objetivo era impô-la, de partida e de forma permanente, como dominante.

O poder monetário estrutural americano voltaria a se manifestar novamente na passagem do sistema do dólar fixo para o dólar flexível em 1971. Nesta oportunidade, os Estados Unidos unilateralmente suspenderam a conversibilidade de sua moeda em ouro a uma paridade fixa, descumprindo os termos do Acordo de Bretton Woods. A frase que talvez melhor ilustre o espírito que presidiu essa decisão foi proferida à época pelo secretário do Tesouro dos Estados Unidos, John Connally, perante uma plateia atônita de outros ministros da Fazenda: *"O dólar é nossa moeda, mas é problema de vocês"*[45].

---

44. Steil (2013, p. 125).
45. Whitley (2013, p. 21).

Essa medida, que deu origem à ruptura do sistema de taxas de câmbio fixo do pós-guerra, gerou espanto generalizado e foi vista por alguns autores como uma resposta precipitada a uma imposição dos mercados financeiros. Michael Moffitt[46], por exemplo, entende que "a causa imediata da morte do sistema de Bretton Woods foi a maciça especulação contra o dólar". Essa também é a opinião de burocratas americanos, como Paul Volcker[47], para quem abandonar a conversibilidade do dólar em ouro era uma resposta ao pânico de mercado.

De fato, o aumento da liquidez do dólar e a falta de confiança dos mercados na capacidade de o governo americano sustentar a conversibilidade da sua moeda em ouro tinham gerado fortes ondas especulativas nos anos anteriores. Entretanto, a ruptura do sistema monetário não foi uma decisão precipitada. Em todos os momentos, nesse período, a instabilidade dos mercados de câmbio conseguiu ser controlada. Além disso, não há sinais de que Washington já tivesse esgotado seu leque de opções para lidar com esse problema. Entre as alternativas que lhes restavam estavam: a desvalorização do dólar, o aumento das taxas de juros nos Estados Unidos e a realização de intervenções no mercado de ouro.

Entretanto, todas essas medidas tinham consequências indesejáveis sobre as políticas interna e externa, o que fez com que os presidentes americanos não estivessem interessados em arcar com esse preço. Paul Volcker, que era subsecretário internacional do Tesouro nesse período, relembrou em suas memórias que:

> Os presidentes – certamente Johnson e Nixon – não queriam ouvir que suas opções eram limitadas pela fraqueza do dólar. Consideremos a questão de manter nossas tropas na Alemanha e no Japão. Seria uma grosseira simplificação reduzir tudo isso a um cálculo de quantas divisões dos Estados Unidos no exterior compensavam quanta perda de ouro[48].

Além disso, a dependência de uma ação concertada de forma mais permanente com outros países para apoiar a relevância da moeda americana no mercado internacional tinha um custo elevado para os Estados Unidos. Como apontou Susan Strange[49], seria, na prática, como decretar o fim da hegemonia absoluta do dólar e deixar os Estados Unidos expostos a pressões dos países que cooperassem na sustentação da sua moeda. Os franceses chegaram a trilhar esse caminho. Nos anos de 1960, eles aceleraram a conversão das suas reservas de dólares para ouro, inclusive transportando os lingotes de Nova York para Paris, o que não era a prática normal. Ademais, criticaram abertamente o que chamaram de "privilégio exor-

---

46. Moffitt (1984, p. 75).
47. Volcker e Gyohten (1992).
48. Volcker e Gyohten (1992, p. 62).
49. Strange (1976).

bitante" americano, que se traduziria nas vantagens que o sistema de BW daria aos Estados Unidos em termos de manutenção de níveis de vida elevados para sua população e no subsídio a suas multinacionais a custo de seus parceiros externos.

A decisão americana de 1971 foi o passo final de uma estratégia primeiramente enunciada em 1966[50]. No ano seguinte, Kindleberger argumentava que o padrão-dólar flexível seria a melhor opção a ser adotada, uma vez que:

> [...] uma volta ao ouro como era defendida pelos franceses, a adoção de uma nova moeda internacional proposta por Triffin, ou de um novo ativo internacional para suplementar o ouro e os dólares, em exame pelo Grupo dos Dez, seriam todos fictícios, artificiais e menos eficientes do que o padrão-dólar, com liquidez subsidiada por um mercado financeiro internacional sediado em Nova York e seu eurodólar e suas extensões de títulos em eurodólar[51].

Essa ideia ganhou corpo posteriormente no relatório de 1969 do chamado "Volcker Group", que incluiu membros das diferentes agências econômicas do governo americano, além do Conselho de Segurança Nacional. O documento descartava a opção de desvalorização unilateral do dólar devido à previsão de que outros países seguiriam o movimento e desvalorizariam suas próprias moedas na mesma proporção, recomendando como alternativa a suspensão da conversibilidade[52]. Essa decisão deveria, por sua vez, ser tomada de forma que parecesse uma resposta involuntária de Washington a uma situação de crise, "[n]o interesse de facilitar a harmonia internacional, não se devia procurar a aparência de uma hegemonia dos Estados Unidos"[53].

A política financeira ao final da década (*benign neglect*) mostra que, na prática, os Estados Unidos haviam, desde o final dos anos de 1960, adotado uma postura passiva frente a seus déficits externos. Era como se o governo estivesse esperando o melhor momento para eliminar, de uma vez por todas, a principal restrição potencial à ação internacional americana: a conversibilidade do dólar em ouro.

A ruptura de BW e o dólar flexível foram vistos como sinais de uma perda de hegemonia por parte dos Estados Unidos. Essa situação seria evidenciada ainda pelos elevados déficits externos americanos, em um mundo de baixo crescimento e sujeito a um grande número de crises localizadas. Entretanto, como esclarece Strange:

---

50. Kirschner (1995).
51. Kindleberger (1967, p. 1)
52. Aguiar (2017, p. 62-63).
53. U.S. Department of the Treasury (1969, p. 6).

> [...] administrar um permanente déficit por um quarto de século com impunidade mostra não a fraqueza americana, mas antes o poder americano no sistema. Decidir numa manhã de agosto que os dólares não podem mais ser convertidos em ouro foi uma progressão de um privilégio exorbitante para um privilégio superexorbitante; o governo dos Estados Unidos estava exercendo um direito espontâneo de imprimir dinheiro que os outros não podiam (salvo a um custo inaceitável) recusar-se a aceitar como pagamento[54].

A decisão americana levou o sistema monetário e financeiro internacional a se estruturar em bases absolutamente novas. As taxas de câmbio tornaram-se flexíveis e os fluxos de capitais foram inteiramente liberados. A instabilidade nas paridades passou a ser gerenciada por meio de contratos privados de seguro, os derivativos, e não mais pela garantia dos bancos centrais. A intermediação bancária deu lugar à securitização de ativos. Os volumes de ativos financeiros e de alavancagem atingiram níveis impensáveis para os padrões anteriores a 1971[55].

Entretanto, essas transformações não foram antecipadas pelos atores que efetivaram a ruptura do sistema de BW. A certeza quanto ao rumo para o reordenamento financeiro internacional não era condição prévia para que os Estados Unidos adotassem as medidas necessárias à retomada de sua hegemonia monetária. O propósito era simplesmente aumentar o raio de manobra da política americana a partir do seu poder monetário estrutural, que estava intacto. Era o início de um processo que foi posteriormente chamado por Tavares de "A Retomada da Hegemonia Americana"[56].

Conclusão

A Revolução Financeira Inglesa, dos séculos XVII e XVIII, produziu uma das principais transformações do sistema capitalista. Em um intervalo curto de tempo, três instituições foram integradas em um único mecanismo: a dívida pública, agora modernizada para atender condições de valorização exigidas pelo mercado de capitais; o banco central, recém-criado para dar conta da liquidez da dívida pública, dos bancos e dos mercados; e os mercados secundários de ativos, mecanismo que potencializa ação dos outros dois.

A motivação inicial dessas inovações institucionais era ampliar a capacidade de os estados nacionais europeus financiarem – e consequentemente, ganharem – os

---

54. Strange (1987, p. 569).
55. Torres (2014).
56. Tavares (1985).

recorrentes conflitos militares em que estavam envolvidos. As guerras necessitavam da mobilização de um volume muito elevado de recursos em um espaço de tempo curto. O simples aumento da taxação não conseguia atender a esses quesitos na dimensão e no prazo necessários. O uso de outros mecanismos de financiamento, como a redução do conteúdo metálico das moedas e os empréstimos compulsórios, gerava impactos negativos sobre a economia e os financiadores privados.

O resultado da Revolução Financeira foi estrondoso. A Inglaterra acumulou uma vantagem sobre seus oponentes que se manteve até a Primeira Guerra Mundial. O crédito inglês permitiu que a aquisição de armas e soldados pelos ingleses se desse através da emissão de títulos. Enquanto isso, seus inimigos, pelo menos até Napoleão, precisavam recorrer ao ouro e à expropriação para atingir o mesmo objetivo.

O novo arranjo monetário-financeiro também conquistou para a Inglaterra uma posição central nas finanças internacionais. Londres passou a ser a capital financeira do mundo, centralizando o financiamento do comércio global, do investimento externo e da dívida pública de outros países. Isso permitiu o surgimento de segmentos especializados que proviam ao resto do mundo serviços financeiros a preços e taxas de juros muito competitivos. A libra esterlina, por sua vez, passou a denominar a maior parte desses ativos e ser a moeda de liquidação preferida nas transações internacionais.

Os mecanismos institucionais desenvolvidos pelos ingleses foram sendo emulados por seus rivais e, a partir de 1870, os principais sistemas monetário-financeiros das nações relevantes foram se integrando ao inglês, por meio da adoção do padrão-ouro. Em nenhum dos casos, essa decisão foi feita por força de coerção ou de qualquer outra forma de imposição por parte da Inglaterra. A aceitação do padrão-ouro foi sempre unilateral e relacionada às vantagens esperadas em termos de taxas de juros e prazos. Adotar o ouro como lastro da moeda nacional era uma forma de o país adquirir uma condição de baixo risco de crédito, a exemplo do que acontece nos dias de hoje com a preocupação de países para obterem os melhores *ratings* das classificadoras de risco internacionais. A ausência de um poder monetário estrutural inglês fica patente nos momentos de ruptura por que passou o padrão-ouro. O recurso da Inglaterra não foi mudar as regras do jogo a seu favor, mas refugiar-se junto com o seu império em um subsistema internacional, o bloco da libra.

Não há, portanto, evidência de que, na constituição do padrão-ouro, a Inglaterra tenha exercido um papel hegemônico do ponto de vista monetário ou que a montagem desse primeiro sistema monetário internacional moderno tenha sido o resultado do exercício de poder estrutural. A centralidade da City e da libra esterlina atribuíram ao Banco da Inglaterra um papel dominante na governança do sistema e resultavam em vantagens para os ingleses em termos de taxas de juros e de custo de ajustamento. O resto dos países relevantes, por razões competitivas, decidiu aderir e quase sempre emular domesticamente o sistema bancário e monetário inglês. Os Estados Unidos, por exemplo, só estabeleceram um banco central próprio tardiamente, em 1913, e com características muito diferentes do BoE.

Esse cenário guarda pouca semelhança com a origem do sistema monetário baseado no dólar a partir de 1945. Esse episódio não foi uma simples "mudança de guarda" em que uma nova moeda – a americana – e um novo *hegemon* – os Estados Unidos – tomaram a liderança antes ocupada pela libra e pela Inglaterra. A montagem do primeiro sistema baseado no dólar, com taxas de câmbio fixas e conversibilidade em ouro, foi resultado de uma operação do Estado Nacional americano que se iniciou concomitantemente com sua entrada na Segunda Guerra.

O apoio financeiro ao esforço de guerra inglês foi concedido em troca da obrigação aceita pela Inglaterra de desmontar seu império e consequentemente eliminar, de uma vez por todas, a libra como moeda potencialmente concorrente do dólar no sistema monetário internacional. Com o Reino Unido fora do páreo, o resto do mundo se submeteu às regras monetárias impostas pelos americanos, à exceção da União Soviética e de seus países-satélites.

Novamente, o poder monetário estrutural americano se manifestou com todo seu vigor em 1971. Nessa oportunidade, o Acordo de Bretton Woods foi rompido junto com a desmontagem dos mecanismos que permitiam taxas de câmbio fixas e a conversibilidade do dólar em ouro a uma dada paridade. A decisão foi imposta unilateralmente pelos Estados Unidos a seus parceiros e deu origem ao atual sistema monetário baseado em taxas flutuantes, o dólar flexível.

Esse episódio foi visto inicialmente como um sinal de enfraquecimento do poder americano no mundo. Desse ponto de vista, a decisão dos Estados Unidos seria uma resposta inevitável às fortes pressões especulativas dos mercados e dos bancos centrais europeus sobre o Federal Reserve. Entretanto, documentos recentemente liberados pelo Tesouro dos Estados Unidos mostram que esta decisão já havia sido tomada pelo governo americano em segredo em 1969 e que ficou à espera de uma oportunidade política para ser adotada.

As décadas seguintes mostraram que o poder hegemônico e estrutural americano estava longe de ter se esgotado. O fim da União Soviética e a constituição de um sistema financeiro globalizado relativamente estável são evidências da capacidade de condução que os Estados Unidos detêm no cenário internacional.

A resposta americana à crise financeira de 2008 revelou que, a despeito das desconfianças iniciais, o dólar continua a ser a moeda central do sistema internacional, sem rivais a sua altura. Desse ponto de vista, as ameaças externas ao poder monetário americano não parecem ser relevantes no futuro previsível. Nesse sentido, sua principal fonte de instabilidade se encontra no interior dos Estados Unidos, no aumento dos conflitos internos. Essa perspectiva já havia sido anunciada por Susan Strange há duas décadas:

> [O] declínio do poder hegemônico americano está mais no sistema político americano e não tanto no papel dos Estados Unidos no sistema internacional. A estabilidade nestes regimes exige, acima de tudo, alguma coerência por parte do participante principal. Os Estados Unidos são inadequados para manter esta coerência na tomada de decisões políticas[57].

Referências

AGUIAR, F. *A economia política da ruptura de padrão monetário nos anos 70*. Rio de Janeiro: UFRJ, 2017 [Dissertação de mestrado].

AHAMED, L. *Lords of finance*: the bankers who broke the world. Nova York: Penguin Books, 2009.

BAGEHOT, W. *Lombard Street*: a description of the money market [Disponível em http://oll.libertyfund.org/titles/bagehot-lombard-street-a-description-of-the-money-market].

CARLOS, A.; NEAL, L. & WANDSCHNEIDER, K. The origin of the national debt: the financing and refinancing of the War of Spanish Succession. In: *Economic Historian's Conference*, 2005 [Disponível em http://www.helsinki.fi/iehc2006/papers1/Carlos.pdf].

COHEN, B. *Currency Power*: Understanding Monetary Rivalry. Princeton: Princeton University Press, 2015.

_____ *Organizing the world's money*: the political economy of international monetary relations. Nova York: Basic Books, 1977.

_____. *The future of sterling as an international currency*. Londres: Macmillan, 1971.

DE CECCO, M. *Money and empire* – The international gold-standard, 1890-1914. Basil Blackwell: Oxford, 1974.

EICHENGREEN, B. *Privilégio exorbitante* – A ascensão e a queda do dólar e o futuro do sistema monetário internacional. Rio de Janeiro: Elsevier, 2011.

FOX, D. & ERNST, W. *Money in the Western legal tradition*: Middle Ages to Bretton Woods. Oxford: Oxford University Press, 2016.

FUNDO MONETÁRIO INTERNACIONAL. *IMF Releases data on the currency composition of foreign exchange reserves including holdings in Renminbi*. Washington, DC, 31/03/2012 [Disponível em http://www.imf.org/en/News/Articles/2017/03/31/pr17108-IMF-Releases-Data-on-the-Currency-Composition-of-Foreign-Exchange-Reserves].

---

57. Strange (1987, p. 571-572).

GALLAROTTI, G. *The anatomy of an international monetary regime*: the classical gold standard 1880-1914. Oxford: Oxford University Press, 1995.

KINDLEBERGER, C. *Manias, panics, and crashes*: a history of financial crises. Londres: Basic Books, 1978.

_____. *World in Depression 1929-1939*. Berkeley: University of California, 1973.

_____. The politics of international money and world language. *Essays in International Finance*, vol. 61, 1967 [Disponível em https://www.princeton.edu/~ies/IES_Essays/E61.pdf].

KIRSHNER, J. *Currency and coercion*: the political economy of international monetary power. Princeton, N.J.: Princeton University Press, 1995.

LACEY, J. *Gold, blood, and power*: finance and war through the ages. Carlisle, US: Army War College, 2015 [Disponível em http://purl.fdlp.gov/GPO/gpo63693].

MANN, M. *States, War and Capital*. Nova York: Blackwell, 1988.

MARTIN, F. *Money*: the unauthorized biography. Londres: Vintage, 2014.

MIAGUTI, C. *A ascensão do dólar e a crise do padrão ouro-libra (1913-1931)*. Rio de Janeiro: UFRJ, 2016 [Dissertação de mestrado] [Disponível em https://franklinserrano.files.wordpress.com/2017/03/carol-mia-versc3a3o-final-dissertac3a7c3a3o-2017.pdf].

MOFFITT, M. *O dinheiro do mundo*: de Bretton Woods à beira da insolvência. Rio de Janeiro: Paz e Terra, 1984.

PLESSIS, A. When Paris dreamed of competing with the city. In: CASSIS, Y. & BUSSIÈRE, E. (eds.). *London and Paris as international financial centres in the twentieth century*. Oxford: Oxford University Press, 2005.

ROSEVEARE, H. *The financial revolution*: 1660-1760. Londres: Longman, 1991.

SERRANO, F. Do ouro imóvel ao dólar flexível. *Economia e Sociedade*, vol. 11, n. 2 (19), jul.-dez./2002, p. 237-253. Campinas.

SHERWIG, J. *Guineas and gunpowder*: British foreign aid in the wars with France 1793-1815. Cambridge: Cambridge University Press, 1969.

STEIL, B. *The battle of Bretton Woods*: John Maynard Keynes, Harry Dexter White, and the making of a new world order. Princeton: Princeton University Press, 2013.

STIMSON, H. *On active service in peace and war*. Nova York: Harper & Bros, 1971.

STRANGE, S. The persistent myth of lost hegemony. *International Organization*, vol. 41, n. 4, 1987, p. 551-574.

_____. International monetary relations. In: SCHONFIELD, A. (ed). *International monetary relations of the Western world (1959-1971)*. Oxford: Oxford University Press, 1976.

SURI, J. State finance and national power: Great Britain, China, and the United States in Historical Perspective. In: SURI, J. & VALENTINO, B. (eds.). *Sustainable security*: rethinking American National Security Strategy. Washington, D.C.: The Tobin Project, 2016.

SWIFT. *Worldwide currency usage and trends*, 2015 [Disponível em https://www.swift.com/node/19186].

TAVARES, M.C. A retomada da hegemonia norte-americana. *Revista de Economia Política*, vol. 5, n. 2, abr.-jun./1985.

TAVARES, M.C. & MELIN, L. A reafirmação da hegemonia americana. In: FIORI, J.L. (org.). *Poder e dinheiro*: uma economia política da globalização. Petrópolis: Vozes, 1997.

TORRES, E. A crise do sistema financeiro globalizado contemporâneo. *Revista de Economia Política*, vol. 34, n. 3 (136), jul.-set./2014, p. 433-450.

US DEPARTMENT OF TREASURY. *Basic Options in International Monetary Affairs*, 23/06/1969 [Disponível em https://history.state.gov/historicaldocuments/frus1969-76v03/d131].

VOLCKER, P. & GYOHTEN, T. *Changing fortunes*: the world's money and the threat to American leadership. Nova York: Times Books, 1992.

WHITLEY, A. The origins and use of currency power. *Adelphy Series*, vol. 53, n. 439, 2013, p. 17-44.

WOODS, R. *A changing of the guard*: Anglo-American relations, 1941-1946. Chapel Hill: University of North Carolina Press, 1990.

Guerra e dinâmica sociopolítica

Ricardo Zortéa Vieira

Introdução

Na trajetória do pensamento político, filosófico e religioso ocidental, a guerra aparece como um grande mal, que em última análise só pode ser admitido caso, paradoxalmente, sirva ao propósito maior da paz. A paz, por sua vez, é muitas vezes percebida como um estágio no qual os valores e poderes errôneos são eliminados e substituídos pela ética "verdadeira". Quando os valores e poderes inimigos da verdadeira fé ou da verdadeira razão deixassem de existir, também acabaria a utilidade da guerra, que passaria assim de mal necessário a mal em si mesmo, e também seria eliminada[1].

---

1. Como coloca José Luís Fiori, no capítulo "Dialética da guerra e da paz", nesta coletânea: "Foram os estoicos, em particular o estoicismo romano de Cícero (106-43 a.C.) e Sêneca (4 a.C-65 d.C.), seguido pelo catolicismo 'cosmopolita' de Paulo de Tarso (São Paulo 5-67 d.C.), que elevaram a 'paz' – finalmente – à condição de um valor ético 'universal'. E foi dentro desta mesma matriz de pensamento 'estoico-cristã' que se conceberam a possibilidade e a necessidade de julgar a natureza e a legitimidade moral da 'guerra' a partir de critérios jurídicos ou religiosos que tivessem validade universal. Na sua obra *De Officiis*, Cícero formula, pela primeira vez, o conceito e os critérios jurídicos de uma 'guerra justa': que deveria ser declarada por uma autoridade legítima; que deveria ser travada em defesa própria, ou em reparação por uma ofensa alheia; que só deveria ser iniciada depois de esgotados todos os recursos diplomáticos; que deveria visar à paz e ao restabelecimento dos direitos usurpados; que deveria ser lutada de maneira justa; e que, finalmente, deveria ser equânime no tratamento dos derrotados. [...] Poucas décadas depois dessa fusão entre império e religião, e logo depois do Saque de Roma, pelos Visigodos de Alarico I, em 410 d.C., Santo Agostinho retomou a discussão de Cícero sobre a natureza jurídica das guerras e deu um passo a mais ao introduzir a 'vontade de Deus' como um novo critério de distinção das guerras lícitas. E assim nasceu o conceito da 'guerra santa' travada em nome de Deus, em defesa da fé, e contra hereges, pagãos e bárbaros [...]. Oitocentos anos depois da morte do Bispo de Hipona, Tomás de Aquino (SANTO TOMÁS, 1225-1274 d.C.) retomou e desenvolveu, uma vez mais, as ideias de Cícero, e em particular de Santo Agostinho, sobre a natureza das guerras feitas em nome de Deus, como teria sido o caso das Cruzadas medievais, e da própria Inquisição, dentro e fora da Europa".

O entendimento milenar de guerra como mal ou instrumento a serviço da paz acabou por se transmitir às análises políticas e sociais modernas. Assim, as duas correntes que dominaram as ciências sociais desde o século XVII, o liberalismo e, posteriormente, o marxismo, concordam que a guerra é um fenômeno primitivo praticado por agentes destinados a serem descartados quando o programa liberal, ou o socialismo, estiverem devidamente consolidados[2]. Fora dos troncos principais do liberalismo e do marxismo estão os autores e correntes que buscaram interpretar a guerra como fenômeno mais ou menos permanente ou até mesmo criativo. Dentre esses, se destacam os realistas no campo da política internacional, Edward Carr, Hans Morgenthau, Raymond Aron, Kenneth Waltz e John Mearsheimer[3] e na sociologia histórica, os clássicos Otto Hintze, Max Weber e Norbert Elias[4], assim como os autores mais recentes da chamada abordagem belicista – Charles Tilly, William Thompson, Karen Rasler, Miguel Centeno e Thomas Ertman[5].

O objetivo deste capítulo é, na contramão das inclinações dominantes, contribuir para explorar a relação entre guerra e sociedade. Para tanto, na primeira parte será desenvolvido o argumento de que o entendimento da guerra tanto dos realistas quanto dos belicistas foi fortemente influenciado pela concepção do fenômeno como proposta pelo autor e militar prussiano Carl von Clausewitz (1780-1831) e focado no campo de batalha. A adoção da definição clausewitziana de guerra, por sua vez, permitiu que os realistas mantivessem a paz e a estabilidade como referência na política internacional, e que os belicistas se concentrassem nos efeitos das "guerras quentes" sobre os processos sociais, sobretudo aquele de formação do Estado. A seção seguinte será dedicada a demonstrar que é possível um entendimento ampliado de guerra, ou seja, não restrito à violência física e à batalha. Finalmente, na conclusão, buscaremos apresentar algumas consequências possíveis da adoção de um entendimento ampliado de guerra para a agenda sociocientífica e política atual.

---

2. Como colocou Theda Skocpol: *"Teóricos fundadores tão opostos como Herbert Spencer e Karl Marx (que agora, de maneira não totalmente inadequada, jazem um diante do outro, separados apenas por uma viela, no Cemitério de Highgate, em Londres) concordavam que o capitalismo industrial estava triunfando sobre o militarismo e as rivalidades territoriais entre estados. Para estes dois teóricos, os desenvolvimentos socioeconômicos britânicos do século XIX pressagiavam o futuro para todos os países e para o mundo como um todo"* (SKOCPOL, 1985, p. 6).

3. Carr (1946), Morgenthau (2003), Aron (2002), Waltz (1979) e Mearsheimer (2001).

4. Hintze (1975), Weber (2004) e Elias (1993).

5. Tilly (1996), Rasler e Thompson (2012), Centeno (2002) e Ertman (1997).

O entendimento clausewitziano de guerra e seu impacto sobre as análises de política internacional e mudança social

Carl von Clausewitz, no seu estudo clássico *Da guerra*[6], sustentou que o objeto central da guerra é a vontade do adversário. Entretanto, sua definição de guerra é dada não pelo objeto, mas pelo meio para atingi-lo: o exercício da violência física, que, quando executada em um grau insuportável ao inimigo, o faz abdicar da vontade própria e submeter-se ao agressor. Na visão do autor, essa situação só viria a ocorrer quando o adversário estivesse completamente desarmado. Daí a necessidade fundamental na guerra em destruir o exército adversário através da batalha. Apesar de Clausewitz admitir, em uma passagem, a possibilidade de quebrar a vontade do inimigo através de uma simples demonstração das capacidades do exercício da força, o foco do seu trabalho é justamente se contrapor àqueles autores que, na sua visão, haviam reduzido a guerra a um mero duelo mental.

Inicialmente, Clausewitz concentra sua atenção nos desdobramentos advindos do método que ele utilizou para definir a guerra, ou seja, a força e a destruição do exército adversário. Neste plano, a guerra exigiria do combatente um constante esforço no sentido de ampliar a força e a violência exercida até o ponto da superação da resistência do adversário. Logicamente, o adversário faria exatamente o mesmo, buscando anular a força exercida contra ele e ampliar a violência por ele exercida contra o outro. A resultante dessa interação seria uma ascensão aos extremos sem limites lógicos, até a vitória total ou a destruição de um dos exércitos em combate.

Uma guerra que levasse claramente à destruição total de um dos exércitos em combate era bastante diferente daqueles conflitos observados na Europa antes e depois da Era Napoleônica. No século XVIII, a prática dos generais havia sido justamente tentar preservar os exércitos sob seu comando acima de praticamente qualquer outro objetivo, o que deu origem ao pensamento militar que enfatizava a manobra, e não o confronto. Para incluir na teoria as guerras históricas, Clausewitz então introduziu um conjunto de modificações à sua concepção de guerra absoluta. Dois deles têm a ver com a própria natureza do engajamento militar, ou seja, as dificuldades de mobilização que atrasam as operações e impedem a concentração perfeita de forças, e a superioridade inerente da defesa sobre o ataque. Este último fator torna logicamente possível que a escalada aos extremos seja interrompida porque o combatente mais forte pode não ser capaz de atacar um adversário na defensiva, levando a uma pausa nas operações e no exercício da violência. Além dos fatores especificamente militares, Clausewitz busca recuperar o elemento esquecido até então, ou seja, o objeto da guerra, que é a contraposição de vontades. Nesse plano, a liderança de ambos os lados pode estimar a importância

---

6. Clausewitz (1976).

relativa das vontades em jogo, ou então pode entender que é possível reverter, no plano diplomático, uma perda no campo de batalha. Daí as lideranças políticas terem a prerrogativa teórica de controlar a guerra e limitar seu escopo.

No entendimento de Clausewitz, a guerra se torna assim uma subordinada da política, não mais possuindo, como se depreende da exposição sobre a Guerra Absoluta, uma lógica própria. Agora a guerra nada mais é do que a própria política, apenas realizada com outro instrumento, ou seja, o poder militar. Nesse sentido, a estratégia e a guerra iniciam-se no momento da definição do objetivo político, e nunca antes dele. Clausewitz se esforça para enfatizar que a estratégia não pode dizer nada à política, e que os objetivos políticos são traçados de forma autônoma da estratégia. Sobre as origens desse objetivo, o autor só acrescenta que eles advêm dos interesses e da ética prevalentes no interior do Estado, "quaisquer que sejam eles". A tarefa do estrategista, por sua vez, é utilizar o engajamento militar para satisfazer o objetivo político. Apesar de isso exigir que o general tenha sempre um alto conhecimento da esfera política, também significa que diversos problemas associados à guerra em um sentido mais amplo são considerados estranhos à estratégia, como a própria criação e equipamento dos exércitos, ou qualquer aspecto do arranjo interno dos estados.

A hierarquia política-estratégia proposta pelo autor também encerra um paradoxo, dado que teoricamente os objetivos da guerra podem ser tais que levem à deterioração do poder do Estado ou mesmo coloquem em risco sua sobrevivência enquanto entidade soberana. O único requerimento é que eles sejam internamente coerentes e possam ser atingidos pelo poder militar. Quando a hierarquia clausewitziana político-estratégia é incorporada pelos estrategistas, ela leva a supor que a esfera política é, do ponto de vista estratégico, potencialmente inexplicável e irracional. A tarefa do estrategista seria, no limite, adequar-se racionalmente aos objetivos irracionais emanados da liderança política.

Ainda que paradoxal, a relação político-estratégica proposta por Clausewitz, e a noção de que a guerra não possui uma lógica própria em última instância mas é subordinada à lógica política, constituíram pilares centrais do projeto intelectual e da discussão do realismo político internacional do século XX. As escolas realistas geralmente são entendidas como aquelas que, em contraste com o liberalismo, entendem a guerra como elemento natural ou mesmo constitutivo do sistema internacional. Isso seria uma derivação natural dos principais pressupostos realistas, claramente expostos por John Mearsheimer no seu livro *A tragédia da política das grandes potências*[7].

---

7. Mearsheimer (2001).

Basicamente, para os realistas, o sistema se caracteriza pela ausência de uma autoridade superior aos estados. Além disso, pressupõe-se que todos os estados ou sua grande maioria têm algum grau de capacidade ofensiva, e que não podem nunca terem completa certeza sobre as intenções uns dos outros. Portanto, os poderes soberanos convivem em um cenário de perigo constante. Finalmente, todos os estados teriam como interesse fundamental a própria sobrevivência. Em resumo, o sistema internacional seria um Estado de natureza hobbesiana.

É interessante contrastar os pressupostos realistas da política internacional com as teses de Clausewitz colocadas acima, sobre a natureza dos interesses políticos do Estado. Para o prussiano, os interesses políticos são completamente indeterminados e fogem ao âmbito da estratégia. Além disso, são eles que limitam a guerra, ao fazerem o Estado se recusar a empregar recursos em demasia para um objetivo político limitado. O ponto de partida realista é o exato oposto: ao invés de uma miríade de interesses advindos de preferências morais ou setoriais domésticas, existe apenas um único interesse, o da sobrevivência do Estado. E esse interesse é diametralmente oposto ao dos outros estados, só podendo ser realmente alcançado se estes forem eliminados. É isso que Mearsheimer quer dizer quando afirma que o objetivo de todo e qualquer Estado é ser um *hegemon*, ou um império mundial.

Logicamente, portanto, os pressupostos realistas descritos por Mearsheimer levam ao chamado Dilema de Segurança, no qual um Estado precisa acumular meios de destruição superiores aos demais estados, de modo a evitar sua própria aniquilação. Ademais, o Estado não só deve acumular meios de destruição, mas efetivamente empregá-los para evitar que seus rivais acumulem seus próprios instrumentos, dado que não é lógico esperar que um país assista passivamente aos preparativos para sua destruição, sendo montados do outro lado da fronteira. O que se tem, então, é um sistema dominado pela lógica da Guerra Absoluta de Clausewitz, no qual a estratégia ocupa todo o lugar da política.

O elemento que impede que o realismo seja dominado pela guerra absoluta, e de fato permite que os realistas acabem dedicando grande parte do seu esforço à busca pela paz e a estabilidade, é dado pelo próprio Clausewitz, qual seja, a ideia de que a guerra é restrita ao emprego da força física. Os realistas, seguindo Clausewitz, pressupõem que a única forma de quebrar a vontade do outro Estado e eliminar sua soberania é destruindo seu exército em uma batalha aberta. Os instrumentos institucionais, econômicos e ideológicos são relevantes, mas não tanto quanto a força militar, e não podem por si mesmos destruir o Estado. Na realidade, de acordo com Mearsheimer, nem mesmo a força militar é realmente decisiva, dado que poder aéreo e naval só são realmente importantes enquanto apoio à força terrestre e, especificamente, à infantaria. Daí o porquê, na visão do autor, de não existirem impérios mundiais: oceanos são obstáculos quase intransponíveis para a infantaria, e o Estado não terá sua soberania destruída enquanto seu exército não estiver sendo dizimado em um campo de batalha pelos soldados do adversário.

No momento em que se reduz a guerra ao campo de batalha, é possível esquecer as consequências lógicas de um sistema de múltiplas soberanias e reestabelecer a autonomia da política, tanto interna quanto externa. Internamente, passa a vigorar a paz do Leviatã hobbesiano, baseada na lei e na moral garantidas e garantidoras de uma autoridade central entendida como legítima e aceita. A mistura entre guerra e política interna passa a ser vista como uma aberração própria de sistemas caracterizados pela ausência de estados verdadeiramente organizados. Como coloca Aron:

> Na ausência de nações conscientes da sua existência e de estados juridicamente organizados, a política interna tende a se confundir com a política externa, deixando uma de ser *essencialmente pacífica* e a outra de ser radicalmente belicosa[8].

Também a política externa readquire autonomia. Apesar de sempre se preocupar com a possibilidade da guerra, ela não se reduz mais, como se depreende do Dilema de Segurança, à destruição do adversário. O foco, como na elaboração inicial de Clausewitz, volta a ser difuso, sendo a política externa pautada por um indefinido "interesse nacional" que pode ser a paz universal, a estabilidade e a prosperidade comum. Daí que não existiria necessariamente uma incompatibilidade entre o sonho kantiano da paz perpétua e a realidade da anarquia que Hobbes outrora caracterizaria como Guerra de Todos contra Todos.

Ainda que a separação entre guerra e política tornada possível pelo foco no instrumento militar permita teoricamente que as relações entre os estados sejam pacíficas e estáveis, essa possibilidade só pode ser realmente concretizada através da operação de algum elemento estrutural. No pensamento realista, o protagonista da estabilização sistêmica é a balança de poder, ou uma situação na qual o poder estivesse distribuído de forma aproximadamente igualitária entre as grandes potências. Como se entende que a agressão só pode ser feita por um Estado com uma vantagem de poder, se nenhum Estado obtiver tal diferencial com relação aos demais, também não haverá nenhuma agressão. A balança teria então a prerrogativa de preservar a soberania do Estado ao mesmo tempo em que evita a guerra. Seria, nesse sentido, outro antídoto frente à tendência à guerra absoluta contida na lógica de operação do sistema.

---

8. Aron (2002, p. 56). Grifo no original.

O problema central da balança de poder como elemento de estabilização e pacificação do sistema é que ela é, em si própria, altamente instável, como os próprios realistas admitem. Isso porque nenhum Estado pode contar que seus aliados formais cumpram seus compromissos ou que sua estimativa do poder do adversário é realmente acertada[9]. Assim, os estados buscam constantemente ampliar seu poder de destruição frente aos outros, o que logicamente sempre inclui a "destruição preventiva" das armas e do potencial de guerra dos alvos.

As dificuldades inerentes à balança de poder acabam levando à hipótese de que sua lógica de funcionamento deve ser complementada com elementos morais para se entender ou se promover a paz e estabilidade sistêmica. Nessa chave, Adam Watson[10] afirma que os códigos de conduta europeus, que incluíam os critérios de legitimidade dinástica e a prática de consulta permanente, escolhidos de forma voluntária e contratual entre as grandes potências no século XVIII e no pós-Congresso de Viena, lograram complementar a operação da balança de poder e assim contribuíram para promover a estabilidade e a paz continental.

Inversamente, a moral coletiva também pode emperrar o funcionamento da balança de poder e, consequentemente, acabar com a paz e soltar a besta da guerra. De acordo com Edward Carr[11], a crise de vinte anos que precedeu e levou à Segunda Guerra Mundial foi potencializada pela tentativa de imposição de doutrinas acerca da harmonia de interesses econômicos e políticos que buscavam negar os conflitos reais que existiam entre os estados e, especialmente, entre as grandes potências. Ao mesmo tempo, as teses acerca da harmonia de interesses mascaravam o poder dos estados defensores do *status quo*. Carr defende, então, o estabelecimento de uma moral contratual semelhante à ideia de Watson, argumentando, ainda, que ela sempre deverá ser passível de alteração pela ameaça da guerra. Com isso, o autor esperava adicionar flexibilidade suficiente às normas internacionais, e assentá-las suficientemente sobre a balança de poder, para que a guerra em si pudesse ser evitada.

Na visão tanto de Adam Watson quanto de Edward Carr, a moral não opera completamente sozinha. Para o primeiro, o Reino Unido agiu como uma espécie de gestor neutro da balança de poder e da moral internacional, posição que pode exercer devido a seu caráter insular e portanto desprovido de ambições continentais. Aqui novamente se faz sentir o peso do foco realista na força armada e sobretudo no exército, dado que não se entende o poder naval, ideológico ou comercial dos britânicos como realmente um problema para a balança de poder

---

9. Morgenthau (2003).
10. Watson (1992).
11. Carr (1946).

ou uma ameaça aos demais estados[12]. A perspectiva de Carr, como de resto todo o argumento do autor, é distinta, uma vez que ele considera que foi a filiação exclusivamente anglo-saxã da moral dominante no entreguerras que estimulou decisivamente a crise internacional do período. Entretanto, junto com Watson, ele reconhece na prática que a moral não vem sozinha, mas é sustentada por um Estado específico. A diferença com relação a Watson fica na ideia de Carr de que isso é um problema, não uma solução, e não existem potências hegemônicas melhores ou piores.

O espírito crítico de Carr sobre a utilidade de um *hegemon* como um estabilizador do sistema não foi suficiente para livrar a teoria realista dessa ideia. De fato, Charles Kindleberger[13] posteriormente buscou demonstrar que a crise estudada por Carr da ordem liberal resultou da incapacidade do Reino Unido nos anos de 1920 de, em face do crescente poder americano, atuar como um *hegemon* estabilizador que garantisse o bom funcionamento da ordem liberal instaurada no século XIX. O argumento de Kindleberger depois é expandido por Robert Gilpin[14], para que o *hegemon*, ao eliminar a guerra do sistema, permite o desenvolvimento econômico proporcionado pelos livres-mercados. Paradoxalmente, é esse próprio desenvolvimento que acaba minando o poder hegemônico na medida em que seu capital, como prevê a teoria econômica ortodoxa utilizada por Gilpin, passa a ter rendimentos decrescentes a partir de determinado ponto, abrindo caminho para seus concorrentes primeiro enriquecerem e, posteriormente, se armarem. Quando isso acontece, retoma a dualidade de poder e a guerra, e com eles o caos sistêmico[15].

Como se pode verificar, à moda de Clausewitz, a guerra é entendida no próprio pensamento realista como um surto esporádico de violência física, cuja lógica em si ou é completamente inexistente e desconsiderada, ou então é restrita ao período que se passa entre o início e o fim do conflito armado. Quando a guerra

---

12. A ideia do balanceador externo em geral é muito presente no pensamento estratégico anglo-saxão e se baseia na noção de que potências marítimas não são tão ameaçadoras quanto aqueles países com grandes exércitos.

13. Kindleberger (1986).

14. Gilpin (1981).

15. De modo interessante, o argumento de Gilpin sobre a relação entre política, economia e guerra no sistema influenciou pesadamente as ideias de Giovanni Arrighi (1994), que, entretanto, substitui a base ortodoxa pela marxista na sua análise da dimensão econômica. Para Arrighi, assim como para Gilpin, é a paz e a estabilidade trazida pelo *hegemon* que permitem o progresso econômico (a chamada "expansão material" ou fase D-M do ciclo capitalista). Quando o poder econômico e político do *hegemon* passam a ser contestados, o sistema econômico entra em crise, cuja fase final é o de uma "guerra de trinta anos". Nesse caso, também de maneira análoga ao que propõem Gilpin e Kindleberger, a guerra aparece como uma crise sistêmica e como a antítese da evolução política e econômica anterior, introduzida pelo *hegemon*.

ocorre, ela é assim algo que advém de uma *crise*, seja na operação da balança de poder, seja da moral internacional ou do sistema econômico. Quando a crise não ocorre, a guerra e sua lógica não possuem qualquer relação com o que se passa no domínio da economia, da política interna ou, crucialmente, na dinâmica de ascensão e queda dos estados na hierarquia do sistema. Na realidade, devido ao foco realista na estabilidade do sistema, ele tem muito pouco a dizer sobre por que os estados ascendem. E, na perspectiva dos ciclos hegemônicos, a que mais tem a dizer sobre a evolução do sistema e a conexão entre política e economia, a guerra não desempenha papel central, exceto como uma fase de transição entre hegemonias estáveis. Finalmente, em todas as perspectivas realistas, de Morgenthau até Gilpin, a guerra pode teoricamente ser completamente evitada, caso se encontre presente a moral ou o *hegemon* adequado. Nesse caso, ela permanece apenas como uma possibilidade, uma espécie de fantasma que, caso encarnado, pode causar a destruição do progresso social, econômico e político.

Ainda que na teoria política internacional a guerra seja vista de forma negativa ou como uma doença crônica do sistema, outras perspectivas perceberam o impacto criativo da guerra. Max Weber[16] indicou que o esforço de guerra foi o grande impulsionador do processo de eliminação do estamento, ampliação da importância dos juristas e do conhecimento racional na gestão do Estado. O ponto culminante dessa evolução seria a burocracia moderna, baseada em normas racionais e hierarquizada segundo desempenho e eficiência, e não mais de acordo com critérios honoríficos ou místico-religiosos. Segundo Weber, a burocracia moderna seria acompanhada pelo surgimento de um campo político profissional, que substituiria o monarca na direção final do Estado. Por sua vez, o processo de burocratização e profissionalização política permitiria, via incorporação de normas racionais e do direito absoluto à propriedade, o desenvolvimento da mentalidade capitalista fundamentada no cálculo de custos e prejuízos e na valorização do trabalho e da acumulação material.

A trilha proposta por Weber sobre a relação entre a guerra e a institucionalidade moderna depois foi seguida pelos autores da chamada abordagem belicista ao problema da constituição do Estado. Em linhas gerais, a tese belicista propõe que o Estado moderno teve suas origens no ambiente geopolítico da Europa Medieval, no qual as unidades políticas viviam uma situação de conflito, ou ameaça de conflito, constante. À medida que os custos, em homens e dinheiro, das guerras e do aparato bélico aumentavam, acompanhando as sucessivas revoluções nos assuntos militares, os príncipes passaram a necessitar de mecanismos capazes de extrair tais recursos das populações e territórios sob seu controle. Por um lado, a própria

---

16. Weber (2004).

formação de forças militares profissionais viabilizava, através da coerção, a obtenção de recrutas e de fundos. Todavia, somente a força se mostrou insuficiente nessa empreitada, e assim os governantes dos estados territoriais tiveram que se envolver em negociações com os súditos, pelas quais o governo direto, o recrutamento e os impostos foram aceitos como contrapartida da concessão e garantia de uma miríade de direitos e instituições representativas para os povos e organizações subordinados à autoridade central. A fase final nesse processo, denominado na abordagem belicista de "ciclo extração-coerção", foi a consolidação da vinculação do indivíduo ao Estado através do nacionalismo, nas suas diversas formas[17].

Os belicistas apresentam uma perspectiva distinta sobre a guerra com relação aos teóricos políticos. Entretanto, assim como os últimos, definem a guerra como centrada na violência física, e têm como preocupação central a formação das instituições burocráticas, seguindo a agenda de pesquisa proposta por Weber. Dessa forma, os autores da corrente não avançam decisivamente sobre outros temas relevantes, como a relação entre guerra e desenvolvimento econômico, o problema da ascensão nacional de estados específicos ou a evolução do próprio sistema. Charles Tilly[18], por exemplo, entende as condições econômicas como um dado, que ele chama de "geografia do capital", e a partir daí as relaciona com os instrumentos coercitivos militares e os aparatos fiscais do Estado. Ademais, seu foco é no problema como as unidades políticas se homogeneizaram em torno do modelo padrão de Estado nacional, e não o porquê de alguns desses estados terem se tornado mais relevantes. Ou como sua ascensão, através da guerra, levou a diferentes configurações do sistema interestatal.

O problema da relação entre a guerra e o conflito entre os estados nacionais e a dinâmica de evolução econômica e ascensão nacional é mais bem-analisado por William McNeill[19]. Muitas vezes adentrando mais no nível da política e dos pequenos processos do que Tilly, McNeill demonstra como a preparação para a guerra levou a um conjunto de inovações tecnológicas e organização social, identificando no paradigma de guerras totais vigente a partir do século XIX as origens da revolução gerencial que caracterizou a economia do século XX. Ao mesmo tempo, o processo de inovação doutrinária e tecnológica apoiada na guerra leva tanto à rearticulação dos interesses econômicos internos em torno do complexo industrial-militar quanto à própria vitória e ascensão internacional dos estados inovadores. Esse é o caso paradigmático da Inglaterra, que se apoiou fortemente no sistema político, econômico e tecnológico cuja ponta de lança e peça-chave era

---

17. Centeno (2002), Barkley e Parikh (1991).
18. Tilly (1996).
19. McNeill (1982).

sua marinha de guerra. Observando o caso inglês, Eric Hobsbawm[20] também percebe a íntima relação entre o aparelho bélico e a revolução industrial. Assim, foi só a demanda por artigos avançados, especialmente aqueles produzidos pela indústria metálica, gerada pela marinha britânica nas suas guerras contra a França no século XVIII, e a demanda gerada pela conquista militar da Índia nesse mesmo período, que permitiram a indústria britânica realizar seu grande salto de produtividade. A relação entre guerra e industrialização também pode ser verificada no caso americano, no qual, de acordo com Nicholas Trebat[21], a demanda militar foi essencial para a instalação e disseminação produtiva e tecnológica do setor de peças intercambiáveis, além da implantação da malha ferroviária nacional.

McNeill, Hobsbawm e Trebat buscam incorporar o papel da guerra na dimensão econômica, seguindo o caminho aberto por Tilly na esfera político-institucional. Entretanto, como todos, continuam com um foco praticamente exclusivo na dimensão militar. Isso é especialmente evidente no caso de McNeill, que contrapõe o impacto econômico da guerra ao livre-funcionamento dos mercados, apoiado ocasionalmente pelas próprias potências vencedoras. De forma contraditória à lógica da conquista e violência descritas quando o foco é a empresa militar, a esfera econômica teria como característica básica e normal o livre-mercado. Ainda que o autor reconheça que o impacto da guerra acabou, especialmente a partir do século XIX, por estabelecer economias de comando e planejamento centralizado, sua defesa da ideia de economia como naturalmente associada a trocas pacíficas denota uma dificuldade em entender formas não militares de conflito entre os estados.

A visão de McNeill de uma economia baseada no livre-mercado apoiando a eficiência militar não é a única possibilidade para entender a relação entre guerra, riqueza e desenvolvimento. Fernand Braudel[22] de fato propôs que a própria natureza do capitalismo se baseia na subversão da concorrência de mercado pelo grande capital associado ao poder político. Braudel ainda acrescenta que, a partir dos séculos XVI e XVII, essa associação tomou a forma de um mercado nacional, recortado, pelo poder do Estado, de dentro dos "jogos das trocas" cosmopolitas que dominavam a economia europeia até então. Braudel, entretanto, não procura ligar sua ideia de mercado nacional e monopólio politicamente construído com o problema da guerra. Isso é feito posteriormente por Jose Luís Fiori[23], que contrapõe a economia-mundo europeia medieval com uma política-mundo caracteriza-

---

20. Hobsbawm (1999).
21. Trebat (2011).
22. Braudel (1987, 2005).
23. Fiori (2004, 2008, 2014).

da por diversos tabuleiros de guerras, como por exemplo o ibérico, o franco-britânico, o nórdico e o germânico. Na visão de Fiori, a pressão das guerras desses tabuleiros, unificados em um só no século XVI durante o que Paul Kennedy chamou de "tentativa de domínio Habsburgo"[24], levou à evolução institucional político-administrativa como apontada por Charles Tilly. Entretanto, crucialmente, também gerou uma atuação econômica estatal que foi um dos pilares do desenvolvimento capitalista moderno: os estados europeus extraíram recursos para pagar pelas guerras, mas no processo criaram sistemas de financiamento, de proteção ao mercado nacional, de monopolização colonial e, finalmente, de inovação tecnológica que acabaram por ultrapassar a função de meros apoiadores do poder militar. Na realidade, o que passou a partir do século XVII foi a transformação sistemática dos instrumentos financeiros e comerciais em uma arma de competição entre os estados nacionais.

A utilização da economia como uma arma inserida dentro do poder nacional e utilizada na competição interestatal juntamente com o poder militar ou mesmo ideológico se deu de maneiras diferentes, dependendo do Estado e da conjuntura em questão. A Inglaterra e os Estados Unidos lograram formar espaços econômicos, articulados ao seu poder militar através das suas moedas e sistemas financeiros nacionais, de escopo efetivamente global. Entretanto, o alcance mundial desses espaços, com a criação correspondente de padrões monetários globais baseados na libra e no dólar, respectivamente, não os tornam líderes cuja função é defender uma ordem liberal estável, como para Gilpin, ou ampliar a acumulação capitalista *per se*, como em Arrighi. Tanto Inglaterra quanto Estados Unidos continuam sendo estados prioritariamente interessados na expansão do próprio poder, e assim na neutralização de seus inimigos, o que pode requerer, como no caso americano pós-1971, a destruição de instituições e práticas anteriormente associadas à própria hegemonia dos Estados Unidos. Crucialmente, nessa busca pelo poder, as armas econômicas são importantes e decisivas por si mesmas, ou seja, não entram na competição interestatal apenas como suporte ao poder militar. Assim, a quebra do sistema Bretton Woods, a manipulação estratégica no preço do petróleo e os choques de juros realizados pelos Estados Unidos no pós-1979 foram formas econômicas de neutralizar estados competidores e assegurar a primazia de Washington no sistema internacional[25].

A relação entre economia e poder nacional é encontrada também em um conjunto de outros estados que nunca lograram a posição hegemônica. Em todos eles se desenvolveram, independentemente de qual classe ou segmento social

---

24. Kennedy (1989).
25. Fiori (2004).

detinha a hegemonia política, uma perspectiva e um projeto que entendiam a economia como um instrumento do poder de Estado e de resposta a desafios geopolíticos. Na execução desse projeto, por sua vez, os estados frequentemente violam de forma sistemática preceitos econômicos ortodoxos, sustentando no longo prazo níveis de gasto e de déficits que não seriam viáveis segundo a lógica econômica convencional[26].

A constante competição militar e econômica entre os estados resulta tanto na ascensão de alguns deles, vitoriosos nos seus enfrentamentos geopolíticos, quanto na modificação e reestruturação do sistema como um todo, no que Fiori denominou, em uma analogia física, de "explosões expansivas"[27]. Essas explosões do sistema acarretam a inclusão de novos territórios e populações no sistema, mas também a sofisticação e complexificação institucional e econômica, e crucialmente a expansão do número de estados que o integram.

A perspectiva de Fiori avança em pontos deixados em aberto por Tilly, McNeill e outros. Ao não se prender à ideia de paz, estabilidade sistêmica ou de competição interestatal restrita ao plano militar, Fiori logra ver de forma integrada a ascensão nacional, o processo de desenvolvimento econômico e político interno e a mudança do próprio sistema. A perspectiva do autor, ao mesmo tempo, se distancia do paradigma de guerra baseado exclusivamente na força física e se aproxima de uma concepção de conflito mais ampla, compatível com aquela que paulatinamente se desenvolveu no pensamento estratégico do século XX.

Elementos para um entendimento ampliado de guerra no pensamento estratégico

Clausewitz propôs coerentemente uma definição de estratégia ligada à sua concepção de guerra. Para o autor, a estratégia seria a arte da utilização das batalhas para atingir o fim político da guerra, enquanto que a tática seria a condução da própria batalha. Assim como sua concepção de guerra, a definição de estratégia proposta em *A guerra* se tornou tremendamente influente. De acordo com Liddell Hart[28], isso acabou levando, associada à ideia de Guerra Absoluta contida no capítulo inicial, os estrategistas a focarem acima de tudo no confronto e na busca pela chamada "batalha decisiva", na qual o exército adversário se torna incapacitado. O resultado geral, ainda de acordo com Hart, pode ser visto na Primeira Guerra Mundial, dominada por estratégias de atrito, ou seja, focadas no emprego

---

26. Fiori (2014).
27. Fiori (2008).
28. Hart (1967).

de toda força disponível diretamente contra os pontos fortes do corpo do inimigo, ou seu "centro de gravidade".

A percepção generalizada de que as operações militares da Primeira Guerra resultaram em grandes desastres humanos e econômicos fizeram com que os debates estratégicos e o desenvolvimento da tecnologia militar fossem dominados, nos anos de 1920 e 1930, por tentativas de superar as batalhas de atrito. Os estrategistas então começaram a enfatizar meios de atacar a base material e psicológica do adversário dispensando o uso dos exércitos, ou pelo menos reduzindo drasticamente sua necessidade. Assim, Giulio Douhet[29] propôs sua teoria do poder aéreo, segundo a qual o impacto psicológico, econômico e político do bombardeio da infraestrutura e das áreas urbanas do inimigo pela força aérea levaria a sua rendição sem o engajamento no campo de batalha. Antes dele, Thomas Edward Lawrence[30], apoiando-se na própria experiência durante a guerra no deserto contra o Império Otomano, criticou o pensamento focado na batalha. De acordo com Lawrence, pelo menos no caso da guerra insurrecional, a ênfase não deveria ser na violência física ou na força armada, mas sim na propaganda e no uso de instrumentos psicológicos para afetar a mente tanto dos combatentes quanto da população civil.

Dentre as tradições de pensamento militar mais férteis que examinam o problema da relação entre a violência e a guerra, entretanto, está aquela que remonta à chamada "abordagem indireta" proposta por Liddell Hart na sua tentativa de apresentar uma alternativa aos confrontos sangrentos característicos da Primeira Guerra Mundial. Hart apontou que a batalha decisiva, ou o foco na força principal do adversário, não era a melhor maneira de derrotar o adversário. Ao contrário, a melhor forma de vencer seria pelo ataque à retaguarda, contornando a força principal, em uma linha que combinava o máximo de surpresa e o mínimo de força ou preparo do exército oponente. O objetivo supremo da "abordagem indireta" não é eliminar o exército combatente, mas destruir o equilíbrio psicológico do comando adversário e reduzir ou eliminar seu controle sobre as forças a ele subordinadas[31].

Mais recentemente, o coronel americano John Boyd sofisticou o foco intelectual e "estrutural" das operações militares. Para Boyd, o combatente toma todas as decisões em um conflito passando por uma série de etapas, nomeadamente, observação, orientação, decisão e ação. Quem conseguisse passar de forma mais rápida e efetiva por esse ciclo (Ooda) conseguiria dominar o conflito ao forçar o adversário a operar com base em informações ultrapassadas. Isso pode ser atingido

---

29. Douhet (1983).
30. Lawrence (2008).
31. Hart (2008).

em um combate convencional ampliando a mobilidade das forças combatentes ou melhorando seus sistemas de informação[32].

Boyd ainda operava dentro de um paradigma tradicional de guerra, em que o foco havia se deslocado da visão clausewitziana da batalha decisiva na direção da abordagem indireta e do impacto psicológico das operações, mas no qual as forças militares e a violência física ainda eram indispensáveis. Posteriormente, todavia, William Lynd e colaboradores propuseram que esse paradigma, assim como as próprias forças militares, estaria sendo rapidamente ultrapassado[33]. De acordo com os autores, as forças armadas modernas são filhas da primeira geração da guerra, surgida no século XVII e baseada em campos de batalha ordenados. Como resultado, as organizações militares enfatizam o adestramento, a disciplina e a obediência de seus componentes. Nos séculos seguintes, o combate teria passado por uma segunda geração, com foco na artilharia, e por uma terceira geração, cuja maior expressão é a mobilidade e a abordagem indireta.

Em todas essas gerações observa-se uma progressão continuada na direção do atingimento dos objetivos, *contornando o exército adversário*, ao invés de buscar confrontá-lo diretamente de acordo com o paradigma da primeira geração e com a teorização da guerra proposta por Clausewitz. A consequência lógica dessa progressão leva ao que os autores chamaram de Guerra de Quarta Geração. Esse tipo de conflito é caracterizado pela superação da centralidade dos conceitos de linha de frente e de exército profissional. Em vez disso, as operações buscam atacar diretamente a sociedade civil e a infraestrutura política do adversário, utilizando para tanto o controle da informação e dos órgãos de mídia, e empregando táticas de guerra irregular. Em uma guerra de quarta geração não existe logística centralizada nem comando no sentido tradicional, tendo os combatentes alta autonomia decisória e operacional. Além disso, não existe distinção entre forças militares e civis, sendo ambas consideradas combatentes em potencial. De fato, os autores apontam que, neste paradigma, redes de televisão são mais importantes para a vitória do que divisões blindadas, as protagonistas da geração anterior de conflito. Consequentemente, também não existe uma distinção entre paz e guerra no sentido tradicional: A guerra de quarta geração pode ser iniciada e dar seus primeiros passos sem qualquer manifestação formal, e, no limite, do conhecimento do alvo, pois a violência física, quando empregada, não tem como protagonista as forças armadas regulares. Além disso, a vitória não se dá nem pelo reconhecimento oficial pelo oponente nem pela tradicional ocupação militar do território, mas sim pelo colapso interno e consequente neutralização do adversário.

---

32. Boyd (1976).
33. Lynd et al. (1989).

A guerra sem violência física, apesar de parecer contraintuitiva, é, na visão do Coronel Richard Szafranski, uma correção necessária da teoria estratégica, que deriva da forma de operação do cérebro e do pensamento humano[34]. De acordo com a visão trinitária do cérebro, este órgão seria composto de três diferentes camadas, sendo a primeira a reptiliana, a segunda a peleomamífera e a terceira o neocórtex. As duas primeiras seriam responsáveis pela agressividade natural e pela vida emocional, e se confundem com as lutas individuais e os conflitos entre bandos primitivos. A guerra, entretanto, é uma atividade diferente desses conflitos primários, pois ela envolve principalmente o neocórtex, a camada cerebral responsável pela criatividade e o pensamento racional. Assim a guerra teria como objetivo modificar as vontades emanadas dessa terceira camada que poderíamos identificar com a vontade política.

Na perspectiva de Clausewitz, a modificação da vontade do adversário somente poderia ser obtida através do emprego da violência física. Essa abordagem, apesar de poder ser bem-sucedida, apresenta algumas falhas, como o gasto de quantidades de tempo e recursos materiais gigantescos na aplicação de meios de destruição e no fato de que historicamente a violência física neutraliza a volição política no curto prazo, mas a amplia no longo, agravando o problema que a guerra procurava resolver. Assim, Szafranski propõe que utilizemos um conceito de guerra diferente daquele elaborado por Clausewitz, um que enfoque o controle *metafísico*, e não a destruição *física*.

> *E se considerássemos a guerra não como a aplicação da força física, mas como a busca de controle metafísico? E se adotássemos a possibilidade de que a guerra possa ter a ver tanto ou mais com a ideia da força de vontade e de não lutar do que com a ideia de força física e luta?*[35]

A partir da sua ideia de dissociação da guerra com a violência física, Szafranski propõe que a guerra deve ser entendida como qualquer atividade hostil contra o alvo, com o objetivo de fazê-lo se comportar da maneira pretendida pelo agressor. Para isso, o ideal seria promover o ataque direto ao "neocórtex" da liderança adversária, utilizando como arma fundamental a informação. Os alvos específicos são a epistemologia, ou seja, a organização, estrutura e métodos de conhecimento do adversário, bem como seus sistemas de conhecimento, que conectam sensações com realidades percebidas, e sistemas de crenças, ou orientações subconscientes que interpretam os dados empíricos e são influenciadas pela cultura e pela ideologia. O máximo da habilidade (*"the acme of skill"*) nesse tipo de guerra seria a capacidade de conduzir operações que dispensassem completamente a violência física e

---

34. Szafranski (1997).
35. Szafranski (1997, p. 399).

produzissem o controle da percepção e das decisões do alvo *sem que este percebesse que está sendo influenciado*. Uma versão menos perfeita da guerra informacional seria a capacidade de induzir o adversário a tomar decisões contrárias a sua intenção ou vontade política.

Obviamente, na guerra de informação as operações não se limitam ao "estado de beligerância" formal, e nem a morte ou destruição do adversário. Ao contrário, é um conflito inevitável e permanente, podendo ser não percebido pela população e mesmo por parte ou o todo da liderança adversária. Nesse conflito, armas não são o equivalente do poder, o que deriva como imperativo à substituição das forças armadas por "forças de segurança nacional", a corrida armamentista pelo desenvolvimento de métodos de agressão não letais, e a manutenção da violência física apenas como bisturi para afetar a psicologia do adversário.

Szafranski afirmou que a guerra de informação, ou neocortical, descrita por ele, não se limita apenas à dimensão cibernética, podendo ser empregada mesmo contra sociedades pré-industriais via canais mais tradicionais de propagação das mensagens estratégicas. Arquilla e Rondfeldt, por sua vez, defendem que o caminho mais efetivo para travar uma guerra dentro do paradigma inaugurado pela chamada "Quarta Geração" de conflito são as redes, estruturas que não possuem hierarquia formal e se organizam em torno da reputação de seus integrantes e da troca constante de informações[36]. De acordo com Korybko[37], o poder sobre a disseminação de informações e a capacidade de estruturar redes são instrumentos essenciais em operações de desestabilização de governos hostis. Para o autor, tais operações visam à transformação de parte da população em "enxames" de manifestantes descontentes, que então atacam as forças de segurança, criando um ambiente propício para a intervenção militar direta. Essa "guerra híbrida" perpassa, assim, a dimensão política interna, informacional e militar, unificando ações em campos distintos em torno do objetivo comum da destruição da soberania do alvo.

Refletindo sobre essas contribuições, Darc Costa argumenta que a guerra não se limita à violência; contrapõe-se implicitamente à definição de Clausewitz, quando coloca:

> O recurso à violência na busca ao poder é o que tem caracterizado o conceito de guerra. Contudo, a guerra é um fenômeno muito mais abrangente do que o conflito armado. Guerra só existe se houver choque de vontades, tem que haver uma dialética de vontades. Entretanto, uma vontade não necessita, obrigatoriamente, de se explicitar formalmente. Influir psicologicamente não é apenas determinante no conflito político,

---

36. Arquilla e Rondfeldt (1997).
37. Korybko (2014).

mas também o é na guerra, que é, fundamentalmente, uma batalha pela alma e pela vontade do adversário. A guerra não deve ser vista como a conquista do terreno ou de determinadas posições. Apossar-se do terreno e conquistar certas posições são apenas instrumentos para se estruturarem de forma prevalente os desejos expressos na vontade de alguém sobre a vontade de outrem. Enquanto esse objetivo não for atingido, a guerra não será vencida. Repetindo, o que importa são os desejos expressos na vontade de alguém sobre a vontade de outrem[38].

Coerentemente com tal definição, Costa busca diferenciar a estratégia militar, focada na violência física, da estratégia de guerra, que inclui outros instrumentos voltados para a destruição da vontade do adversário, entre elas as operações psicoinformativas. É dessa visão holística de guerra que o autor extrai sua concepção de guerra híbrida, vista como a articulação de todos os instrumentos possíveis, militares ou não, no esforço empreendido contra o adversário[39].

Além dos elementos psicológicos, ideológicos, de propaganda e mobilização de massa elencados acima, é especialmente interessante o emprego de meios econômicos como instrumentos de guerra. Assim, Robert Blackwill e Jennifer Harris apontam que, nos últimos anos (simultaneamente ao desenvolvimento do que chamamos aqui de "guerra de quarta geração"), também se fortaleceu o que eles denominam de práticas geoeconômicas, ou seja, o uso da economia pelos estados para a consecução de objetivos de segurança e política externa[40]. Os meios de poder econômicos à disposição dos estados são diversos. Alguns são tradicionais e de percepção relativamente fácil (ainda que não óbvia em muitos casos), como, por exemplo, a articulação de blocos comerciais que excluam alvos geopolíticos, práticas comerciais discriminatórias, como a proibição de compra de produtos de países considerados hostis, e promessas de investimento em troca de concessões nas esferas diplomática e militar. Outras são mais complexas e

---

38. Costa (2017, p. 4).

39. Como coloca Costa: "Seguindo o conceito moderno, a estratégia de guerra é muito mais a arte de empregar o poder como tal, seja como força, seja como influência de qualquer outro tipo, para se atingir objetivos políticos. **A guerra híbrida** *é o emprego do poder através de um conjunto de intervenções de toda ordem preparada sobre um Estado Nacional, para exercer um fim fundamentalmente político. Ou qualquer tipo de agressão organizada que procura causar dano a um Estado Nacional, buscando desestruturá-lo, transformando-o em um estado falido, com o fim de apropriar-se de seu território, e/ou de seu imaginário coletivo, e/ou de seus recursos. Pode-se considerar que a guerra híbrida é um conflito no qual todos os agressores exploram todos os modos de guerra, simultaneamente, empregando armas convencionais avançadas, táticas irregulares, tecnologias agressivas, terrorismo e criminalidade,* **visando desestabilizar a ordem vigente em um Estado Nacional**" (COSTA, 2017, p. 9 – grifos nossos).

40. Blackwill e Harris (2016).

de difícil detecção, sendo muitas vezes empregados vários meios de projeção de poder de forma integrada.

Nesse sentido, uma empresa pode ser utilizada para ganhar influência política e econômica sobre um país, de modo a moldar as escolhas dos dirigentes. Para garantir o sucesso da penetração dessa empresa, seu Estado de origem pode empregar armas cibernéticas, sabotando instalações ou os projetos de pesquisa e desenvolvimento dos concorrentes, coletando informações confidenciais sobre negociações em curso, ou mesmo chantageando os governos responsáveis por regular ou comprar os serviços da companhia em questão. Empresas nacionais também desfrutam da vantagem advinda do poder militar do seu Estado de origem, da sua política de assistência econômica e, de forma decisiva, do apoio do seu sistema financeiro nacional na forma de crédito barato e farto, todos articulados de modo a garantir a possibilidade de sustentar a competição com outros concorrentes comerciais e estatais. O resultado é que, na atual conjuntura, é difícil distinguir entidades e lógicas econômicas e comerciais da esfera político-estratégica dos estados, sendo a conquista de posições em uma área ligada ao sucesso na outra, e vice-versa.

Blackwill e Harris têm um posicionamento crítico em relação à economia ortodoxa, que na visão dos autores teria contribuído para a dificuldade em se entender e praticar a chamada geoeconomia. Todavia, dentro da própria ciência econômica, a utilização estratégica do capital e dos mercados tem uma longa trajetória. De fato, em algumas formulações clássicas é impossível separar o desenvolvimento econômico da geopolítica e da guerra. Paradoxalmente, depois dos mercantilistas, o primeiro a estabelecer a ponte entre o desenvolvimento e a guerra foi justamente o chamado pai do liberalismo econômico, Adam Smith, em uma formulação que influenciou a discussão posterior e segue relevante.

Para Adam Smith, a riqueza nacional é medida pela produtividade e pela renda *per capita*. A acumulação se inicia com a ampliação do mercado, o que permite o aprofundamento da divisão do trabalho, e com isso maior destreza dos operários, a redução do tempo entre as atividades e a implantação de maquinário. Com isso aumenta-se a produtividade e, portanto, o lucro do capitalista, que o reinveste na produção devido à concorrência. O reinvestimento, ou aumento do capital, emprega trabalhadores ociosos e aumenta o salário dos trabalhadores ativos. A ocupação de novos trabalhadores e o aumento do salário dos já ocupados ampliam indiretamente o mercado, ao incentivar o crescimento demográfico, e diretamente através da ampliação do consumo. A ampliação do consumo, e do mercado, estimula novo aprofundamento da divisão do trabalho, reiniciando o ciclo de crescimento[41].

---

41. Smith (1988).

O que é importante notar aqui é que o processo de crescimento através da divisão do trabalho não tem o capitalista ou as entidades privadas como seus maiores promotores. Na visão de Smith, os lucros podem diminuir proporcionalmente aos salários, e ainda assim a economia acelerar. Na realidade, essa seria a tendência natural, e os países ricos seriam aqueles com a menor taxa de lucro[42]. Tendo em vista a relação inversamente proporcional entre lucros e crescimento, não é possível dizer que o crescimento econômico pode ser atribuído a uma lógica "capitalista", ou de maximização do ganho material por parte do empreendedor individual ou de sua classe. O capitalista é apenas mais uma peça na engrenagem, assim como o trabalhador. Na realidade, dentro do esquema de Smith, quem adquire a centralidade no processo de acumulação é o Estado: em primeiro lugar, é pela sua ação que se mantém a concorrência, impedindo os capitalistas de seguirem sua tendência natural e instituírem monopólios na economia, forçando-os a reinvestir seus lucros. Além disso, é o Estado que cria e mantém as instituições que beneficiam a sociedade como um todo, mas são custosas demais para a empresa individual, como escolas técnicas e obras de infraestrutura. Tais iniciativas estatais são essenciais para manter e aprofundar a divisão do trabalho, e para ampliar a produtividade do capital, que é a base da acumulação para Smith.

A centralidade conferida por Smith ao Estado no processo de acumulação leva à questão do que moveria a atuação econômica desse ator. Segundo o próprio Smith, a principal preocupação do Estado, dado que "o poder é mais importante do que a opulência", é a defesa nacional. Teoricamente, portanto, toda a atuação econômica estatal estaria voltada sobretudo para o objetivo de travar a guerra. Daí por que o autor escocês dedicar-se a questões estratégicas, defendendo a ideia de que seria o desenvolvimento da capacidade produtiva, permitida pela acumulação descrita acima, e não o ouro, o que realmente é responsável por suprir os exércitos nos campos de batalha. Ao mesmo tempo, como a marinha mercante era a base do poder naval, elemento fundante da segurança do Reino Unido, Smith defendia os atos de navegação e seu objetivo de fundo, manter uma capacidade econômica assimétrica frente às demais potências. Finalmente, Smith defendia

---

42. A compressão dos lucros como resultado inescapável e desejável do processo de desenvolvimento não constitui uma contradição porque Smith se baseia em uma teoria de rendimentos crescentes. A chave é que, com a intensificação da divisão do trabalho, da tecnologia e da qualificação dos trabalhadores, a produtividade do capital, ou o produto social que resulta do reinvestimento do capital, aumenta. Apenas a parcela do seu rendimento que é apropriada pelos capitalistas diminui. Todavia, essa parcela, ainda que menor, tem uma produtividade mais alta, e quando reinvestida continua elevando o produto, inclusive em aceleração – ou seja, para Smith, o capital investido em um nível baixo de acumulação e de divisão de trabalho. Ao mesmo tempo, os capitalistas individuais, mesmo tendo seus lucros comprimidos, são forçados a continuar reinvestindo para obterem lucros cada vez menores devido à concorrência (SMITH, 1989; ARRIGHI, 2008).

proteções e subsídios estatais para garantir a total autossuficiência no fabrico de itens militares.

Como já vimos, William McNeill explorou a fundo a questão do impacto econômico da indústria bélica. Entretanto, a centralidade do Estado no desenvolvimento integral do país permite pensar teoricamente em uma relação muito mais ampla entre guerra e economia. Nesse sentido, no caso de uma guerra, o Estado não tem como preocupação só o suprimento do exército, mas de toda a população civil, dada a ameaça de bloqueio. Além disso, o desenvolvimento e fornecimento de armamentos, assim como de soldados e oficiais, não são restritos à indústria militar, mas uma função do desenvolvimento da ciência, tecnologia, sistema educacional e industrial do país como um todo. Finalmente, a divisão do trabalho gerada pelo programa de desenvolvimento industrial, bem como a rede de transporte e as instituições educacionais, garantem um nível muito superior de coesão nacional capaz de ser mobilizado para a guerra. É isso que aponta Friedrich List, quando afirma que o potencial de guerra de um país não é limitado a fábricas e requerimentos militares:

> Pela segunda exceção citada *(defesa nacional)*, Adam Smith na realidade justifica não somente a necessidade de proteger as manufaturas que atendem às exigências específicas da guerra – como por exemplo as fábricas de armamentos e de pólvora –, mas todo o sistema protecionista, tal qual o compreendemos; com efeito, com o estabelecimento de uma força manufatureira própria em um país, a proteção à indústria nacional tende a aumentar a população do país, sua riqueza material, seu poderio em maquinaria, sua independência e toda sua força intelectual e, portanto, seus meios de defesa nacional, de maneira infinitamente mais eficaz do que poderia fazê-lo simplesmente fabricando armamentos e pólvora[43].

Apesar de altamente crítico a Smith em todo o seu trabalho, ao fazer essa crítica e propor um conceito mais amplo de potencial de guerra, List está sendo fiel ao sistema smithiano: se o desenvolvimento do país como um todo é dependente, em grande medida, da atuação do Estado, e o Estado se preocupa sobretudo com a guerra, a guerra não se paga com ouro mas com capacidade produtiva, e o protecionismo é justificável em se tratando de defesa, então a economia da nação é sobretudo pautada pela guerra. O livre-comércio só existe, tanto para Smith quanto para List, nas ocasiões em que não afeta a soberania nacional.

A conclusão a que se chega sobre o pensamento de Smith e List é que a economia, em especial o desenvolvimento econômico, é inseparável da defesa e da guerra.

---

43. List (1983, p. 215).

Nesse sentido, os projetos econômicos têm sempre uma base geopolítica, como lembra List ao afirmar que a união alfandegária alemã deveria incluir as bocas dos rios que ligavam o país aos oceanos e coincidir com as cadeias montanhosas, de modo a facilitar a defesa do território. A referência geopolítica e estratégica do desenvolvimento faz com que esse fenômeno não se adeque à lógica comum do mercado, como propõem os economistas liberais, mas seja regido pelos requerimentos dados pelo perfil do adversário que o Estado enfrenta. Nesse sentido, a orientação do programa de desenvolvimento é definida de acordo com a contribuição que a dimensão econômica deve dar para a neutralização dos adversários do país, o que inclui o suporte para a mobilização militar, assim como para os instrumentos acima descritos, de guerra econômica e ideológica. Ademais, a maior parte dos esforços econômicos voltados para a defesa nacional, como projetos científicos, de infraestrutura ou de indústria pesada, têm caráter dual, ou seja, são utilizados tanto para o fabrico de equipamento militar quanto para uso civil. Esses projetos econômicos associados à defesa dependem, para sua execução, de instituições, as quais também têm caráter dual civil e militar. Logo, a maior parte do impacto da guerra sobre a dimensão econômica não pode ser medida somente pelos custos do combate, nem é limitada à esfera das organizações, armamentos e gastos militares.

Ao mesmo tempo em que o desenvolvimento econômico contribui para o aumento do potencial de guerra interno, seja de atrito ou indireta, a diplomacia repete a mesma dinâmica no plano externo. Assim, a criação de alianças representa um fortalecimento do potencial de guerra do país, o que Waltz chamou de "balanceamento externo"[44]. Portanto, a diplomacia, assim como a economia, acaba tendo que se submeter à lógica estratégica, por sua vez derivada do perfil do adversário que o Estado enfrenta.

A relação entre a dimensão econômica e diplomática e a guerra, além de ser ampla, é estreitamente mútua. Ou seja, os requerimentos estratégicos, como colocamos acima, moldam por definição os programas de desenvolvimento econômico e a política externa. O fortalecimento do potencial, por sua vez, tem efeito direto no embate entre os estados, que não depende de sua utilização "efetiva" em uma guerra aberta. O que ocorre é que os estados definem sua política e, crucialmente, decidem se irão manter ou não uma linha desafiadora frente a seus adversários, através do cálculo da força relativa. Tal cálculo se baseia em uma estimativa ampla do poder militar do adversário em questão, que reúne não só a ordem de batalha prevista, mas as condições nas quais se dará o en-

---

44. Waltz (1979).

gajamento militar, incluído aí o potencial de guerra, econômico e diplomático. Como coloca Edward Luttwak:

> As percepções da força militar, tanto concreta como potencial, podem evocar a persuasão. Sujeita à duração prevista de qualquer guerra considerada possível, a capacidade econômica e demográfica das nações considerada disponível para mobilização pode produzir persuasão antecipada ao par, com desconto, ou nada disso. Por exemplo, a crença generalizada comum na década de 1950 de que qualquer guerra americano-soviética seria nuclear desde o início e de muito curta duração teve o efeito de solapar a convicção que os Estados Unidos poderiam ter deduzido de sua capacidade muito superior de mobilização industrial[45].

Nessa relação de persuasão ou dissuasão armada, declarações ou ameaças diretas, sejam públicas ou sigilosas, não são indispensáveis. A única variável determinante é o cálculo, feito pelo Estado com ou sem a ameaça explícita do adversário, sobre a relação de forças. Dado o caráter subjetivo desse cálculo, é inclusive possível que países tenham sua força superestimada ou subestimada, de acordo com a conjuntura. A política armada é assim uma relação constante entre os estados, e não se limita, como apontam algumas perspectivas sobre dissuasão nuclear, a "crises" periódicas, como a crise dos mísseis em 1962. Não somente isso, a política armada latente pode se dar de forma inconsciente, o que abre espaço para alterações no comportamento do adversário sem ações diretas com esse fim. De fato, o poder de persuasão seria mais forte quanto mais distante da ameaça ou uso da força, assim como o poder da polícia internamente é mais presente quanto menos é necessário que os policiais entrem em confronto com os criminosos. Como coloca Luttwak:

> Tentativas abertas de provocar persuasão, positiva ou negativa, mediante exigências declaradas e recusas expressas de tolerar isto ou aquilo são muito raras e é a persuasão latente que é o fenômeno comum. Com efeito, a persuasão provocada silenciosamente pela existência percebida da força armada é geralmente o que mantém a ordem mundial tal como ela é, assim como a existência última dos tribunais e da polícia é o que mantém a propriedade privada. O efeito contínuo silencioso não só é completamente indireto, mas pode também ser inconsciente. As forças armadas são geralmente mantidas a fim de preservar a continuidade institucional para uma possível guerra futura, para repressão interna, ou mesmo por causa da tradição, e só raramente para qualquer propósito deliberado de persuasão[46].

---

45. Luttwak (1987, p. 191).
46. Luttwak (1987, p. 195).

Ao mesmo tempo, os resultados da persuasão estratégica são completamente indistinguíveis daqueles que são obtidos através das operações militares abertas. Ambas podem igualmente subsumir a vontade do adversário, forçá-lo a se submeter, ou destruir sua soberania, mesmo totalmente. Assim, Hitler logrou conquistar totalmente a Áustria, e parcialmente a Tchecoslováquia, usando a persuasão armada, enquanto que utilizou o combate direto para submeter a Polônia. Em todo caso, os resultados foram os mesmos, com a destruição da soberania dos alvos, apenas perseguidas segundo métodos diferentes.

Observando as várias perspectivas estratégicas abordadas até agora, desde Clausewitz até Luttwak, podemos notar diferenças e semelhanças reveladoras. A principal diferença, claramente, se encontra no método do combate. Clausewitz defendeu o uso total dos meios centrados na força física contra o adversário. A partir de Liddell Hart, percebe-se uma tendência à redução progressiva do emprego material das forças, até chegar-se ao ponto no qual elas são utilizadas apenas no plano psicológico, como se desprende do conceito de persuasão armada de Luttwak. Ao longo dessa trajetória, a natureza das forças na guerra também muda, desde o exército focado na violência de Clausewitz, passando pelas forças informacionais e econômicas de Szafranski e de Blackwill e Harris, que, todavia, são diretamente empregadas contra o adversário, até chegar à situação de forças multidimensionais com impacto prioritariamente psicológico.

Existem também dois elementos que permanecem constantes na discussão estratégica: o primeiro é a ênfase na vontade independente do adversário como objeto central da guerra. Para Clausewitz, a vontade do adversário era destruída com seu exército; para os preponentes da abordagem indireta e da guerra de quarta geração, a submissão é atingida pela destruição dos outros meios de poder do alvo. Finalmente, para os preponentes da abordagem psicológica descrita por Luttwak, a guerra pode ser ganha atacando diretamente o cálculo psicológico do adversário, sem nenhuma ação ofensiva contra qualquer recurso material do inimigo.

O segundo elemento constante é que a guerra é vencida através da acumulação de meios de destruição assimétricos frente ao adversário. Para Clausewitz, esses meios se confundiam com o exército no interior do teatro de operações. Posteriormente, os estrategistas passaram a considerar que meios não militares, e mesmo não utilizados materialmente, têm efeito decisivo na guerra. Assim, caso o adversário tenha meios de destruição superiores ao que temos para nos defender, mesmo que esses meios fiquem imóveis nos depósitos militares, ou mesmo na infraestrutura civil, seu efeito psicológico pode ser suficiente para subsumir nossa vontade soberana.

Conclusão

A existência de várias formas, não restritas ao campo de batalha, de modificar a vontade soberana, faz com que seja necessário alterar o próprio conceito de guerra. A guerra não é somente a violência física, mas uma relação essencial e inescapável entre dois poderes soberanos, no qual cada um deles tem como objetivo central a destruição, por quaisquer meios à sua disposição e sem qualquer limitação lógica, da soberania do outro.

A soberania, nessa chave, pode ser comprometida sem qualquer destruição física, e esse é na realidade o ideal da estratégia[47]. A guerra não se diferencia dos outros tipos de conflito social (como a concorrência econômica, p. ex.) por envolver a violência, mas pelo fato de que, sendo seu objeto o bem político supremo, a soberania, tem caráter totalmente desregulado e ilimitado.

A estratégia é a arte do acúmulo de meios de destruição frente ao adversário, que podem ser classificados em três grandes campos. O primeiro, e foco da análise clássica de Clausewitz, é aquele no qual existe nos beligerantes plena consciência da hostilidade do adversário e das armas por ele empregadas, delimitando-se pelo campo de batalha ou teatro de operações. Existe além desse um segundo campo, que se pode denominar interno, e caracteriza-se pelo apoio às forças de linha. Segundo uma concepção mais restrita, o campo interno seria igual às cadeias de fornecimento de armamento, equipamento e soldados para a batalha. Além disso, esse campo só teria um efeito indireto na guerra, que dependeria das forças militares para se concretizar. Entretanto, como coloca List, na realidade esse campo interno vai muito além dos orçamentos militares, mecanismos de tributação ou postos de recrutamento, e envolve toda a infraestrutura econômica, psicológica e institucional da nação. Além disso, como lembra Luttwak, essa infraestrutura pode ter efeito direto sobre a vontade soberana do adversário. Existe, por fim, como pontuam Costa, Szafranski e Lynd, um terceiro campo, que se define pela atuação além da linha de frente e dentro da área de controle do adversário, usando instrumentos econômicos e psicológicos para afetar seu processo decisório e destruí-lo internamente.

---

[47]. Como colocou o clássico chinês Sun Zi: "*Por esta razão, ser vitorioso cem vezes em cem batalhas não é a abordagem mais excelente. A abordagem mais excelente é obrigar as forças inimigas a submeter-se sem nenhuma batalha. [...] Por isso, quem é perito em guerrear faz com que os soldados de seu oponente se submetam sem precisar travar uma única batalha, faz com que as cidades de seu oponente caiam sem precisar atacá-las e destrói o reino de seu oponente sem precisar travar uma guerra prolongada*" (SUN ZI, 2007, p. 83-84).

A guerra, enquanto atividade que se desenrola nesses três campos simultaneamente, não conhece fronteiras, dado que atua no domínio psicológico, econômico, institucional e diplomático, tanto quanto no chamado domínio militar. Mais importante, nessa chave não existe, como acreditam os realistas, qualquer estado de paz no sistema de poderes soberanos. Ainda que não ocorra atividade em campo de batalha, a guerra continua no campo interno e no externo, até que, em determinado momento, irrompe um surto de violência. Entretanto, ela também pode se decidir sem qualquer violência, como foi o que aconteceu na longa guerra entre Estados Unidos e URSS no século XX.

Existem vários desdobramentos de uma concepção ilimitada de guerra. O mais imediato é para a própria instituição militar, que hoje corre o risco de ser derrotada sem nunca entrar no campo de batalha para o qual foi treinada exaustivamente. Para evitar isso os exércitos têm que atuar não só na dimensão tradicional, mas também no campo interno e externo, de modo a se tornarem realmente forças defensivas completas no combate às operações multidimensionais dos estados adversários (que, pela própria natureza da guerra ilimitada, atuam através de grupos diversos, como órgãos de mídia, instituições financeiras, bandos criminais, entre outros). Obviamente, isso exige enormes mudanças nas rotinas e na psicologia militares.

Outro desdobramento é para os analistas sociais, pois por um lado elimina-se a referência da paz da política internacional, além da noção de uma esfera interna pacífica e livre dos males da guerra. Por outro lado, força-se a investigar os impactos da guerra para além da formação das instituições associadas ao suprimento dos exércitos em batalha. Isso significa que a guerra passa a ser um elemento decisivo na determinação da posição dos estados dentro do sistema, que, sendo pautado pelo conflito ilimitado, nunca foi ou será estável. Além disso, as instituições políticas domésticas têm sua criação, operação e, crucialmente, destruição, pautadas pela guerra, mesmo que não sejam diretamente relacionadas com as forças armadas, e as estratégias de desenvolvimento econômico são sempre orientadas por diretrizes geopolíticas, associadas à neutralização de um adversário do Estado.

O maior impacto, todavia, é sobre o campo ético, uma vez que somos acostumados a pensar na paz como a referência ética fundamental. Entretanto, como coloca Fiori, a paz do discurso ético ocidental é um paradoxo intransponível, pois nunca consegue dispensar a guerra para sua realização, e uma vez realizada, para sua manutenção frente à rebelião dos derrotados. Todavia, a guerra também pode ser entendida, em uma linha de pensamento que remonta a Heráclito de Éfeso, como a origem da ética que se produz sempre no conflito, entre aqueles que querem ter seu domínio reconhecido e aqueles que querem assegurar o que entendem serem seus direitos[48]. O desafio passa a ser, então, acatar a guerra plenamente não só como um mal, mas como um elemento essencial e indispensável da política e da sociedade, e, sobretudo, como um encargo essencial de qualquer comunidade ou nação que se propõe a ser soberana.

Referências

ARON, R. *Paz e guerra entre as nações*. Brasília: EdUnB, 2002.

ARQUILLA, J. & RONDFELDT, D. The advent of netwar. In: *In Athena's camp*: preparing for conflict in the Information Age. Califórnia: Rand Corporation, 1997.

ARRIGHI, G. *Adam Smith em Pequim*. São Paulo: Boitempo, 2008.

_____. *O longo século XX*. São Paulo: EdUnesp, 1996.

BARKLEY, K. & PARIKH, S. Comparative perspectives on the State. *Annual Review of Sociology*, vol. 17, n. 1, 1991, p. 523-549.

BLACKWILL, R. & HARRIS, J. *War by other means*: geoeconomics and statecraft. Cambridge/Londres: Harvard University Press, 2016.

BOYD, J. *Destruction and creation*. Washington, DC: US Army, 1976.

BRAUDEL, F. *Civilização material, economia e capitalismo*: século XV-XVIII. Vols. 1-3. São Paulo: Martins Fontes, 2005.

_____. *A dinâmica do capitalismo*. Rio de Janeiro: Rocco, 1987.

CARR, E.H. *The twenty-year crisis 1919-1939* – An introduction to the study of international relations. Londres: Macmillan & Co, 1946.

---

48. Ainda segundo Fiori: "Estimulado por Heráclito, nosso raciocínio inverte radicalmente o consenso 'clássico' e 'moderno': para nós, toda guerra é ética e toda paz é injusta. Ou, pelo menos, toda guerra tem uma dimensão ética, e nenhuma paz conquistada através da guerra será justa, do ponto de vista dos derrotados. Deste ponto de vista, a 'guerra' deixa de ser uma 'caixa-preta' e um 'mal absoluto', que poderia ser utilizado – assim mesmo – como instrumento de promoção do 'bem'. E a 'paz' deixa de ser um 'bem absoluto' que pode ser conquistado, mesmo que seja através da violência e da destruição, segundo o pensamento circular e paradoxal dos 'clássicos' e dos 'modernos'. A guerra é um 'conflito de opostos' que disputam alguma forma de poder e riqueza internacional, mas antes do que isto, é sempre uma luta entre os que querem preservar e os que querem inovar os valores, as normas e os 'critérios éticos' internacionais. Um sistema onde alguns povos mandam mais do que os outros e exigem sua obediência, e os povos que não querem obedecer e, ainda mais, querem seus graus de liberdade e de igualdade, com relação aos 'senhores do mundo'. Por isso, para nós, a 'ética internacional' pode ser definida como um processo contínuo de construção da igualdade, movido pelo desejo de liberdade das nações. Nesse processo, toda 'paz' será sempre um armistício ético passageiro, mesmo que possa durar séculos. E toda ideia de 'paz perpétua' é um sonho inseparável da utopia final da liberdade e da igualdade entre os povos" ("Dialética da guerra e da paz", nesta coletânea).

CENTENO, M.A. *Blood and debt*: war and the nation-state in Latin America. University Park: The Pennsylvania State University Press, 2002.

CLAUSEWITZ, C. *On War*. Princeton: Princeton University Press, 1976.

COSTA, D.A.L. *Novos tipos de guerra*. Rio de Janeiro: [mimeo.], 2017.

DOUHET, G. *The command of the air*. Washington, DC: Office of Air Force History, 1983.

ELIAS, N. *O processo civilizador* – Vol. 2: Formação do Estado e civilização. Rio de Janeiro: Zahar, 1993.

ERTMAN, T. *Birth of the Leviathan*. Cambridge: Cambridge University Press, 1997.

FIORI, J.L.C. *História, estratégia e desenvolvimento*: para uma geopolítica do capitalismo. São Paulo: Boitempo, 2014.

_____. *O mito do colapso do poder americano*. Rio de Janeiro: Record, 2008.

_____. Formação, expansão e limites do poder global. In: FIORI, J.L.C. (org.). *O poder americano*. Petrópolis: Vozes, 2004.

GILPIN, R. *War and change in world politics*. Cambridge: Cambridge University Press, 1981.

HART, B.L. Strategy: the indirect approach. In: MAHNKEN, T. & MAIOLO, J. (eds.). *Strategic Studies*: a reader. Nova York: Routledge, 2008, p. 82-86.

_____. *Strategy*. Nova York: Praeger, 1967.

HINTZE, O. *The historical essays of Otto Hintz*. Nova York: Oxford University Press, 1975.

HOBSBAWM, E.J. *Industry and empire*: from 1750 to the present. Nova York: New Press, 1999.

KENNEDY, P. *Ascensão e queda das grandes potências*. Rio de Janeiro: Campus, 1989.

KINDLEBERGER, C. *The world in depression 1929-1939*. Berkeley: University of California Press, 1986.

KORYBKO, A. *Hybrid wars*: the indirect adaptative approach to regime change. Moscou: Institute for Strategic Studies and Predictions, 2014.

LAWRENCE, T.E. Science of guerrilla warfare. In: MAHNKEN, T. & MAIOLO, J. (eds.). *Strategic Studies*: a reader. Nova York: Routledge, 2008, p. 244-252.

LUTTWAK, E. *Strategy*: The Logic of War and Peace. Cambridge: Belknap Press of Harvard University Press, 1987.

LIST, F. *Sistema nacional de economia política*. São Paulo: Abril, 1983.

LYND, W. et al. The changing face of war: into the fourth generation. *Marine Corps Gazette*, vol. 73, n. 10, out./1989, p. 22-26.

McNEILL, W. *The pursuit of power*: technology, Armed Force and society since AD 1000. Chicago: Chicago University Press, 1982.

MEARSHEIMER, J. *The tragedy of great power politics*. Nova York: Norton, 2001.

MORGENTHAU, H. *A política entre as nações*. Brasília: EdUnB, 2003.

RASLER, K. & THOMPSON, W. War making and the building of State capacity: expanding the bivariate relationship. In: *Oxford Research encyclopedias*, 2012 [Disponível em http://politics.oxfordre.com/view/10.1093/acrefore/9780190228637.001.0001/acrefore-9780190228637-e-642 – Acesso em 24/11/2017].

SKOCPOL, T.; EVANS, P. & RUESCHEMEYER, D. *Bringing the State back*. Cambridge: Cambridge University Press, 1985.

SMITH, A. *A riqueza das nações*: investigação sobre sua natureza e suas causas. São Paulo: Nova Cultural, 1988.

SUN ZI. *The art of war*. Nova York: Columbia University Press, 2007.

SZAFRANSKI, R. Neocortical warfare: the acme of skill? In: ARQUILLA, J. & RONDFELDT, D. (eds.). *In Athena's camp*: preparing for conflict in the Information Age. Califórnia: Rand Corporation, 1997.

TILLY, C. *Coerção, capital e estados europeus*. São Paulo: EdUnesp, 1996.

TREBAT, N.M. *O Departamento de Guerra e o desenvolvimento econômico americano, 1776-1860*. Rio de Janeiro: Uerj, 2011 [Tese de doutorado].

WALTZ, K. *Theory of International Politics*. Massachussets: Addison Welles, 1979.

WATSON, A. *The Evolution of International Society*. Nova York: Routledge, 1992.

WEBER, M. *Economia e sociedade* – Fundamentos da sociologia compreensiva. Brasília: EdUnB, 2004.

Guerras hegemônicas e ordem internacional

Hélio Caetano Farias

Seguindo as contribuições clássicas de Clausewitz[1], infere-se que a guerra é, antes de tudo, um fenômeno social; uma forma de violência organizada e presidida por razões políticas. Tal concepção supera, portanto, seu caráter evidente de embate físico e destrutivo. A guerra seria parte, ou mesmo o centro, do universo de questões políticas atinentes às unidades territoriais de poder e organização social, enfaticamente, os estados.

Charles Tilly traduz de modo assertivo a relação entre guerra e política. Observando as origens dos estados europeus, sentencia que foi a guerra que permitiu ao Estado constituir o monopólio da violência. "Os estados fazem a guerra, mas a guerra também fez o Estado"[2]. A guerra não era um desvio ético ou erro de cálculo político-estratégico, mas um mecanismo primário e essencial do processo de formação e expansão dos estados. Guerra, poder, economia e território seriam indissociáveis nas relações que originaram os estados e o sistema europeu, protótipo do sistema interestatal moderno. Braudel também realça esse nexo causal, considerando a guerra uma parceira inseparável da história do Estado e do capitalismo[3].

---

1. Clausewitz (1832).
2. Nas contribuições de Tilly sobre as origens dos estados europeus, a guerra e a preparação para a guerra constituíam o elo central de formação das estruturas de administração burocrática, econômica e militar do Estado. Sua gênese estaria na combinação entre concentração de capital e de coerção, além da preparação para a guerra e a posição dentro do sistema internacional (TILLY, 1996, p. 61).
3. Em sua leitura, Braudel não identifica o capitalismo como "economia de mercado" ou um desdobramento gradual do "jogo das trocas" do mercado concorrencial. O capitalismo, para o autor, não se limita a essa dinâmica, mas a utiliza para construir o seu alicerce. Define-se, assim, como o espaço dos lucros extraordinários, do estabelecimento dos monopólios, da exploração de redes de comércio internacional e zonas econômicas só possíveis por meio da tácita aliança do capital

À luz da história de evolução do sistema internacional, a convergência entre o poder político e o econômico, como sustenta Fernand Braudel[4], foi a alavanca que possibilitou ao capitalismo se estabelecer enquanto unidade econômica dos estados territoriais europeus; um movimento que, sem hesitações, pode ser compreendido como uma derivação do mundo do poder. O próprio Braudel, entre idas e vindas, escreve que a economia nacional seria "um espaço político transformado pelo Estado", sendo um desdobramento das "necessidades e inovações da vida material"[5]. Foi a preexistência do Estado territorial que possibilitou a proteção de um mercado nacional com tarifas e barreiras de entradas contra investidas externas. Esse processo político demarcou um espaço exclusivo de tributação e exploração econômica, e delimitou a moeda como meio de troca e unidades de pagamento[6].

De acordo com José Luís Fiori[7], a aliança entre o poder (na figura do príncipe soberano) e o capital (o banqueiro, o "dono" do dinheiro) deu seus impulsos centrais comandados pelos reclamos do mundo da guerra, do imperativo de seu funcionamento, e não somente do mundo do comércio e das lógicas financeira e mercantil. Tal conclusão é semelhante à leitura de Kennedy, para quem o impulso mais forte e persistente à "revolução financeira" europeia proveio da guerra[8].

---

com o poder dos estados. A guerra, nesse movimento, está sempre presente. Ela "implica tudo: os cálculos mais lúcidos, as coragens, as covardias. Ela construiu o capitalismo, mas o seu inverso também é verdade" (BRAUDEL, 2009, p. 46).

4. Braudel (1987).

5. Braudel (1987, p. 65).

6. Karl Marx, em seu clássico capítulo sobre a acumulação primitiva de capital, infere da história e da geografia que o desenvolvimento do capitalismo "assume tonalidades distintas nos diversos países e percorre as várias fases em sucessão diversa" (MARX, 2013, p. 787). Ele traça, em seguida, uma trajetória esquemática, mas não linear, da "biografia do capital", nascido e criado pelo poder do Estado, que teve na Inglaterra, entre os séculos XV e XVII, seu resultado mais primoroso. De acordo com o autor, "[o]s diferentes momentos da acumulação primitiva repartem-se, agora, numa sequência mais ou menos cronológica, principalmente entre Espanha, Portugal, Holanda, França e Inglaterra. Na Inglaterra, no fim do século XVII, esses momentos foram combinados de modo sistêmico, dando origem à dívida pública, ao moderno sistema tributário e ao sistema protecionista. Tais métodos, como, p. ex., o sistema colonial, baseiam-se, em parte, na violência mais brutal. Todos eles, porém, lançaram mão do poder do Estado" (MARX, 2013, p. 821).

7. Fiori (2004).

8. Segundo Kennedy (1998, p. 82), até o século XVIII os estados mais modernos não podiam arcar com os custos das guerras com suas receitas normais, o que, em consequência, fazia-os tomar empréstimos e negociar títulos de longo prazo. "Sob muitos aspectos, esse sistema duplo de levantar e gastar simultaneamente enormes somas agia como um fole, estimulando o desenvolvimento do capitalismo ocidental e do próprio Estado-nação". Assim, para o autor, a "revolução financeira" – i. é, aquela estrutura de crédito nacional e internacional indispensável ao florescimento da moderna economia mundial – foi orientada pelas demandas do poder, da guerra.

George Modelski e Robert Gilpin, por caminhos distintos, corroboram a tese de que a guerra ilustra o "centro de gravidade" do poder internacional. Das guerras globais, de Modelski, ou das guerras hegemônicas, de Gilpin, derivariam os períodos de paz e estabilidade na política internacional, comandados pelo Estado hegemônico, vencedor de um conflito sistêmico, e capaz de liderar os mecanismos de ordenamento das relações geopolíticas em longo prazo.

Os pontos fundamentais deste texto pretendem situar a reflexão sobre a guerra, o tempo e o espaço a partir de dois autores específicos: Modelski e Gilpin. Da guerra, depreende-se um raciocínio que centraliza a violência racionalizada entre unidades político-territoriais; um duelo, no limite e em sua lógica absoluta, mas que só tem sentido por meio da política, como explicado por Clausewitz. A guerra, nesse sentido, atua como parte essencial de um mecanismo de ordenamento do sistema internacional. Do tempo, a referência é a história de longo prazo da formação e expansão do sistema mundial moderno, cujas origens remontam aos séculos XV e XVI. Do espaço, por fim, a reflexão centraliza o enfoque na escala global, nos movimentos amplos que retratam a experiência de uma realidade sistêmica e global.

Este texto está dividido em três partes, além da introdução e das considerações finais. Na primeira parte, o objetivo é pontuar como a agenda de pesquisa sobre a conjuntura de crise dos Estados Unidos levou a um conjunto de trabalhos que valorizaram uma interpretação das estruturas de poder e das dinâmicas de longo prazo do sistema internacional. Na segunda, a prioridade é demonstrar o peso da guerra, em especial das guerras globais, na determinação dos ciclos longos da política internacional proposta por George Modelski. Na terceira parte, o enfoque recai sobre as contribuições de Robert Gilpin a respeito das guerras hegemônicas e dos impasses de um sistema internacional marcado por instabilidades e crises. Por fim, serão realizadas as considerações finais.

Paradoxos do "declínio do poder americano" e as dinâmicas do sistema internacional moderno

As análises histórico-estruturais da dinâmica de transformação do sistema internacional ganharam especial atenção a partir dos anos de 1970, no contexto do debate sobre o declínio do poder dos Estados Unidos. A conjuntura de crise política e econômica da potência hegemônica, aliada à continuidade da disputa militar-estratégica no âmbito da Guerra Fria, fomentou uma série de estudos.

Partindo de diferentes perspectivas de análises, métodos e metodologias, esses trabalhos apresentavam alguns denominadores em comum: a ênfase em uma análise sistêmica da conjuntura internacional; a constatação de que os movimentos e ciclos de poder internacional ao longo dos séculos mantêm uma estreita conexão com o Estado líder ou *hegemon*; a recorrência a uma análise histórica de longo prazo; e a tentativa teórica de entender a conjuntura à luz das estruturas e dinâmicas de transformação do próprio sistema internacional.

Nessa brevíssima incursão, espera-se chamar a atenção para o caráter indissociável entre a competição estatal ou a lógica geopolítica, como frisa Chase-Dunn[9], e a lógica de acumulação de riqueza, via comércio ou finanças. Aceita-se, como demonstra Fiori[10], que a força expansiva, responsável por acelerar o crescimento dos mercados e produzir as primeiras formas de acumulação capitalista, se originou da dinâmica do poder e da conquista, isto é, do impulso gerado pela acumulação do poder dos estados. Tal fenômeno, trata-se não apenas do encontro da geopolítica com as altas finanças, mas da primazia do poder sobre as inovações financeiras, exatamente porque, concomitante à ascensão dos mecanismos ampliadores da riqueza, ocorria a intensificação da disputa interestatal.

Dos inúmeros recortes e contribuições, alguns, como Wallerstein, enfocavam a dimensão histórica e política, ressaltando a evolução do sistema mundial moderno como um desdobramento de um processo, desigual e combinado, de acumulação global do capitalismo[11]. Outros, por sua vez, como Arrighi[12], associavam essa perspectiva do sistema à conformação de ciclos hegemônicos. Chase-Dunn preferiu pensar na expansão conjunta da lógica geopolítica de poder com a lógica de expansão do capitalismo, dando origem aos *"hegemonic core powers"*[13]. Paul Kennedy, com ênfase na dimensão histórica e geopolítica, buscou associar o poder militar e a economia para desvelar as razões da ascensão e queda das "grandes potências"[14]. Já Grugyel[15] sublinhou as lições da história de grandes estados e impérios para fomentar uma geopolítica e uma política externa para os Estados Unidos diante da dinâmica inexorável de declínio das potências.

Ante os caminhos cruzados sobre à natureza sistêmica e estrutural da política internacional, este capítulo buscará explorar, de modo breve e preliminar, as contribuições do programa de pesquisa liderado por George Modelski acerca dos ciclos longos da política internacional[16] e os estudos de Robert Gilpin sobre a

---

9. Chase-Dunn (1998).
10. Fiori (2004, 2007).
11. Wallerstein (2004).
12. Arrighi (1996).
13. Chase-Dunn (1998).
14. Kennedy (1998).
15. Grugyel (2006).
16. Modelski (1978, 1987, 1988).

natureza das transformações na política internacional[17]. A preocupação central é identificar, em ambos, o peso das guerras hegemônicas no estabelecimento de um padrão de sucessão e funcionamento da ordem internacional.

Guerras globais e os ciclos longos da política internacional

George Modelski (1926-2014) tem uma vastíssima obra no campo das relações internacionais[18]. Sua contribuição de maior destaque foi o estabelecimento, no início da década de 1970, de um programa de pesquisa sobre os ciclos longos da política internacional[19]. Modelski, a exemplo de autores citados acima como Immanuel Wallerstein, Giovanni Arrighi, Paul Kennedy, Robert Gilpin, entre outros, direcionou suas pesquisas para responder aos desafios e impasses da desestabilização da ordem e do sistema internacional nos anos de 1970. Todos, de um modo ou de outro, orbitavam em torno do debate sobre o declínio do poder americano.

O esforço de Modelski estava em buscar uma compreensão sistêmica da política internacional, priorizando a interpretação dos processos que levavam ao estabelecimento em um ciclo, a partir da ascensão e queda de uma economia líder, e suas implicações para a guerra e as ordens globais. Seu programa de pesquisa virou referência para a análise do sistema internacional[20], unindo teoria própria e evidências empíricas, fartamente documentadas, na análise dos processos políticos mundiais. Modelski, entretanto, é pouco citado, tanto no Brasil quanto no exterior[21].

Partindo de uma abordagem histórico-estrutural, Modelski procura interpretar o sistema internacional como o resultado de um desenvolvimento histórico progressivo e positivamente evolutivo. Apresenta, em seu decurso, algumas descontinuidades e padrões de repetição não uniformes. O ponto central da obra de Models-

---

17. Gilpin (1981, 1975, 1988, 2002).
18. Modelski foi professor emérito da Universidade de Washington, na cadeira de Ciência Política. Escreveu sobre a política externa e as relações internacionais; o pensamento político de Kautilya, o Sudeste Asiático e sobre as teorias do sistema internacional.
19. Vários livros e parcerias derivaram desse programa de pesquisa. Dentre os quais, destacam-se: *The Long Cycle of Global Politics and the Nation-State*, de 1978; *Long Cycles in World Politics*, de 1987; *Exploring Long Cycles*, de 1987; *Documenting Global Leadership*, de 1988; *Seapower in global politics, 1494-1993*, de 1988, escrito em coautoria com William R. Thompson.
20. Gilpin (1982), Arrighi (1996), Flint (2006).
21. Essa é uma observação relativamente fácil de ser comprovada em língua portuguesa, dada a escassez de referências ao autor em livros, incluindo os manuais de Relações Internacionais para os cursos de graduação ou pós-graduação, e artigos acadêmicos sobre o sistema internacional. Em língua inglesa, essa constatação é compartilhada por William Thompson, Barry Gills, Robert Denemark e Christopher Chase-Dunn, que, em conjunto, escreveram um texto em homenagem ao autor em 2014, publicado no site da International Studies Association (ISA).

ki é demonstrar as permanências, as estruturas e as forças que moldam os processos de transição e os ciclos de poder na política internacional. Uma vez que eles

> [Ciclos longos] permitem a exploração cuidadosa da maneira como as guerras mundiais ocorreram periodicamente e estados protagonistas como a Grã-Bretanha e os Estados Unidos se sucederam de maneira ordenada. Chamam a atenção para o fato de que as grandes guerras e as potências dominantes estiveram ligadas também a ondas de importantes inovações, tais como a época das descobertas ou a Revolução Industrial, que transformaram o mundo moderno naquilo que ele é. Elas ajudam a cultivar uma perspectiva de longo prazo a respeito dos assuntos internacionais[22].

Os ciclos longos forneceriam, enquanto referência de análise, uma compreensão sistemática dos eventos e do próprio funcionamento da política internacional. Eles seriam fenômenos dinâmicos e evolutivos, pois carregam, em si, inovações estratégicas nos campos da política e das técnicas de produção. Cada ciclo representaria um processo progressivo de aprendizagem. Sendo assim, em cada um deles haveria: i) um padrão de regularidade; ii) uma visão de progressão (não uniforme de um ciclo a outro); e sobretudo, iii) um Estado líder ou potência mundial (*leadership*) com capacidade de atuar, dada a concentração de poder marítimo, em todos os eventos de dimensão global[23].

Por não subscrever o conceito de hegemonia, Modelski utiliza em seu lugar a noção de potência mundial. Em cada ciclo, emergiriam da potência material (e necessariamente naval) os elementos econômicos, políticos e sociais fundamentais ao ordenamento da política mundial. Nessa relação hierarquizada, a potência é quem define a agenda e quem, ao mesmo tempo, detém a capacidade material para cumprir com funções de exercício do poder global. Sua condição de potência é um desdobramento da guerra global. Em sua proposição, a potência mundial é a função social exercida por um Estado dentro de um sistema social em evolução[24].

---

22. Modelski (1987, p. 1).

23. O poder naval, para Modelski, seria o único de alcance verdadeiramente global, pois nenhuma potência mundial prescindiu dessa variável marítima. Nas situações de guerras globais, a supremacia no poder naval foi fator determinante para as vitórias (MODELSKI, 1987; MODELSKI & THOMPSON, 1988; ALMEIDA, 2014).

24. "A liderança é uma função que precisa ser desempenhada no sistema político global. A política global produz uma demanda de liderança, uma vacância, por assim dizer, a ser ocupada por pretendentes qualificados, porque o sistema global precisa de liderança. Uma vacância, por sua vez, produz competição e desafio. Por que o sistema global precisa de liderança? (1) Porque todos os sistemas políticos a têm; (2) porque a liderança cumpre um conjunto de funções básicas no nível global; (3) porque o papel tem sido cumprido com sucesso no mundo moderno nos últimos cinco séculos. [...] Em outras palavras, todo sistema político precisa de liderança e não há nenhuma razão especial para acreditar que a sociedade organizada global constitua uma exceção a essa generalização" (MODELSKI, 1987, p. 12-13).

Cada ciclo representaria uma etapa de um processo regular de ordenamento do sistema internacional[25]. As transições seriam pontuadas por guerras globais, constituindo momentos cruciais de definição dos atores com capacidade de atuação política, econômica e militar, garantindo uma condição sistêmica aos processos políticos de alcance globais. Partindo do século XVI, é possível identificar a ascensão e o declínio das potências mundiais na era moderna: Portugal (1494-1580), conformando um ciclo de 86 anos; Holanda (1580-1688), perfazendo 108 anos; Grã-Bretanha (1688-1791), totalizando 103 anos; Grã-Bretanha (1792-1914), com 122 anos; e por fim os Estados Unidos (1914-2030), finalizando um ciclo em aproximadamente 116 anos. Cada ciclo possui, portanto, uma duração de aproximadamente de 100 a 120 anos[26].

Modelski salienta que os ciclos não são um processo mecânico. O pressuposto inerente à dinâmica cíclica em questão é que o sistema internacional não seria anárquico, tampouco regido pelos conflitos demandados por diferentes interesses nacionais[27]. O autor preconiza o sistema internacional como uma estrutura detentora de padrões de repetição que acompanham tendências, o que explica sua intensa preocupação em fundamentar uma teoria da história com o uso farto de evidências empíricas. Incorpora, para tanto, os métodos de análise da sociologia funcionalista de Talcott Parsons[28] para operacionalizar a noção do sistema mundial a partir de uma totalidade em movimento, cujas interações nas escalas local, regional e global poderiam ser apreendidas sistemicamente.

Nesse sentido, o autor, apesar de traçar o caminho de uma abordagem histórico-estrutural, não possui como enfoque principal a política, a dimensão conflitiva dos estados ou as lutas de classes internas aos estados como forças de transformação da sociedade. Sua preocupação recai na identificação das

---

25. *"Ciclos longos são, em primeiro lugar, um processo conservador de repetição"* (MODELSKI, 1987, p. 2).
26. Modelski (1987, p. 102).
27. Como exposto em uma de suas últimas contribuições, Modelski afirma que as mudanças do sistema mundial nos últimos cinco mil anos de trajetória foram produtos de série de processos evolutivos, não definidos aleatoriamente, mas em sincronia e por um padrão de estruturas inter-relacionadas (MODELSKI, 2000, p. 24-25).
28. Talcott Parsons privilegia, em sua análise dos sistemas sociais, a interação entre processos e estados em uma unidade de atuação. Esse autor, entretanto, não forneceu nenhuma explicação sobre o *sistema mundial* como um sistema social. A aproximação foi realizada por Modelski. Desdobra-se, assim, que "[s]istemas mundiais são sistemas sociais constituídos por estados e processos de interação social da espécie humana [...]. O sistema mundial é um mecanismo para ver os ajustes sociais do mundo como uma totalidade e para investigar a relação entre interações em âmbito mundial e ajustes sociais nos níveis regional, nacional e local" (MODELSKI, 1987, p. 20).

interações entre os agentes (produtores e consumidores) das regras e valores estabelecidos nos ciclos subsequentes às guerras globais. Seus objetivos estão em consolidar as evidências que indicaram as recorrências dos ciclos longos, bem como em identificar os processos políticos que moldaram as decisões que puseram fim às guerras globais.

Desse modo, os ciclos longos da política internacional podem ser definidos como um padrão de recorrência na política mundial, mas não são estruturas rigorosas no tempo ou nas formas de comando. As transições seriam os elementos passíveis de identificação. E sua marca principal: a guerra[29]. Os ciclos, portanto, poderiam ser vistos como intervalos de tempo, delineando momentos de paz entre duas guerras globais. Cada ciclo longo é constituído por dois processos principais, um de balanceamento, isto é, de ajustamento do sistema aos desígnios da potência mundial, e outro de desenvolvimento, que representaria o conjunto de novos problemas derivados da imposição de regras, valores e da difusão de inovação da potência mundial. A transição entre ciclos decorreria dos acirramentos dos conflitos e da crescente incapacidade da potência mundial em responder às demandas de governança dos processos políticos. A guerra global emanaria, assim, de uma necessidade funcional do sistema de decisões. Sua lógica seria preencher o espaço da potência mundial com um novo líder. Portanto:

> Uma guerra global é uma decisão de ocupar (e esvaziar) a posição de liderança no sistema político global. [...] Isto é política quintessencial, o processo central do sistema político global. Assinala a chegada à liderança de uma potência mundial bem-sucedida, e a saída de uma potência que se retira; e é um processo que envolve sanções e privações no sentido de criar não só vencedores, mas também perdedores[30].

As guerras globais ocorreram em cinco ocasiões de transição entre potências nos ciclos longos. A periodização do autor foi sintetizada na tabela a seguir.

---

29. Nesse sentido, para Modelski (1987, p. 36-38), a guerra é uma função de sistema de decisão política. Sua ocorrência deriva da própria demanda por organização de um sistema social. Para o autor, a fase de guerra global "é *básica para o pensamento sobre ciclos longos; ela é a prova de fogo que decide a questão da liderança durante, e no entorno, cuja demanda por liderança está no seu grau máximo e a função da liderança é mais precisamente definida e claramente compreendida*" (MODELSKI, 1987, p. 36).

30. Modelski (1987, p. 36).

Guerras globais e ciclos longos da política internacional

Ciclos longos	Fases das guerras globais	Potência mundial *Estado Nacional*	Fases	
			Ciclo de deslegitimação	Desconcentração de poder *Desafiador*
Ciclo português					
I (1494-1580)	1494-1516 Guerras Italianas e Guerra no Oceano Índico	1516-1539 Portugal	1540-1560	1560-1580 Espanha
Ciclo holandês					
II (1580-1688)	1580-1609 Guerras espanholas e holandesas	1609-1639 Holanda	1640-1660	1660-1688 França
Ciclo britânico I					
III (1689-1791)	1688-1713 Guerras de Luís XIV	1714-1739 Reino Unido	1740-1613	1764-1791 França
Ciclo britânico II					
IV (1792-1914)	1792-1815 Guerras napoleônicas	1815-1849 Reino Unido	1850-1873	1874-1914 Alemanha
Ciclo norte-americano					
V 1914-2030	1914-1945 1ª e 2ª guerras mundiais	1945-1971 Estados Unidos	1973-2000	2000-2030 URSS

Fonte: elaboração própria, tendo como referência Modelski (1987, p. 40, 102) e Modelski e Thompson (1988, p. 16).

Os ciclos longos estariam ligados às guerras globais; contudo, não se limitam a elas. Esse fenômeno de embate militar direto seria apenas um mecanismo violento de escolha para definir a potência que liderará as decisões políticas de alcance global. O conceito de ciclo longo incorporaria, portanto, a noção de macrodecisão ou de governança na política global. As guerras se situariam como divisores de ciclo, sem nenhuma lógica estatal prescrita, mas como resultado de uma demanda por liderança política global. As potências vencedoras se tornariam líderes do sistema exatamente porque organizaram o sistema ao resolverem seus principais impasses. Os momentos de paz em cada ciclo longo contrastariam com a violência generalizada das guerras globais e transições[31].

Para Modelski, o poder seria uma função de alcance global[32], derivando da capacidade de influenciar os eventos de impactos significativos nas dinâmicas globais. Quando recorre à história, o autor identifica que esse poder depende da capacidade de controlar os mares, em suas dimensões militar e mercantil. Todas as potências, assim, tiveram: poderes marítimos consistentes, economias líderes e sociedades abertas. Os principais desafiantes, por sua vez, foram potências regionais centradas, com poderes terrestres e, também, sociedades abertas. A ascensão e queda das potências ocorrem em sincronia com o auge e declínio dos setores produtivos e do comércio; a transição se dá em um contexto de desafios, de contestação da ordem.

A visão do autor para a conjuntura que se abre nos anos de 1970, porém, não apontava para a crise terminal do ciclo ou uma eventual guerra global. Como cada ciclo carrega um mecanismo de evolução e de aprendizado coletivo, o próprio potencial evolutivo do sistema exigiria, dos estados que lideram o ciclo, respostas para os grandes problemas globais. Um processo que ativa os mecanismos de inovação, cooperação e seleção de políticas globais.

Todos os ciclos existentes atuaram no sentido de ampliar a democratização global, exatamente porque todas as potências constituíram um núcleo de linhagem democrática.

> *Uma comunidade mundial de democracias poderia ser um resultado de tal esforço. Estreitamente ligada e preliminar a isto é a necessidade*

---

31. "A guerra global contrasta nitidamente com o período substancial de paz geral que se segue a ela. A paz geral em nível global é inteiramente compatível com guerras no nível regional, nacional e local, numa variedade de áreas e em tempos diversos. A Guerra da Coreia (1950-1953) e a Guerra do Vietnã (1965-1975), p. ex., ou mais recentemente a Guerra Iraque-Irã, foram ocorrências localizadas que não perturbaram a paz geral do mundo. A paz geral é o período durante o qual as prioridades sociais (diferentemente das políticas) podem ser e são maximizadas, pelo menos em nível global (no qual prospera, p. ex., o comércio mundial)" (MODELSKI, 1987, p. 37).

32. Flint (2006).

> *de inventar um substituto para a guerra global, ou seja, transformar a fase de guerra global do ciclo longo num equivalente político não letal. Esta necessidade surge porque uma guerra termonuclear global já não pode mais ser considerada uma maneira racional de "fazer funcionar" a política mundial*[33].

Em resumo: Modelski fundamentou uma explicação sobre os ciclos longos como mecanismo regular de disputa de uma política mundial em evolução. Os ciclos longos trariam uma linha de progressividade distinta na organização da política global. Por não serem a transposição da política regional (Europa) ou nacional (EUA) para o mundo, os ciclos se destacariam como um processo de ajustamento (e hierarquização) de poderes dos estados limitado no tempo. Eles são típicos, apenas, da Era Moderna, a partir do século XVI. Desde então, a política das potências tende a possuir um alcance global.

O pressuposto básico das contribuições de Modelski é que, no ciclo de poder internacional, o Estado líder tem uma capacidade dominante para estabelecer a agenda internacional. Seu modelo teórico, apesar do esforço em unir teoria e evidência empírica fartamente documentada, destaca-se por ser predominantemente descritivo. Seu enfoque está em compreender, a partir de uma teoria geral, como os ciclos funcionam e quais são seus padrões de regularidade. Os estados são constrangidos por uma estrutura que os delimita e que hierarquiza suas capacidades de atuação internacional. Para Modelski, por fim, o estudo dos ciclos longos permitiria a previsão de novos desenvolvimentos institucionais de governança global, uma evolução que tenderia a substituir a potência mundial por novas estruturas globais de comando[34], novas formas cada vez mais institucionalizadas e democráticas.

Guerras hegemônicas e dinâmica desigual de poder no sistema internacional

Robert Gilpin é um cientista político norte-americano com contribuições valiosas no campo da economia política internacional. Partindo da perspectiva realista das relações internacionais, notou as insuficiências da teoria política para explicar os fenômenos da internacionalização da economia. Em 1975, Gilpin escreve o livro *U.S. Power and the Multinational Corporation: the Political Economy of Foreign Direct Investment*, numa tentativa de ilustrar o que viria a constituir o

---

33. Modelski (1987, p. 232).

34. "Se o mundo precisa de liderança, como foi demonstrado, então o 'antiquado' processo de seleção através de guerra global precisa ser substituído por métodos mais de acordo com as recentes conquistas tecnológicas e informacionais. Novos métodos de seleção precisam ser inventados ou projetados, e uma abordagem de longo ciclo pode ser um passo essencial nesse esforço" (MODELSKI, 1987, p. 216).

campo da economia política internacional. Sua motivação era capturar, em um método próprio, o complexo intercâmbio entre a expansão das multinacionais e o aumento de poder de alguns estados no sistema internacional.

Subjacente às análises de Gilpin sobre o sistema internacional, está a percepção de que o "Estado" e o "mercado", mesmo sendo presididos por lógicas distintas, não funcionam como universos autônomos. São, ao contrário, inseparáveis, isto é, um condiciona o outro. Foi por meio de uma agenda de questões centradas no poder dos estados que Gilpin retomou a economia política tentando preencher a lacuna existente nas interpretações que reforçavam a distinção entre os aspectos estratégico-militares do poder e os aspectos financeiros da riqueza no sistema internacional[35]. Os laços entre riqueza econômica e poder militar foram reforçados desde o advento da indústria moderna no século XIX; assim, existiria, desde então, uma similaridade entre a supremacia econômica e a militar. O crescimento econômico e as inovações tecnológicas impactam diretamente na concentração de poder dos estados.

Semelhante aos pressupostos de Modelski, Gilpin[36] considera o sistema internacional como um sistema social. Um emaranhado de atores que criam estruturas sociais a fim de ampliarem a conquista de seus objetivos políticos. Para Gilpin, entretanto, a unidade de análise dessa totalidade em movimento seria o Estado. As desigualdades de poder entre estes, em virtude das condições materiais e da posição que cada um ocupa no sistema, seriam os fatores que impeliriam a vontade de mudança[37]. As transformações no sistema acabariam por afetar de modo direto as posições dos estados na hierarquia de poder internacional, contribuindo, assim, para que alguns avancem em seus objetivos, sejam os de segurança, riqueza ou ideológicos[38].

Essa disjuntiva dentro do sistema internacional, entre as potências que se beneficiam da ordem e os estados que reivindicam um incremento de poder,

---

35. Dentre as sínteses de Gilpin nessa época, ficava claro que a emergência das multinacionais confirmava que "*atividades financeiras são fundamentais na luta pelo poder entre nações*" (GILPIN, 1975, p. 38).

36. Gilpin (1981).

37. Gilpin retoma Tucídides (460-400 a.C.) para apontá-lo como o primeiro grande teórico a captar e descrever que as causas da guerra se relacionam com o crescimento desigual de poder entre os estados. Esparta teria começado a Guerra do Peloponeso quando notou a ascensão do poder de Atenas (GILPIN, 1981, p. 191).

38. "*Assim o estudo da mudança política internacional precisa focar no sistema internacional e especialmente nos esforços dos atores políticos para mudar o sistema internacional a fim de propor seus próprios interesses. Quer estes interesses sejam segurança, vantagem econômica ou metas ideológicas, a consecução dos objetivos do Estado depende da natureza do sistema internacional*" (GILPIN, 1981, p. 10).

induzindo a própria transformação do sistema, levaria à crise internacional, da qual a guerra seria o árbitro imperioso da resolução das tensões. Outros meios, como a própria política, a economia ou a diplomacia, configurariam formas de ajuste em relação aos desequilíbrios de poder no sistema. Mas é a guerra que, ao longo da história, sempre constituiu o principal mecanismo impulsionador das transformações profundas do sistema internacional.

Na abordagem de Gilpin, ecoa conclusão de Tucídides[39]: a guerra como um expediente inevitável para solucionar as tensões geradas pelo desequilíbrio de poder. É da guerra, em especial da guerra hegemônica, que emerge o Estado ou coalizão que comandará o ordenamento do sistema internacional. Gilpin retira de Raymond Aron uma definição de guerra hegemônica[40]. Dimensionando a natureza e o significado da Primeira Guerra Mundial, o filósofo e cientista político francês afirmou que o evento, a despeito de suas causas e objetivos imediatos, se caracterizou pela extensão e número de atores envolvidos.

Sendo assim, a definição de guerra hegemônica envolve, em primeiro lugar:

> [guerra hegemônica] uma disputa direta entre a potência ou as potências dominantes num sistema internacional e o desafiante ou desafiantes emergentes. O conflito se torna total e com o tempo é caracterizado pela participação de todos os grandes estados e da maioria dos estados menores no sistema. A tendência, de fato, é cada Estado no sistema ser arrastado para um ou outro dos campos opostos. Inflexíveis configurações bipolares de poder pressagiam frequentemente a deflagração do conflito hegemônico[41].

Nesse sentido, a guerra hegemônica demarcaria um conflito generalizado entre as grandes potências, cujo resultado impactaria na distribuição de poder no sistema internacional. A hegemonia, desse modo, seria o prêmio da vitória e, ao mesmo tempo, o retrato de uma condição inevitável para a ascensão de uma potência. Alternam-se, assim, o conjunto de regras e princípios que ordenaram, em um dado período de tempo, o sistema internacional.

Uma segunda característica das guerras hegemônicas seria sua natureza ilimitada, não se restringindo ao embate de poderes militares e a destruição material do oponente, mas abarcando as dimensões políticas, econômicas e ideológicas.

---

39. "*Em última instância, a política internacional ainda pode ser caracterizada como o foi por Tucídides*" (GILPIN, 1987, p. 227).

40. "*Afetou todas as unidades políticas no interior de um sistema de relações entre estados soberanos. Chamemo-la, por falta de um termo melhor, de guerra de hegemonia, sendo a hegemonia, se não o motivo consciente, de qualquer maneira a consequência inevitável da vitória de pelo menos um dos estados ou grupos*" (ARON, 1964, apud GILPIN, 1981, p. 197-198).

41. Gilpin (1981, p. 199).

Destituir a "vontade de potência" do Estado desafiador seria a meta, nem que para isso fosse necessário a destruição e reorganização do sistema econômico, político, social e até religioso do Estado derrotado. Gilpin demonstra como, na história das guerras hegemônicas, os conflitos eram generalizados. Das batalhas na Antiguidade, como a submissão de Cartago a Roma, passando pelas guerras no Oriente Médio, que permitiram aos árabes converterem os demais povos da região ao Islã, até a Segunda Guerra Mundial, quando o Japão sucumbiu ante o poder dos Estados Unidos, a disputa pela hegemonia era a essência[42]. Torna-se ilustrativo, por exemplo, relembrar as palavras ditas por Harry Truman, em 7 de agosto de 1945, após autorizar o ataque aéreo sobre Hiroshima.

> A bomba atômica permite intensificar de uma maneira nova e revolucionária a destruição do Japão [...]. Os dirigentes rejeitaram o ultimato. Se não aceitarem agora as nossas condições, podem esperar uma chuva de destruição vinda dos ares como jamais se viu sobre a Terra[43].

No argumento de Gilpin, um episódio como o acima citado não se definiria como uma disputa limitada. O que estava em jogo era a capacidade de ascender como potência e ordenar o sistema internacional a partir de regras, princípios e cálculos político-estratégicos próprios.

As guerras hegemônicas ocorreriam porque estavam associadas a três fenômenos. O primeiro seria a redução dos espaços de crescimento e de oportunidades para os estados revisionistas, tornando a dinâmica do sistema internacional um jogo de soma zero: quando um acumula poder, o outro perde. O segundo estaria associado a uma percepção de ameaça, à constatação de que o crescimento diferencial de poder e riqueza estaria operando em desvantagem para um dos polos, em especial para a potência. E, por fim, um terceiro fenômeno histórico vem da constatação de que a eclosão de guerras hegemônicas escapa, em determinadas escalas de tensão, à capacidade de agência humana. Haveria, por extensão, uma lógica própria da guerra hegemônica no nível sistêmico.

Por esse ângulo, as guerras hegemônicas não configurariam exceções ou pontos cegos da história, mas uma parte funcional no processo de formação e expansão do sistema internacional. Gilpin, nessa abordagem, se aproxima das considerações de Modelski. O ponto central para ambos estaria em compreender o papel da guerra como mecanismo ordenador de um sistema internacional em movimento.

---

42. Novamente retomando Tucídides, Gilpin assevera: *"o tema da grande guerra entre Esparta e Atenas foi a hegemonia sobre a Hélade, não as questões mais limitadas na disputa entre os estados opostos"* (GILPIN, 1981, p. 199).

43. Truman (1945, apud FSP, 2010, p. 52).

De acordo com Gilpin (1981, 1988), os argumentos de Modelski são instigantes, porém limitados. Trata-se de uma teoria fortemente embasada em dados empíricos, que avança nas explicações sobre a ocorrência de ciclos longos da política internacional, caracterizando as particularidades de cada um e indicando os padrões de recorrência, mas que seria insuficiente no essencial, isto é, em explicar por que os ciclos acontecem. Modelski teria fornecido uma explicação tautológica para o fenômeno[44].

A crítica de Gilpin[45] ao modelo de Modelski é certeira. Ele concorda com a possibilidade de existência dos ciclos e ressalta o grande mérito do autor em descrevê-los tão bem. Entretanto, a dúvida que emerge é: Como controlá-los? Posta de outro modo: Como controlar essas "forças cegas", essa engrenagem do sistema que produz guerras? Embora um ciclo de cem anos de paz possa existir, o mecanismo que o determina é especulativo. A pergunta central, que Modelski não se prontificou a responder, permanece atual: Como controlar as forças (racionais ou não) que impulsionam a guerra? Eis uma preocupação que vem de Tucídides, no século IV a.C., passa por Maquiavel, no século XVI, e chega, com renovada atualidade, no debate político e teórico do século XX, aquele que foi, como relatou Tilly[46], o mais destrutivo e sanguinário da história.

O desenvolvimento das armas de destruição em massa, inclusive da bomba atômica, tornou a reflexão de como evitar as novas guerras hegemônicas mais urgente e necessária. A primeira guerra hegemônica registrada por Gilpin foi a Guerra dos 30 anos (1618-1648), alterando profundamente a relação entre Estado, território, guerra e política. Seu principal legado, herdeiro dos tratados assinados em Vestfália, foi o princípio de soberania, pedra angular do sistema internacional que, dali, só se expandiu. O segundo "ciclo longo" de guerras hegemônicas começa na Guerra dos Cem Anos (1337-1453), que deu moldagem aos estados da França e da Inglaterra, o que culminou, séculos depois, na Revolução Francesa e nas Guerras Napoleônicas (1792-1815). As consequências desse ciclo foram as rearticulações nas disputas de poder na Europa e na América. As experiências da

---

44. Gilpin (1978, p. 232) ilustra a crítica por meio da anedota da "Síndrome de Buddenbrooks", a saga de uma empresa familial, na qual uma geração constrói, a próxima consolida e a terceira perde o controle. No século XVI havia um raciocínio que partilhava: "Sempre ouvi dizer que a paz traz riquezas; Riquezas trazem orgulho; O orgulho traz raiva; A raiva traz guerra; A guerra traz pobreza; A pobreza traz a humanidade; A humanidade traz a paz; A paz, como eu disse, traz riquezas, e assim os assuntos do mundo circundam" (citado por CLARK, 1958, apud GILPIN, 1981, p. 205).

45. Gilpin (1981).

46. "A despeito da atual acalmia de quarenta anos [1952-1992] na guerra aberta entre as grandes potências do mundo, o século XX já se firmou como o mais belicoso da história humana". Um total estimado de 275 guerras e 115 milhões de mortos em combate (TILLY, 1996, p. 123).

Primeira e da Segunda Guerra Mundial, no século XX, conformariam mais um momento de guerras hegemônicas, o terceiro "ciclo longo".

Com o fim da Segunda Guerra Mundial, os Estados Unidos despontariam na condição de potência incontrastável. Como demonstrado por Fiori, Anderson e Blackwill e Harris[47], os cálculos geopolíticos e geoeconômicos da dinâmica de poder no sistema internacional já estavam incrustados no próprio pragmatismo da política externa dos Estados Unidos.

Dentre as principais características desse período, destacavam-se, como padrão nos ciclos hegemônicos anteriores, a moldagem de uma ordem internacional que refletisse os principais interesses político-estratégicos dos Estados Unidos. Atuando em diversas frentes, a estratégia norte-americana levou, no plano econômico e ideológico, à remontagem do sistema monetário-financeiro internacional, em Bretton Woods (1944)[48], à recuperação econômica da Europa, com o Plano Marshall (1948-1951)[49] e a criação e difusão da teoria do desenvolvimento, cuja síntese pode ser encontrada no Ponto IV (1949) do discurso de posse de Truman[50]. No plano político-estratégico, a orientação dos Estados Unidos seguiu as premissas básicas das formulações de Nicholas Spykman[51] e George Kennan[52],

---

47. Fiori (2004), Anderson (2015) e Blackwill e Harris (2016).
48. Da Conferência de Bretton Woods (1944), emergiram: (i) o dólar como moeda internacional, lastreado em ouro e num regime de paridade fixa (US$ 35 por onça); e (ii) as instituições responsáveis pelo reordenamento comercial, econômico e financeiro do mundo: o Fundo Monetário Internacional (FMI) e o Banco Mundial (Bird), ambos com sede em Washington (GILPIN, 2002).
49. O Plano de Reconstrução Europeia, amplamente denominado de Plano Marshall (1948-1951), mobilizou algo em torno de U$S 19 bilhões de ajuda econômica aos países europeus afetados pela guerra (FARIAS, 2017).
50. O Ponto IV é uma parte do discurso de posse de Harry Truman, proferido em janeiro de 1949. Nele, o presidente ressaltou a importância dos Estados Unidos na construção de uma ordem internacional pós-guerra, e listou os quatro pontos que considerava fundamentais à política externa: (1°) a manutenção do apoio à ONU; (2°) a manutenção dos programas de suporte à recuperação da economia mundial, em especial a dos países europeus; (3°) o reforço às alianças militares contra as agressões externas, aperfeiçoando e expandindo a Otan e o Tiar; e (4°) a pretensão de ofertar os benefícios dos avanços científicos e do progresso industrial dos Estados Unidos para resolver a questão das "áreas subdesenvolvidas", em um recorte geográfico que abarcava os países da América Latina, África e Ásia (FARIAS, 2017). Importante salientar que parte consistente da produção teórica no campo "teoria do desenvolvimento" apresentava, numa espécie de "fator comum", a crença de que as assimetrias e as relações de poder entre os estados não configurariam variáveis importantes a serem consideradas na equação do desenvolvimento econômico dos estados da periferia.
51. Spykman (1942).
52. Kennan (1947).

enfatizando o "cerco" à expansão socialista e soviética[53] e defesa de intervenções para a manutenção do equilíbrio de poder ao longo do *rimland* euroasiático. Essas coordenadas geoestratégicas encontrariam também respaldo no apoio norte-americano para a criação de um sistema de segurança coletivo, com a ONU (1945), com sede em Nova York, e, sobretudo, com a criação de alianças e pactos regionais, como o Tiar (1947) e a Otan (1949).

De acordo com o raciocínio de Gilpin, no entanto, o desenvolvimento da bomba atômica deveria ter mudado a consciência e a natureza das guerras[54]. Se a história de recorrência indicava a presença de conflitos generalizados e com meios de violência ilimitados, no período após a Segunda Guerra, a hipótese de guerra hegemônica como um mecanismo de alteração do poder no sistema internacional já não poderia demonstrar viabilidade. Desse modo, se existisse uma saída, ela não poderia passar, por senso lógico, pela guerra hegemônica. A contradição, entretanto, derivaria da constatação de que o sistema internacional não transcendeu sua natureza fundamental de disputas entre os estados por poder e riqueza em condições de anarquia. A possibilidade de mútua destruição dos estados ou mesmo a crescente internacionalização dos sistemas produtivos e da economia não fizeram com que a cooperação suplantasse o conflito na dinâmica interestatal. Além disso, a distribuição desigual de poder e riqueza entre os estados continua como uma fonte de desajuste e instabilidade. A conclusão, portanto, aponta para que, se houver a possibilidade de transição de um ciclo poder ou ordem internacional para outro, a guerra e a violência generalizada prosseguem como realidade tangível.

As preocupações de Gilpin ganharam, assim, duas direções: uma teórica e outra funcional ou normativa. A primeira era o desafio teórico de pensar a guerra hegemônica no século XX, em especial, no contexto da hegemonia dos Estados Unidos. A segunda era relacionada a como evitar novas guerras e traumas políticos, econômicos e sociais como os dos anos de 1930 e 1940. A sua repetição traria o potencial real de destruição efetiva do sistema internacional.

Dessa agenda de pesquisa, Gilpin lança as bases para o desenvolvimento da Teoria da Estabilidade Hegemônica. Inspirado nas conclusões de Charles

---

53. O famoso "longo telegrama" de George Kennan (enviado em 22/02/1946) é um interessante resgate das reticências do diplomata quanto à possibilidade de uma coexistência pacífica permanente. Define o poder soviético como algo nem sistemático, nem aventureiro, sendo impenetrável à lógica da razão, mas sensível à lógica da força. Os Estados Unidos e seus aliados deveriam atuar no sentido de conter a expansão soviética, notadamente para o Oriente Médio, e debilitar seu núcleo de resistência em longo prazo (KENNAN, 1998; FARIAS, 2017).

54. Gilpin (1981, 1988).

Kindleberger[55], Gilpin sustenta que a paz seria uma expressão de uma situação de estabilidade hegemônica[56]. A potência hegemônica coordenaria a política global ao prover bens públicos: segurança, economia liberal e proteção aos direitos de propriedade. As prerrogativas da potência estariam no empenho e capacidade de pacificar a ordem política, resolver os conflitos, atuar como uma liderança moral e política e deter a supremacia militar, econômica e financeira. No limite, a benevolência da potência hegemônica contribuiria para dirimir o ímpeto de disputa por poder entre os estados.

Seguindo o raciocínio da teoria da estabilidade hegemônica, o sistema internacional, a partir da década de 1990, teria alcançado a configuração ideal para o estabelecimento de uma ordem liberal de dimensões verdadeiramente globais. A vitória inequívoca dos Estados Unidos na disputa contra a URSS, na Guerra Fria, favoreceria a defesa e a difusão da economia liberal e das instituições democráticas ocidentais, bem como os incentivos para o estabelecimento de mecanismos mais representativos de coordenação da política e da economia internacional. Em síntese: os conflitos interestatais cederiam lugar à gestão política global da potência hegemônica e, do ponto de vista econômico, a lógica dos mercados seria cada vez mais relevante no sistema internacional.

Considerações finais

As contribuições de Modelski e Robert Gilpin sobre as guerras privilegiam uma dimensão sistêmica, o que, do ponto de vista de uma reflexão ética, gera aproximações tensas. As guerras globais ou hegemônicas enfatizam as estruturas e padrões de recorrência de ciclos de poder internacional. As guerras hegemônicas apontam para a compreensão da totalidade, não apenas como uma referência abstrata, mas como uma realidade concreta, operacional. Desde as origens do sistema internacional moderno, no longo século XVI, os sucessivos ciclos aliaram-se a um comando político unificado.

Nas posições de Modelski haveria uma noção de progresso embutida na política global, um dado inerente à condição da potência em cada ciclo longo da política internacional. Isso porque cada ciclo traria elementos de reafirmação de

---

55. A teoria da estabilidade hegemônica surge inspirada nas contribuições de Kindleberger (1973). Esse autor, ao estudar a crise de 1929, percebe que tal período foi marcado por uma transição de poder entre Grã-Bretanha e Estados Unidos. A crise de 1929 poderia ser interpretada como uma demonstração da ausência de uma nação que fosse capaz de dar sustentação a um sistema internacional liberal, ofertando moeda, garantindo as regras para o funcionamento do comércio e do sistema financeiro internacional, e punindo os estados revisionistas e violadores do sistema.

56. Gilpin (1981, 1988).

sociedades abertas, favorecendo sistemas democráticos, economias mais dependentes de trocas externas e inovações tecnológicas, bem como novas formas de institucionalização do sistema político global. Haveria, contudo, limitações teórico-empíricas. Os impulsos e as transformações da política mundial no modelo de Modelski são originárias e se restringem às demandas das grandes potências. Estados que ocupam posições baixas na hierarquia de poder e riqueza são marginalizados em sua teoria.

O ponto central, tanto para Gilpin como para Modelski, não está em compreender as origens ou as causas das guerras. Suas respectivas contribuições apontam para a guerra como uma realidade dada, como um mecanismo ordenador de um sistema internacional em movimento. Nesse sentido, o argumento implícito a cada uma das explicações é a percepção positiva (no caso de Modelski) e funcional (para Gilpin) de evolução no sistema internacional – um caminho que levaria, em essência, à redução da dimensão conflitiva e das guerras. As guerras hegemônicas demarcariam o ponto de transição de um sistema político global em movimento, no qual a paz e a estabilidade, a economia liberal e as inovações, a expansão das sociedades abertas e das democracias seriam decorrências das disputas e conflitos interestatais.

Tanto Gilpin quanto Modelski partilharam uma visão evolutiva do sistema internacional, apontando para uma progressiva redução dos conflitos. Os anos de 1990 e 2000, no entanto, frustraram as expectativas teóricas de ambos. Não há sinais de transição, pacífica e democrática, de um ciclo longo a outro na política internacional; tampouco a condição de potência hegemônica inconteste dos Estados Unidos nos anos de 1990 trouxe as confirmações da estabilidade prescritas na formulação de Gilpin. Da extensa e frutífera agenda de pesquisa de ambos, entretanto, destacam-se os méritos de abordagens histórico-estruturais para reinterpretar os desafios de uma conjuntura internacional de crise, instabilidade e com possibilidades latentes de guerras globais ou hegemônicas.

Referências

ALMEIDA, F. Os ciclos longos de Modelski/Thompson e o poder marítimo britânico. *Revista da Escola Guerra Naval*, vol. 20, n. 1, jan.-jun./2014, p. 77-111. Rio de Janeiro.

ANDERSON, P. *A política externa norte-americana e seus teóricos*. São Paulo: Boitempo, 2015.

ARRIGHI, G. *O longo século XX*: dinheiro, poder e as origens de nosso tempo. Rio de Janeiro/São Paulo: Contraponto/Ed. Unesp, 1996.

ARRIGHI, G. et al. Geopolítica e altas finanças. In: ARRIGHI, G. (org.). *Caos e governabilidade no moderno sistema mundial*. Rio de Janeiro: Contraponto/Ed. UFRJ, 2001.

BLACKWILL, R. & HARRIS, J. *War by other means*: geoeconomics and statecraft. Harvard University Press, 2016.

BRAUDEL, F. *Civilização material, economia e capitalismo, séculos XV-XVIII*: o tempo do mundo. Vol. 3. São Paulo: Martins Fontes, 2009 [1986].

_____. *A dinâmica do capitalismo*. Rio de Janeiro: Rocco, 1987.

CHASE-DUNN, C. *Global Formation*: structures of the world-economy. Cambridge: Basil Blackwell, 1998.

CLAUSEWITZ, C. *Da Guerra*. [s.n.t.], 1832.

FARIAS, H.C. *A estratégia do Brasil na África* – Fundamentos geopolíticos e mecanismos de financiamento no ciclo recente de expansão econômica (2003-2014). Rio de Janeiro: UFRJ, 2017 [Tese de doutorado].

FIORI, J.L. *O poder global e a nova geopolítica das nações*. São Paulo: Boitempo, 2007.

_____. Formação, expansão e limites do poder global. In: *O poder americano*. Petrópolis: Vozes, 2004.

FLINT, C. *Introduction Geopolitics*. Londres/Nova York: Routledge, 2006.

GARCIA, A.S. Hegemonia e imperialismo: caracterizações da ordem mundial capitalista após a Segunda Guerra Mundial. *Contexto Internacional*, vol. 32, 2010, p. 155-177.

GILPIN, R. *Global Political Economy*: understanding the international economic order. Princeton: Princeton University Press, 2002.

_____. The theory of hegemonic war. *The Journal of Interdisciplinary History*, vol. 18, n. 4, 1988, p. 591-613.

_____. *War and change in world politics*. Cambridge. MA.: Cambridge University Press, 1981.

_____. *U.S. power and the multinational corporation* – The political Economy of FDI. Nova York: Basic Books, 1975.

GRYGIEL, J. *Great powers and geopolitical change*. JHU Press, 2006.

KENNAN, G. The Sources of Soviet Conduct. In: TUATHAIL, G.O. et al. (eds.). *The geopolitics reader*. Londres/Nova York: Routledge, 1998 [1947].

KENNEDY, P. As finanças, a geografia e a vitória nas guerras, 1660-1815. In: *Ascensão e queda das grandes potências*: transformação econômica e conflito militar de 1500 a 2000. Rio de Janeiro: Campus, 1998.

KINDLEBERGER, C.P. *The world in depression, 1929-1939*. Berkeley: University of California Press, 1973.

MARX, K. *O capital* (Livro I). São Paulo: Boitempo, 2013 [1867].

MODELSKI, G. *Long cycles in world politics*. Nova York: Springer, 1987.

_____. The long cycle of global politics and the nation-state. *Comparative studies in society and history*, vol. 20, n. 2, 1978, p. 214-235.

MODELSKI, G. & THOMPSON, W.R. *Seapower in global politics, 1494-1993*. Nova York: Springer, 1988.

SPYKMAN, N. *America's strategy in world politics*: the United States and the balance of power. Nova York: Transaction, 1942.

TILLY, C. *Coerção, capital e estados europeus*. São Paulo: Edusp, 1996.

TRUMAN, H. Um avião americano lançou uma bomba sobre Hiroshima. In: *Folha de S. Paulo*. Discursos que mudaram o mundo. São Paulo, 2010.

WALLERSTEIN, I. *World-systems analysis*: an introduction. Durham: Duke University Press, 2004.

A geopolítica estadunidense e a Eurásia

Raphael Padula

> *O homem de Estado que conduz a política externa só pode tomar em conta os valores de justiça, equidade e tolerância na medida em que contribuam ao objetivo de poder ou enquanto não interfiram nele. Pode utilizá-los como instrumentos que desde o ponto de vista moral justifiquem a aspiração de poder, porém deve rechaçá-los no instante em que sua aplicação se traduza em debilidade. Não se busca o poder para o alcance de valores morais, porém se utilizam os valores morais para facilitar a aquisição de poder.*
> Nicholas Spykman. *America's Strategy in World Politics*, 1942, p. 26.

Introdução

Algumas questões centrais guiam os diferentes posicionamentos no debate atual sobre a geoestratégia dos Estados Unidos, das quais podemos destacar as seguintes, enquadradas nos objetivos deste texto: Em termos de eixos geográficos, quais as relações fundamentais para os Estados Unidos? Norte-Sul, centrada no Hemisfério Ocidental (América)? Ou Leste-Oeste, centrada no Hemisfério Norte, nas relações da América do Norte com a Eurásia? Qual a importância ou limite dos gastos com defesa e vidas perdidas, ou especialmente do limite orçamentário do país emissor do dólar nessa discussão? Qual a importância dos diferentes grupos políticos e econômicos em uma discussão democrática sobre geoestratégia? Qual o papel da retórica e da ética na política externa estadunidense? Dessas questões derivam outras mais específicas, por exemplo, sobre a conveniência ou não de os Estados Unidos realizarem intervenções e manterem presença militar no Oriente Médio, enquanto a China tem acesso ao petróleo da região; os Estados Unidos devem ou não manter sua presença na Otan, enquanto os europeus seriam irresponsáveis em termos de segurança e concentrariam seus recursos no seu sistema de "bem-estar". Há ainda uma questão adicional importante, que será tratada aqui lateralmente, por razões de escopo, sobre quais instrumentos devem ser predominantemente utilizados na projeção externa dos Estados Unidos: geopolíticos, geoeconômicos ou econômicos?

O objetivo principal deste texto é, primeiro, apresentar o debate geoestratégico sobre a projeção de poder dos Estados Unidos, situando o leitor em relação ao lugar da Eurásia na visão de diferentes autores, para, em seguida, por meio da análise de documentos estratégicos de Estado formulados no pós-Guerra Fria, decifrar o lugar da Eurásia na geoestratégia estadunidense e suas implicações na geopolítica do século XXI, identificando ao mesmo tempo em que autores apresentam maior influência. Embora os autores aqui abordados sejam enquadrados na Escola Realista de Relações Internacionais, eles podem se diferenciar nas respostas às questões supracitadas. O argumento central aqui defendido é que os herdeiros da geopolítica clássica permeiam a formulação da geoestratégia dos Estados Unidos, que tem um caráter de continuidade, colocando a Eurásia como uma região estratégica para a disputa de poder global. As implicações disso no século XXI são embates permanentes entre os Estados Unidos, a Rússia e a China, em uma verdadeira retomada do *Big Game* na Eurásia, em moldes muito mais complexos.

Para isso, o texto está organizado da seguinte forma. Para situar o leitor no debate geoestratégico dos Estados Unidos, na primeira seção, será tratada a visão da Geopolítica Clássica, que apresenta a Eurásia como o continente basilar. Na segunda, será abordada a visão dos herdeiros da Geopolítica Clássica, tanto na análise do embate bipolar da Guerra Fria quanto no debate atual, representada por Zbigniew Brzezinski e Henry Kissinger. A terceira seção dedica-se à visão de John Mearsheimer e Stephen Walt, que defendem que os Estados Unidos devem atuar através da estratégia *offshore balancing* na Eurásia. A quarta seção discorre sobre as visões de Samuel Huntington e Robert Kaplan, que apontam o hemisfério ocidental como a área fundamental de atuação dos Estados Unidos, na qual as ameaças adviriam principalmente da imigração e/ou da instabilidade mexicana e da latinização dos Estados Unidos. Na quinta seção, serão analisados os principais objetivos e interesses em relação à Eurásia revelados nos documentos estratégicos dos governos estadunidenses, de George H.W. Bush até Barack Obama. A sexta seção trata da geopolítica de alinhamentos políticos e de oleodutos e gasodutos na Eurásia. Por fim, o texto é encerrado com uma seção de considerações finais e conclusões. Além de textos originais dos autores, são utilizados documentos estratégicos, artigos e notícias de jornais, e bibliografia especializada sobre o tema.

A geopolítica clássica

Os autores da escola anglo-saxã trouxeram importantes contribuições para o debate da geopolítica clássica e para a formulação e ação da geoestratégia estadunidense, tanto à sua época como na atual. O geógrafo britânico Halford

Mackinder[1], ao formular sua teoria da supremacia do poder terrestre, foi o primeiro a apontar a Eurásia como o continente basilar para a disputa de poder global, por razões materiais: massa territorial, população, recursos econômicos e industriais. Na sua visão, o Estado (ou aliança) que dominasse o coração continental da Eurásia controlaria o continente e, assim, os rumos da política mundial. Na verdade, ele colocou em evidência um dos pilares da política externa britânica, praticados desde a expansão do Império Habsburgo nos séculos XV-XVI: estabelecer um poder dividido e equilibrado na Eurásia.

Mas foi Nicholas Spykman[2], holandês radicado nos Estados Unidos, que sintetizou sua geoestratégia, partindo de sua posição geográfica. O autor a um só tempo justifica o intervencionismo na Eurásia e a hegemonia no hemisfério ocidental. Spykman observa que há um paralelismo geográfico entre a América do Norte e a Eurásia, apresentando a mesma vizinhança (Atlântico, Pacífico e Mar Ártico). Portanto, cercam-se mutuamente, estando próximas e interligadas por ilhas transoceânicas – ainda mais com o avanço do poder aéreo e das tecnologias que proporcionam maior raio de alcance para a agressão militar. Assim, os Estados Unidos seriam uma ilha transoceânica cercada pelas extremidades da Eurásia, tendo como imperativo geoestratégico atuar permanentemente para promover o equilíbrio de poder nessa região, e dominar e instalar bases avançadas nas ilhas transoceânicas que interligam América do Norte e Eurásia. Por isso não interessaria uma Federação da Europa formando um único ator com supremacia. Quanto ao hemisfério ocidental, Spykman afirma que a supremacia dos Estados Unidos não pode ser ameaçada por questões de segurança. Na sua opinião, caso uma potência (ou aliança) viesse a dominar a Eurásia, os Estados Unidos deveriam formar um sistema autárquico integrado sob sua hegemonia na América, para compensar o poder dominante da Eurásia.

Brzezinski e Kissinger – a Eurásia como continente basilar

Após a Segunda Guerra Mundial, veio o período caracterizado pelas disputas geopolíticas entre Estados Unidos e URSS, que alcançaram uma escala global. A geopolítica de contenção praticada pelos Estados Unidos frente à expansão da URSS seguiu a ideia de que a Eurásia seria o continente basilar na disputa de poder global. Do ponto de vista retórico, o discurso de Truman colocou em relevo a luta do bem contra o mal. No âmbito da segurança, isso se cristalizou na formação da Otan em 1949. Na extremidade oriental da Eurásia, os Estados Unidos

---

1. Mackinder (1904).
2. Spykman (1942).

estabeleceram acordos bilaterais de segurança com aliados. Brzezinski e Kissinger formularam visões geoestratégicas e guias de ação para os Estados Unidos nesse cenário, mantendo o foco na Eurásia, tal qual os autores da geopolítica clássica.

Brzezinski, em *Game Plan*[3], aponta a Eurásia como o continente basilar na confrontação entre Estados Unidos e URSS, por razões materiais, no mesmo sentido colocado por Mackinder. Atribuiu, ainda, uma razão geográfica para o conflito bipolar e seus possíveis desdobramentos ao afirmar que se tratava de uma colisão histórica e imperial entre uma potência marítima transoceânica, que passou a incluir as bordas da Eurásia no seu perímetro de segurança, e um poder terrestre transcontinental, que tinha como imperativo geoestratégico a expansão para as bordas da Eurásia em busca de saída(s) para os mares quentes. Para o autor, tal rivalidade pela Eurásia se desenvolve em três frentes estratégicas, originadas em diferentes momentos, a saber: na extremidade ocidental da Eurásia – impulsionada entre 1947-1949, com a tentativa de ascensão comunista na Grécia e na Turquia e a Crise de Berlim; na extremidade oriental da Eurásia, ou Sudeste Asiático – originada com a Revolução Comunista na China, em 1949, e a guerra na península da Coreia, em 1950; no sudoeste da Ásia, ou Oriente Próximo, impulsionada em 1979 pela invasão soviética ao Afeganistão e pela revolução no Irã.

A última seria crucial para o controle das demais, em razão de sua importância para o abastecimento de petróleo, não só dos Estados Unidos, mas para os aliados. Portanto, para o poder de barganha e influência estadunidense nas outras frentes estratégicas, atuando como um garantidor do acesso, ou do funcionamento do "mercado", além de negar acesso a rivais revelados ou potenciais. Isso se cristalizou na chamada Doutrina Carter, formulada por Brzezinski, sintetizada pelo presidente no seu discurso ao Congresso[4].

Kissinger, ao observar a rivalidade e temor mútuo entre URSS e China, junto com o Presidente Nixon, formulou a diplomacia triangular dos Estados Unidos como ação geopolítica, aproximando-se da última. Em sua obra *Diplomacy*, a atuação dos Estados Unidos na Eurásia aparece como fundamental para conter o avanço soviético e vencer a Guerra Fria.

No debate geoestratégico dos Estados Unidos no século XXI, Brzezinski e Kissinger seguem apontando a centralidade das relações Leste-Oeste em suas análises geoestratégias. Ou seja, os países do Hemisfério Norte e, mais especificamente, o equilíbrio de poder na Eurásia a ser promovido pelos Estados Unidos seguem

---

3. Brzezinski (1986).

4. "Que nossa posição fique absolutamente clara: Uma tentativa de qualquer força externa para obter o controle da região do Golfo Pérsico será considerada uma investida contra os interesses vitais dos Estados Unidos da América, e essa investida será repelida por qualquer meio necessário, inclusive pela força militar."

fundamentais. Mas, dependendo da conjuntura, direcionam o foco específico em diferentes áreas da Eurásia, assim como a intensidade de atuação da política externa e de segurança estadunidenses, conjugando tática e estratégia.

No livro *Strategic Vision*, Brzezinski[5] aponta desafios e caminhos para que os Estados Unidos mantenham sua posição de primazia. Para Brzezinski, é preciso que os líderes políticos compreendam o novo cenário geopolítico e o papel dos Estados Unidos, traçando uma estratégia de longo prazo. Quanto a suas recomendações à geoestratégia estadunidense, começa deixando claro que é fundamental promover um equilíbrio geopolítico novo e estável na Eurásia, "de longe, o continente mais importante do mundo"[6], geopoliticamente axial por questões materiais, citando Mackinder. No entanto, na sua visão, os Estados Unidos desperdiçaram a oportunidade de avançar no vácuo de poder pós-Guerra Fria, quando emergiram como único superpoder global[7]. A Europa está menos unida e mais fraca (tornou-se uma extensão do Ocidente, sem visão estratégica e dependente militarmente dos Estados Unidos), enquanto Turquia e Rússia ficaram à margem da comunidade ocidental; e no Oriente a China tem crescido em termos econômicos, políticos e militares, criando rivalidades reais e potenciais. Assim, para ele, atualmente a Eurásia apresenta volatilidades que a colocam como a arena central da geopolítica global. As ameaças imediatas provêm do leste do Canal de Suez, de oeste da província chinesa de Xinjiang, e da fronteira sul pós-soviética (do Cáucaso e da Ásia Central). O desafio de longo prazo é a contínua mudança do centro de gravidade (da distribuição de poder) do Ocidente para o Oriente: da Europa para a Ásia, e possivelmente dos Estados Unidos para a China. Esta impõe a necessidade de uma visão geoestratégica de longo prazo visando promover um equilíbrio de poder transcontinental na Eurásia[8].

Para isso, ele propõe que os Estados Unidos devem atuar como promotor e garantidor de um renovado "Ocidente ampliado", envolvendo a Turquia e a Rússia, de forma gradual, por meio de um processo de democratização e eventualmente aderindo às normas do "Ocidente". Esse objetivo de longo prazo poderia

---

5. Brzezinski (2012).

6. Brzezinski (2012, p. 130).

7. Para Brzezinski, a política de "guerra ao terror" de George W. Bush transformou os Estados Unidos em um "Estado cruzadista", deixando-o despreparado para encarar os novos desafios geopolíticos do século XXI e carente de uma visão estratégica de longo prazo, o que levou a uma deterioração do seu poder relativo. O Presidente Obama não teria promovido as mudanças necessárias e, mesmo com seu carisma e retórica, teria falhado na tarefa de falar diretamente à população estadunidense sobre as mudanças no papel dos Estados Unidos no mundo, suas implicações e demandas (2012, p. 122).

8. Brzezinski (2012, p. 123).

ser alcançado no segundo quarto do século XXI, no qual a liderança dos Estados Unidos na Otan seria imprescindível, assim como trabalhar por uma Europa unida, fomentando a cooperação entre seus atores-chave.

O outro tabuleiro seria o "Oriente complexo", na região Ásia-Pacífico, onde os Estados Unidos deveriam atuar como um promotor do equilíbrio regional de um "Novo Oriente estável e cooperativo". Para ele, por seu peso econômico e demográfico frente a uma Europa declinante, essa região é central para a estabilidade global. No entanto, apresenta enorme potencial de eclodir um conflito local que pode arrastar os Estados Unidos e levar a uma guerra maior. Isto se deve às disputas pelo posto de maior potência regional combinado com ressentimentos, desconfianças, contenciosos e conflitos históricos, envolvendo também aliados estratégicos dos Estados Unidos. Para Brzezinski, as ambições chinesas se tornam cada vez mais claras, assentadas em assertividade nacionalista, modernização nacional, e paciência histórica, e despertam medo e rivalidades históricas com Japão e Índia, por exemplo. Assim, os Estados Unidos deveriam ajudar os países a evitar uma batalha pelo domínio da região, mediando conflitos e promovendo o equilíbrio entre potências rivais. Mas alerta que os Estados Unidos não podem mais impor um equilíbrio de poder à região.

Na visão de Brzezinski, os Estados Unidos deveriam se aproximar da China, e não só diminuir as possibilidades de um conflito Estados Unidos-China, mas também trabalhar para que não haja erro de cálculos e conflitos entre Japão e China, China e Índia e China e Rússia[9]. Devem buscar estabelecer um triângulo estratégico de cooperação entre Estados Unidos-Japão-China, envolvendo uma duradoura reconciliação entre China e Japão, e atuar dentro do princípio de que os Estados Unidos devem manter obrigações com Japão e Coreia do Sul, mas ao mesmo tempo não permitindo ser arrastados para uma guerra entre potências asiáticas. Aponta que, nesse quadro conflitivo potencial, sua estabilidade depende em parte de como os Estados Unidos vão lidar com dois triângulos regionais sobrepostos centrados na China, onde ele pode ser um ator-chave para alterar equilíbrios e resultados[10]. Primeiro, o triângulo China-Índia-Paquistão, que envolve a primazia na Ásia entre os dois primeiros, numa relação inerentemente competitiva e antagônica, tendo o terceiro como ponto regional de contenção. Nesse caso, o papel dos Estados Unidos deve ser cauteloso e prudente, especialmente na aliança com a Índia, evitando envolvimento militar, para não despertar ou legitimar uma hostilidade nacionalista chinesa, que inclusive interessaria à Rússia. A conveniência de tal postura já não ficaria clara no segundo triângulo, China-Japão-Coreia

---

9. Brzezinski (2012).
10. Brzezinski (2012, p. 162).

do Sul, no sudeste da Ásia, por envolver a questão da primazia da China frente à posição dos Estados Unidos no Pacífico. De qualquer forma, um Japão fortalecido e ativo traria uma contribuição importante para a estabilidade global. Por fim, Brzezinski afirma que se os Estados Unidos forem bem-sucedidos no Ocidente, formando uma ampla zona de cooperação democrática e estável estendendo-se da América do Norte à Europa através da Eurásia (eventualmente envolvendo Rússia e Turquia), na direção do Japão e Coreia do Sul, isso elevaria o apelo dos princípios centrais do Ocidente frente a outras culturas, encorajando a emergência de uma cultura política democrática universal[11].

Kissinger, em *A ordem mundial*, aponta que os Estados Unidos precisam de uma estratégia e de uma diplomacia à altura de suas metas – manter sua supremacia – e da complexidade da(s) ordem(s) internacional(is) atual(is)[12]. Ao destacar a importância geopolítica e histórica, para os Estados Unidos, da parceria atlântica, de sua renovação e continuidade, Kissinger assinala que é fundamental apoiar a União Europeia e evitar que ela desande para um vácuo político:

> Separados da Europa no plano da política, da economia e da defesa, os Estados Unidos, em termos geopolíticos, se tornariam uma ilha ao largo da Eurásia, e a própria Europa poderia ser um prolongamento das extensões da Ásia e do Oriente Médio[13].

Kissinger aponta que a ordem internacional na Ásia é historicamente caracterizada pela participação de potências externas, estando atualmente marcada por uma "variedade de grupos multilaterais e mecanismos bilaterais"[14], alguns puramente regionais e outros com participação inclusive dos Estados Unidos ou da Rússia. Na opinião do autor, a região apresenta uma complexidade geoestratégica por suas rivalidades regionais, e apresenta duas balanças de poder: uma no Sul e outra no Leste. Embora tenha procurado não tratar da balança do Sul após sua retirada do Afeganistão, para ele os Estados Unidos não poderão deixar de atuar na mesma, pois deixariam um vácuo de poder para expansionismos e rivalidades que levaria à confrontação. Para ele, no leste da Ásia, os Estados Unidos "não são tanto um promotor do equilíbrio como parte integral do equilíbrio"[15]. Há vários equilíbrios nessa área, inclusive um entre Estados Unidos, Japão e China. Para Kissinger, a atuação dos Estados Unidos exigirá moderação, força e legitimidade,

---

11. Brzezinski (2012, p. 181).
12. Kissinger (2014).
13. Kissinger (2014, p. 374).
14. Kissinger (2014, p. 210).
15. Kissinger (2014, p. 234).

combinando equilíbrio de poder com o conceito de parceria, para evitar uma confrontação militar ou uma hegemonia chinesa.

Sobre as relações Estados Unidos-China, na visão de Kissinger, mesmo que os Estados Unidos declinem, os líderes estatais chineses sabem que preservarão muito do seu poder. Para ele, nenhum país sozinho tem a capacidade de exercer o papel de liderança dos Estados Unidos. Mas percebe que a China representa um desafio estrutural na distribuição de poder global. Por isso é preciso evitar uma tragédia, como as guerras hegemônicas que ocorreram na Europa no início do século XX. A relação entre Estados Unidos e China deve ser regida pela busca de equilíbrio baseado tanto no poder quanto na legitimidade – balança de poder e normas[16]. Não podem deixar de ter um olho na balança de poder ao buscar normas para estabelecer legitimidade e cooperação, e vice-versa[17].

Ambos, Brzezinski e Kissinger, atribuem importância à atuação e permanência dos Estados Unidos na Eurásia e na Otan, embora o primeiro se mostre um legítimo herdeiro da geopolítica clássica, enquanto o segundo baseie sua análise em uma política de equilíbrio de poder global. A atuação no Oriente Médio também aparece como importante para ambos autores, no sentido proposto pela Doutrina Carter, não importando os custos econômicos de tais ações, que são compensados pelos ganhos estratégicos. Enquanto muitos analistas apontam que a China se aproveita da presença militar e estabilidade promovida e bancada pelos Estados Unidos na região, a partir da visão de Brzezinski (ou mesmo de Klare[18]), podemos interpretar que o ganho do controle no Oriente Médio, especialmente em momentos de crise e conflitos, é fundamental politicamente e supera custos econômicos. É importante ressaltar que nas análises geoestratégicas tanto de Brzezinski quanto de Kissinger, as preocupações centrais (prioridades) são discutir e delinear objetivos geoestratégicos (de segurança) que não devem ser limitados por debates economicistas e orçamentários. Ainda que Brzezinski vislumbre que no longo prazo o endividamento dos Estados Unidos, diante de um crescente credor que é um potencial contestador de sua posição de supremacia, que seria a China, poderia levar a uma vulnerabilidade e a um questionamento da hegemonia estadunidense e de sua moeda internacional[19].

No entanto, esmiuçando entrevistas e palestras dos autores, é possível encontrar diferenças, especialmente nas suas visões sobre as relações Estados Unidos-China e Estados Unidos-Rússia. Kissinger destaca as relações triangulares com China e

---

16. Kissinger (2014, p. 369).
17. Kissinger (2014, p. 330).
18. Klare (2008).
19. Brzezinski (2012).

Japão e com Rússia e China[20]. Ele critica a demonização da Rússia. Afirma que ela deve ser abordada como uma grande potência na estratégia e nas negociações diplomáticas pelos Estados Unidos, sendo preciso que este adapte (e não "*reset*") suas relações com a Rússia diante das circunstâncias atuais[21]. Assim, os Estados Unidos não podem chegar e impor um "plano pronto", tampouco encará-la como um membro potencial-natural da Otan, que aderiria automaticamente às regras do "Ocidente". É preciso entender a história e a natureza da insegurança russa, assim como sua importância geográfica, órbita de influência e natureza expansionista. Só assim é possível estabelecer relações que busquem reconhecer suas características especiais, mas também compreender as necessidades dos Estados Unidos. Para Kissinger, "*O objetivo deveria ser encontrar uma diplomacia para integrar a Rússia numa ordem mundial que deixe um campo de ação para a cooperação*"[22].

Kissinger argumenta sobre a possibilidade de uma geopolítica triangular Estados Unidos-Rússia-China, com os Estados Unidos se aproximando do vértice mais fraco para se contrapor ao mais forte entre os concorrentes, nos moldes da estratégia Nixon-Kissinger frente à URSS. Atualmente, o desafio estrutural para os Estados Unidos está na China[23]. Por isso, "*Na ordem multipolar emergente, a Rússia deveria ser entendida como um elemento essencial de qualquer novo equilíbrio global, e não principalmente como uma ameaça aos Estados Unidos*"[24]. Deve-se ter em conta que Kissinger não acredita que China e Rússia possam estabelecer uma reaproximação devido a suas naturezas. Na sua visão, se a Rússia mostra claramente querer isso, é em parte porque os Estados Unidos não lhe deixaram escolha[25].

Brzezinski, a partir da crise de 2008, passou a advogar a formação de um G2 informal entre China e Estados Unidos, baseado na interdependência e interesse comum entre ambos, cooperando em uma espécie de hegemonia compartilhada, na qual os estados reconhecem a importância econômica chinesa enquanto mantém seu papel/supremacia político-militar e tecnológico[26]. Na sua obra, as possibilidades de uma parceria e cooperação entre Estados Unidos e Rússia aparecem sempre como remotas, devido aos antagonismos geográficos e consequentes divergências geopolíticas, explicitados, por exemplo, após a crise da Ucrânia.

---

20. Kissinger (2014).
21. Kissinger (2016a).
22. Kissinger (2015).
23. Kissinger (2015).
24. Kissinger (2016b).
25. Kissinger (2015).
26. BRZEZINSKI."The Group of Two that could change the world". In: *Financial Times*, 13/01/2009 [Disponível em https://www.ft.com/content/d99369b8-e178-11dd-afa0-0000779fd2ac].

Mearsheimer e Walt: a política de *offshore balancing*

No artigo "*The case for offshore balancing*", Mearsheimer e Walt definem que esta política consiste em os Estados Unidos atuarem apoiando potências aliadas regionais diante da ascensão de outra(s) potência(s) regional(is) hostil(is) que venham a ameaçar o equilíbrio de poder em determinada região, e advertem: "*O balanceamento externo (offshore balancing) é uma grande estratégia realista e seus objetivos são limitados. Promover a paz, embora desejável, não está entre eles*"[27]. Diferentemente dos isolacionistas, defendem que há regiões fora do hemisfério ocidental nas quais vale a pena despender recursos orçamentários e vidas. Mas não deixam de enfatizar a necessidade de diminuir tais gastos, para que se possa investir em outras áreas, assim como os europeus devem arcar com os gastos na sua própria segurança e ter maior atenção e responsabilidade na hora de lidar com a Rússia. Portanto, preocupam-se com limitações orçamentárias.

Os autores dividem a Eurásia em três regiões: Europa, Golfo Pérsico e Nordeste Asiático. Nas duas primeiras, os Estados Unidos não precisam estar presentes, enquanto na última devem ter a maior atenção em relação à ascensão da China: "*Os dois primeiros são centros-chave de poder industrial e lar das outras grandes potências mundiais, e o terceiro produz cerca de 30% do petróleo mundial*"[28]. Quanto ao objetivo de manter a hegemonia no hemisfério ocidental, este aparece como crucial para seu objetivo de supremacia global:

> *Procurando uma estratégia de "balanceamento externo", Washington renunciaria aos esforços ambiciosos de reconstituir outras sociedades e concentrar-se-ia no que realmente importa: preservar o domínio dos Estados Unidos no hemisfério ocidental e opor-se a potenciais hegemons na Europa, no nordeste da Ásia e no Golfo Pérsico. Em vez de policiar o mundo, os Estados Unidos estimulariam outros países a tomar a iniciativa de controlar potências emergentes, intervindo apenas quando necessário. Isto não significa abandonar a posição dos Estados Unidos como única superpotência mundial ou retirar-se para a "Fortaleza América". Mais exatamente, economizando a força dos Estados Unidos, o balanceamento externo irá preservar a primazia dos Estados Unidos até um futuro longínquo e salvaguardar a liberdade em casa*[29].

Para eles, as intervenções militares deteriorariam o poder moral estadunidense, com a tentativa de impor valores, ao invés de focar em ser um exemplo

---

27. Mearsheimer e Walt (2016, p. 73).
28. Mearsheimer e Walt (2016, p. 73).
29. Mearsheimer e Walt (2016, p. 71).

que outros irão querer emular[30]. No entanto, seguindo sua contínua marcha de crescimento econômico e projeção externa, preveem que no longo prazo a China não pode ascender pacificamente[31] e os Estados Unidos deverão se envolver, inevitavelmente, no balanço regional:

> [...] é difícil prever um sério desafio à hegemonia americana no hemisfério ocidental e, por enquanto, nenhum *hegemon* potencial está à espreita na Europa ou no Golfo Pérsico. Agora as notícias ruins: se a China continuar sua impressionante ascensão, é provável que busque a hegemonia na Ásia. Os Estados Unidos deveriam empreender um grande esforço para impedi-la de ser bem-sucedida[32].

Mearsheimer e Walt defendem que os Estados Unidos devem encerrar sua participação na Otan e a presença de forças militares na região, visto que não haveria nenhuma ameaça de domínio vinda de uma potência hostil. Alemanha e Rússia seriam os potenciais desafiadores, mas prevê que ambas perderiam poder relativo em razão do encolhimento e envelhecimento de suas populações, e não ameaçariam os interesses dos Estados Unidos ou se projetariam para o hemisfério ocidental, sua maior preocupação em termos de segurança. "*Sem dúvida, deixar a segurança europeia aos europeus pode aumentar o potencial de distúrbio ali. Se surgir um conflito, porém, ele não ameaçaria interesses vitais dos Estados Unidos*"[33].

Já no Golfo Pérsico, nenhum poder local estaria em condições de dominar a região, então os Estados Unidos poderiam retirar a maior parte de suas forças e voltar a adotar uma estratégia de *offshore balancing*. A China irá buscar aliados na região, e o Irã seria o principal da lista, então os Estados Unidos deveriam buscar boas relações com o Irã e desestimular sua cooperação em segurança com a China. E ainda, devido ao potencial peso relativo do Irã frente aos vizinhos, em termos populacional e econômico, ele talvez se colocasse em posição de dominar a região. Nesse caso, os Estados Unidos deveriam apoiar outros estados do Golfo para promover o equilíbrio de poder frente ao Irã, calibrando seus próprios esforços e presença militar à magnitude do perigo[34].

Para Mearsheimer e Walt, seguindo tais passos os Estados Unidos poderiam concentrar mais suas forças no desafio principal na Ásia, a China, e defender sua imprescindível hegemonia hemisférica, inclusive prevenindo alianças de potências

---

30. Mearsheimer, no livro *The Israel Lobby and U.S. Foreign Policy*, destaca de forma crítica a importância do *lobby* israelense na invasão ao Iraque, p. ex. (MEARSHEIMER & WALT, 2016, p. 83).
31. Mearsheimer e Walt (2016), Mearsheimer (2004).
32. Mearsheimer e Walt (2016, p. 81).
33. Mearsheimer e Walt (2016, p. 82).
34. Mearsheimer e Walt (2016, p. 82-83).

externas com estados da região, ao mesmo tempo diminuindo seus gastos com defesa e concentrando-os mais em necessidades internas[35].

Huntington e Kaplan: foco nas relações Norte-Sul, no México e na "latinização"

Tanto Robert Kaplan, em *The Revenge of Geography*[36] quanto Samuel Huntington, em *Who are we? The Challenge to America's National Identity*[37], afirmam que o destino dos Estados Unidos está no eixo Norte-Sul e na sua relação com o México. Para Kaplan, isso tende a se ampliar com a recém-inaugurada ampliação do Canal do Panamá[38].

Ambos autores identificam o México e a América Central como potências demográficas. O México possui mais de 110 milhões de habitantes, cerca de um terço da população dos Estados Unidos, crescendo mais rapidamente e apresentando média de idade mais jovem. A América Central registra mais de 40 milhões de habitantes. Assim, México e América Central somam mais da metade da população estadunidense. Enquanto a idade média nos Estados Unidos é de 37 anos, no México é de 25 anos, na Guatemala e em Honduras 20 anos. Ainda, os Estados Unidos recebem 85% das exportações do México e 50% da América Central[39]. Mas Kaplan adverte criticamente que o México não habita no imaginário ou nas preocupações das elites da Costa Leste dos Estados Unidos, como outros países, embora suas relações sejam cruciais[40].

Na visão de Kaplan, México-Estados Unidos-Canadá formam o mais crucial dos satélites que orbitam a "Ilha Mundial" de Mackinder. Ao mesmo tempo, o México possui um território fragmentado geograficamente, carente de unidade[41]. Em razão disso, ele aponta que há uma inegável e silenciada unificação entre o norte do México (separado do restante do país) e o sudoeste dos Estados Unidos. E caso o México fracasse em sua ofensiva militar, os Estados Unidos terão que

---

35. Mearsheimer e Walt (2016, p. 83).
36. Kaplan (2016).
37. Huntington (2004).
38. Kaplan (2016, p. 339).
39. Kaplan (2016, p. 339).
40. Kaplan (2016, p. 340-341).
41. Kaplan destaca que "[a] Península de Yucatán e a região da Baja California são ambas basicamente separadas do resto do território, que por sua vez é diabolicamente fragmentado. [...] O fato de a maioria dos assassinatos relacionados a drogas ocorrer em apenas seis dos 32 estados mexicanos, sobretudo no norte, é mais um indicador de como o norte está se separando do restante do país" (2016, p. 341-342).

conviver com três mil quilômetros de fronteiras com um narcoestado fragmentado, sem controle funcional sobre seu território norte e suas fronteiras.

Huntington defende o argumento de que a história latina estava se deslocando para o norte, penetrando nos Estados Unidos, e assim transformando o caráter estadunidense[42]. Para ele, descrever os Estados Unidos como uma nação de imigrantes é uma meia-verdade parcial. O país é uma nação tanto de povoadores anglo-protestantes quanto de imigrantes, mas os primeiros forneceram a matriz filosófica e cultural da sociedade que fazem os Estados Unidos serem quem são (diferente de países povoados por católicos franceses, portugueses ou espanhóis). Mais importante, a adoção da cultura anglo-protestante é um requisito para que os imigrantes se tornem americanos. Os Estados Unidos nasceram protestantes, de onde emerge o liberalismo clássico americano. Do protestantismo resultam, em última instância, a dissensão, o individualismo, o republicanismo. Mas esse credo pode acabar sendo sutilmente desmontado pela instalação de uma sociedade hispânica, católica e pré-iluminista.

Assim, Huntington identifica a imigração mexicana como uma ameaça, que busca a reconquista demográfica de áreas perdidas para os Estados Unidos nos anos de 1830-1840. Ela se apresenta como uma onda de imigração não diversificada e não dispersa, onde 50% dos imigrantes que são hispânicos compõem uma multidão homogênea – um grande fluxo com a mesma matriz cultural, linguística, religiosa e nacionalmente mexicana – que vai para uma região definida, o sudoeste dos Estados Unidos, contíguo ao México, algo nunca vivido antes pelos Estados Unidos. Por isso, torna menos provável a assimilação. Eles mantêm seu idioma através de gerações e desfrutam da sensação de estar em casa. Ainda há um índice de naturalização baixo entre os mexicanos. A partir disso, Huntington traz a ideia de "comunidade recordada", com memória histórica de si mesma. Olhando para a dinâmica demográfico-espacial, ele aponta que os mexicano-americanos representam 12,5% da população dos Estados Unidos (fora outros hispânicos), e estima que um terço da população dos Estados Unidos pode ser hispanofônica em 2050.

Nas palavras de Huntington:

> Nos anos de 2000, seis das doze cidades mais importantes do lado estadunidense eram mais de 90% hispânicas, e apenas duas (San Diego, na Califórnia, e Yuma, no Arizona) eram menos de 50% hispânicas em sua composição[43].

---

42. Huntington (2004, p. 69).
43. Citado em Kaplan (2016, p. 345).

A partir disso, aponta-os como ameaça geopolítica:

> Nenhum outro grupo de imigrantes na história americana fez ou estava em condições de fazer uma reivindicação histórica sobre o território americano. Os mexicanos e os mexicano-americanos não só podem fazer essa reivindicação como de fato a fazem[44].

A estratégia apontada por Huntington como solução é o recurso ao nacionalismo, com o objetivo de preservar a cultura e os valores anglo-protestantes em face à latinização dos Estados Unidos. Desdenha do cosmopolitismo das elites. Aí teria papel fundamental o controle hercúleo das fronteiras, não importa o que se passar do lado mexicano.

Kaplan parte do mesmo diagnóstico, mas apresenta diferentes previsões e estratégias[45]. Para ele, a solução proposta por Huntington não poderia subsistir mais do que no curto prazo. Ele identifica que há uma conexão orgânica – geográfica, histórica e demográfica – esmagadora entre México e Estados Unidos. Por conta disso, não se pode esperar manter um grau de pureza e certa dose de cosmopolitismo seria inevitável. Os Estados Unidos devem emergir no século XXI como uma nação mista, polinésia e mestiça, orientada no sentido Norte-Sul, do Canadá ao México, em termos raciais, de pele mais clara. Tornar-se-iam a mais proeminente e aquecida zona franca do planeta para transações comerciais, lugar de residência preferido da elite global. Assim os Estados Unidos vão continuar usufruindo de imigrantes através de leis de imigração (incluindo *brain drain*), e em demasia de mexicanos.

Para Kaplan, o nacionalismo necessariamente será um pouco diluído, mas não a ponto de privar a identidade própria ou enfraquecer as Forças Armadas. Mas ressalta que isso requer que o México seja bem-sucedido, não falido, especialmente no combate aos cartéis de drogas, combinado com supostos benefícios do Nafta. Para ele, um México estável e próspero, trabalhando de forma harmônica, seria a maior vitória para os Estados Unidos do que qualquer outra no Oriente Médio, e formaria uma combinação geopolítica imbatível. Caso contrário, instalar-se-á o quadro temido por Huntington. Kaplan vislumbra:

> Um México pós-cartéis, associado a uma Colômbia estabilizada e pró-americana (hoje, quase um fato), amalgamaria o primeiro, o terceiro e o quarto maiores países do Hemisfério Ocidental em termos populacionais, facilitando a continuidade da influência americana sobre a América Latina e o Grande Caribe[46].

---

44. Huntington (2004, p. 232).
45. Kaplan (2016).
46. Kaplan (2016, p. 347).

Na visão de Kaplan, no longo prazo, "um Estados Unidos" com fronteiras fechadas e nacionalista não poderia coexistir com um México disfuncional e semicaótico. México e Estados Unidos caminham para uma conjunção, mas "em que termos" depende de suas políticas. Assim, propõe que a solução para os Estados Unidos seria integrar e desenvolver o México, gerando o ambiente adequado para a criação de uma "nação na zona temperada da América do Norte". Os imigrantes hispânicos chegam em busca de trabalho "e, portanto, estão dispostos a trabalhar duro em troca de benefícios materiais. Assim, vão sendo transformados pela ética de trabalho anglo-protestante ao mesmo tempo em que transformam a cultura anglo-protestante americana"[47]. Para Kaplan, a capacidade dos Estados Unidos de formar uma espécie de "supraestado" coeso e bilíngue com México e Canadá afetará seu poder em todas as esferas (moral, cultural, política e até militar) e determinará sua interação com a Eurásia. O México conectado aos Estados Unidos, como Estados Unidos e Canadá estão, seria um aliado íntimo e confiável, inclusive em fóruns internacionais. Avalia, por fim, que os temores de Huntington são justificados, mas "a solução que está parcialmente errada"[48].

Ao afirmar que "[u]ma Eurásia unificada e orgânica vai demandar, como contrapeso, uma América do Norte unificada e orgânica, do Ártico canadense às selvas centro-americanas"[49], completa apontando que não cuidar do México e América Central significa jogá-los a um comportamento hostil e deixar a Eurásia mais próxima. Por isso, propõe que é necessário envolver o Grande Caribe em uma zona de livre-comércio e migração sob o domínio dos Estados Unidos, com as populações mais jovens e crescentes do México e América Central fornecendo força de trabalho para os Estados Unidos demograficamente envelhecido. Recuperando Mackinder e Spykman, Kaplan afirma que é preciso manter o poder equilibrado na Eurásia, mas o grande foco da geoestratégia estadunidense deve estar na unificação da América do Norte:

> Assegurar que nenhuma potência isolada no hemisfério oriental não se torne indevidamente dominante, de modo a representar uma ameaça para os Estados Unidos em seu próprio hemisfério, será uma tarefa muito mais fácil se, antes de mais nada, trouxermos a unidade ao hemisfério ocidental[50].

Na sua visão, a razão para o equilíbrio vai além da proteção dos Estados Unidos, pois a estabilidade da Eurásia permitiria introduzir a causa liberal numa dimensão

---

47. Kaplan (2016, p. 351).
48. Kaplan (2016, p. 352).
49. Kaplan (2016, p. 352).
50. Kaplan (2016, p. 353).

global. Do nosso ponto de vista, este argumento de Kaplan busca incluir uma dimensão ética na retórica da ação geoestratégica estadunidense por ele proposta.

Sobre a presença militar dos Estados Unidos no Oriente Médio, e o debate sobre a invasão ao Iraque em 2003, ao qual se posicionou de forma contrária, Kaplan aponta que a China será a maior beneficiada pela estabilização do Afeganistão e Paquistão, "construindo estradas e dutos energéticos na região, em busca por energia, minerais e metais estratégicos"[51]. No entanto, sobre uma retirada precipitada e abrupta das tropas, afirma que "pelo mero fato de termos invadido esses lugares e lá permanecido por tanto tempo, passamos a ser profundamente afetados pelo desenrolar dos acontecimentos de lá"[52]. As análises preocupadas com retirada rápida focam nos custos já incorridos. Já a preocupação de Kaplan seria se há salvação para a hegemonia dos Estados Unidos, como preservar o equilíbrio de poder na Eurásia, com uso seletivo de tropas, sem ser inundado ao longo das décadas por mexicanos fugindo de um Estado falido. Para ele, o isolamento geográfico é uma bênção que não deve ser desperdiçada por uma estratégia expansionista, mas os Estados Unidos ainda não cometeram nenhum erro crucial. Apenas precisam evitar intervenções onerosas[53].

A geoestratégia dos Estados Unidos e sua continuidade no pós-Guerra Fria

Esta seção se dedica à estratégia estatal estadunidense no pós-Guerra Fria em relação à Eurásia, conforme revelada a partir de objetivos, interesses e ameaças apresentados em documentos estratégicos de Estado.

Com a dissolução da URSS e do bloco socialista encerrando a Guerra Fria, os Estados Unidos deixavam de possuir uma ameaça clara a combater que legitimasse seus altos gastos militares e presença militar global. Assim, os Estados Unidos precisariam identificar novas ameaças que fossem palatáveis para ganhar legitimidade dentro e fora de suas fronteiras. Olhando para a Otan, a questão se torna ainda mais complexa, visto que foi criada sob a liderança dos Estados Unidos no âmbito da Doutrina Truman, com a missão de conter o avanço socialista-soviético na Europa, mas ao mesmo tempo representava um instrumento para a presença e controle militar estadunidense nessa região estratégica. Assim, do ângulo da geoestratégia dos Estados Unidos, era preciso dar um novo sentido à organização.

Nesse momento, os Estados Unidos começaram a promover a retórica de que o mundo pós-Guerra Fria seria pacífico, livre de disputas e conflitos interestatais

---

51. Kaplan (2016, p. 332).
52. Kaplan (2016, p. 333).
53. Kaplan (2016, p. 238-239, 334).

globais, apenas com algumas conturbações regionais. Ao mesmo tempo, elegeram como novas ameaças à paz e à estabilidade global as de caráter não estatais, como o narcotráfico, catástrofes ambientais, inimigos do meio ambiente, o terrorismo de grupos islâmicos radicais e espalhados em diferentes países – que posteriormente configurariam o terrorismo global –, mas também estados (ou líderes) violadores de direitos humanos e da democracia, os estados "irresponsáveis" que viessem a apoiar grupos terroristas, ou estados falidos cuja fraqueza favorecesse o surgimento e manutenção de tais grupos em seus territórios. Especificamente na América Latina, o discurso sobre o combate ao narcoterrorismo ganhou maior ênfase por conta da adesão e legitimidade entre os governos da região.

Confeccionado no governo republicano de George H.W. Bush (1989-1993), o documento *National Military Strategy*, de 1991 (NMS-1991), sublinhou a importância de tais ameaças e, assim, a agenda que os Estados Unidos promoveriam através de organizações multilaterais regionais, como a Otan e a OEA, e na ONU, no âmbito global. Com otimismo, anuncia o surgimento de uma nova era a partir da derrocada do socialismo e do sucesso na Guerra do Golfo através de uma ação militar extremamente bem-sucedida, orquestrada pelos Estados Unidos e autorizada pelo Conselho de Segurança da ONU, que mostrou sua superioridade militar e capacidade de liderança em uma ordem unipolar.

No entanto, uma avaliação mais acurada do NMS-1991 revela que a disputa interestatal segue tendo papel central nos objetivos militares estadunidenses, mais especificamente no sentido de minar a possibilidade do surgimento de potências regionais e desafiantes globais em um cenário global incerto (de transição) pós-Guerra Fria[54]. O objetivo de preservar a confiança na capacidade dos Estados Unidos de prevenir qualquer perigo real de ameaçá-lo, ou competir militarmente, aparece como central. Com grande foco na promoção do equilíbrio regional e em disputas interestatais, revela-se uma preocupação em manter a Europa Ocidental unida, mas em termos de forças militares e identidade de segurança cada vez mais atrelada à Otan, sob a tutela dos Estados Unidos, não formando uma força própria independente. Especificamente sobre a Alemanha, fica claro o objetivo de mantê-la como um protetorado militar dos Estados Unidos, combinado a um protagonismo econômico e político regional. A Europa sob a órbita da Otan seria importante para aproveitar as oportunidades do vácuo de poder deixado no Leste Europeu pelo fim da URSS.

---

54. "*No golfo, vimos os Estados Unidos desempenharem o papel sonhado por seus fundadores, com a nação líder mundial orquestrando e sancionando a ação coletiva contra a agressão. Mas estamos ainda num período de transição*" (USA, 1991, p. 5).

Quanto ao Japão e à Ásia-Pacífico, o NMS-1991 aponta como objetivo reforçar os laços militares bilaterais, reconhecendo o papel protagônico do país do ponto de vista econômico, mas ao mesmo tempo impedindo sua remilitarização – nesse momento, a China ainda não mostrava a pujança dos anos de 2000. E quanto à Rússia, herdeira do arsenal nuclear soviético, o documento revela a crença na persistência de rivalidades e aponta a necessidade de evitar que ela volte a ser o que era 40 anos antes, com sua robustez militar competitiva. Ou seja, seria preciso conter sua remilitarização, ao mesmo tempo em que se busca promover sua democracia. Ainda, o NMS-1991 reafirma a preocupação permanente com o hemisfério ocidental na direção de uma política de segurança em que as forças militares na América Latina tenham sua capacidade restrita ao combate às novas ameaças.

Na verdade, a década de 1990 não foi pacífica, mas um período caracterizado por várias intervenções militares, muitas sob o manto de causas humanitárias, especialmente durante o governo democrata de William Clinton (1993-2001). Os documentos *A National Security Strategy of Engagement and Enlargement*, de 1994 e 1996, confirmam a mudança retórica quanto às ameaças a serem combatidas pelos Estados Unidos com o fim da Guerra Fria. Estas se tornaram mais diversas, apontando os conflitos étnicos e os *rogue states* que colocam ameaças à estabilidade regional em várias partes do globo, a proliferação de armas nucleares como um desafio maior, a degradação ambiental e o crescimento demográfico ameaçando a estabilidade política de vários países e regiões, além de sublinhar a importância do combate ao narcotráfico, da promoção da democracia e dos direitos humanos. Embora tenha como pano de fundo um discurso multilateralista, que prima pelo papel dos organismos internacionais e pela "governança global", os documentos revelam como objetivos centrais dos Estados Unidos, que se reforçam mutuamente: a confiança nas suas forças militares, sua revitalização econômica e a promoção da democracia. Observa as oportunidades sem precedentes apresentadas aos Estados Unidos pela assimetria de poder no sistema internacional pós-Guerra Fria. No entanto, aponta que "*Mesmo terminada a Guerra Fria, nossa nação precisa manter forças militares que sejam suficientes para deter diversas ameaças e, quando necessário, combater e vencer nossos adversários*"[55]. Mais adiante, o documento aponta que a Rússia possui um futuro incerto e que a China mantém um regime repressivo, mesmo assumindo um papel mais importante em temas econômicos e políticos internacionais. Isso reforçaria o imperativo estratégico de atuar na Eurásia.

Com o objetivo de promover a paz e a estabilidade em diferentes partes do planeta, os documentos observam a importância da parceria transatlântica no âmbito da Otan, sob a liderança dos Estados Unidos, assim como seu papel na

---

55. USA (1994, p. ii).

promoção de tratados de livre-comércio. Destaca que Clinton convocou uma reunião de Cúpula da Otan em janeiro de 1994, que aprovou a *Partnership For Peace*, fundamental para reforçar os laços transatlânticos e promover a estabilidade da Europa. Ambos os documentos afirmam que a estabilidade europeia é vital para a segurança dos Estados Unidos[56].

Os Estados Unidos devem ter como elemento mais importante na sua estratégia na Europa a promoção da segurança através de cooperação e fortalecimento militares, "ajudando a confirmar o papel central da Otan na Europa pós-Guerra Fria", pois "*A Guerra Fria terminou, mas a guerra em si não terminou*"[57]. Assinala-se a oportunidade sem precedentes de contribuir em favor de uma Europa livre e unida, mas que seja cooperativa com os Estados Unidos. O objetivo de levar a agenda de "novas ameaças" à Otan já estava claro nas intervenções dos anos de 1990. Nesse sentido, o documento afirma o objetivo de ampliar a Otan e levar a democracia em direção ao leste, para a área antes influenciada pela URSS[58]. Ao destacar que o leste da Ásia é uma região de crescente importância para a prosperidade e segurança dos Estados Unidos, o documento aponta que Clinton busca uma estratégia integradora de uma "Nova Comunidade do Pacífico", "*que associe requisitos de segurança com realidades econômicas e com nossa preocupação por democracia e pelos direitos humanos*". A pedra angular dessa política seria o aprofundamento de laços bilaterais com aliados (como Japão, Coreia do Sul, Austrália, Tailândia e Filipinas), combinado com a continuidade da presença militar estadunidense.

Voltando ao tema da Otan, sua "nova doutrina" pós-Guerra Fria foi anunciada durante a comemoração de seus 50 anos. Um dos itens do capítulo quinto do documento *Nato 2020: Assured Security; Dynamic Engagement*[59] revelou o novo conceito estratégico da Otan: "Desdobrar e sustentar capacidades expedicionárias para operações militares além da área abrangida pelo tratado quando requerido para impedir um ataque na área abrangida pelo tratado ou para proteger os direitos e outros interesses vitais dos membros da Aliança". Assim, foram flexibilizadas tanto a área geográfica de atuação quanto as ameaças a serem combatidas, que passam a ser subjetivas e imprecisas, de acordo com o que seus membros identificarem ou interpretarem, podendo atribuir-se ainda o papel de forças armadas globais da ONU, mas sob o comando dos Estados Unidos. É nesse quadro que observamos a expansão da Otan para o leste (assim como a da União Europeia), sob o comando dos Estados Unidos, incluindo antigos membros do Pacto de Varsóvia.

---

56. USA (1994, 1996).
57. USA (1994, p. 21).
58. USA (1996, p. 32).
59. Disponível em https://www.nato.int/cps/en/natohq/official_texts_63654.htm

A preocupação com a dependência energética externa dos Estados Unidos aparece no documento de 1998, *A National Security Strategy for a New Century*, destacada na seção "*Oferecendo segurança energética*":

> Os Estados Unidos dependem do petróleo para cerca de 40% de suas necessidades primárias de energia e aproximadamente a metade de nossas necessidades de petróleo é satisfeita com importações. Embora importemos menos de 10% das exportações do Golfo Pérsico, nossos aliados na Europa e o Japão respondem por cerca de 85% destas exportações, ressaltando assim a permanente importância estratégica da região.

Tal quadro reforça a importância da Eurásia e do Oriente Médio. Na verdade, reflete uma dinâmica histórica de crescente dependência de importações de petróleo. Klare[60] destaca que, em 1973, as importações de petróleo dos Estados Unidos ultrapassaram a marca de 30% do consumo interno, e em 1976 alcançaram 40%, atingindo 45% em 1977. Nesse âmbito, com a invasão soviética ao Afeganistão e a revolução iraniana em 1979, foi lançada a Doutrina Carter, e o Comando Central dos Estados Unidos foi criado em 1983 para atuar no Oriente Médio. Em 1997, as importações chegaram a 49% do abastecimento interno, e em 1998 ultrapassaram a barreira dos 50%, um marco psicológico para sua entrada no século XXI. Na interpretação de Klare[61], desde a Segunda Guerra Mundial, quando atuou como principal abastecedor petroleiro das potências aliadas, a Doutrina Carter seguiu e seguirá guiando a estratégia estadunidense, na qual a segurança energética é vista como um tema de segurança nacional, e não como um tema econômico – reforçando que suas máquinas militares são movidas predominantemente a petróleo, como forma mais eficiente.

George W. Bush (2001-2009) chega ao poder em 2001, comprometido com as prioridades estabelecidas pelo grupo neoconservador do *think tank Project for the New America Century* (PNAC), que passaram a guiar a geoestratégia estadunidense: aumentar gastos com defesa, promover a "liberdade política" em todo mundo, e "preservar e estender uma ordem internacional amigável". Sobretudo, ganha destaque o objetivo de aumentar os fluxos de petróleo e gás do exterior, diante do problema de segurança energética (e da redução de estoques) dos Estados Unidos, cujas importações eram responsáveis por mais da metade do consumo interno e mais de 30% do *deficit* comercial. Tais prioridades mostram organicidade e, em termos políticos, ganharam maior legitimidade retórica e viabilidade de perseguição após os ataques terroristas de 11 de setembro de 2001. A partir desse fato, o documento *The National Security Strategy*, de 2002, explicitou a doutrina de "ataques preventivos", que deu maior flexibilidade para a atuação militar dos Estados

---

60. Klare (2004, p. 13).
61. Klare (2008).

Unidos, desde que se identificasse unilateralmente uma ameaça potencial atrelada à atuação de grupos terroristas, em qualquer parte ou território nacional do globo. O discurso unilateralista neoconservador, que via o multilateralismo como uma demonstração de fraqueza, ganha força com um discurso ético de luta contra o mal, para legitimar a intervenção global: "*Milhares de terroristas treinados permanecem em sua maioria em células na América do Norte, América do Sul, Europa, África, Oriente Médio, e ao redor da Ásia*"[62].

A importância da Otan como uma espécie de força militar global da ONU, sob a tutela e incorporando a agenda de segurança dos Estados Unidos, é reforçada no Governo Bush, como afirma o documento da estratégia nacional de 2006[63]. Ao mesmo tempo, deixa pistas de que intervenções militares, com ou sem o consentimento da ONU, em áreas ricas em petróleo ou rotas estratégicas podem ser necessárias.

> *[...] A dependência mundial destes poucos fornecedores não é responsável nem sustentável no longo prazo. A chave para assegurar nossa segurança energética é a diversidade nas regiões donde provêm nossos recursos de energia e nos tipos de energia dos quais dependemos. A Administração deverá trabalhar com países ricos em recursos para aumentar sua abertura, transparência e o estado de direito. Isto irá promover a governança democrática efetiva e atrair o investimento essencial para desenvolver seus recursos e expandir o âmbito dos fornecedores de energia*[64].

A preocupação com a China aponta para seu regime político autocrático, sua contínua expansão militar sem transparência, e práticas econômicas protecionistas, incluindo a busca por acesso garantido a recursos energéticos fora do mercado, por meio de acordos políticos e utilizando investimentos/financiamentos como instrumentos, e até mesmo apoiando países abundantes em recursos naturais com regimes políticos não democráticos[65]. No entanto, não há qualquer menção sobre a distribuição de poder global ou um desafio à superioridade estadunidense.

Devido à herança recebida do governo anterior, especialmente seu envolvimento e foco no Oriente Médio, a política do Governo Obama para a Ásia se caracterizou inicialmente por uma postura reativa. No entanto, em 2010 é possível identificar um redirecionamento do foco da política externa e de segurança para a região da Ásia-Pacífico, no sentido de contrabalançar a ascensão chinesa. O governo passou a liderar a *Trans-Pacific Partnership* como a pedra angular de sua política para a região, com o objetivo de gerar empregos e renda nos Estados

---

62. USA (2002, p. 5).
63. USA (2006, p. 35-38).
64. USA (2006).
65. USA (2006, p. 41).

Unidos. Isso transparece no documento *Defense Strategic Guidance* de 2012, que aponta o foco na região da Ásia-Pacífico, além do Oriente Médio[66]. O *Quadrennial Defense Review* (QDR), de 2014, e o *National Security Strategy* (NSS), de 2015, consubstanciam o redirecionamento em direção à Ásia-Pacífico como prioridade geoestratégica visando contrabalançar o peso da China, em detrimento do Oriente Médio, mas sem deixar de participar dos demais tabuleiros da Eurásia.

Os NSS de 2010 e 2014 reafirmam a importância de preservar a superioridade militar dos Estados Unidos e sua capacidade de enfrentar múltiplas ameaças de nações, atores não estatais e estados falidos, mas trazendo de volta a questão do multilateralismo, através de um "engajamento abrangente" sob a liderança estadunidense, e da importância do poder do ponto de vista da moral (ou de um discurso ético legitimamente aceito), que teria sido deteriorado pelo unilateralismo do Governo Bush. Os documentos deixam claro o comprometimento com o envolvimento na Eurásia, com a Otan e os aliados na Ásia-Pacífico. Afirmam que as relações com os aliados europeus, especialmente da Otan, devem ser fortalecidas e são importantes no campo econômico e da segurança, para deter "ameaças vitais"[67]. Sobre a Ásia, aponta que seu crescimento econômico significativo, assim como de seus centros emergentes, tem conectado seu futuro à prosperidade dos Estados Unidos, o que o leva a buscar um profundo engajamento na região, inclusive buscando papel maior em arranjos multilaterais, como a Asean, Apec e TPP. Destaca as alianças bilaterais com Japão, Coreia do Sul, Austrália, Filipinas e Tailândia, sendo suas revitalizações estratégicas para a segurança e prosperidade na Ásia-Pacífico, levando em conta as tendências e desafios do século XXI. Nesse ponto, Japão e Coreia são destacados como países líderes e parceiros fundamentais para presença militar, integração regional, difusão da agenda de segurança e dos valores estadunidenses na região[68].

Os documentos do Governo Obama (NSS e QDR) mostram uma preocupação central com a distribuição de poder global, especialmente diante da ascensão da China, mas fazendo referência também a Rússia, Índia, Brasil e África do Sul. O NSS observa a ascensão e maior participação internacional da China e da Índia, os países mais populosos do mundo, e também faz referência a "centros de influência emergentes" como o Brasil e a África do Sul. Mas observa a Rússia "emergindo" recentemente, e a necessidade de estabelecer uma relação cooperativa, especialmente por conta de seu arsenal nuclear e de sua relação com vizinhos. O NSS de 2010 observa que todos esses países juntos estão construindo maior influência e voz internacional. O QDR 2010 cita que o desenvolvimento e

---

66. Disponível em http://archive.defense.gov/news/Defense_Strategic_Guidance.pdf
67. USA (2010a, p. 41).
68. USA (2010a, p. 42-43).

os investimentos militares chineses, inclusive na área da *cyber defesa*, são identificados como potenciais ameaças, "o que faz aumentar o número de interrogações legítimas quanto a suas intenções de longo prazo". Por fim, o documento aponta um conjunto de ações geoestratégicas dos Estados Unidos, em termos militares, para contrabalançarem possíveis movimentos daqueles que identifica como potenciais contestadores de sua supremacia, nomeadamente, China e Rússia[69]. Já no NSS de 2014, no contexto da crise política gerada na disputa pela Ucrânia e consequente invasão à Crimeia, aponta a Rússia como uma ameaça à Europa, preocupando-se com a dependência energética europeia e ucraniana, e a necessidade de manter sanções e conter as agressões e violações de soberania[70].

Sobre a questão energética, aparece nos NSS a preocupação em buscar novas tecnologias para reduzir a dependência externa de petróleo. O discurso do Governo Obama sempre esteve voltado para fontes alternativas e renováveis, para diminuir o *deficit* comercial e a dependência energética estadunidenses. No entanto, aborda também a questão do Oriente Médio e sua relação com o acesso assegurado a energias fósseis para os Estados Unidos e seus aliados, como um tema de segurança energética[71].

Os Estados Unidos no novo *Big Game* da Eurásia e a geopolítica da energia

No século XXI, a Ásia Central tem presenciado uma nova e mais complexa versão do *Big Game*, com atores como Estados Unidos, União Europeia, China, Rússia, Irã, Paquistão, Turquia e Índia. Em particular, na busca para influenciar governos e pelo controle de recursos e rotas comerciais energéticas, tanto por meios político-militares quanto através de instrumentos econômicos (financiamentos, investimentos e construção de infraestrutura); tanto por mecanismos multilaterais quanto por bilaterais. Uma verdadeira corrida para controlar territórios em um jogo de alinhamentos dinâmicos, que podem mudar com mudanças de governo em determinado país da região.

---

69. USA (2010b, p. iii).

70. O QDR 2010 explicitou as prioridades estratégicas dos Estados Unidos em termos de defesa. A primeira dessas prioridades seria vencer as guerras em andamento no Afeganistão, Paquistão, Iraque, Iêmen e onde mais houver intromissão militar de Washington, após os ataques de 11 de setembro. Segundo, o QDR sugere "a necessidade de força robusta, capaz de proteger os interesses dos Estados Unidos contra uma multiplicidade de ameaças, inclusive as que advenham de sofrer ataques simultâneos por dois estados" (USA, 2010b, p. 42).

71. *"Enquanto dependermos de combustíveis fósseis, precisamos assegurar a segurança e o livre-fluxo dos recursos energéticos globais. Mas, sem ajustes significativos e oportunos, nossa dependência energética continuará a solapar nossa segurança e prosperidade. Isto nos deixará vulneráveis a transtornos e manipulação no fornecimento de energia e a mudanças no meio ambiente numa escala sem precedentes"* (USA, 2010a, p. 30).

A Ásia Central é parte da antiga URSS, rica em recursos energéticos (especialmente no Mar Cáspio), interliga as bordas do "Ocidente", da Otan e da União Europeia, com o "leste", o Afeganistão, a China e a Rota da Seda, sendo uma região de passagem e contato com uma variedade de culturas e economias[72]. Ao mesmo tempo, segundo Thrassy Marketos, é uma região de influência histórica chinesa (centros comerciais em Xinjiang e em volta da borda ocidental), enxergada por esta como área natural de relações comerciais[73].

Segundo a autora, caracterizam a região:
> Conflitos étnicos e religiosos, turbulências políticas internas, competição por energia entre grandes companhias de petróleo e gás natural, e o posicionamento estratégico têm sido um desempenho recorrente das grandes potências competidoras na região[74].

Uma região impossível de ser dominada por um único Estado. Onde, por um lado, Rússia e Índia buscam minimizar os efeitos negativos do avanço da China e dos Estados Unidos, mas a Índia tem relações próximas com os Estados Unidos, e participa com China e Rússia em arranjos multilaterais em que compartilham interesses estratégicos. Enquanto isso, os Estados Unidos buscam, além de petróleo e gás, conter a Rússia e a China, e travar sua "guerra ao terrorismo", podendo utilizar esta como pretexto "ético" para perseguir os anteriores. China e Rússia, além de conjugar interesses comuns, enxergam adversários comuns. E ainda é preciso ter em conta o quadro de dependência energética europeia em relação à Rússia, e a disputa pela influência não só sobre estados detentores de recursos, mas também pelos *gateways* do Leste Europeu, gerando relações conturbadas entre estes e a Rússia e os países europeus. Sobretudo, deve-se considerar a estratégia estadunidense e europeia de buscar diminuir a dependência europeia da Rússia, mas na qual alguns estados europeus também desejam maior proximidade econômica e ter acesso direto ao gás russo, conjugando interesses na geopolítica dos dutos.

Seguindo a atualização da Doutrina Carter, buscando garantir acesso à energia aos aliados europeus e diminuir a influência russa, os Estados Unidos atuam juntamente com a União Europeia, tendo como principais aliados atuais na região Azerbaijão, Geórgia e Turquia – o primeiro valioso em recursos e os últimos por suas posições geográficas –, buscam alcançar os recursos do Mar Cáspio e da Ásia Central, através de dutos que conectam Baku a Supsa (passando por Tbilisi) e a Ceihan, para levá-los para a Europa. Ao mesmo tempo, à Rússia e aos europeus interessam construir dutos que não passem pelos estados do Leste Europeu, para

---

72. Kaplan (2016).
73. Marketos (2009, p. 3).
74. Marketos (2009, p. 1).

que estes não aufiram poder de barganha sobre os preços e evitem conflitos de interesses que possam levar à interrupção do abastecimento. Por outro lado, Rússia, China, Irã e Índia vêm buscando estabelecer relações próximas e construir uma rede de dutos com Cazaquistão, Turcomenistão e Uzbequistão. Nesse sentido, também se destacam acordos bilaterais e arranjos multilaterais de diferentes naturezas – segurança, econômicos, de financiamento. É também nesse âmbito, de forma dinâmica, que surgem (e algumas vezes até desaparecem) diversas propostas de construção de dutos, complementares ou competindo umas com as outras. De forma ilustrativa, podem ser destacados alguns dutos, projetos e inciativas, que colocam em evidência esse "grande jogo", que parece vital do ponto de vista dos documentos estratégicos dos Estados Unidos e dos principais estrategistas seguidores da geopolítica clássica.

Concluído em 2012, o gasoduto *Nord Stream* cruza o Mar Báltico para ligar a Rússia diretamente à Alemanha, e daí para o restante da Europa. Outros dois projetos paralelos, concorrentes entre si, que surgiram na mesma época, foram os gasodutos *South Stream* e *Nabucco-West*. O primeiro é uma proposta russa para interligar seu território através do Mar Negro ao sul da Europa, começando pela Bulgária, alcançando Grécia, Itália e Áustria. Sua construção foi lançada em 2012, mas o projeto foi cancelado em 2014 por conta da oposição búlgara, diante de pressões exercidas pelos Estados Unidos e Comissão Europeia – embora a Rússia não tenha desistido dele e ainda busque como alternativa o *Turkish Stream*. O projeto *Nabucco*, apoiado pelos Estados Unidos e União Europeia, busca conectar os dutos da Geórgia e Azerbaijão à Turquia e Bulgária, até alcançar a Áustria. O objetivo seria levar gás natural do Iraque e Azerbaijão, e possivelmente do Turcomenistão, através de territórios de países não alinhados à Rússia, para os países da União Europeia, diversificando seu abastecimento e diminuindo a dependência da Rússia. O alcance das reservas de gás natural do Turcomenistão dependeria do avanço do projeto do gasoduto transcaspiano, ligando-o ao Azerbaijão (Baku), negado pelo primeiro. Como alternativa ao projeto *Nabucco*, a União Europeia lançou o gasoduto transadriático, com a construção iniciada em 2016, saindo do Azerbaijão e atravessando o "Corredor Sul" da Europa, pela Grécia, Albânia, Mar Adriático, até chegar à Itália[75].

O Turcomenistão comprometeu todas as suas exportações de gás com China, Rússia e Irã rejeitando ofertas de gasodutos dos Estados Unidos e da União Europeia. Simbólica foi a inauguração do gasoduto *Dauletabad-Sarakhs-Khangiran*, em 2010, conectando o norte do Irã com o Turcomenistão, que atenderá a todas as necessidades da região do Cáspio iraniano, e Teerã poderá direcionar para a exportação toda a produção dos campos do sul. Outras novas rotas estabelecidas

---

75. Escobar (2016).

recentemente são importantes[76]: os oleodutos Cazaquistão-Rússia (2005), Cazaquistão-China (2006) e *East Siberia – Pacific Ocean* (2012) – ligando a Rússia ao Pacífico, podendo abastecer China, Japão e Coreia do Sul. Quanto aos gasodutos, também se destaca o Turcomenistão-China (2009), cruzando Uzbequistão e Cazaquistão, até chegar a Xinjiang. Vale ressaltar também o projeto *Caspian Coastal* ligando Turcomenistão-Cazaquistão-Rússia, paralelo ao já estabelecido sistema de gasodutos da Ásia Central controlado pela Gazprom, que passa por Turcomenistão, Uzbequistão, Cazaquistão e Rússia. Um último projeto que vale ser mencionado é o Gasoduto Turcomenistão-Afeganistão-Paquistão-Índia (Tapi).

Além de ações bilaterais com outros países e entre si, do ponto de vista da Rússia e da China surgem também articulações conjuntas multilaterais que, se numa dimensão global buscam uma ordem mais multipolar, na Eurásia acirram ainda mais o *Big Game*, contrapondo-se à Otan e às iniciativas dos Estados Unidos e da União Europeia. Apesar de seus contenciosos históricos, estabeleceu-se uma aproximação pragmática em torno de interesses comuns, deixando de lado os assuntos que possam trazer tensões. A Rússia chegou a apresentar cautela em participar de parcerias por conta do temor de parecer uma espécie de "sócio menor", o que mudou após a crise financeira de 2008 e principalmente as quedas do preço do petróleo em 2014. Nesse ano, Rússia e China acordaram e iniciaram a construção de um gasoduto, com financiamento em moedas locais (fora do dólar). Do ponto de vista da China, conforme assinala Marketos:

> A China tem aumentado sua atenção sobre a região em termos militares, políticos e econômicos desde 1991, quando os estados da Ásia Central se tornaram independentes. Como um exemplo, a atualmente mais eficiente organização de cooperação regional na Ásia Central é a Organização da Cooperação de Xangai (OCX) [...]. O presidente chinês Hu Jintao declarou que a região da Ásia Central é fundamental para o desenvolvimento da China[77].

A Organização da Cooperação de Xangai (OCX) é uma organização política, econômica e militar da Eurásia, fundada em 2001 por China, Cazaquistão, Quirguistão, Rússia, Tadjiquistão e Uzbequistão – tendo Irã e Mongólia como membros observadores. Em julho de 2015, a OCX decidiu admitir Índia e Paquistão como membros plenos, ingressando em junho de 2017. Com os estados observadores incluídos, seus países correspondem a cerca de metade da população mundial. Sua origem está na formação dos Cinco de Xangai, criado em 1996, com a assinatura do Tratado do Aprofundamento da Confiança Militar em Regiões de Fronteira, da qual somente o Uzbequistão não fazia parte. A preocupação principal entre os

---

76. Bhadrakumar (2010).
77. Marketos (2009, p. 3).

países-membros centrava-se na preservação das suas independências, soberanias, integridade territorial e estabilidade social, diante das "revoluções coloridas" e intervenções militares da Otan praticadas sob o pretexto de defender causas humanitárias.

Se inicialmente seu foco seria a cooperação em segurança contra o terrorismo, separatismo e extremismo, a partir da conformação da OCX ela passou a desenvolver um claro antagonismo à Otan e a envolver acordos de cooperação e manobras militares (incluindo guerra cibernética e informacional), cooperação econômica e cultural, e uma série de grandes projetos de transportes, energia e telecomunicações. No campo econômico, vem discutindo arranjos comerciais-financeiros fora do dólar e a formação de um cartel de gás natural. Assim, uma articulação política robusta envolvendo China e Rússia (e agora possivelmente Índia, e quem sabe no futuro Irã), formando uma coalizão anti-Otan, anti-Estados Unidos e anti-Ocidente, vem se desenvolvendo no grande jogo da Eurásia. Inclusive, sinais claros estão nos seus documentos contendo declarações diretamente contrárias aos Estados Unidos e na rejeição de seu pedido de adesão como membro observador em 2005. No mesmo encontro, a OCX apontou como prioridade os projetos energéticos conjuntos. Uma associação interbancária foi criada em 2006 para reunir fundos para os projetos, tendo a China como principal patrocinadora.

É preciso observar que, além de uma área de influência histórica e de expansão natural para relações comerciais, a Ásia Central pode ser vista pelos estrategistas chineses como fundamental para sua segurança energética e até como uma espécie de "espaço vital" na busca por minerais estratégicos além de suas fronteiras, na sua estratégia *going global*. Isso se dá pelo fato de os Estados Unidos e Inglaterra dominarem as passagens estratégicas pelos mares e oceanos (seguindo Alfred Mahan), incluindo o Estreito de Malaca, que é um *chokepoint* importante para o transporte energético na Ásia-Pacífico, o que faz com que os estrategistas chineses busquem confiar o máximo possível em rotas comerciais terrestres no caso de minerais estratégicos[78]. Daí a importância da construção de uma ampla rede de infraestrutura, de transportes e dutos, pela Eurásia, consubstanciada na iniciativa *Belt and Road* através de suas rotas. Na visão de Marketos:

> Beijing tem desenvolvido uma orientação política priorizada para a Ásia Central [...]. De uma perspectiva chinesa, a mais importante razão para a presença da China na região parece ser um esforço para dominar a Ásia Central, com o objetivo de assegurar as crescentes necessidades chinesas por petróleo e gás natural. Além disso, parece haver importantes razões de segurança para a tentativa chinesa de criar uma relação

---

78. Klare (2008).

tradicional de vassalagem entre a China e os estados da Ásia Central através de investimentos, comércio e cooperação militar [...][79].

Robert Blackwill e Jennifer Harris criticam um suposto foco excessivo da política externa dos Estados Unidos na utilização de meios militares, enquanto estados militarmente mais fracos – como China, Rússia, Índia e Irã – se utilizam de instrumentos econômicos para perseguir fins geopolíticos – o que os autores definem como "geoeconomia"[80]. Destacam a atuação da China como a mais exemplar, através de investimentos, empréstimos, aquisição de empresas por parte de suas estatais, construção de infraestrutura e dutos. Nesse sentido, o Banco Asiático de Investimento e Infraestrutura tem sido fundamental para a projeção geopolítica chinesa na Eurásia.

Do ponto de vista dos Estados Unidos, é preciso lembrar do seu poder monetário-financeiro. Através do controle da moeda internacional e de mecanismos de crédito e financiamento, os Estados Unidos têm capacidade de atingir e exercer pressões sobre países de diferentes formas. Por exemplo, de maneira mais direta, promovendo sanções aos países que comprem petróleo de determinado país, bloqueando o acesso dos bancos ao sistema financeiro americano – como fez em relação aos países que comprassem do Irã em 2012. De maneira mais sofisticada, após a explosão de produção energética em seu território através de novas tecnologias de franqueamento, em 2014, os Estados Unidos diminuíram drasticamente suas importações de petróleo, caminhando para a autossuficiência, deixando grande quantidade disponível no mercado internacional, visto que a Arábia Saudita, seu aliado estratégico, negou-se a diminuir a produção, entre outros países, dificultando uma articulação no âmbito da Opep. Isso derrubou o preço do petróleo no mercado internacional, impactando na receita de estados rivais que são dependentes da sua exportação, como a Rússia. Mecanismo similar foi utilizado nos anos de 1980 para estagnar economicamente a União Soviética, quando a Arábia Saudita decidiu negociar seu petróleo de forma diferenciada dos demais membros da Opep.

Considerações finais e algumas conclusões

Kissinger e Brzezinski seguem a geopolítica clássica no sentido de apontar a Eurásia como o continente basilar para o equilíbrio e os rumos da política de poder global, colocando os objetivos estratégicos acima de qualquer discussão sobre custos econômicos. Para Brzezinski e Kissinger, a presença militar na Otan no Oriente Médio e no sudeste da Ásia é irrevogável. A discussão sobre limites e escolhas orçamentárias está presente em autores como Mearsheimer e Walt, e Kaplan. No

---

79. Marketos (2009, p. 3).
80. Blackwill e Harris (2016).

entanto, Kissinger e Brzezinski não discutem este tema, pois encaram os gastos com defesa como prioridade estratégica. Na verdade, tal discussão perderia relevância se tais autores observassem que os Estados Unidos emitem a moeda internacional sem lastro, não enfrentando limites nos seus gastos e endividamento[81].

Embora a hegemonia hemisférica apareça como consenso para todos os autores aqui abordados, Brzezinski e Kissinger apontam que as relações fundamentais para a geoestratégia dos Estados Unidos estão no eixo Leste-Oeste, entre os países do Hemisfério Norte. Mearsheimer e Walt relativizam a participação dos Estados Unidos na Eurásia, que deve se dar de forma seletiva e levando em conta limites e escolhas nos gastos orçamentários e de vidas, embora observem a necessidade de uma atuação incisiva no leste da Ásia diante da projeção chinesa. A proposta dos autores é de que os Estados Unidos devem se concentrar em manter sua hegemonia hemisférica para manter sua proeminência e projeção global. Já Huntington e Kaplan identificam as relações Norte-Sul como fundamentais, observando o México e a latinização dos Estados Unidos como a ameaça geopolítica maior, partindo da dinâmica migratória e da identidade da sociedade estadunidense, embora não proponham a mesma solução – o primeiro propõe o nacionalismo como saída, enquanto Kaplan propõe a integração da América do Norte como fundamental para fortalecer os Estados Unidos em sua relação frente à Eurásia. Kaplan é extremamente crítico à participação dos Estados Unidos na Otan e sua presença militar no Oriente Médio, propondo uma saída cuidadosa.

Vale ressaltar um ponto passível de crítica na análise de Kaplan. Ele confia o desenvolvimento do México a supostas oportunidades geradas pelo Nafta, que de fato não levaram atividades de maior valor agregado e intensidade tecnológica ao país, mas somente empresas estadunidenses em busca de atividades de "maquila", aproveitando a mão de obra barata e desqualificada, pagando baixos salários. Assim, tanto a pauta importadora quanto a exportadora do país registraram aumento da participação de bens industriais de alta intensidade tecnológica, mas gerando pouca renda e riqueza no país.

Os documentos estratégicos dos Estados Unidos que foram analisados revelam que a geoestratégia pós-Guerra Fria formulada pelo Estado possui caráter de continuidade, especialmente no âmbito de uma presença permanente e participação protagônica na Otan, com o objetivo de manter o controle militar sobre a Europa Ocidental, avançar em direção à Rússia e à Ásia Central, especialmente buscando conter seu possível avanço e influência. Ainda, revela uma estratégia de atuação na Eurásia, em suas diferentes áreas, ainda que recentemente com maior ênfase na Ásia-Pacífico. A presença militar estadunidense no Oriente Médio mostra também um caráter permanente, mesmo após o desenvolvimento de no-

---

81. Medeiros e Serrano (2001).

vas formas de exploração energética e capacidade de autossuficiência em território estadunidense, por razões energéticas e estratégicas, que lhe auferem poder de barganha frente aos aliados e capacidade de negar acesso aos rivais em momentos de crise política ou militar – uma atualização da Doutrina Carter. Em todas as ações geoestratégicas apontadas, as prioridades, objetivos e ganhos esperados são político-estratégicos. Ao mesmo tempo, mantêm uma política de hegemonia hemisférica. As formulações e ações do Estado americano e sua continuidade estão mais próximas das concepções de Brzezinski e de Kissinger. E ainda, a retórica sobre "novas ameaças" e a legitimidade interna e externa parecem importantes do ponto de vista de manter uma presença e capacidade de intervenção militar global, assim como altos gastos militares para seu complexo industrial-militar, todos fundamentais à liderança militar e tecnológica e para a estratégia de manutenção da supremacia global dos Estados Unidos.

A atuação dos Estados Unidos no "grande jogo" da Eurásia, e mais especificamente da Ásia Central, segue as orientações colocadas em tais documentos. Diante de um quadro de significativa complexidade, com a utilização de meios militares, geopolíticos e geoeconômicos, revela-se uma grande disputa entre Estados Unidos e seus aliados na Otan, de um lado, e da OCX, ou China e Rússia e seus aliados, do outro, que deve ter impacto determinante no futuro geopolítico da região e global – assim, é importante que sejam desenvolvidas pesquisas sobre seus desdobramentos.

Por fim, é importante observar que, qualquer que tenha sido o partido na presidência dos Estados Unidos, com suas diferenças táticas, os objetivos geoestratégicos permanecem os mesmos, e a atuação na Eurásia segue imprescindível. E qualquer presidente que tente mudar isto enfrentará resistências e restrições dentro do Estado, do chamado *deep state*.

Referências

BHADRAKUMAR, M.K. Pipeline geopolitics: the major turnaround – Russia, China, Iran redraw energy map. *Asia Times*, 08/01/2010.

BLACKWILL, R. & HARRIS, J. *War by other means*. Nova York: CFR, 2016.

BRZEZINSKI, Z. *Strategic vision* – America and the crisis of Global Power. Nova York: Basic Books, 2012.

_____. *Game Plan*. Nova York: Atlantic Monthly, 1986.

ESCOBAR, P. *Império do caos*. São Paulo: Revan, 2016.

HUNTINGTON, S. *Who are we*: the challenges to America's National Identity. Londres: Simon & Schuster, 2004.

KAPLAN, R. *A vingança da geografia*. São Paulo: Elsevier, 2016.

KISSINGER, H. Interview to CBS – *Face the Nation* (Transcript), 18/12/2016a [Disponível em https://www.cbsnews.com/news/face-the-nation-transcript-conway-kissinger-donilon/].

_____. Kissinger's vision on US-Russia Relations (Kissinger's speech in Moscow). *The National Interest*, 04/02/2016b [Disponível em http://nationalinterest.org/feature/kissingers-vision-us-russia-relations-15111].

_____. The Interview: Henry Kissinger. *National Interest*, 19/08/2015.

_____. *A ordem mundial*. São Paulo: Objetiva, 2014.

KLARE, M. *Rising powers, shrinking planet*. Nova York: Metropolitan, 2008.

_____. *Blood and oil*. Nova York: Owl Books, 2004.

MACKINDER, H.J. The geographical pivot of history. *The Geographical Journal*, vol. 23, 1904, p. 421-437.

MARKETOS, T. *China's energy geopolitics* – The Shangai Cooperation Organization and Central Asia. Nova York: Routledge, 2009.

MEARSHEIMER, J. *Why China's rise will not be peaceful*, 17/09/2004 [Disponível em http://mearsheimer.uchicago.edu/pdfs/A0034b.pdf].

MEARSHEIMER, J. & WALT, S. The case for offshore balancing. *Foreign Affairs*, jul.-ago./2016.

MEDEIROS, C. & SERRANO, F. Padrões monetários internacionais e crescimento. In: FIORI, J.L. (org.). *Estado e moedas...* Petrópolis: Vozes, 1999.

SPYKMAN, N. *Estados Unidos frente al mundo*. México: Fondo de Cultura, 1942.

UNITED STATES OF AMERICA. *National Security Strategy*. Washington, D.C., 2015 [Disponível em http://nssarchive.us/].

_____. *National Security Strategy*. Washington, D.C., 2010a [Disponível em http://nssarchive.us/].

_____. *Quadrennial Defense Review* – US Department of Defense. Washington, D.C., 2010b [Disponível em www.defense.gov].

_____. *Quadrennial Defense Review* – US Department of Defense. Washington, D.C., 2014 [Disponível em www.defense.gov].

_____. *National Security Strategy*. Washington, D.C., 2006 [Disponível em http://nssarchive.us/].

_____. *National Security Strategy*. Washington, D.C., 2002 [Disponível em http://nssarchive.us/].

_____. *A National Security Strategy of Engagement and Enlargement*. Washington, D.C., 1996 [Disponível em http://nssarchive.us/].

_____. *A National Security Strategy of Engagement and Enlargement*. Washington, D.C., 1994 [Disponível em http://nssarchive.us/].

_____. *National Military Strategy of the United States*. Washington, D.C., 1991 [Disponível em http://nssarchive.us/].

A visão confuciana e a geopolítica chinesa*

Milton Reyes Herrera

Como ponto introdutório, devemos assinalar, mais de 2.568 anos após seu nascimento, que nem Confúcio nem a China, no cenário político da época, viveram num sistema interestatal, nem num sistema que possa ser comparável a um sistema internacional. Do mesmo modo, seu legado filosófico sob o conceito de *Tian Xia* (*Tiānxià*, 天下 tudo debaixo do céu) pode ser considerado como a visão de "um mundo" particular, autossuficiente, onde existiria uma "falta de uma consciência de 'internacionalidade'", por não existir a dicotomia entre o centro e "os outros"[1], nem uma estrutura onde o ego enfrenta um *alter*, como na matriz do "pensamento ocidental". Desse modo, ali havia só um *ego*, um *ego solitário* sem o *alter*[2].

Devemos igualmente entender que o filósofo não viveu no contexto de estados nacionais como são concebidos na Modernidade, mas seu pensamento pode ser relacionado com as reflexões das Relações Internacionais (RI) – tanto em termos de ação concreta como em sua dimensão de disciplina acadêmica, enquanto "[a] visão confuciana da natureza das RI deriva de sua concepção do indivíduo virtuoso"[3].

Portanto, pode-se assinalar que, a partir da matriz confuciana, podemos encontrar uma relação entre o indivíduo, a sociedade, o Estado e suas relações com outros estados; que em termos ideais pode desembocar numa *corrente harmoniosa*, mas que, no caso de esta relação não se basear numa relação virtuosa, pode produzir conflito e, portanto, violência e guerra; cenário catastrófico a partir da

---

* Tradução por Gentil Avelino Titton.
1. Qin (2007).
2. Qin (2007).
3. Doupe (2003, p. 2).

perspectiva confuciana, enquanto produz sofrimento, mas que, como possibilidade, tampouco é negada para produzir ou restabelecer o equilíbrio.

É então, a partir daquelas possibilidades que de maneira alguma podem ser observadas a partir de uma perspectiva dicotômica, mas antes dialética (não tese vs. antítese, mas antes harmonização que resulta numa "cotese"[4]), que podemos realizar uma aproximação sobre os temas propostos neste trabalho; advertindo que a análise, por temas separados, é realizada por motivos puramente expositivos e didáticos.

Matriz confuciana, sociedade harmoniosa e paz

Já que, como foi mencionado, existiria uma continuidade entre o indivíduo, a sociedade e o Estado, e esta se estenderia até a relação com outros países, dentro da matriz confuciana (apesar da ausência da noção de soberania *pós-westfaliana*) é preciso em primeiro lugar compreender alguns elementos básicos do pensamento confuciano tradicional, para depois descrever mais amplamente a relação e continuidade entre individualidade e sociedade.

Assim, como primeira aproximação podemos referir-nos aos seguintes princípios: "*Jen* (ou *rén*, 仁: benevolência e humanidade), *Li* (*lǐ*, 礼: decoro, ritos e estrutura), *Yi* (*yì*, 义, às vezes "I": fidelidade, retidão e justiça), *Zhongyong* (*zhōngyōng*, 中庸: o meio ou o oposto do extremismo[5], também como lealdade e consideração); e *He Xie* (*héxié*, 和協: harmonia, ou corrente da harmonia"[6].

Aqui podemos encontrar uma primeira aproximação à ideia de indivíduo, ser, eu (*self*), quando nos referimos a 仁, porque:

> Jen se refere à virtude da afabilidade, nobreza ou bondade. [...] De acordo com Confúcio, "o homem de Jen é um homem perfeito, um homem da regra de ouro, porque, querendo confirmar seu próprio caráter, confirma também o caráter dos outros; e, querendo ser ele próprio eminente, ajuda também os outros a serem eminentes" (CHAN, 1963, p. 16). Confúcio disse que os indivíduos deveriam conter-se, controlando seus comportamentos para satisfazer as necessidades da norma social e da estrutura social. O conceito de Jen é o valor central na filosofia chinesa.

---

4. "A dialética chinesa entende a metarrelação de yin e yang como fundamentalmente harmoniosa; a interação entre eles é o processo de harmonização, e a harmonia é realizada através do *Zhongyong*, ou caminho mutuamente inclusivo. [...] Ela não consiste em opostos conflitantes neste caso, mas antes em opostos harmoniosos. Não consiste em tese e antítese, mas antes em coteses, ou yin e yang, fazendo uma nova síntese através de um processo de harmonização" (QIN, 2012, p. 81-82).
5. Escrito ainda como *chung-shu*; entendido também como lealdade e consideração.
6. Dong e Day (2004, p. 105). A citação original não contém os caracteres chineses, nem a escrita em alfabeto latino com entonações (*pinyin*).

O conceito [...] enfoca a sinceridade e a benevolência (OLIVER, 1971). Jen sugere a unidade entre homem e natureza[7].

Como foi observado, podemos deduzir que, para a matriz confuciana, a ordem social pode ser entendida como um conceito específico de ordem; uma ordem que, como observaremos, está baseada na harmonia social; neste sentido, se interpretarmos estas relações a partir dos conceitos modernos, poderíamos definir "nas entrelinhas" a ordem política ideal como: uma ordem social harmoniosa.

Mas *harmonia* (*Hé*, 和) é um conceito bastante complexo e por isso, como primeira referência, podemos assinalar a seguinte aproximação:

> O Yi Jing (Livro das mutações) desenvolve a noção de "grande harmonia" (*tai he*). É o conceito segundo o qual todo o universo constitui uma grande harmonia. "Como é grande o *Qian* (Céu)! Dele se originam as dez mil coisas sob o Céu. [...] Com as mudanças do caminho do *Qian*, as dez mil coisas permanecem todas em seu próprio caminho da vida. Assim elas preservam a grande harmonia" (YI JING: *Tuan*). Consequentemente, a "grande harmonia" é o ideal mais importante no Yi Jing. O mundo está cheio de coisas diferentes; no entanto, todas estas coisas se harmonizam ao passar por incessantes mudanças. O "Yi Jing" é considerado o texto primordial entre todos os textos confucianos. A noção de "grande harmonia" lança os alicerces de todos os outros ideais confucianos, tanto sociais quanto individuais[8].

Hé 和 pode também ser complementado com os conceitos de equilíbrio e estabilidade; *Hé* tem, além disso, relação com o indivíduo, com a relação entre o homem e a natureza, com a relação entre os homens entre si e com a sociedade; do mesmo modo, a partir da matriz confuciana, entende-se que o indivíduo (ou *self*) só pode existir dentro de uma ordem de princípios e valores, fortemente interconectados com a sociedade como um todo. Estaríamos falando, então, de uma relação de relações, uma metarrelação[9], que faz parte do *continuum* da dialética presente no confucionismo tradicional.

Perspectivas confucianas sobre a relação entre individualidade e sociedade

Para entender o indivíduo e a individualidade no pensamento tradicional confuciano é necessário primeiramente refletir sobre alguns conceitos: *Individualidade*: este conceito está relacionado com o conceito de *self* (entendido como *ser/eu*), mas também com o valor da *autenticidade*. Neste nível, a individualidade está

---

7. Dong e Day (2004, p. 105).
8. Li (2008, p. 425).
9. Qin (2012, p. 79).

guiada pela figura de um *Junzi* – 君子 *Jūnzǐ* – (cavalheiro, ou nobre, ou mais bem-definido como uma *pessoa autêntica*).

> A autenticidade envolve a realização de própria substância ética e valor de alguém. A discussão nos *Analectos* enfatiza que uma pessoa autêntica existe como um sujeito autoconsciente que executa seus próprios planos e conhece seu destino ético [...][10]. [...] Entrementes, em *Mêncio* [*Mengzi*], Mêncio entendia que certas propriedades e capacidades ético-morais, inclusive a de humanidade e retidão, são inerentes a cada pessoa, e que a perda de qualquer uma delas tornava o indivíduo menos ele mesmo (MENCIUS, 1996, 2A6, 6A1-7)[11].

Assim, os dois significados – *self* e *autenticidade* como um valor – estão presentes no confucionismo tradicional e estão relacionados com a ideia do papel benevolente que deve existir para com outros indivíduos e, portanto, para com a sociedade.

> Para Confúcio, uma vida autêntica é necessariamente boa e valiosa. Tornar-se uma pessoa autêntica (um *junzi*) é ser valioso e verdadeiro. Pode-se ver isto de diversos ângulos. Em primeiro lugar, para Confúcio, a autenticidade é um valor. É algo valioso a ser procurado e algo que traz felicidade. Inversamente, o próprio valor de alguém precisa ser autêntico. Assim, tendo mostrado que "o interesse confuciano primordial é aprender a tornar-se uma pessoa boa", Weiming Tu observa: "Se preferirmos usar a palavra 'bom' [...] talvez precisemos redefinir o interesse confuciano primordial em termos mais neutros, como 'aprender a tornar-se mais autenticamente ou mais plenamente humano'" (TU, 1985, p. 52). Tu mostra corretamente que, no confucionismo, ser bom acarreta ser autêntico e vice-versa[12].

Portanto, se uma pessoa, um *self*, pratica a *autenticidade*, está praticando também a *individualidade* como um valor interconectado com as responsabilidades e com a benevolência na sociedade.

> Confúcio nos deu uma lista de alguns traços importantes de uma pessoa autêntica, entre os quais: piedade, humanidade, não hipocrisia, levar uma vida ponderada, lealdade, boa instrução, retidão, generosidade, prudência, confiabilidade, tolerância, integridade moral, altruísmo, sabedoria, coragem, moderação, ter relações sinceras com os outros e

---

10. "Ao contrário, uma pessoa inautêntica – que é um *xiăo rén* (小人, *petty person* ou pessoa insignificante) – existe só como um objeto ou escravo das opiniões dos outros" (CHEN, 2013, p. 264). Podemos sintetizar: "uma pessoa *autêntica* não é um vassalo (*Analectos*, 2.12)" (Ibid.).

11. Chen (2013, p. 264).

12. Chen (2013, p. 264).

conhecer seu destino (*Confucius*, 1996, 1.2-4, 1.6-7, 4.5, 4.16, 5.16, 6.18, 7.37, 8.4, 8.6, 12.16, 15.18, 16.7, 16.8)[13].

Autenticidade e *pessoa individual* não significam que o *self* deve negar ou não reconhecer outras pessoas; aqui existe respeito à diversidade no pensamento confuciano:

> A unificação da diversidade é a base da geração de novas coisas. Confúcio diz: "O *Jūnzǐ* visa a harmonia, e não a uniformidade (*junzi he er bu tong*, 君子和而不同)". Assim, o *Jūnzǐ* pode ter pontos de vista que diferem de outros, mas ele não segue os outros cegamente; ao invés, busca a coexistência harmônica com eles[14].

No mesmo sentido, podemos encontrar que:

> [...] nos *Analectos*, Confúcio adota o ideal da harmonia, fazendo dela um critério (um parâmetro) para as pessoas de moralidade refinada (*Jūnzǐ*). Ele diz que "o *Jūnzǐ* harmoniza, mas não busca a uniformidade; ao passo que a pessoa insignificante (*petty person*) busca a uniformidade, mas não harmoniza"[15].

Por outro lado, o confucionismo reconhece o *self* e a autenticidade, mas no interior de uma relação mútua com a ordem social; onde um *self* opera com *jen/rén* 仁 e *autenticidade*, a ordem social terá harmonia e, portanto, existirá harmonia social. Assim, *Hé* poderá também ser alcançado quando as diferenças são reconhecidas e respeitadas, orientadas por procedimentos que ajudem a fortalecer a harmonia entre as pessoas: e já que para Confúcio *Jūnzǐ* é o ideal para alcançar a individualidade, uma pessoa sensível deveria ser capaz de respeitar diferentes opiniões e ser capaz de trabalhar com pessoas diferentes de maneira harmoniosa; o que, além disso, é complementar quando entendemos que uma das funções mais elevadas de *li*, 礼 (ritos, rituais), é precisamente o harmonizar diferentes tipos e classes de pessoas[16].

---

13. Chen (2013, p. 265).

14. Zhang (2013).

15. Li (2008, p. 426). Sobre este tema, encontramos várias traduções; como exemplo, citaremos duas referentes ao mesmo *Analecto*, 13.23: "O Mestre disse: O *junzi* age em harmonia com os outros e não procura ser como eles; a pessoa insignificante procura ser como os outros e não age em harmonia" (apud ENO, 2015); ou como a transcrita por Ding (1997) (cf. adiante, citação em DONG & DAY, 2004, p. 10); embora no fundo, no contexto, as interpretações continuem relacionadas com o problema da harmonia.

16. Li (2008). A citação original é: "uma importante função de *lii* (ritos, rituais ou decoro) é precisamente harmonizar pessoas de vários tipos".

Além do que foi assinalado, é preciso se reconhecer a mútua influência, a interação dialética: individualidade e sociedade governada pelos valores promovidos por *Hé*, onde 和 produz, além disso, uma sociedade mais estável; assim "nos *Analectos* e no *Mêncio*[17], a harmonia desempenha papel importante na promoção das metas da filosofia social e política confuciana"[18].

No mesmo sentido, pode-se assinalar que:

> Confúcio acreditava que a harmonia é a chave para o desenvolvimento da sociedade, da comunidade e dos indivíduos, mas ele disse que a harmonia se constrói sobre o princípio de que: Um cavalheiro se une a pessoas de princípios e nunca segue os outros cegamente. Um homem insignificante segue os outros cegamente sem considerar o princípio (*Analectos*, 13, 23). Ding (1997) mostrou que a harmonia é um princípio fundamental da sociedade e da natureza. A harmonia mantém a estabilidade da sociedade, ajuda as pessoas a desfrutar sua vida com felicidade. Com base na supramencionada análise dos cinco princípios – Jen, Li, Yi, Zhongyung, e He Xie (和谐 *héxié*[19]) – podemos ver claramente que eles compartilham um tema comum, que é de natureza humanística. Estes princípios são todos interdependentes e todos eles se influenciam um ao outro[20].

Para concluir: a *individualidade* nos leva às ideias de *self – autenticidade – indivíduo*, com base em valores e princípios. Resumindo: observamos aqui as relações mútuas entre *individualidade* (não do tipo egoísta), a ordem social – indivíduo virtuoso – sociedade virtuosa – harmonia social; além do respeito à diferença – não uniformização.

Indivíduo – Sociedade – Estado

Para nos aprofundarmos no entendimento da relação entre indivíduo e sociedade e posteriormente com o Estado, podemos iniciar com a análise de Confúcio sobre a natureza do homem e do Estado. Recordando, e complementando, podemos assinalar que:

> O conceito que Confúcio tem da natureza do ser humano concentra-se principalmente em suas teorias a respeito das virtudes e das relações

---

17. Refere-se ao texto clássico confuciano "*Mêncio* [Mengzi]", ou "*Mencius*" em inglês, cuja autoria foi atribuída ao próprio discípulo de Confúcio chamado Mêncio (autoria ainda em discussão).

18. Li (2008, p. 426).

19. A citação original não contém o *pinyin*, nem o caractere chinês; *héxié* significa também harmonia, harmonioso.

20. Dong e Day (2004, p. 10).

humanas. [...] Confúcio reconhece as ideias de "*jen*" (bondade e virtude), "corrente da harmonia", "*tao*"[21] (o caminho), importância da família (piedade filial)[22], "*i*"[23] (retidão ou justiça)[24], "*chung-shu*" (lealdade e consideração[25]) e "*li*" (decoro ou justiça)[26]. [...] (ele) usa estes conceitos para apontar a maneira como, em sua opinião, as pessoas comuns, os funcionários públicos e especialmente os governantes deveriam agir. As virtudes são de suma importância para Confúcio[27].

Devemos recordar também que, para Confúcio, as virtudes principais são *humanidade* ou *benevolência* (*rén/jen*), responsabilidade/cumprimento, sabedoria, boa-fé e observância do ritual[28]; sendo a *humanidade* a mais importante destas virtudes, como diz Confúcio: ela desempenha papel integral nas relações sociais[29]. Neste sentido, o filósofo define a *humanidade* em duas partes:

> [...] em primeiro lugar, é uma atitude de reverência nas relações humanas e a observância de um comportamento respeitoso em todos os momentos; e, em segundo lugar, é mostrar consideração para com os outros ao não levar a cabo ações que alguém não desejaria para si mesmo[30].

---

21. Ou *dao*, cuja escrita em *pinyin* moderno é *dào*, caractere: 道; "De acordo com Confúcio, o termo significa 'o caminho', e se aplica à natureza do homem, ao Estado e às relações internacionais, já que representa a maneira como ele pensava que devia orientar-se o comportamento entre indivíduos e estados em âmbito mundial" (DOUPE, 2003, p. 3).

22. Uma virtude altamente valorizada na China moderna. O confucionismo propõe diferentes relações como parte da piedade filial; como um princípio importante para harmonizar a ordem social. Além disso, existem cinco pares de relações, as quais estabelecem a hierarquia nas articulações entre os indivíduos, mas também no interior de uma ordem social: "1) Governante e súdito; 2) Pai e filho; 3) Irmão mais velho e irmão mais novo; 4) Marido e mulher; e 5) Amigo e amigo de acordo com a idade" (confucianweekly.com 2017).

23. "Também mencionado como fidelidade. [...] Yum (1988) observa que *Yi* é um conceito difícil de traduzir. Como alternativa, ele propôs uma maneira melhor de compreender o conceito mostrando a antítese do conceito, que é: ganhos e proveitos pessoais" (DONG & DAY, 2004, p. 106).

24. "Confúcio define este conceito como algo que é apropriado, correto ou conveniente" (SMITH, 1973, apud DOUPE, 2003, p. 4).

25. "Confúcio pensa que a lealdade e a consideração ou 'chung-shu' é de grande importância para os indivíduos envolvidos na vida pública. Howard D. Smith sugere que, para Confúcio, lealdade implica servir sinceramente, ao passo que, para o antigo filósofo chinês, consideração se refere a colocar-se no lugar dos outros" (SMITH, 1973, p. 73, apud DOUPE, 2003, p. 4).

26. "Traduzido, o termo significa decoro ou as normas de bom comportamento. É simplesmente a interação entre a sociedade educada e a maneira adequada de comportar-se" (DOUPE, 2003, p. 4).

27. Doupe (2003, p. 2).

28. Herrlee (1951), in: Doupe (2003).

29. Doupe (2003, p. 2).

30. Doupe (2003, p. 2).

As duas premissas podem ser entendidas numa relação social interna, mas também no nível das RI; e, mais ainda, a última se materializa claramente no âmbito diplomático e de RI chinesas. Da mesma forma, podemos também assinalar que, embora as virtudes individuais, moral e ética, tradição e ritual, desempenhem papel central na orientação da sociedade, o confucionismo não delega toda a responsabilidade pelos indivíduos governados. Se bem que o filósofo considere indispensáveis o respeito à ordem e o respeito às instituições, não podemos considerar sua filosofia como politicamente conservadora, ou seu pensamento como uma proposta de manter a ordem prevalecente a qualquer custo, já que os governantes e governos têm também obrigações e responsabilidades, e devem orientar-se para um estado de virtude:

> Confúcio acreditava que o governo devia beneficiar todas as pessoas, não apenas os representantes, envolvidas nisso. Em concordância com os temas da individualidade e da virtude, Confúcio desejava uma ordem social baseada na ética pessoal, em que o político é o resultado do pessoal. Isto significa que, se as pessoas são virtuosas e afáveis, o Estado também pode sê-lo. Além disso, se a harmonia deve estar presente no Estado, ela precisa começar pelas pessoas[31]. Muitas vezes perguntaram a Confúcio como um indivíduo poderia contribuir para o governo. A esta pergunta, ele apresentou a ideia da contribuição pessoal através das ações. Nos *Analectos*, Confúcio é citado dizendo: "seja respeitoso para com seus pais e cordial para com seus irmãos e você estará contribuindo para o governo"*. Confúcio insinua que a prática das virtudes sociais, no âmbito da família, por parte dos que não têm poder político, traz uma importante contribuição para o governo, por contribuir para a harmonia social[32], que ele acreditava ser o objetivo do governo[33].

Somente os governantes virtuosos e benévolos poderiam obter legitimidade. Isto acontece porque, de acordo com Confúcio, as pessoas regidas pelo governante também desempenham papel importante. Ele propunha que as pessoas poderiam ser leais a seu líder, se este era bom e justo com elas; se ocorresse o contrário, em casos de tirania, Confúcio defendia a rebelião[34].

Mais uma vez, podemos deduzir a profunda relação entre o indivíduo, a sociedade e as mútuas influências e impactos sobre os atores relacionados ao poder. Esta dedução se fortalece se compreendemos que, no confucionismo, pode ser

---

31. Esta nota e o asterisco nesta citação se referem ao trabalho de Dawson (1981, p. 103), in: Doupe (2003).

32. *Héxié shèhuì* 和谐社会. A citação original não contém o *pinyin*, nem o caractere chinês de Sociedade Harmoniosa.

33. Doupe (2003, p. 5).

34. Doupe (2003, p. 6).

alcançada a *lealdade* entre o povo e seu governante, ajudando assim a criar o ideal da sociedade virtuosa. Além disso, isto pode ser interpretado como o ideal para uma sociedade harmoniosa. Assim, se os governantes e o povo seguem o princípio do *rén* 仁, os valores do *Jūnzǐ*, a sociedade poderia alcançar a harmonia. Portanto, encontraríamos também, além disso, uma relação dialética e interdependente de influência mútua entre os diferentes membros da sociedade:

1) Se um bom indivíduo comum colabora para construir uma sociedade melhor, ele contribuirá para a existência de um Estado melhor; o que significa também responsabilidade para os governantes.

2) Se o governante é ruim, então o Estado e a sociedade também serão ruins. Se o governante causa sofrimento, então as pessoas têm o direito de depô-lo através da rebelião (aqui observamos como, no nível doméstico, o mau governo não produz legitimidade, mas gera conflito e, portanto, pode levar à deposição, inclusive não pacífica).

3) Se os governantes e os indivíduos seguem os princípios e valores da *individualidade* relacionados ao *self* e à *autenticidade*, então poderia existir harmonia social e, portanto, também uma *corrente harmoniosa*.

Da mesma forma, e já que *He* 和 (harmonia, equilíbrio, estabilidade) – como foi mencionado – é um conceito sumamente complexo, podemos seguir como aproximação complementar a seguinte explicação:

> De acordo com o clássico confuciano *Zuo Zhuan* (Capítulo *Shaogong* 20), o antigo erudito Ministro Yan Zi (?-500 a.C.) formulou a noção de harmonia com base no modelo de fazer sopa e produzir música.
>
> Ele disse que Harmonia (*he*) é como fazer sopa. Precisa-se de água, fogo, vinagre, molho, sal e ameixa para cozinhar peixe e carne. É preciso cozinhá-los com lenha, misturá-los (*he*) a fim de equilibrar o sabor. É preciso compensar deficiências e reduzir excessos. A pessoa boa (*Jūnzǐ*) come [essa comida balanceada] a fim de purificar seu coração/mente (*xin*).

E:

> Os sons são como os sabores. Diferentes elementos completam-se um ao outro: uma respiração, dois estilos, três tipos, quatro instrumentos, cinco sons, seis medidas, sete notas, oito sopros e nove cantos. Diferentes sons complementam-se um ao outro: o puro e o impuro, o grande e o pequeno, o curto e o longo, o rápido e o compassado, o triste e o alegre, o forte e o suave, o lento e o veloz, o alto e o baixo, o dentro e o fora, e o inclusivo e o não inclusivo. Ouvindo este tipo de música, o coração/mente da pessoa boa (*Jūnzǐ*) é purificado[35].

---

35. Li (2008, p. 424).

Isto nos presta contas da importância da diferença para conseguir a harmonia, tanto no nível prático quanto no nível social, político e inclusive interestatal. Além disso, a harmonia entre as pessoas é o valor mais importante nas relações humanas. Por isso:

> Mêncio (372-289 a.C.) também valoriza muito a harmonia. Ele comenta que, entre as três coisas importantes nos negócios humanos, a harmonia das pessoas é a mais importante: "um bom *timing* não é tão bom como estar numa situação vantajosa, e estar numa situação vantajosa não é tão bom como ter pessoas harmoniosas" (Mencius 3B.1). Para alcançar um objetivo importante nos negócios sociais, as três coisas são necessárias: bom *timing* (*tian shi*), estar numa situação vantajosa (*di li*) e ter pessoas harmoniosas (*ren he*). A coisa mais preciosa, porém, é ter pessoas que trabalhem harmoniosamente umas com as outras[36].

Finalmente sobre o *continuum* indivíduo-sociedade-Estado, e para além dos valores da harmonia, é preciso assinalar que, no atual contexto histórico-político, uma sociedade, um país, um Estado estão integrados dentro daquilo que Cox e Sinclair descrevem como uma (des)ordem mundial[37], na qual os estados (como nos *complexos Estado-sociedade*) e outros atores levam adiante seus interesses frente a outros *complexos estados-sociedade* e outros atores, dentro do marco de RI; tema que abordamos a seguir.

Confucionismo clássico e relações interestatais

Antes de analisar como se pode compreender a relação entre o confucionismo e a dinâmica entre os estados, cabe recordar que até agora assinalamos elementos que poderiam ser considerados chaves para a compreensão dos problemas do doméstico; isto se amplia se reconhecemos os termos *Dào* (道), o caminho, e *Tiānxià* (天下), tudo debaixo do céu, às vezes entendido como filosofia, ou às vezes como "*ideal*"[38], mas que tinha implicações sobre as relações entre comunidades políticas (atualmente estados).

Sobre o *Dào*, podemos citar que:

> Os confucianos ampliam o significado original de *dao*, entendendo-o como uma estrada ou rota para o Caminho universal, tanto metafísico

---

36. Li (2008, p. 426).

37. Menciona-se este conceito de preferência a sistema interestatal: "Um sistema interestatal é uma forma histórica da ordem mundial. O termo é usado no plural para indicar que os padrões particulares de relações de poder, que perduraram no tempo, podem ser comparados em termos de suas características principais enquanto ordens mundiais distintivas" (COX & SINCLAIR, 1996, p. 116-117).

38. Yao (2004).

quanto ético. Assim, o Caminho é o princípio fundamental do universo (Céu e Terra) e a fonte do sentido e do valor da vida humana, manifestados na sabedoria dos antigos sábios-reis, na doutrina e caráter de Confúcio e no modo de vida das "pessoas boas" (*shanren*). O Caminho é ao mesmo tempo o pré-requisito e a garantia de um mundo harmonioso, de uma sociedade pacífica e de uma vida boa; e sem ele a transformação do universo fracassaria, a sociedade humana se desintegraria, o Estado se enfraqueceria e o mundo cairia no caos[39].

A possibilidade de uma corrente harmoniosa que surgiria ao seguir o *Dào* se estenderia desde o indivíduo até os estados ao redor do mundo (o internacional na ordem mundial atual), reconhecendo que no pensamento de Confúcio se apresentaria o conceito de *Tiānxià*: "Confúcio explica que 'se tudo sob o céu tem o caminho' ou um Estado particular 'tem o caminho', os princípios morais prevalecem"[40]. Assim, o 天下 não pode ser compreendido como um termo isolado – ou, melhor ainda, como um tipo de filosofia e/ou ideal – enquanto não for relacionado com as práticas do sistema tributário[41], e isto acontece através da:

> Cosmovisão *Tianxia* do confucionismo, pela qual o sistema tributário era racionalizado e explicado. Mas este conceito, na mente chinesa tradicional, era muito mais do que o mundo natural e uma área geograficamente definida. Era uma combinação de natureza, supernatureza e moralidade. Por isso, não era uma mera coisa material lá fora. Era antes um conceito cultural que continha o sistema de moralidade, ou o caminho do céu[42].

O sistema tributário baseado na filosofia do *Tiānxià* seria um sistema de desigualdade[43]; desigualdade que, no entanto, poderia ser considerada "benigna" enquanto conserva relação com a ideia de família e piedade filial; e, embora em seu centro estivesse o império por cerca de 2.000 anos (221 a.C. até inícios do século XIX), não existia uma dicotomia entre o centro e "os outros", como na perspectiva "westfaliana". Portanto, existiria uma "falta de consciência de 'internacionalidade'"[44]; e não existiria uma estrutura onde o ego enfrentasse um *alter ego* como na matriz do "pensamento ocidental":

---

39. Yao (2004, p. 91).
40. Doupe (2003, p. 3).
41. E que na atualidade poderia ser traduzido como "sistema fiduciário" (QIN, 2012).
42. Qin (2007, p. 14).
43. Qin (2007).
44. Tanto assim que, p. ex.: "Quando a primeira cátedra universitária foi criada na Universidade de Gales em Aberystwyth logo após a Primeira Guerra Mundial, a maioria dos chineses ainda acreditava que 'Metade dos *Analectos* era suficiente para governar o mundo inteiro'" (QIN, 2007).

O *status* ontológico das unidades do sistema era ao mesmo tempo o *status* ontológico do centro. Tomava como modelo a noção confuciana de "Estado", que por sua vez tomava como modelo o conceito da "família". Assim, o mundo era essencialmente uma família extensa ou um Estado extenso[45]. Neste mesmo sentido, pode-se observar que as concepções *família* e *piedade filial*, como princípios e virtudes, continuam sendo praticadas e altamente valorizadas na China contemporânea, seguindo a tradição da matriz do pensamento confuciano, o qual já se encontrava presente nas relações e responsabilidades da China tradicional:

> A China, como o mais poderoso Estado e a mais avançada civilização da região, desempenhou um papel preponderante em manter a estabilidade e o comércio, proporcionar bens públicos e administrar o sistema. O sistema comercial tributário via mais benefícios indo da China para os estados tributários do que fazendo o caminho inverso. A China desempenhou também o papel de um equilibrista, intervindo sempre que nesta região um Estado vassalo invadia outro, geralmente mais fraco (FAIRBANK, 1968; FAIRBANK & REISCHAUER, 1989). [...] Assim, o sistema tributário, espacial e conceitualmente, era como quarteirões concêntricos na Cidade Proibida, com diferença apenas na distância e sem diferença na ontologia. A periferia era a irradiação do centro e, portanto, não existia absolutamente o posicionamento dualista entre o ego e o *alter*[46].

Por outro lado, deparamo-nos com duas ideias centrais: *Datong* (Dàtóng, 大同) e *Ordem* (Xù, 序): o primeiro, o mais alto ideal a alcançar, projeta o mundo ideal de Harmonia.

> Quando o grande caminho da virtude era seguido, "tudo-sob-o-céu" (*tianxia*) era bem público. Funcionários eram escolhidos de acordo com suas capacidades. Suas palavras eram dignas de confiança e eles cultivavam a harmonia. Por isso as pessoas não só tratavam seus parentes como parentes, não só tratavam seus filhos como filhos e asseguravam que as pessoas mais velhas tivessem tudo aquilo de que necessitavam até o fim de seus dias, que os adultos tivessem tudo aquilo de que necessitavam, que as crianças tivessem tudo aquilo de que necessitavam para crescer, que os viúvos e viúvas, órfãos e doentes tivessem tudo aquilo de que necessitavam para sustentar-se. Elas asseguravam que os homens tivessem um emprego e as mulheres tivessem um lugar para morar. Não permitiam que a safra fosse deixada no campo, mas também não queriam armazená-la para si mesmas. Repugnava-lhes que seu poder não se tornasse útil para os outros, mas também não queriam usá-lo para si próprias. Por isso, planos ruins não eram postos em prática, não ha-

---

45. Qin (2007, p. 10).
46. Qin (2007, p. 10).

via assaltantes, nem ladrões nem traidores. Por isso, as portas não eram trancadas. É a isto que se dava o nome de *datong*[47].

Imagem que projeta o mundo ideal de harmonia e ordem baseado, de acordo com Qin[48], na moralidade e na ausência de egoísmo, e na relação entre o ser humano e a natureza; onde, além disso, enquanto visão holística, o *Dàtóng* se relaciona com a dialética: "Numa cosmovisão holística, porém, ele é não só possível, mas também inevitável, porque os elementos aparentemente opostos sempre se complementam uns aos outros"[49].

Visão articulada com a do discurso que também se apresenta na política chinesa contemporânea, tanto em nível doméstico (conceito de *Sociedade Harmoniosa*) como em suas RI (*Mundo Harmonioso*), enquanto:

> 天下 é um conceito que se preocupa com o mundo inteiro, acreditando num todo harmonioso e visando este todo harmonioso. Era o espaço onde o humano e a natureza se encontravam, onde o ideal e a realidade se encontravam e onde o moral e o material se encontravam. Assim, 天下 é um conceito físico e ao mesmo tempo um conceito cultural, capaz de estender 大同 ao mundo natural e realizar o ideal da "unidade entre a natureza e o humano"[50].

Por outro lado, a ideia de *Ordem*, na filosofia confuciana, é o "princípio mais importante na sociedade [embora] o sistema tributário iniciasse com a ideia de relações de desigualdade social"[51], aqui a relação desigual:

> Não era a relação entre os animais na selva hobbesiana, iguais e hostis; nem a igualdade entre os humanos na sociedade lockeana, iguais e competidores; nem mesmo a igualdade entre os membros na cultura kantiana, iguais e amigáveis. Mais exatamente, era a igualdade entre pai e filhos na família confuciana, desiguais mas afáveis. Pelo menos, esta era a relação ideal na mentalidade chinesa tradicional e o fundamento da ordem social apropriada[52].

Encontramos assim novamente, dentro do princípio da ordem, as cinco relações fundantes vinculadas à ideia da família e da piedade filial: pai-filho; imperador-ministro, irmão mais velho-irmão mais novo, esposo-esposa e amigo-amigo;

---

47. Liji (1988, p. 120).
48. Qin (2007).
49. Qin (2007, p. 15).
50. Qin (2007).
51. He et al. (1991).
52. He et al. (1991).

e quatro elementos para produzir vínculos sociais: formalidade ("*li*", decoro), justiça ("*i*", retidão), honestidade e sentimento da vergonha; os quais fazem parte do núcleo da centralidade da forma de governança chinesa[53].

Elementos que têm relação e produzem continuidade entre o doméstico e "o externo" (atualmente o internacional, propriamente dito); é que: "O confucionismo considera a família como a unidade básica na sociedade, já que 'ele inclui as melhores entre as relações possíveis, como amor, harmonia, ajuda mútua e obrigações recíprocas'"[54]; justamente porque os dois últimos elementos (ajuda mútua e obrigações recíprocas) estariam expressos, por exemplo, no lema "a China trata os outros países como estes tratam a China", presente em sua perspectiva de política internacional, e são expressos, além disso, pela importância do uso do termo "mútuo" na teoria e nos manuais de ação prática das RI da República Popular da China (RPC).

Da mesma forma, podemos também assinalar que existe uma continuidade entre indivíduo, sociedade, Estado e as relações com outros países, onde a benevolência (*jen/rén*) teria grande importância para construir a liderança e a legitimidade interna e internacional; assim *jen/rén* é uma parte integral da concepção que Confúcio tem das RI, como está manifesto na ideia da "corrente de harmonia". Especificamente, se o indivíduo pode pôr em prática o modo de vida *jen/rén*, então este conceito se estenderá à família, depois ao Estado, depois ao país e finalmente ao mundo[55].

Neste mesmo sentido, a relação setor interno-externo pode ser compreendida através da matriz confuciana da ética chinesa,

> [...] enriquecida com o pensamento do Grande Aprendizado de Mêncio, "como um sistema deontológico de uma continuidade que abarca sem diferenciação desde as preocupações pessoais até as públicas: uma boa sociedade é um bom Estado, e um mundo bom precisa repousar sobre a base de um bom indivíduo[56].

Aqui devemos assinalar que, no atual contexto histórico e político, um líder-representante é apenas um ator no interior das relações interestatais e que o poder político está representado pela figura do Estado. Este não é só a cabeça – governante, primeiro-ministro, presidente, rei, imperador –, são também as instituições e sua burocracia e, no caso da RPC, o Partido. Portanto, mais uma

---

53. He et al. (1991).
54. Qin (2012, p. 72).
55. Doupe (2003).
56. Hsu (1999, p. 160).

vez, pode-se ressaltar a importância do sistema confuciano de Virtude, que se articula para reforçar as capacidades de um país nos assuntos internos e de RI – relações de mútua influência entre ideias, virtudes e capacidade das instituições. Estas capacidades baseadas na virtude podem, de acordo com o confucionismo, ser alcançadas através da educação e não pelo castigo ou pelas leis.

> A lei controla meramente através do medo de castigo e não constrói o caráter moral numa pessoa. Na realidade: "Se você conduz as pessoas por meio de normas e mantém a ordem entre elas por meio de castigo, elas não terão consciência ao tentar evitá-los. Se você as conduz pela virtude e mantém a ordem entre elas pelo ritual, elas terão uma consciência e desejarão reformar-se" (DAWSON, 1981, p. 103). A lei não educa, não corrige feitos passados, ou dá alguma contribuição na linha dos objetivos confucianos de transformar as pessoas, onde a emulação de modelos de função virtuosos o faria[57].

A política de educação de Confúcio está relacionada com o âmbito das ideias políticas, já que um dos principais objetivos do confucionismo era produzir constantemente o tipo adequado de pessoas para o governo e a administração[58]. Se um Estado é corrupto porque contém indivíduos corruptos, não terá êxito na construção de relações positivas e mutuamente benéficas com outros estados[59]. Se, no nível doméstico, a educação deve estar orientada para construir uma sociedade harmoniosa, que pode evitar a corrupção e o sofrimento, esta educação, mais do que o castigo, poderia demonstrar os valores da *individualidade* e da *autenticidade* através de uma sociedade e indivíduos virtuosos. A partir daí, então, no nível externo, seria possível produzir relações harmoniosas com outros estados e sociedades.

Se retomarmos a discussão sobre a figura de *Jūnzǐ*, podemos reconhecer que a construção de harmonia através da educação não é a minimização do *self*, porque a busca desta não significa a busca de uniformidade, nem de homogeneidade. Existem muitas diferenças no universo, na natureza e na sociedade. De qualquer maneira, as diferenças não resultam necessariamente em conflito ou contradição. Diferenças entre objetos evoluem às vezes para contradições, e em outras ocasiões constituem a condição para a harmonia *Hé*[60].

Da mesma forma, devido à continuidade entre indivíduo, sociedade, Estado e as relações com outros estados, o *jen/rén* impulsionado pela educação teria gran-

---

57. Doupe (2003, p. 5-6).
58. SMITH, D.H. *Confucius*. Nova York: Charles Scribner's Sons, 1973, p. 94 (in: DOUPE, 2003).
59. Doupe (2003, p. 6).
60. Zhang (2013).

de importância para a construção de liderança e legitimidade nas relações de um país; construção que, a partir desta matriz, seria propensa a salvaguardar a paz como um bem supremo que evite o sofrimento desnecessário causado pelas guerras.

Apesar do que foi dito acima, existiriam exceções na matriz confuciana, como no caso do governante tirano, que poderiam levar ao conflito e à violência e, portanto, à guerra, tema que é analisado a seguir.

Matriz confuciana, conflito e guerra

Como primeiro ponto cabe reconhecer que as preocupações da matriz confuciana de corte clássico se orientam para a busca da harmonia *Hé* 和, na qual a orientação é claramente a paz (*hépíng* 和平); portanto, as referências à possibilidade do conflito, bem como a literatura sobre o confucionismo e a possibilidade de guerra, são muito menores.

Em primeiro lugar, deve-se assinalar que na matriz confuciana clássica não se encontram determinações diretas a favor da guerra como método prioritário para resolver conflitos ou impor valores e interesses, já que desta resultariam grandes sofrimentos; Mêncio, discípulo de Confúcio, argumenta, de acordo com Bell[61], que: "Um rei verdadeiro usa a virtude e a humanidade, um *hegemon* usa a força sob o pretexto de humanidade e compaixão".

Não obstante o que foi dito acima, o pensamento confuciano tampouco pode ser caracterizado como pacifismo radical. Assim, de acordo com Wang[62]:

> Embora a guerra seja geralmente desaprovada, o confucionismo permite a guerra punitiva, caso sirva a uma justa causa. Confúcio sustenta que só um sábio-governante tem o direito de empreender expedições punitivas: "Quando o Caminho prevalece em tudo-sob-o-céu, os ritos e a música e as expedições punitivas são iniciadas pelo Filho do Céu"[63].

---

61. Bell (2009, p. 221).
62. Wang (2013, p. 213).
63. Confucius (1979, 16, p. 2). A citação completa dos *Analectos* 16.2 é: Confúcio disse: "Quando o mundo segue o Caminho, o Filho do Céu determina os ritos, a música e as expedições militares. Quando o mundo perde o Caminho, são os senhores feudais os que determinam os ritos, a música e as expedições militares. Uma vez que são os senhores feudais os que decidem estes assuntos, sua autoridade dura apenas dez gerações; uma vez que são seus ministros os que determinam estes assuntos, sua autoridade dura apenas cinco gerações; uma vez que os assuntos do país caem nas mãos dos administradores dos ministros, sua autoridade dura apenas três gerações. Num mundo que segue o Caminho, a iniciativa política não pertence aos ministros; num mundo que segue o Caminho, os súditos não têm necessidade de questionar a política" (CONFÚCIO, 2006).

Apesar do que foi dito acima, o próprio Confúcio determina que o governante deve ser virtuoso; caso contrário, deve ser deposto. Embora nem toda guerra se justifique, esta sim se justifica quando alguém foi contra o *Dào* (o caminho) de maneira violenta, causando grande sofrimento.

Neste caso, portanto, a guerra, de acordo com Yao[64] e Bell[65], poderia ser justificada com base numa espécie de ideia moderna da autodefesa; neste mesmo sentido: "Mengzi e Xunzi afirmaram abertamente que matar um governante que agiu contrariamente à humanidade e à retidão não era absolutamente um regicídio, mas o castigo do tirano"[66]. Ou, como por exemplo:

> Se um pequeno território é governado por um governante capaz e virtuoso, que procura promover paz e humanidade, e se esse território for atacado por um suposto *hegemon* injusto, nesse caso o governante daquele território pode justificadamente mobilizar o povo para uma ação militar[67].

Existiria uma possibilidade de guerra que, de acordo com Bell[68], Mêncio caracterizava como "expedições punitivas". De acordo com Wang[69], Mêncio "sugere que, quando o governante de um Estado é moralmente depravado, uma expedição punitiva para 'resgatar as pessoas dos tormentos da água e do fogo' é admissível"[70]. Desta maneira, a guerra – que preferivelmente não deve ser violenta, de acordo com o confucionismo – seria inevitável em certos casos, como o seguinte:

> Uma guerra pode ser justificada se for empreendida pela mais alta autoridade, ou seja, travada pelo governante legítimo para punir os que transgrediram o Caminho: "Quando o Caminho prevalece no mundo, os ritos e a música e as expedições punitivas são iniciadas pelo rei". As expedições punitivas (*zheng*) são, portanto, consideradas o instrumento necessário para corrigir uma ação militar (*zhan*) irresponsável e a desordem (*luan*)[71].

---

64. Yao (2004).
65. Bell (2009).
66. Yao (2004, p. 97).
67. Bell (2009, p. 33).
68. Bell (2009).
69. Wang (2013, p. 213).
70. Mencius I.B.11.
71. Yao (2004, p. 96-97).

Não obstante o que foi dito acima, com isto não se pode justificar todas as guerras[72]; é que a guerra deve sujeitar-se a princípios da virtude e da moral, porque o castigo é apenas a última opção se não foi possível empregar *a educação*. Educação que, além disso, ao basear-se nos princípios de virtude, individualidade e autenticidade, não pretende impor um processo de homogeneização nem de universalização (disciplina para uniformizar). Portanto, a natureza justa da guerra, a partir da matriz confuciana clássica: "deve ser definida pelas virtudes morais e os meios de travar a guerra devem ser eticamente corretos"[73].

Da mesma forma, a guerra não poderia ser justificada eticamente, se não se apresentam também as condições materiais reais de sofrimento, tais como a privação do acesso aos meios de vida; assim, atualmente, por exemplo, nos argumentos das grandes potências para a intervenção construída argumentativamente como "humanitária", não existiriam justificações baseadas na virtude nem na moral; como mostra do que foi dito, Bell assinala que: "para os confucianos, porém, enquanto o povo iraquiano não estava sendo privado deliberadamente dos meios de subsistência, a intervenção não podia ser justificada"[74].

Portanto, o problema do por que se faz e como se faz a guerra se relaciona com a legitimidade de que a guerra se atenha completamente às exigências éticas;

> [...] é preciso estar preocupado não só com a justiça da guerra, ou seja, se o uso da força é ou não moralmente permissível, em que condições e para qual objetivo moral; mas é preciso estar preocupado também com a justiça na guerra, ou seja, quais regras governam o processo da guerra[75].

A guerra, a partir da matriz confuciana, se articula também com a dimensão do poder, mas levando em consideração que o poder é percebido não a partir de seu aspecto puramente de força militar, mas com base na força ética e moral; visto desta forma, a guerra:

> [...] seria considerada um instrumento para completar o Caminho Celestial no mundo humano (*ti tian xing dao*). Acredita-se assim que, como o Caminho do Céu se manifesta na virtude humana e no bom

---

72. P. ex., no caso moderno, e de acordo com os argumentos das grandes potências para a intervenção "humanitária", não existiriam justificações baseadas na virtude nem na ética; assim, p. ex.: "Para os confucianos, porém, enquanto o povo iraquiano não estava sendo privado deliberadamente dos meios de subsistência, a intervenção não podia ser justificada" (BELL, 2005, p. 221); portanto, a guerra seria absolutamente ilegítima.
73. Yao (2004, p. 97).
74. Bell (2005, p. 36).
75. Yao (2004, p. 93).

caráter, a vitória ou o fracasso vem essencialmente da força moral de um exército e de seu líder, não de seu poder militar[76].

Sendo assim, a vitória não só significaria um ganho através do uso da força militar, mas haverá também a possibilidade de efetuar uma guerra não violenta. Para compreender este argumento é preciso assinalar em primeiro lugar que Xunzi, filósofo confuciano clássico, explica, redefine e amplia o conceito de *Dào*; se, para Confúcio e Mengzi, o caminho consiste justamente nas virtudes de humanidade (*jen/rén*) e de justiça-retidão (*yì*), Xunzi vai além quando explica *o caminho* em termos de seis virtudes ou princípios morais: além de *yì*, assinala: *li* (decoro), *zhong* (lealdade), *ci* (rejeição cortês), *rang* (deferência), e *xin* (confiança)[77].

Da mesma forma, o próprio Xunzi, embora, pelo fato de viver no contexto dos reinos combatentes, reflita mais amplamente sobre a prática da guerra do que seus antecessores e reconheça a necessidade do poder militar, dá ao mesmo tempo continuidade à tradição confuciana precedente sobre a força dos princípios e da ética, e também à necessidade de práticas benévolas, tanto para com as forças militares próprias quanto para com o povo com o qual se travou um conflito.

Sobre o primeiro tema, podemos assinalar que Xunzi:

> [...] insiste que armaduras resistentes e soldados valentes, altas muralhas e valas profundas, e comandos e castigos pavorosos não assegurarão por si a vitória; somente se estiverem a serviço do Caminho confuciano humanitário eles serão realmente eficazes (15.4). Tudo isto sugere que Xunzi pensa que a habilidade militar e as tecnologias de guerra são realmente importantes como instrumentos de poder, mas são um tanto superestimados em seu contexto. Ele quer sugerir que governar de maneira justa e compassiva ajudará a cultivar tropas leais, obedientes, harmonizadas e disciplinadas, que, com os mesmos apetrechos, são dramaticamente mais eficazes do que os mercenários, sem falar da gentalha aterrorizada e esfomeada que às vezes compunha os exércitos dos estados combatentes (15.6a)[78].

Sobre o segundo ponto, a partir da perspectiva de Xunzi: "Um governante benévolo não levará a cabo um único ato que seja injusto ou resulte na execução de um único homem inocente, embora pudesse conquistar o império ao fazê-lo"[79]. Portanto, existiria aqui uma continuação do pensamento que o antecede, onde sua perspectiva da guerra é fundamentalmente não violenta; enquanto os confucianos

---

76. Yao (2004).
77. Yao (2004, p. 98).
78. Xunzi (1988-1994), in: Stalnaker (2012, p. 101).
79. Yao (2004, p. 98).

exigem que nenhum inocente seja assassinado numa guerra, senão a justiça da guerra poderia perder-se (p. 98).

Levando em conta tais considerações, é preciso recordar novamente que a construção particular do poder no pensamento confuciano tradicional, e que se irradia para o neoconfucionismo, como também para o próprio discurso das RI chinesas (incluído o *soft power* com características chinesas e os discursos oficiais do governo do PCC), teria como concepção, de acordo com Yao[80], muito menos conotações materialistas e muito mais elementos morais nos textos dos mestres chineses antigos.

Neste mesmo sentido, a estratégia, num conflito, seria alcançar a legitimidade pela força dos princípios éticos e morais e pela não necessidade do uso da violência na guerra (poder a partir da conotação materialista). Assim, por exemplo, Yao assinala que, para conquistar o apoio das pessoas, o que é necessário não é o poder militar, mas a força moral do caráter do governante; assim:

> O verdadeiro rei procura conquistar as pessoas; o senhor-protetor procura conseguir aliados; o poderoso procura apoderar-se da terra. Quem procura conquistar as pessoas transforma os senhores feudais em servidores adequados; quem procura conseguir aliados os transforma em amigos; quem procura apoderar-se da terra os transforma em inimigos. Com numerosos inimigos ao redor, o Estado correria risco e o governante estaria exposto ao perigo[81].

A guerra seria apenas a última das opções e possibilidades, de acordo com a análise de Yao[82]: "Xunzi lista três caminhos para a paz, a segurança e a prosperidade: reforçar a influência das virtudes morais; fazer uso da amizade e da confiança; e empregar a força militar"; guerra que, em todo caso, deve sujeitar-se a princípios éticos, como evitar a violência como parte da mesma; enquanto isso, os dois primeiros caminhos continuam sendo reconhecíveis na projeção discursiva e na prática das RI chinesas contemporâneas.

Finalmente, para assinalar a continuidade da matriz confuciana no caráter não violento da perspectiva confuciana da guerra, é preciso assinalar a relação com o *Dào*, levando em conta que este não se refere só aos indivíduos, mas também aos estados; assim:

> Enquanto princípio último do universo e expressão consumada das virtudes morais, o Caminho pode ser possuído não só pelos indivíduos, mas também pelos estados. Possuindo o Caminho, um governante seria

---

80. Yao (2004).
81. Yao (2004, p. 101).
82. Yao (2004).

seguido, apoiado e acolhido com prazer pelo povo; ao passo que, afastando-se do Caminho, ele veria o povo abandoná-lo, odiá-lo e lutar contra ele. É a partir desta compreensão que os confucianos argumentam que uma guerra justa é aquela em que alguém vence sem lutar e matar[83].

De qualquer maneira, se a guerra que exige a necessidade de usar a força militar for inevitável (o pior cenário), o fim último não seria simplesmente a vitória, mas a possibilidade de retornar ao *Dào*; é que:

> O caminho para a paz e a reconciliação deve ser através da educação e do autocultivo, a fim de desenvolver o senso de decoro (*li*), tornar as pessoas mais humanas (*ren*) e adaptar-se à retidão (*yi*). Humano e correto, o mundo já não veria guerra e conflito, e a paz e a harmonia seguir-se-iam naturalmente[84].

Considerações finais

A aproximação proposta por este trabalho não conclui que a ética da matriz confuciana está presente em todas e cada uma das ações do *continuum* indivíduo-sociedade-Estado-RI da China antiga nem da China contemporânea; no entanto, ao reconhecer que o confucionismo é um referente central para a construção do Estado chinês, a análise da matriz confuciana permite compreender os elementos que informam o Estado, os governantes e os tomadores de decisões, tanto em nível doméstico como em suas RI (tanto práticas como referentes à disciplina acadêmica).

Desta forma, se reconhecemos: 1) Que na presente ordem mundial existe efetivamente hierarquia entre estados; 2) Que estes estados podem, seguindo propostas da Economia Política Internacional Crítica, ser mais bem-entendidos como complexos estados sociedade onde "o Estado é pensado como absolutamente inseparável da sociedade civil, entretanto os dois constituem e refletem a ordem social hegemônica"[85]; 3) Que esta ordem em nível doméstico e internacional está baseada em três estruturas de força: instituições, capacidades materiais e ideias[86]; e 4) Que estas estruturas interagem e se impactam mutuamente; então podemos concluir pela importância do nível *Ideias*, porque estas também impactam a presente configuração de poder (doméstica e internacional).

---

83. Yao (2004, p. 98).
84. Yao (2004, p. 94).
85. Cox (1993).
86. Cox (1993).

Impacto que pode ser compreendido ainda melhor quando se dimensiona a perspectiva de longuíssimo prazo da civilização chinesa e suas instituições, já que a matriz confuciana conserva uma centralidade como categoria de força *Ideia*; especificamente no nível que corresponde aos significados intersubjetivos, ou seja, como "aquelas noções compartilhadas a respeito da natureza das relações sociais que tendem a perpetuar tanto hábitos como expectativas de conduta"[87].

Embora se possa argumentar que na atualidade o confucionismo poderia estar sendo reinterpretado, reconstruído e refuncionalizado a favor dos interesses do PCC, devemos reconhecer igualmente que funcionários, dirigentes, tomadores de decisões e intelectuais também estão penetrados e informados (não determinados) por essa matriz confuciana. Enfrentamos aqui, portanto, o velho dilema agente-estrutura; tema demasiado complexo para ser resolvido numa análise como a que foi proposta por este ensaio, mas que permite pôr em dúvida a pertinência de explicações unidirecionais.

Em todo caso, elementos do confucionismo clássico podem ser claramente identificáveis na prática e nos discursos, bem como em documentos oficiais do PCC referentes à projeção política chinesa contemporânea, tais como: o respeito à diferença ("não buscar que outros países reproduzam o modelo chinês"); ou o reconhecimento de que, apesar da centralidade da noção de hierarquia de poder existente entre diferentes atores e nas relações interestatais, todos os estados, enquanto unidades (sejam estados grandes ou pequenos), são também hierarquicamente iguais; daí se deduz a importância do Estado nas relações que se quiser estabelecer com a China (centralidade monopólica estatal, para além de qualquer relevância de atores privados).

Reproduzir-se-ia assim, com os dois breves exemplos anteriores, a presença da concepção de *Hé*, o qual, como se viu, reconhece a importância de todos os elementos que compõem o resultado de um todo (todos os elementos são diferentes e importantes) e que, através de uma exemplificação de meios materiais, e que produzem desfrute espiritual tão simples como uma sopa ou a música, também define metaforicamente a relação entre os membros da sociedade; como também permite deduzir e compreender o tipo de relação em nível interestatal que se pretende desdobrar ou pelo menos argumentar.

Desdobramento que na prática não culmina necessariamente numa relação absolutamente benéfica; já que, por exemplo, o sentido de harmonização, que informa também os processos de negociação da China contemporânea, concede vantagens a seus funcionários numa dupla dimensão:

---

87. Cox (1993, p. 158).

1) já que a facilidade para harmonizar e seu processamento estão interiorizados pela *educação*, produzem-se vantagens no momento de negociar; e inclusive, no caso de o Estado chinês e seus negociadores estarem em desvantagem, essa harmonização permitiria manter mais eficientemente sua posição estratégica, e

2) se o Estado chinês e seus negociadores estiverem numa posição assimétrica material vantajosa diante de outros estados, a interiorização da dinâmica harmonizadora daria uma força ainda maior às posições próprias, se esse outro Estado não contar com as capacidades para re-harmonizar os pressupostos e interesses da negociação, ou seja, se não responder de acordo com os princípios e fundamentos desenvolvidos pela própria perspectiva confuciana.

Finalmente, em nível teórico também podemos assinalar que o confucionismo clássico contém elementos que poderiam dialogar com as matrizes de escolas de RI clássicas, como podemos assinalar, por exemplo, que, para o caso da *matriz liberal*, o confucionismo clássico poderia apresentar elementos que poderiam ser articulados com o discurso cooperativo idealista, tais como a continuidade: *Hé* (harmonia, equilíbrio) – Ordem social harmoniosa – possibilidade de corrente harmoniosa – mundo harmonioso; no entanto, a matriz confuciana discreparia do liberalismo sobre a importância que este último dá à lei, já que para o confucionismo:

> A lei controla meramente através do medo de castigo e não constrói o caráter moral numa pessoa. Na realidade: "Se você conduz as pessoas por meio de normas e mantém a ordem entre elas por meio de castigo, elas não terão consciência ao tentar evitá-los. Se você as conduz pela virtude e mantém a ordem entre elas pelo ritual, elas terão uma consciência e desejarão reformar-se" (DAWSON, 1981, p. 103). A lei não educa, não corrige feitos passados, ou dá alguma contribuição na linha dos objetivos confucianos de transformar as pessoas, onde a emulação de modelos de função virtuosos o faria[88].

No entanto, para o caso da *matriz realista* o confucionismo poderia também produzir leituras que se articulem com o primeiro, especialmente no que se refere ao fato de que, nas duas aproximações, o ser humano é diretamente aquele que pode transformar as condições históricas; e porque, além disso, nos dois casos se reconhece a existência de relações de poder e de hierarquia, a importância dos governantes, a possibilidade de produzir mudança na correlação de forças e, portanto, também na estrutura de poder.

---

88. Doupe (2003, p. 5-6).

Apesar do que foi dito acima, na matriz confuciana a alteração do *status quo* aconteceria apenas sob determinadas condições éticas e nas quais a própria noção de poder não se concentra principalmente na força das armas, mas na força ética do indivíduo – extensiva ao Estado; e, portanto, na capacidade de atrair, mais do que na de dominar. Capacidade que permite responder ao porquê da apropriação e reconstrução do termo *Soft Power* dentro das RI chinesas; o qual, além disso, permite a "tradução" (fazer-se entender), enquanto facilita a compreensão de alguns dos elementos centrais do confucionismo que se encontram presentes inclusive no debate entre as diferentes escolas do *Soft Power chinês*.

É que, adicionalmente, o *Soft Power chinês* vem sendo incorporado, como tema central, nas instâncias institucionais do PCC, ou vem sendo cada vez mais fortemente visibilizado como eixo discursivo de sua política internacional; tal como ocorreu no último congresso (XIX) do PCC, no qual o ex-professor universitário da Universidade de Fudan, Wang Huning, o primeiro a enunciá-lo no início da década de 1990[89], foi nomeado um dos sete membros do Comitê Permanente do Politburo do PCC.

Fato altamente relevante, visto que não se pode entender a China contemporânea se não se observa o Partido; nem tampouco se pode compreender este, nem o Estado-civilização chinês[90], se não se compreende que a matriz confuciana (como conjunto de imagens intersubjetivas de longuíssimo prazo e núcleo-guia de ação estratégica) orientou e continua orientando as formas, as particularidades e as dinâmicas da maneira como são processados os interesses do complexo *Estado-sociedade* chinês.

Referências

BELL, D. War, Peace, and China's Soft Power: A Confucian Approach. *Diogenes*, 221, 2009, p. 26-40.

CHEN, X. Happiness and authenticity: Confucianism and Heidegger. *Journal of Philosophical Research*, vol. 38, 2013, p. 261-274.

CONFUCIUS. *Analects* – Online Teaching Translation, 2015 [Trad. de Robert Eno] [Disponível em http://www.indiana.edu/~p374/Analects_of_Confucius_(Eno-2015).pdf] [Acesso em 15/04/2017].

CONFUCIO. *Las Analectas*. Madri: Edaf, 2006.

---

89. Glaser e Murphy (2009).
90. Zhang (2011) e Shi (2014).

COX, R. Fuerzas Sociales, Estado y Órdenes Mundiales: Más allá de la teoría de las Relaciones Internacionales. In: MORALES, A. (org.). *El poder y el orden mundial*. San José de Costa Rica: Flacso, 1993, p. 119-197.

COX, R. & SINCLAIR, T. *Approach to the World Order*. Cambridge: Cambridge University Press, 1996.

DESSEIN, B. *Yearning for the Lost Paradise*: The "Great Unity" (*datong*) and its Philosophical Interpretations. *Asian Studies*, V (XXI), 1, 2017, p. 83-102.

DONG, Q. & DAY, K. A Relational Orientation to Communication: Origins, Foundations, and Theorists. *Intercultural Communication Studies*, vol. 13, 2004, p. 101-111.

DOUPE, A. Virtue and the individual: Confucius' conception of international society. *Glendon Papers*, vol. 3, 2003, p. 1-8. Ontário: Glendon College.

GLASER, B.S. & MURPHY, M.E. Soft Power with Chinese Characteristics: the Ongoing Debate. In: McGIFFERT, C. (dir.). *Soft Power and its implications for the United States – Competition and Cooperation in the Developing World*. Washington: Center for Strategic and International Studies (Csis), 2009, p. 10-27.

HSU, C.-Y. Applying Confucian Ethics to International Relations. In: ROSENTHAL, J. (ed.). *Ethics and International Affairs*. Georgetown University Press, 1999, p. 148-169.

LI, C. The Philosophy of Harmony in Classical Confucianism. *Philosophy Compass*, vol. 3/3, 2008, p. 423-435.

QIN, Y. Culture and global thought: Chinese international theory in the making. *Revista Cidob d'Afers Internacionals*, n. 100, dez./2012, p. 67-90.

_____. Why is there no Chinese international relations theory? In: *International Relations of the Asia-Pacific*, vol. 7, n. 3, 2007, p. 313-340 [Disponível em http://citeseerx.ist.psu.edu/viewdoc/download?doi=10.1.1.456.9361&rep=rep1&type=p – Acesso em 15/05/2015].

SHI, Y. *China's Complicated foreign policy under Xi Jinping, and evolving strategic rivalry against the U.S. with its associates* – Paper for European Institute for Asian Studies, 2014 [Disponível em www.eias.org/sites/.../EIAS_Presentation_Shi_Yinhong_27.11.2014.pdf – Acesso em 03/02/2015].

STALNAKER, A. Xunzi's moral analysis of war and some of its contemporary implications. *Journal of Military Ethics*, vol. 11/2, 2012, p. 97-113.

WANG, Y. Explaining the Tribute System: Power, Confucianism, and War in Medieval East Asia. *Journal of East Asian Studies*, vol. 13, 2013, p. 207-232.

YAO, X. Conflict, peace and ethical solutions: a Confucian perspective on war. *Journal of East Asian Studies*, vol. 4, n. 2, 2004, p. 89-111.

ZHANG, L. *China's Traditional Values and Modern Foreign Policy*. Beijing/Carnegie Tsinghua: Center for Global Policy, 15/01/2013 [*Window into China series*] [Disponível em http://carnegietsinghua.org/2013/01/15/china-s-traditional-values-and-modern-foreign-policy-pub-50629 – Acesso em 10/08/2017].

ZHANG W. *The China wave*: rise of a civilizational state. Nova Jersey: World Century Publishing Corporation, 2011.

Outras referências

CHAN, W. *A source book in Chinese philosophy*. Princeton, NJ: Princeton University Press, 1963 [como citado em DONG & DAY, 2004].

CONFUCIANWEEKLY.COM, *Individuality and Authenticity in Confucianism* 儒家思想中的个性与真实性 [Disponível em https://confucianweekly.com/2017/07/17/individuality-and-authenticity-in-confucianism-%e5%84%92%e5%ae%b6%e6%80%9d%e6%83%b3%e4%b8%ad%e7%9a%84%e4%b8%aa%e6%80%a7%e4%b8%8e%e7%9c%9f%e5%ae%9e%e6%80%a7/ – Acesso em 30/07/2017].

CONFUCIUS. The Analects. In: YANG, X. (ed.). *The Four Books and Five Classics*. Vol. 1. Chengdu, China: Bachu Publishing House, 1996 [como citado em CHEN, 2013].

DAWSON, R. *Confucius*. Oxford: Oxford University Press, 1981 [in: DOUPE, 2003].

DING, W. *Understanding Confucius*. Beijing, China: Panda Books, 1997 [como citado em DONG & DAY, 2004].

FAIRBANK, J. & REISCHAUER, E.O. *China*: Tradition and Transformation, 1989. Boston: Houghton Mifflin [como citado em QIN, 2007].

HE, Z. et al. *An Intellectual History of China*. Beijing: Foreign Language Press, 1991 [como citado em QIN, 2007].

LIJI. In: *Si shu wu jing*. Vol. 2. Beijing: Zhongguo Shudian, 1988 [como citado em DESSEIN, 2017].

MENCIUS. Mencius. In: YANG, X. (ed.). *The Four Books and Five Classics*. Vol 1. Chengdu, China: Bachu Publishing House, 1996 [como citado em CHEN, 2013].

OLIVER, R.T. *Communication and culture in ancient India and China*. Syracuse, NY: Syracuse University Press, 1971 [como citado em DONG & DAY, 2004].

SMITH, D.H. *Confucius*. Nova York: Charles Scribner's Sons, 1973 [como citado em DOUPE, 2003].

TU, W. *Confucian Thought*: Selfhood as Creative Transformation. Nova York: State University of New York Press, 1985 [como citado em CHEN, 2013].

XUNZI. *Xunzi*: A Translation and Study of the Complete Works. 3 vols. Stanford: Stanford University Press, 1988-1994 [Trad. John Knoblock] [como citado em STALNAKER, 2012].

Epílogo
Ética cultural e guerra infinita

José Luís Fiori

> *Tentaremos alcançar esta bela visão – um mundo de nações fortes, soberanas e independentes, cada qual com suas próprias culturas e sonhos, crescendo lado a lado em prosperidade, liberdade e paz [...]. Somos também realistas e entendemos que o estilo de vida americano não pode ser imposto aos outros, e tampouco ele é a culminância inevitável do progresso.*
> Presidency of the United States. "National Security Strategy of the United States of America", dez./2017, p. II e 4. Washington.

No dia 18 de dezembro de 2017 – 27 anos depois da Guerra do Golfo (1990-1991), que inaugurou a ordem mundial do pós-Guerra Fria –, a Casa Branca anunciou a nova "estratégia de segurança nacional" dos Estados Unidos, antes que o Presidente Donald Trump completasse o primeiro ano de seu mandato. Esses documentos oficiais definem periodicamente os principais objetivos estratégicos dos Estados Unidos, junto com a identificação de seus principais inimigos e concorrentes, de todo tipo, e em todos os lugares do mundo. Mas engana-se quem pensar que este novo documento cumpre apenas com uma obrigação burocrática ou se restrinja às idiossincrasias do Presidente Trump. Ele foi preparado, em conjunto, pelo Departamento de Estado, pelo Pentágono, pela CIA e por todas as agências de informação do governo americano, junto com seu Departamento do Comércio e seu Departamento do Tesouro, e tudo indica que transcenderá o tempo de duração da atual administração norte-americana.

Do ponto de vista estritamente teórico, o novo documento estratégico dos Estados Unidos se situa na tradição do realismo internacional de Edward Carr e Hans Morgenthau, atualizado no fim do século XX pelo "realismo ofensivo" de John Mearsheimer, que sempre se opôs às teses clássicas do "cosmopolitismo liberal" introduzidas no cenário internacional exatamente pelo presidente americano Woodrow Wilson, durante as negociações da Paz de Paris, depois do fim da Primeira Guerra Mundial. Mas do ponto de vista prático, o novo documento norte-americano representa uma ruptura revolucionária com relação ao passado da política externa dos Estados Unidos, do século XX, e um gigantesco ponto de interrogação, com relação ao futuro dos Estados Unidos e de todo o sistema internacional.

A parte mais lida e menos inovadora do texto é exatamente a que define os objetivos estratégicos dos Estados Unidos: i) proteger o povo americano e seu modo de vida; ii) promover a prosperidade econômica e a liderança tecnológica americana; iii) preservar a paz mundial através da força; e iv) avançar a influência global dos Estados Unidos. E a que identifica, logo em seguida, os principais inimigos ou concorrentes dos norte-americanos: i) Rússia e China, as duas grandes "potências revisionistas" que querem alterar a hierarquia do poder mundial, segundo os norte-americanos; ii) Coreia e Irã, os dois grandes "estados predadores" que ameaçam seus vizinhos e o equilíbrio geopolítico do nordeste da Ásia e do Oriente Médio, respectivamente; e iii) finalmente, o "terrorismo jihadista" e todo tipo de organização criminosa internacional que propague a violência através do tráfico de armas e drogas.

No entanto, a grande novidade da nova estratégia de segurança nacional dos Estados Unidos não está em nenhum desses pontos. Está escondida nas entrelinhas do documento onde aparecem suas premissas e definições fundamentais, que são apresentadas como se fossem uma coisa trivial ou consensual, quando na verdade não são, pelo menos na tradição americana. De forma sintética, quase telegráfica, é possível listar os principais pontos em que se sustenta a nova visão do mundo da política externa americana:

I. Os Estados Unidos abandonam a ideia do sistema mundial como lugar de uma luta global entre o "bem" e o "mal", e o redefinem como um espaço de competição permanente pelo "poder global", entre estados nacionais soberanos que seguem sendo o melhor instrumento para a construção de uma ordem mundial pacífica.

II. Os Estados Unidos reconhecem que seus valores não são universais e reconhece que nada assegura a "vitória final" dos valores americanos, num mundo onde cada povo tem sua própria cultura e seus valores éticos particulares.

III. Os Estados Unidos reconhecem, portanto, implicitamente, que não existem "valores universais", nem existe um "destino histórico convergente" de toda a humanidade; como consequência, desistem do velho projeto messiânico de conversão de todos os povos aos "valores éticos ocidentais".

IV. Os Estados Unidos declaram explicitamente que a partir de agora competirão e negociarão com os demais membros do sistema estatal com base apenas nos seus interesses nacionais, e sempre a partir de uma "posição de força".

V. Os Estados Unidos, portanto, abrem mão da ideia de uma hegemonia ética e cultural universal e optam pelo uso da força e das armas, se necessário, para impor seus interesses em todos os tabuleiros geopolíticos e geoeconômicos do mundo. Mesmo que seja através da mudança de governos e regimes que sejam considerados uma ameaça política ou econômica aos interesses norte-americanos.

VI. Os Estados Unidos, ao mesmo tempo, se propõem a retomar a liderança mundial do processo de inovação tecnológica em todos os campos do conhecimento e, em particular, no campo da guerra e dos armamentos atômicos. E assumem seu direito de utilizar sua economia e suas sanções econômicas como instrumentos de guerra.

Em síntese, os Estados Unidos estão se propondo a deixar para trás seu "cosmopolitismo liberal" e sua "utopia globalista" do século XX, e estão se convertendo à velha geopolítica das nações, inaugurada pela Paz de Westfália, em 1648. Mas atenção, porque os Estados Unidos reconhecem a inexistência de valores universais, e estão abandonando qualquer tipo de utopia iluminista com relação ao futuro do sistema mundial. E estão se propondo a levar à frente uma corrida tecnológica e militar contínua, dentro de um sistema instabilizado pela ideia de que a guerra é um instrumento regular de solução de conflitos e que pode ser travada a qualquer momento e em qualquer lugar, contra qualquer rival, inimigo ou antigo aliado.

Como explicar esta mudança radical da política externa norte-americana? Do nosso ponto de vista, a partir da própria dinâmica expansiva do sistema interestatal criado pelos europeus, cinco séculos atrás. Expliquemos melhor: nossa hipótese e nosso argumento, considerando a unidade básica do poder territorial do sistema mundial, neste início do século XXI, segue sendo o "Estado nacional", com suas fronteiras claramente delimitadas e sua soberania teoricamente reconhecida pelos demais membros do sistema. Esse "sistema interestatal" se formou na Europa, durante o "longo século XVI" (1450-1650)[1] e desde seu "nascimento" se expandiu de forma contínua, para dentro e para fora do próprio continente, na forma de grandes "ondas explosivas" que ocorreram, concentradamente, nos séculos XVI e XIX, e na segunda metade do século XX. Nesses períodos, o sistema estatal europeu conquistou e/ou incorporou o território dos demais continentes,

---

1. Expressão usada pelo historiador francês Fernand Braudel, para referir-se às "longas durações" da história humana.

impérios e povos, que foram adotando, aos poucos, as regras de convivência internacional estabelecidas pela Paz de Westfália, depois do fim da Guerra dos 30 Anos (1628-1648).

A Paz de Westfália foi assinada por cerca de 150 "autoridades territoriais" europeias, mas só existiam naquele momento seis ou sete "estados nacionais", com sua forma moderna, e com as fronteiras que se mantiveram depois da guerra. Depois das guerras bonapartistas, no início da "era imperialista" (1840-1914), este número cresceu graças às independências dos estados americanos, e no final da Segunda Guerra Mundial a carta de criação das Nações Unidas já foi assinada por cerca de 60 estados nacionais independentes. Mas foi na segunda metade do século XX que o sistema interestatal deu um salto e se globalizou aceleradamente, de forma que hoje existem quase 200 estados soberanos com direito a um assento nas Nações Unidas. Contribuíram para esse aumento geométrico o fim do colonialismo europeu e a independência dos estados africanos e asiáticos. Destaca-se, em especial, a China, que transformou sua civilização e seu império milenar num Estado nacional, integrando-se definitivamente a todos os organismos e regimes internacionais criados depois da Segunda Guerra Mundial e depois do fim da Guerra Fria. Por isso, aliás, muitos analistas americanos falaram, na década de 1990, do "fim da história" e do nascimento de um mundo unipolar, com a vitória da "ordem liberal" e a universalização do sistema de valores ocidentais, sob a hegemonia dos Estados Unidos.

E de fato, nesse período, os Estados Unidos alcançaram uma centralidade dentro do sistema mundial e um nível de poder global sem precedentes na história da humanidade, junto com a aparente globalização das regras e instituições criadas pela ordem liberal do século XX. Mas ao mesmo tempo, esta mesma expansão do poder americano contribuiu decisivamente para o "ressurgimento" da Rússia, para o salto econômico da China e para a ascensão de várias outras potências regionais, que passaram a utilizar-se das regras do sistema interestatal e de suas mesmas normas, regimes e instituições, para questionar o novo mundo liberal e unipolar americano. Em particular, a Rússia, no campo militar, e a China, no campo econômico. Mas também o Irã, a Turquia, a Coreia do Norte e vários outros países, que se utilizam hoje da "diplomacia de Westfália" e da "geopolítica das nações", inventada pelos europeus para questionar a própria hierarquia deste sistema europeu liderado pelos Estados Unidos.

Do nosso ponto de vista, foi exatamente essa convergência e homogeneização normativa do sistema interestatal, junto com a centralização do poder americano, que levaram ao aumento do poder dos estados que questionam a centralidade americana usando suas próprias regras de jogo, levando os Estados Unidos a viver e enfrentar o que chamamos, em outro momento, de "Síndrome de Babel"[2]. Hoje, como no mito milenar, ao serem desafiados nos seus próprios termos, os Estados Unidos decidem abdicar de sua "universalidade moral" e desistem do velho projeto iluminista de "conversão" dos povos aos valores da razão e da ética ocidentais. E ao mesmo tempo abrem mão de sua condição de guardiões éticos e de árbitros de todos os conflitos do sistema mundial. Mas atenção, porque os Estados Unidos não deixam de considerar que seus valores nacionais são superiores aos demais, e se assumem como um "povo escolhido" destinado a exercer o poder, através da força, e da promoção unilateral da divisão e dispersão de seus concorrentes, de todo tipo. Ou seja, os Estados Unidos se assumem como um "povo escolhido" e abdicam de sua "universalidade moral", para alcançar a condição de um "império militar" com as pretensões de um "poder global". Mas ao mesmo tempo reconhecem e valorizam o sistema interestatal e se propõem a sustentar uma competição permanente com as outras grandes potências, numa luta que não terá árbitros nem posições neutras, e onde todas as alianças e guerras serão possíveis, em qualquer momento e lugar. Um sistema onde cada país terá que fazer valer seus interesses nacionais por si mesmos, através do aumento contínuo de seu poder econômico e militar, e através de uma corrida tecnológica que deve levar a humanidade a um patamar sem precedente de inovação armamentista.

Deste ponto de vista, é muito difícil imaginar qualquer tipo de aproximação ou acordo entre Estados Unidos e Rússia, como foi proposto por Donald Trump durante sua campanha eleitoral. O Presidente Barack Obama já havia se proposto a mesma ideia no início de seu primeiro mandato, mas foi prontamente demovido deste seu objetivo inovador pelo *establishment* americano e por seu próprio partido. Uma iniciativa desse tipo exigiria da Rússia a aceitação e legitimação do poder

---

2. Nosso conceito da "Síndrome de Babel" remete diretamente ao mito da "Torre de Babel", uma história muito antiga e enigmática, e reaparece de forma quase idêntica em vários lugares e culturas da história milenar da Mesopotâmia. Como todos os grandes "mitos" que resistiram ao passar do tempo, este também contém verdades e lições que transcendem sua época, sua origem étnica, ou mesmo sua função religiosa original. Como é o caso, sem dúvida nenhuma, da versão judaico-cristã deste "mito de Babel" que sintetiza um contexto imaginário, e uma "síndrome" universal da luta pelo poder, muito sugestiva para quem se proponha a explicar a mudança recente da conjuntura internacional e da estratégia de segurança dos Estados Unidos. O "mito da Torre Babel" conta a história dos homens que se multiplicam, depois do Dilúvio, unidos por uma mesma linguagem e um mesmo sistema de valores, propondo-se a conquistar o poder de Deus através da construção da Torre. E conta como Deus reagiu ao desafio dos homens, dividindo-os e dispersando-os, dando a cada nação uma língua e um sistema de valores diferentes, de forma que não pudessem mais se entender nem se fortalecer conjuntamente. Depois disso, na sequência da mesma narrativa histórico-mitológica, Deus abre mão de sua "universalidade" e escolhe um único povo em particular, como porta-voz de seus desígnios, como instrumento de sua vontade e como realizador de suas guerras contra todos os povos que Ele mesmo havia criado e dispersado anteriormente, em Babel.

global americano, e envolveria, como contraparte, a aceitação norte-americana da existência de áreas compartidas e/ou exclusivas de influência ou controle russo. Além disso, a aproximação entre esses dois países deixaria vago o lugar ocupado pela Rússia neste último século e meio, como "inimigo principal" da estratégia asiática da Inglaterra, na segunda metade do século XIX, e da estratégia global dos Estados Unidos, na segunda metade do século XX. O mesmo inimigo comum que cumpriu, durante quase dois séculos, o papel de organizador e hierarquizador dos objetivos estratégicos e do planejamento militar das duas grandes potências anglo-saxônicas e, em menor grau, também da França e da Alemanha, dentro da Europa. Por isso, hoje de novo, sem o "inimigo russo", o "império militar" americano perderia sua "bússola" e teria que sucatear parte importante de sua infraestrutura global que foi construída com o objetivo específico de conter, enfrentar e derrotar a Rússia, envolvendo um investimento em recursos materiais e humanos absolutamente gigantesco.

O ingresso da China é a grande novidade do sistema interestatal nas duas primeiras décadas do século XXI e representa de fato uma ameaça de médio prazo à supremacia econômica e militar dos Estados Unidos no Leste Asiático e na Ásia Central. Mas ainda não é uma ameaça global, nem se transformou no foco da "grande estratégia" norte-americana, entre outras coisas, porque não dispõe da capacidade atômica russa de destruir o território americano. Por isso, se deve prever que o enfrentamento dos Estados Unidos com a Rússia ainda seguirá sendo o grande guarda-chuva e a principal justificativa do uso cada vez mais frequente e generalizado, pela política externa norte-americana, das chamadas guerras de "quarta geração", ou "híbridas", dentro dos países da periferia do sistema.

Apesar de que o próprio colapso da URSS, nos anos de 1980/1990, possa ser considerado como um experimento pioneiro e bem-sucedido das guerras de "quarta-geração", esse tipo de guerra só passou a ser utilizado pelos Estados Unidos como instrumento regular e frequente de sua política externa a partir das "revoluções coloridas" da Europa Central, e das "primaveras árabes" do norte da África, generalizando-se para quase todas as partes do mundo, inclusive para a América do Sul. Uma sucessão de intervenções que transformou este tipo de guerra, na segunda década do século XXI, num fenômeno quase permanente, difuso, descontínuo, surpreendente e global. Trata-se de um tipo de guerra que não envolve necessariamente bombardeios, nem o uso explícito da força, porque seu objetivo principal é a destruição da vontade política do adversário através do colapso físico e moral do seu Estado, da sua sociedade e de qualquer grupo humano que se queira destruir. Um tipo de guerra no qual se usa a informação mais do que a força, o cerco e as sanções mais do que o ataque direto, a desmobilização mais do que as armas, a desmoralização mais do que a tortura. Por sua própria natureza e seus instrumentos de "combate", trata-se de uma "guerra ilimitada", no seu escopo, no seu tempo de preparação e na sua duração. Uma espécie de guerra infinitamente elástica que dura até o colapso total do inimigo, ou então se transforma numa beligerância contínua e paralisante das forças "adversárias".

Por analogia, muitos analistas falam de uma nova Guerra Fria, ou de uma Terceira Guerra Mundial, quando se referem a este estado de guerra contínuo do século XXI. Mas o importante é entender que o fenômeno da guerra adquiriu de fato um novo significado e uma nova duração dentro do sistema internacional, e dentro da estratégia de segurança dos Estados Unidos. Em grande medida, devido à própria necessidade endógena de reprodução e expansão do "império militar" americano, que foi construído durante a segunda metade do século XX e se "globalizou" depois do fim da Guerra Fria.

Essa nova estratégia dos Estados Unidos pode ser revertida? É muito difícil prever, porque ela é o produto de uma luta interna que ainda não acabou. Mas sua própria publicação está sinalizando, neste momento, a vitória do segmento militar responsável pela política externa dos Estados Unidos. Uma vitória que pode não ser definitiva, mas que representa, por si mesma, uma das mais profundas e revolucionárias rupturas da história da política externa dos Estados Unidos. Uma vitória e uma ruptura do "império militar americano" com relação ao projeto de hegemonia e governança internacional dos Estados Unidos, formulado e implementado depois da Segunda Guerra Mundial. Por isso, o mais provável é que suas diretrizes fundamentais se mantenham no futuro, mesmo depois da administração Trump, a menos que haja uma mudança na "configuração de forças" do sistema mundial. O problema, entretanto, é que para que tal mudança possa acontecer, as demais potências terão que seguir a mesma cartilha dos americanos, e este é um caminho que aponta, inevitavelmente, para um horizonte de "guerra infinita".

Colaboradores

Andrés Ferrari Haines – Professor do Departamento de Economia e de Relações Internacionais da UFRGS (Deri/UFRGS). Doutor em Economia pela UFRGS e mestre pela Unicamp. Integrante dos programas de pós-graduação em Estudos Estratégicos Internacionais (PPGEEI/UFRGS) e de Economia Política Internacional (Pepi/UFRJ), do grupo de pesquisa Poder Global e Geopolítica do Capitalismo, do Pepi/CNPp, e do Núcleo de Estudos dos Brics (UFRGS/CNPq).

Carlos Eduardo Martins – Doutor em Sociologia pela USP, com mestrado em Administração na FGV/RJ. É professor adjunto do Departamento de Ciência Política da UFRJ, e professor permanente do Programa de Pós-Graduação em Economia Política Internacional (Pepi/UFRJ). Coordenador do Laboratório de Estudos sobre Hegemonia e Contra-hegemonia (Lehc). Ocupou a Cátedra sobre Globalização e Desenvolvimento Sustentável da Unesco/ONU entre 2000 e 2012. Autor do livro *Globalização, dependência e neoliberalismo na América Latina*, publicado pela Boitempo em 2011.

Daniel de Pinho Barreiros – Doutor em História pela Universidade Federal Fluminense, com pós-doutorado (2008) em História pela mesma instituição. É professor-associado de História Econômica do Instituto de Economia da UFRJ, e professor de História dos Sistemas Interestatais no Programa de Pós-Graduação em Economia Política Internacional (Pepi), na mesma universidade. Dedica-se atualmente ao estudo da teoria evolucionária darwiniana e dos conflitos intersocietários anteriores ao advento do Estado.

Ernani Teixeira Torres Filho – Doutor em Economia pela UFRJ. Professor adjunto (aposentado) do Instituto de Economia da UFRJ. Professor do Programa de Economia Política Internacional (Pepi) da UFRJ. Foi economista e superintendente do BNDES.

Hélio Caetano Farias – Doutor em Economia Política Internacional pela UFRJ. Mestre e bacharel em Geografia pela Unicamp. Professor adjunto do Programa de Pós-Graduação em Ciências Militares (PPGCM) da Escola de Comando e Estado-Maior do Exército (Eceme), atuando na Linha de Pesquisa Estudos da Paz e da Guerra.

Juliano Ernani Malengreau Fiori – Graduado em Letras Clássicas pela Universidade de Bristol, mestre em Relações Internacionais pela Universidade de Cambridge, e diploma de pós-graduação em Economia no Birkbeck College (Universidade de Londres). É chefe de estudos (Assuntos Humanitários) da Save the Children e professor honorário da Universidade de Manchester. Pesquisador visitante do grupo de pesquisa Poder Global e Geopolítica do Capitalismo, do Pepi/CNPq, e do Laboratório de Ética e Poder Global do Nubea/UFRJ. Editor da *Journal of Humanitarian Affairs*.

Mario Motta de Almeida Máximo – Doutor e mestre em Economia Política Internacional pelo Pepi/UFRJ. Professor do Instituto Multidisciplinar da Universidade Federal Rural do Rio de Janeiro (IM/UFRRJ). Graduado em Economia pelo IE/UFRJ. Participa do Grupo de Pesquisa Poder Global e a Geopolítica do Capitalismo e do projeto de pesquisa "Vida humana e racionalidade prática no horizonte da filosofia aristotélica". Sua tese de doutoramento intitula-se "Elementos para uma abordagem aristotélica da teoria política internacional".

Maurício Metri – Professor do Instituto de Relações Internacionais e Defesa da Universidade Federal do Rio de Janeiro. Doutor, mestre e graduado em Economia pela UFRJ. Atua nas áreas de Economia Política Internacional e História. Faz parte do Programa de Pós-graduação em Economia Política Internacional (Pepi) da UFRJ. Membro do grupo de pesquisa Poder Global e Geopolítica do Capitalismo, do Pepi/CNPq. Autor do livro *Poder, riqueza e moeda na Europa Medieval*, publicado pela Editora FGV.

Milton Reyes Herrera – Professor-pesquisador do Centro de Seguridad y Defensa, e coordenador do Centro de Estudios Chinos do Instituto de Altos Estudios Nacionales do Ecuador. É professor da Escuela de Ciencias Humanas da Pontificia Universidad Católica del Ecuador. Doutorando em Economia Política Internacional do Pepi/UFRJ. Membro do conselho editorial da *Revista Línea Sur*, da Cancillería Ecuatoriana, e dos simpósios da Red Iberoamericana de Sinología; membro do Conselho da International Confucian Association. Tem várias publicações no Brasil, China, Costa Rica, Equador, Espanha e Inglaterra.

Paulo Vitor Sanches Lira – Doutor e mestre pelo Programa de Pós-Graduação em Economia Política Internacional (Pepi) da Universidade Federal do Rio de Janeiro. Graduado em Ciências Econômicas pela Pontifícia Universidade Católica de São Paulo (PUC-SP). Membro do grupo de pesquisa Poder Global e Geopolítica do Capitalismo, do Pepi/CNPq.

Raphael Padula – Doutor em Engenharia de Produção pela Copper-UFRJ. Professor permanente e coordenador do Programa de Pós-Graduação em Economia Política Internacional (Pepi/UFRJ). Com graduação e mestrado em Economia pelo IE/UFRJ, é também professor adjunto no curso de graduação em Relações Internacionais da UFRJ. Editor da *Revista Oikos*, de economia política internacional, e membro do grupo de pesquisa Poder Global e Geopolítica do Capitalismo, do Pepi/CNPq. Participou de vários livros sobre geopolítica e desenvolvimento.

Ricardo Zortéa Vieira – Graduado em Ciências Sociais pela Universidade Federal do Paraná. É mestre e doutorando em Economia Política Internacional pela UFRJ, com estágio doutoral na Universidade de Princeton. Membro do grupo de pesquisa Poder Global e Geopolítica do Capitalismo do Pepi/CNPq.

Tiago Nasser Appel – Graduado em Ciências Econômicas e mestre em Desenvolvimento Econômico pela UFPR. Doutor em Economia Política Internacional pela UFRJ, com Pós-Doutoramento no Programa de Pós-Graduação em Economia Política Internacional/Pepi da UFRJ.

CULTURAL
Administração
Antropologia
Biografias
Comunicação
Dinâmicas e Jogos
Ecologia e Meio Ambiente
Educação e Pedagogia
Filosofia
História
Letras e Literatura
Obras de referência
Política
Psicologia
Saúde e Nutrição
Serviço Social e Trabalho
Sociologia

CATEQUÉTICO PASTORAL
Catequese
  Geral
  Crisma
  Primeira Eucaristia

Pastoral
  Geral
  Sacramental
  Familiar
  Social
  Ensino Religioso Escolar

TEOLÓGICO ESPIRITUAL
Biografias
Devocionários
Espiritualidade e Mística
Espiritualidade Mariana
Franciscanismo
Autoconhecimento
Liturgia
Obras de referência
Sagrada Escritura e Livros Apócrifos

Teologia
  Bíblica
  Histórica
  Prática
  Sistemática

REVISTAS
Concilium
Estudos Bíblicos
Grande Sinal
REB (Revista Eclesiástica Brasileira)

VOZES NOBILIS
Uma linha editorial especial, com importantes autores, alto valor agregado e qualidade superior.

PRODUTOS SAZONAIS
Folhinha do Sagrado Coração de Jesus
Calendário de mesa do Sagrado Coração de Jesus
Agenda do Sagrado Coração de Jesus
Almanaque Santo Antônio
Agendinha
Diário Vozes
Meditações para o dia a dia
Encontro diário com Deus
Guia Litúrgico

VOZES DE BOLSO
Obras clássicas de Ciências Humanas em formato de bolso.

CADASTRE-SE
www.vozes.com.br

EDITORA VOZES LTDA.
Rua Frei Luís, 100 – Centro – Cep 25689-900 – Petrópolis, RJ
Tel.: (24) 2233-9000 – Fax: (24) 2231-4676 – E-mail: vendas@vozes.com.br

UNIDADES NO BRASIL: Belo Horizonte, MG – Brasília, DF – Campinas, SP – Cuiabá, MT
Curitiba, PR – Fortaleza, CE – Goiânia, GO – Juiz de Fora, MG
Manaus, AM – Petrópolis, RJ – Porto Alegre, RS – Recife, PE – Rio de Janeiro, RJ
Salvador, BA – São Paulo, SP